DER
KUNST
BROCK
HAUS
Band 8

W0413550

DER KUNST-BROCKHAUS

Aktualisierte Taschenbuchausgabe
in zehn Bänden

Band 8
Phl–Sas

B.I.-Taschenbuchverlag
Mannheim/Leipzig/Wien/Zürich

Redaktion der Taschenbuchausgabe:
Eberhard Anger M. A.

Layout: Gerd Schäfer

CIP-Kurztitelaufnahme der Deutschen Bibliothek
Der Kunst-Brockhaus: Aktualisierte Taschenbuchausg. in 10 Bd. - Mannheim; Wien, Zürich: BI-Taschenbuchverlag
ISBN 3-411-02930-7
Bd. 8. Phl-Sas. - 1987
ISBN 3-411-02938-2

In diesem Buch werden, wie in allgemeinen Nachschlagewerken üblich, etwa bestehende Patente, Gebrauchsmuster oder Warenzeichen nicht erwähnt. Wenn ein solcher Hinweis fehlt, heißt das also nicht, daß eine Ware oder ein Warenname frei ist.

Das Wort BROCKHAUS ist für Bücher aller Art für den Verlag F. A. Brockhaus GmbH als Warenzeichen geschützt.

Lizenzausgabe mit Genehmigung des Verlages F. A. Brockhaus GmbH, Mannheim

Alle Rechte vorbehalten.
Nachdruck, auch auszugsweise, verboten.

© F. A. Brockhaus GmbH, Mannheim 1983, 1987
Druck: Druckhaus Kaufmann, Lahr
Einband: Augsburger Industriebuchbinderei GmbH
Printed in Germany
Gesamtwerk: ISBN 3-411-02930-7
Band 8: ISBN 3-411-02938-2

Phlegräische Felder, ital. **Campi Flegrei,** vulkan. Hügelland in Süditalien, westlich von Neapel. Der fruchtbare Boden sowie die günstige strateg. Lage (natürl. Häfen) führten im Altertum zur ältesten Koloniegründung der Griechen auf dem italischen Festland (→Cumae) und später zur Anlage bed. Häfen für die röm. Handels- und Kriegsflotte in Puteoli (→Pozzuoli) und Misenum (heute Miseno). Aus den archäolog. Überresten der P. F. ragt als geschlossener Komplex v. a. die röm. Thermenanlage von →Baia heraus.

Phlyakenvasen, grch. Vasengattung des 4. Jh. v. Chr. aus Unteritalien und Sizilien mit Darstellungen von Phlyaken (unteritalische Volksposse und ihre Interpreten), teils derbe mimische Scherzszenen, teils Travestien von Mythen und mytholog. Tragödien.

Phoenix [f'i:nɪks], Hauptstadt von Arizona, USA, 765 000 Ew. Das 1959 eröffnete P. Art Mus., entworfen wie die benachbarten Gebäude (Theater, Stadtbücherei) von Alden B. Dow, einem Schüler von F. L. Wright, enthält Werke der asiat. und afrikan. Kunst sowie Gemälde von G. Courbet, M. Chagall und H. Rousseau.

phönikische Kunst. Die p. K. ist wie die →aramäische Kunst ein Teil der Kunst Syriens im 10.–7. Jh. v. Chr., die im Küstengebiet des heutigen Syrien, Libanon und N-Israel (Phönikien) beheimatet war. Einige Wissenschaftler beanspruchen den Begriff der p. K. auch für die Kunst dieses Küstengebiets bereits seit dem 3. Jahrtsd. v. Chr. Analog zur Handelstätigkeit und Kolonisierung der Phöniker sind Werke der p. K. im Gebiet um das ganze Mittelmeer verbreitet; als Beutegut gelangten sie auch nach Assyrien.

phönikische Kunst: Achiram-Sarkophag aus Byblos; frühes 10. Jh. v. Chr. (Beirut, Nationalmuseum)

Phönik. Zentren des Mutterlandes wie Byblos, Berytos (Beirut), Sidon und Tyros haben bisher nur Bauwerke aus der Zeit der achaimenid. Oberherrschaft und des Hellenismus erkennen lassen, die vermutlich phönikisch-syr. Wurzeln haben (Tempelgrundriß, Bautechnik). Eine Charakterisierung der bildenden Kunst fällt aus Mangel an Denkmälern nicht deutlicher aus: Außer dem Sarkophag des Ahiram aus Byblos ist kein Werk der Großkunst bekannt. Blühend und weit verbreitet war dagegen das Kunsthandwerk. Bes. Glas-, Metall- und Textilarbeiten sind überliefert. Elfenbeinschnitzereien als Einlage- oder Besatzstücke für Möbel zeigen am deutlichsten eine eigene stilist. Ausformung in den weichen Konturen der Figuren; motivlich und kompositorisch sind Anlehnungen an ägypt. und mesopotam. Vorbilder unübersehbar.

K. SCHEFOLD: Die Griechen und ihre Nachbarn (1967); W. ORTHMANN: Der Alte Orient (1975); A. PARROT u. a.: Die Phönizier (a. d. Frz., 1977).

phönikische Kunst: Kuh und Kalb; Elfenbeinschnitzereien aus Arsalan-Tasch, 8. Jh. v. Chr.

Photographie [grch.], Herstellung von dauerhaften Abbildungen durch Lichteinwirkung auf Schichten, deren physikal. oder chem. Eigenschaften unter dieser Energieeinwirkung verändert werden.

Die Technik des photograph. Abbildverfahrens wurde 1839 veröffentlicht. Sie wurde zur Grundlage einer sich schnell ausbreitenden Bildindustrie. Die handwerklich-manuellen Bilder, Gemälde und Zeichnung, waren seitdem nur noch untergeordnete Bestandteile einer gesellschaftl. Bildkultur, die von automat. Abbildern geprägt wurde (neben der P. seit 1895 durch den Film und seit etwa 1950 durch das Fernsehen).

Nach 1840 wurden zahlreiche Bildgattungen nicht mehr auf malerischem, sondern auf photograph. Wege realisiert. Dazu gehörten v. a. die Porträtminiatur, die Vedute, das Historienbild und die Reproduktionsgraphik. Seit der Mitte des 19. Jh. verband sich der Wissenschaftler mit dem Photographen, nicht länger mit dem Künstler (Mikro-P., Astro-P., Moment- und Chrono-P., Röntgen-P., Elektro-P.). Die photograph. Optik revolutionierte von Grund auf das in der Malerei seit der frühen Renaissance ausgearbeitete Raum-Zeit-Bild der Welt. Die Avantgardemalerei übernahm die neuen photograph. Formelemente, um das Gemälde wieder zeitgemäß zu machen: Impressionismus (Moment-P.), Futurismus (Chrono-P.), Suprematismus und Konstruktivismus (Luftbild).

Um 1900 war die erste Phase in der Industrialisierung des Bildes abgeschlossen. Eine zweite, fiktive Realität war entstanden, die sich scheinbar selbsttätig immer weiter ausdehnte. Seither war die P. nicht mehr nur Konkurrentin der Malerei bei der ästhet. Aneignung der Welt, sondern wurde selbst zum Erkenntnisproblem. Am augenfälligsten geschah das in der kubist. Collage-Technik, in der photograph. Fragmente in gemalte Zusammenhänge eingeklebt wurden. Das naturalist. Bild war zu einem geistlosen, toten Stück des tägl. Umgangs geworden, so wie es die Stoffteile, Zeitungsausschnitte oder Tapetenreste waren, die die Kubisten in ihren Gemälden verwendeten.

In den 1920er Jahren wandten sich viele Avantgardemaler der P. zu, weil sie zu der Überzeugung gekommen waren, daß der Photoapparat das adäquatere Bildinstrument der modernen Industriewelt sei (A. RODTSCHENKO, L. MOHOLY-NAGY, C. SHEELER). MAN RAY wurde zum bedeutendsten Photographen der dadaistisch-surrealist. Bewegung.

Im Buchgewerbe entstand ein neues künstler. Medium, das Photobuch, in dem bed. Kunstwerke der Zeit realisiert wurden: E. MENDELSOHN: ›Amerika‹ (1926), GERMAINE KRULL: ›Métal‹ (1927), K. BLOSSFELDT: ›Urformen der Kunst‹ (1928), A. SANDER: ›Antlitz der Zeit‹ (1929), K. TUCHOLSKY und J. HEARTFIELD: ›Deutschland, Deutschland über alles‹ (1929), BRASSAÏ: ›Paris de nuit‹ (1934), A. KERTESZ: ›Paris‹ (1934).

Die Pop Art der 1960er Jahre zitierte in ihren Gemälden das öffentl. Photo (die kollektive Ikonographie der spektakulären Ereignisse, Dinge und Personen), während der →Fotorealismus v. a. Farbdiapositive in die Dimensionen und die Aura von Tafelbildern transponierte. Im Bereich der →Concept Art entstand seit 1970 eine neue Form künstler. Medienanalyse (J. DIBBETS, P. WEIBEL, K. RINKE, J. HILLIARD, E. KUPPEL). In den Photo-Text-Verbindungen, die für die gleichzeitige →Narrative Art kennzeichnend sind, wird das Photo zum Bestandteil visuell-literar. Konstruktionen von Wirklichkeit (J. BALDESSARI, P. HUTCHINSON, J. GERZ, J. LE GAC, D. BAY, B. J. BLUME).

T. NEUMANN: Sozialgeschichte der P. (1966); Theorie der Fotografie, hg. v. W. KEMP, 3 Bde. (1979–82); Erweiterte P., hg. von P. WEIBEL u. ANNA AUER, Ausst.-Kat., Wien (1981).

Photomontage [-t'a:ʒə], das Zusammensetzen von Teilen versch. photograph. Aufnahmen zu einem neuen ›Bild‹, auch die durch Photographieren dieser Komposition erhaltene Abbildung.

Die P. als Bildgattung entstand um 1850. In der Gründerzeit wurde sie v. a. in der Gebrauchsgraphik verwendet. Die moderne P. entstand um 1910 durch Bildexperimente im ital. Futurismus und im russ. Kubofuturismus; im Dadaismus wurde die **Photocollage** [-l'a:ʒə] zu einem poet. Gestaltungsmittel (M. ERNST). In den 1920er Jahren entstanden P. v. a. als polit. Agitation (J. HEARTFIELD). Nach dem 2. Weltkrieg gelangen O. STEINERT in der ›subjektiven Photographie‹ auch mit Hilfe der P. kreative Bilder. Weiterhin spielt die P. eine bed. Rolle im Graphik-Design (Plakate, Titelseiten von Illustrierten, Werbung).

Photorealismus, →Fotorealismus.

Phourni [furn'i], Nekropole bei →Archanes (Kreta).

Phradmon, grch. Erzbildhauer aus Argos, um 430 bis 410 v. Chr. tätig; schuf im Wettbewerb mit POLYKLET, PHIDIAS und KRESILAS eine Amazonenfigur für das Artemision von Ephesos (in Kopien nicht sicher nachzuweisen). Eine Ringerfigur von seiner Hand wurde von PAUSANIAS in Olympia bezeugt.

Phra phim, Miniatur-Votivtafeln (›Heilige Abdrükke‹) in der thailänd. Kunst, meist in Ton aus Modeln geformt, stellen buddhist. Inhalte dar.

Phrixos, grch. Mythos: Sohn des Athamas und der Nephele, floh, weil ihn seine ränkevolle Stiefmutter Ino opfern lassen wollte, mit seiner Schwester Helle auf einem goldenen Widder nach Kolchis zu Aietes. Der Widder wurde Zeus geopfert, sein Fell, das Goldene Vlies, im Hain des Ares aufgehängt. P. wurde allein mit dem Widderkopf, sitzend auf dem Widder und zus. mit Helle freiplastisch (Statuette, um 400 v. Chr., Malibu/Kalifornien, Paul-Getty-Mus.), in Reliefs (Metope des Sikyonierschatzhauses, 6. Jh. v. Chr., Delphi, Mus.) und v. a. auf Wandbildern (Pompeji) dargestellt.

phrygische Kunst, die Kunst der Phryger zw. dem 8. und 6. Jh. v. Chr. auf der westl. Hochebene Anatoliens mit Kern im Bereich des Oberen Sangarios (Sakarya) und der Hauptstadt Gordion. Obwohl die Phryger schon seit dem 12. Jh. v. Chr. in Anatolien ansässig waren, kam es erst seit dem 8. Jh. v. Chr. mit zunehmender polit. Bedeutung zur Ausprägung einer eigenen Kunst; diese entwickelte sich noch im 7. und 6. Jh. v. Chr. fort, obwohl die polit. Führung an die Lyder überging. Größere Siedlungen mit starken Befestigungsanlagen und monumentalen Torgebäuden wurden in Gordion, Boğazköy (Hattuscha) und Alişar Hüyük ausgegraben. Als Haustyp herrschte in Gordion das Megaron, im ehemals hethit. Hattuscha das Grubenhaus vor. Als Innendekoration sind Mosaikfußböden aus Gordion bekannt, während die Außenfassaden mit geometrisch gemusterten und bemalten Terrakottaziegeln (Pazarli) verziert waren.

Die Reliefkunst steht zunächst offenbar unter späthethit. Einfluß (Reliefs aus Ankara um 700 v. Chr.), während sie in den zahlreichen Felsdenkmälern und -fassaden (bei Afyon und Eskişehir), die vielfach dem Kult der Kybele gewidmet waren, ihren eigenen Stil in der geometr. Ausschmückung und der Tierdarstellung (6. Jh. v. Chr.) fand. Kybele-Darstellungen überwiegen auch in der Rundplastik (Kopf und Figurengruppe aus Boğazköy, Ankara, Mus.). In der Kleinkunst sind Holzfiguren aus Gordion sowie hervorragende Metallarbeiten bekannt (Fibeln, Situlen, Omphalosschalen). Die bemalte Keramik setzt keine erkennbare Tradition fort, verwendete aber aus dem Metallhandwerk entlehnte und im iran. Tepe Sialk belegte Formen; nach den Malmustern können mehrere Gruppen (Silhouetten-Stil, geometr. Stil, Tierstil) unterschieden werden.

Insgesamt verarbeitete die p. K. oriental. und ägäische (frühgrch.) Stilelemente in sehr eigenständiger Weise.

E. AKURGAL: Die Kunst Anatoliens von Homer bis Alexander (1961); K. SCHEFOLD: Die Griechen und ihre Nachbarn (1967); C. H. E. HASPELS: The highlands of Phrygia (Princeton, New Jersey, 1971).

Phylakopi, vorgeschichtl. Siedlung an der N-Küste der Insel Melos im Ägäischen Meer. Durch Ausgrabungen konnten 5 Perioden mit 7 Phasen zw. dem Anfang des 3. und dem Ende 2. Jahrtsd. v. Chr. unterschieden werden. Seit dem frühen 2. Jahrtsd. v. Chr. sind Kontakte zu Kreta und zum grch. Festland nachgewiesen.

Nach 1500 v. Chr. entstanden die mächtige Stadtmauer und der Palast mit großem Megaron. Ein spätmyken. Heiligtum erbrachte bed. Funde, u. a. ein fast 50 cm hohes, bemaltes weibl. Idol aus Terrakotta.

Phyromachos, Bildhauer aus Athen, wohl im 3. Jh. v. Chr. für die pergamen. Könige tätig; laut PLINIUS D. Ä. arbeitete er an einem Galliermonument (→Attalische Weihgeschenke) mit, aber weder hier noch in anderen Kopien läßt sich das Werk des in der Antike hervorragenden Künstlers bisher nachweisen.

Physiologus [grch. ›Naturkundiger‹], eine in frühchristl. Zeit entstandene Hs. mit Zusammenstellungen vorchristl. und christl. Natursymbolik. Das in versch. Hss. überlieferte Werk (bearb. von F. LAUCHERT, 1889) beruft sich auf einen nicht genannten naturkundigen Meister. Dieser erzählt von den Eigenschaften aus der Bibel oder aus grch. naturwissenschaftl. Quellen bekannter, z. T. sagenhafter Tiere (z. B. Löwe, Pelikan, Phönix, Sirene, Panther, Einhorn), deren Eigenschaften er u. a. auf Christus oder den Teufel hin religiös deutet. Der P. führte in seiner lat. Übers. (›Bestiarius‹) zu einer die ma. Ikonographie beeinflussenden, mit Miniaturen versehenen Buchgattung (Bestiarien). Darstellungen der im P. erwähnten Tiere finden sich v. a. in der hochroman. und got. Bauplastik (bes. in Frankreich), an Chorgestühlen und in der Buchmalerei.

Pi, chines. Zeremonialjade (→Jade) des Altertums in Form einer runden Ringscheibe; in der Chou-Zeit häufig Reliefdekor (Spiralmuster, Ornamentbänder).

Piacentini [piatʃent'i:ni], Marcello, ital. Architekt, *Rom 8. 12. 1881, †ebd. 19. 5. 1960, arbeitete mit dem Formenvokabular des Neoklassizismus als führender Architekt zur Zeit des Faschismus.

HW: Banca d'Italia, Rom (1918); Albergo degli Ambasciatori, ebd. (1926); Casa Madre dei Mutilati, ebd. (1928); Siegesdenkmal, Bozen (1928); Kirche Cristo Re, Rom (1934). Städtebaul. Gestaltungen: Stadtzentren von Bergamo (1927) und Brescia (1932); Universitätsstadt Rom (1932–35).

Piacenza [piatʃ'ɛntsa], ital. Stadt und Bischofssitz am rechten Ufer des mittleren Po, 109 200 Ew.; Sitz einer Kunstakademie. Mittelpunkt der Stadt ist die Piazza dei Cavalli, benannt nach 2 bronzenen Reiterdenkmälern der Farnese (von F. MOCHI, 1620 und 1625) vor dem Palazzo del Comune, einem HW lombard. Profanarchitektur (1280 beg.). Der Dom wurde im romanisch-got. Übergangsstil der Lombardei 1122–1233 errichtet; S. Antonino im 11. Jh. (Veränderung im 13. Jh.); die im 12. Jh. wiedererbaute (später mehrfach veränderte) Kirche S. Savino enthält in der Krypta Bodenmosaiken des 12. Jh. Madonna di Campagna ist ein Zentralbau von 1522–28 (Chor 1791), S. Sepolcro wurde 1513–33 gebaut, S. Sisto 1499–1511; im Palazzo Farnese (1558 beg., von G. DA VIGNOLA erweitert) das Mus. Civico (archäolog. Funde, Gemälde, Plastik).

Piano, Renzo, ital. Architekt, *Genua 14. 9. 1937, arbeitete zus. mit L. I. KAHN in Philadelphia, mit Z. S. MAKOWSKY in London, M. ZANUSO in Mailand, seit 1971 mit R. →Rogers.

HW: Pavillon der ital. Industrie in Osaka (1970); Centre national d'art et de culture Georges Pompidou, Paris (1977).

Piano nobile [ital.], Baukunst: durch Ausstattung und Größe hervorgehobenes (meist 1.) Obergeschoß eines Gebäudes.

Piatti, Celestino, schweizer. Graphiker, Zeichner, Maler, *Wangen bei Zürich 5. 1. 1922, neben Plakaten, Bilderbüchern, Buchillustrationen, Wand- und Glasbildern gestaltet P. seit 1961 v. a. Buchumschläge.

M. GASSER: C. P. (erw. Ausg., Tb. 1982).

Piazza [ital.], **1)** Platz in ital. Städten, **2)** säulengetragener Gang oder Loggia in der engl. Architektur des 17. und 18. Jh.

Piazza Armerina, in Sizilien auch **Chiazza** [kj'attsa], Stadt und Bischofssitz in der ital. Prov. Enna, Sizilien, 22 500 Ew. Südwestlich von P. A. wurde seit 1950 eine der größten spätantiken Villenanlagen (Villa Romana del Casale) freigelegt. Die in abweichenden Achsen um ein großes Peristyl angelegten Gruppen rechtekkiger und gekurvter Räume enthalten zum großen Teil Fußbodenmosaiken aus dem 3. oder 4. Jh. n. Chr. (über 3000 m^2 Bodenfläche sind geschmückt), die myth. Darstellungen, Jagden, Wettkämpfe, Zirkusrennen, Badeszenen u. a. wiedergeben (BILD römische Kunst). – Der aus der Normannenzeit stammende Dom wurde im Barock neu errichtet; got. Campanile.

Piazzetta, Giovanni Battista, ital. Maler, Radierer, *Venedig 13. 2. 1682, †ebd. 28. 4. 1754, Schüler von G. M. CRESPI in Bologna, meist in Venedig tätig, schuf kirchl. Werke, aber auch Genrebilder (Strandidylle, um 1740; Köln, Wallraf-Richartz-Mus.) und Porträts. Durch ihn erhielten sich plastisch gesehene Form und großfiguriger Bildaufbau bis ins Rokoko.

WW: Martyrium des Hl. Jakobus (Venedig, S. Stae); Enthauptung Johannes des Täufers (Padua, Santo); Die Wahrsagerin (Venedig, Accademia); Deckenbild der Verklärung des Hl. Dominikus (Venedig, SS. Giovanni e Paolo).

Picabia, Francis, eigtl. **F. Martínez de P.** [mart'inεθ-], frz. Maler, Graphiker, Schriftst. span. Herkunft, *Paris 22. 1. 1897, †ebd. 30. 11. 1953, studierte ebd.; einer der wichtigsten Anreger der Kunst des 20. Jh., bes. für den →Dadaismus. Er wechselte häufig seine Stile; begann impressionistisch, wandte sich dem Kubismus zu, trat 1911 der Section d'Or bei und stand seit 1912 der orphist. Malerei nahe. In New York (v. a. 1914–16) hatte er Kontakt zu M. DUCHAMP und malte ironisch-satir. Maschinenbilder. Nach seiner dadaist. Phase (etwa 1914 bis um 1920) schloß er sich der surrealist. Bewegung an, kehrte 1925 zur figurativen Kunst von provozierender Trivialität zurück und malte nach 1945 wieder abstrakt i. S. der École de Paris. Mit seinem chamäleonhaften Eklektizismus versuchte P., der Kontinuität der Geschichte zu entkommen und sein Werk (wie seine Person) ausschließlich auf die eigene Entscheidung zu stellen.

Schriften in 2 Bdn. (1981).
F. P., Ausst.-Kat., Köln (1980).

Picasso, Pablo, eigtl. Pablo **Ruiz y Picasso,** span. Maler, Graphiker, Bildhauer, Keramiker, Dichter, *Málaga 25. 10. 1881, †Mougins (bei Cannes) 8. 4. 1973, lebte seit 1904 mit wenigen Unterbrechungen in Paris und S-Frankreich. P. gilt als bedeutendster Maler der 1. H. des 20. Jh., der, nachdem er durch den Kubismus die künstler. Sehweise revolutioniert hatte, in immer neuen Ansätzen und Variationen zum vielseitigsten und vitalsten Bildschöpfer der Moderne wurde. Auch als Bildhauer war P., wie heute erkannt wird, mit seinen Reliefkonstruktionen von 1912/13 einer der Begründer der modernen Plastik. Er besuchte mit 15 Jahren die Kunstschule in Barcelona, 1897 kurze Zeit die Academia San Fernando in Madrid. Von 1900 bis zu seiner endgültigen Übersiedlung (1904) reiste P. jährlich nach Paris, wo ihn v.a. nachimpressionist. Bilder von H. TOULOUSE-LAUTREC, P. GAUGUIN, aber auch E. DELACROIX, H. DAUMIER, E. DEGAS und T. STEINLEN beeinflußten. Seit 1901 entwickelte P. in der ›Blauen Periode‹ (bis 1904) seinen ersten eigenständigen Stil mit schwermütigen Figurenbildern in versch. Blautönen (›Absinthtrinkerin‹, 1902; Glarus, Samml. Huber). Seit 1901 signierte er mit P. Nach 1904 belebte sich seine Farbskala wieder, doch blieb die melanchol. Grundstimmung. P. bevorzugte Zirkusthemen, häufig vor einem rosa gestimmten Hintergrund dargestellt, daher der Name ›Rosa Periode‹ (bis 1906) für diese Zeit (›Die Gaukler‹, 1905; Washington, Nat. Gal.). Gleichzeitig entstanden neben Radierungen und Kupferstichen die ersten Plastiken. Für die Stilwende von 1907 waren v. a. afrikan. Masken und die Auseinandersetzung mit dem Werk P. CÉZANNES wichtig, die bes. in den Vorstudien zu dem Bild ›Les Demoiselles d'Avignon‹ (1906/07; New York, Mus. of Modern Art) zum Ausdruck kommt. Dieses epochemachende Schlüsselwerk in P.s

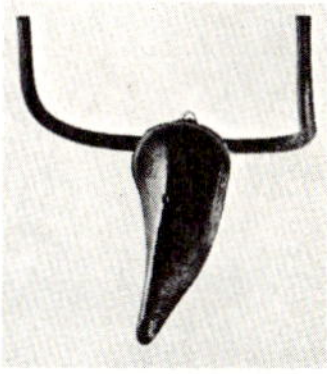

Pablo Picasso: Stierkopf; Bronze, 1943

Pablo Picasso: Minotauromachie; Radierung, 1935

Schaffen brach mit der bisher gültigen Ästhetik, zersplitterte Formen und Farben (v.a. Grau-, Braun-, Grüntöne) und führte zeitgleich mit G. BRAQUE zum analyt. →Kubismus.

Pablo Picasso: Les Demoiselles d'Avignon; 1906/07 (New York, Museum of Modern Art)

Die Auflösung des Gegenständlichen in geometr. Strukturen näherte sich in den Bildern der Folgezeit der Abstraktion (›Frau mit Gitarre‹, ›Ma Jolie‹, 1911/12; New York, Mus. of Modern Art), ohne daß die Spannung zum gegenständl. Motiv aufgegeben wurde. Eine auf die Zweidimensionalität abgestimmte Ästhetik hatte die Einbeziehung der →Collage (›papiers collés‹) zur Folge. Die 2. ›synthetische‹ Phase des Kubismus (seit 1912) geht häufig aus vom abstrahierten Bildvorwurf oder der reinen Form der Einzelobjekte, deren Kombination dann eine gegenständl. Deutung des Bildganzen zuläßt; sie ist durch wieder zunehmende Farbigkeit bestimmt (›Die Violine‹, 1912; Stuttgart, Staatsgal.). Der ›synthetische‹ Charakter dieser Kunst kommt in den gleichzeitig entstandenen Plastiken (von P. ›Construction‹ gen.) deutlich zum Ausdruck (›Gitarre‹, 1912; New York, Mus. of Modern Art).

In der Folgezeit stehen widersprüchl. Kunstrichtungen in P.s Werk gleichzeitig nebeneinander. Seit 1915 zeichnet er neben kubist. Arbeiten wieder realistisch erscheinende Porträts. Seit 1917 entwirft er auch Bühnenbilder. Anfang der 1920er Jahre trat neben die gleichzeitig lockerer werdende kubist. Malerei eine monumental ›klassizistische‹ Malerei, deren Thema voluminöse Frauengestalten von praller Körperlichkeit sind (›Drei Frauen an der Quelle‹, 1921; New York, Mus. of Modern Art). P.s Annäherung an den Surrealismus zeigt sich in der Malerei seit 1925 (›Drei Tänzer‹, 1925; London, Tate Gal.), doch bleibt auch hier, wie in seinem plast. Werk, der Kubismus die Grundlage. Eine

Reise nach Spanien (1934) bereicherte seine Thematik um Stierkampfszenen.

Ein Höhepunkt in P.s Schaffen ist das für den span. Pavillon auf der Weltausstellung in Paris (1937) gemalte großformatige Gemälde ›Guernica‹ (Madrid, Casón de Buon Retiro/Prado); es entstand nach der Zerstörung der bask. Stadt Guernica im Span. Bürgerkrieg. P.s Protest gegen den Krieg allg. führte nach dem 2. Weltkrieg (den er im besetzten Paris erlebte) zu stärkerem polit. Engagement; seit 1944 Mitgl. der Kommunist. Partei Frankreichs (Symbol der ›Friedenstaube‹). Als Künstler experimentierte er nun mit neuen Techniken und Themen. Die Lithographie war 1945–49 eine wichtige Ausdrucksmöglichkeit, die seiner spontanen Zeichenweise entgegenkam. Seit 1947 entstand in Vallauris (bei Cannes) eine große Zahl bemalter Keramiken; vereinzelt auch plast. Werke. In der Malerei variierte er die sein ganzes Werk durchziehenden bukol. Themen und kam dabei zu einem stark vereinfachenden, kurvigen Linienstil. Auch Gemälde alter Meister (REMBRANDT, D. VELÁZQUEZ, EL GRECO, N. POUSSIN) dienten ihm (bes. seit 1954) als Bildentwurf und werden einer Reihe eigenwilliger Metamorphosen unterworfen (›Las Meninas‹, 1957; Barcelona, Mus. P.). Seit 1961 lebte P. in Mougins. Bes. in der Graphik gelangte er hier zu einem abgeklärten Klassizismus. Es entstanden u. a. heiter-parodist. Zeichnungen (›Maler und Modell‹, etwa 70 Blätter, 1963/64), 1968 eine Folge von 347 Radierungen.

1971 wurde in P. zum 2. Mal ein lebender Künstler mit einer Ausstellung im Louvre geehrt. Seinen umfangreichen Nachlaß erhielt der frz. Staat, der hierfür in Paris im Marais (Hôtel Salé, 1656) ein 1985 eröffnetes P.-Mus. eingerichtet hat; weiteres P.-Mus. in Barcelona (gegr. 1963; über 2200 Werke des jungen P.). WEITERE BILDER Kubismus, Radierung.

C. ZERVOS: Catalogue de l'œuvre complète, 30 Bde. (Paris 1932 bis 1975); W. SPIESS: P. P., Das plast. Werk (1971); P. P., Eine Ausstellung zum 100. Geburtstag, hg. v. dems., Ausst.-Kat., München (1981); J.-E. CIRLOT: P. P., Das Jugendwerk eines Genies (a. d. Span., 1972); P. P. Zeichnungen, hg. v. W. BOECK (1973); F. BLOCH: Catalogue de l'œuvre gravée ceramique 1949–71, 1 ([3]1975), 2 ([2]1977), 3 (1972), 4 (1979); P. P. Retrospective ..., Ausst.-Kat., New York (a. d. Amerikan., 1980); W. WIEGAND: P. P. in Selbstzeugnissen und Bilddokumenten (Neuaufl. 1981); P. PENROSE: P. P., Sein Leben, sein Werk (a. d. Engl., 1981); P. P., Das Spätwerk, Ausst.-Kat., Basel (1981); P. P., Druckgraphik, hg. v. P. BERGHAUS, Ausst.-Kat., Münster (1982); P., Grafik gegen den Krieg, hg. v. R. DIETRICH u. R. GRÜBLING(1982); SALLY H. FAIRWEATHER: P.'s concrete sculptures (London 1982).

Pichler, Walter, österr. Architekt, Bildhauer, Zeichner, *Deutschnofen (Südtirol) 1. 10. 1936; psychologisch intensive, kultisch wirkende Objekte und Architekturphantasien; seit 1972 Ausbau eines Gehöfts im Burgenland zur Wohn-, Kunst- und Kultstätte.

Pichval, großformatiges, auf Stoff gemaltes ind. Kultbild, das meist Krishna als zentrale Figur zeigt. P. hängen hinter dem jeweiligen Idol im Tempel einer im 16. Jh. gegründeten Religionsgemeinschaft, den Vallabhacharyas. P. wurden fast ausschließlich in Rajasthan, Indien, gemalt.

Pictorius, Baumeisterfamilie im Dienst der Fürstbischöfe von Münster. Peter d. Ä. (*1626, †1684) stammte aus Dänemark. Er baute das Schloß Ludgerusburg bei Coesfeld (1655–59, zerstört 1688) in holländ. klassizist. Formen und das Jesuitenkolleg in Coesfeld (1664 bis 1666, 1945 verbrannt, wiederhergestellt), ferner die Wallfahrtskapelle in Telgte (1654–57). Das HW seines Sohnes Gottfried Laurenz (†1725) ist Schloß Nordkirchen (1704–20, voll. von J. C. SCHLAUN); von ihm stammt ferner der Entwurf für das ehem. Jesuitenkolleg in Büren (1719–28, Bauleitung zus. mit J. C. Schlaun). Sein kraftvoller Barockstil enthält Elemente des niederländ. Klassizismus.

Pi|edestal [frz.] *das*, Postament für eine Statue, eine Säule oder einen Pfeiler, bes. häufig in der röm. Kunst, in Renaissance und Barock.

Piedras Negras, Zeremonialzentrum der Maya in Guatemala, am Río Usumacinta (Blütezeit um 600 bis 900). Die Lage der Bauten, 30–60 m über der Talsohle am Hang, wird optisch unterstrichen durch Treppenfluchten, die zu den langgestreckten Gebäudetrakten hinaufführen. Die über 40 in P. N. gefundenen Stelen zeigen in meisterhaften Reliefs Darstellungen u.a. von Herrschern bei der Inthronisation (in Nischen sitzend, frontal dargestellt und mit Hieroglyphentext umrahmt), als Krieger und Weihrauchstreuer.

Piene, Otto, bildender Künstler, *Laasphe (Westfalen) 18. 4. 1928, beschäftigt sich v.a. mit Lichtstrukturen; gestaltete seit 1955 Licht- und Buchstabenraster, seit 1957 mit Hilfe von Lochstanzungen Rasterbilder. P. war Mitbegründer der Gruppe →Zero. Er inszenierte lichtkinet. Arbeiten (›Lichtballett‹, ›Lichtkugeln‹), Rauchbilder (mit Kerzen- oder Kienruß) und Luftprojekte (u.a. mit aufblasbaren Kunststoffplastiken; ›Olympia Regenbogen‹, München 1972); arbeitet v.a. in den USA (seit 1974 als Direktor des Center for Advanced Visuel Studies, Cambridge, Massachusetts).

J. WISSMANN: O. P. (1976).

Pieneman, Jan Willem, holländ. Maler, getauft Abcoude 7. 11. 1779, †Amsterdam 8. 4. 1853, seit 1820 Akademiedirektor ebd., malte Porträts und große Historienbilder; Lehrer von J. ISRAËLS.

Pienza, Stadt und Bischofssitz in der ital. Prov. Siena, Toskana, 2600 Ew. – Der hier 1405 geborene Papst PIUS II. ließ das bisherige Dorf **Corsignano** [-ɲ'a:no] seit der Mitte des 15. Jh. von B. ROSSELLINO zu einer vorbildl. Renaissancestadt ausbauen und 1462 in P. umbenennen. Mittelpunkt ist die einheitlich gestaltete Piazza Pio II. mit dem Dom, einer nach nord. Vorbildern erbauten got. Hallenkirche mit Renaissancefassade (gew. 1462; alle Altarbilder von Sieneser Meistern), Palazzo Piccolomini, Bischofspalast, Palazzo Comunale; Mus. für Kirchenkunst.

Pi|ermarini, Giuseppe, ital. Baumeister, *Foligno 18. 7. 1734, †ebd. 5. 2. 1808, Schüler von L. VANVITELLI, seit 1770 Hofarchitekt der Habsburger in Mailand; Begründer des Klassizismus in der Lombardei.

HW in Mailand: Teatro alla Scala (1776–78), Umbau des Palazzo

Piero della Francesca: Porträt des Federigo da Montefeltro; 1465–66 (Florenz, Uffizien)

Reale (1769–78), Palazzo Belgioioso (1772–81). – Villa Reale in Monza (1777–80).

Piero della Francesca [-frantʃ'eska], ital. Maler, *Borgo San Sepolcro zw. 1415 und 1420, begraben ebd. 12. 10. 1492, vermutlich Schüler von DOMENICO VENEZIANO, dessen Gehilfe er 1439 bei der Ausmalung des Chors von S. Egidio in Florenz war. Seit 1442 war er v. a. in Borgo S. Sepolcro und in Urbino tätig, ferner in Ferrara (um 1450), Rimini (1451 und 1482), Rom (1459) und Arezzo (bis 1466). P. d. F. gilt als einer der genialsten Maler der Frührenaissance, bemüht um die Verbindung der perspektiv. Raumdarstellung mit einer maler. Bildgestaltung in lichten Farben und strenger Flächenhaftigkeit. Neben der Linearperspektive, der er später auch theoret. Studien gewidmet hat, bildete er die Luftperspektive aus. Sie ermöglichte es ihm, seine groß gesehenen Figuren in eine lichterfüllte Atmosphäre zu stellen. Klarheit der Formen und der räuml. Verhältnisse, ein ausgeprägter Sinn für klass. Architekturformen verleihen seinen Werken höchste Monumentalität. (BILD Renaissance)

HW: Altarwerk mit der Schutzmantelmadonna und Heiligen (nach 1445; Borgo S. Sepolcro, Pinakothek); Taufe Christi (London, Nat. Gal.); Votivbild des Sigismondo Malatesta, Fresko (1451; Rimini, S. Francesco); Freskenzyklus der Legende des Hl. Kreuzes (voll. 1466; Arezzo, S. Francesco); ›Madonna del Parto‹ (Fresko, Monterchi, Friedhofskapelle); Porträts von Federigo da Montefeltro u. seiner Gattin Battista Sforza (1461–72; Florenz, Uffizien). Auferstehung Christi, Fresko (Borgo S. Sepolcro, Rathaus); Geißelung Christi (Urbino, Gal. Nazionale); Altarwerk (Perugia, Gal. Nazionale); Madonna mit Heiligen und Federigo da Montefeltro als Stifter (um 1470; Mailand, Brera); Geburt Christi (London, Nat. Gal.).

O. DEL BUONO u. P. DE VECCHI: L'opera completa di P. d. F. (Mailand 1967); K. CLARK: P. d. C. Complete edition of the paintings (London [2]1981).

Piero di Cosimo, ital. Maler, eigtl. P. **di Lorenzo,** *Florenz 1461 oder 1462, †ebd. 1521, Schüler des C. ROSSELLI, beeinflußt vom →Portinari-Altar, von FILIPPI-

Piero di Cosimo: Darstellung aus der Prometheussage (München, Alte Pinakothek)

NO LIPPI und von LEONARDO DA VINCI, der v.a. für seine Farbigkeit bestimmend wurde. Er schuf neben relig. Bildern mytholog. Darstellungen von eigenartiger Erfindung und oft seltsamer Formensprache.

HW: Maria Immaculata mit 6 Heiligen (Florenz, Uffizien); Tod der Prokris (London, Nat. Gal.); Bildnis der Simonetta Vespucci (Chantilly, Mus. Condé); Darstellung aus der Prometheussage (München, Alte Pinakothek).

Pieskowa Skała [pjɛsk'ɔva-], Schloß, auf einem Felsen gelegen, Wwschaft Kraków, Polen; im 14. Jh. durch KASIMIR D. GR. erbaut; im 16. Jh. im Renaissancestil (M. CASTIGLIONE) ausgebaut und 1864–77 umgebaut. 1947–63 gründlich renoviert (z. T. rekonstruiert), beherbergt das Schloß eine Abteilung der Staatl. Kunstsamml. des Wawel in Krakau.

Pieszyce [pjɛʃ'itsɛ], poln. Name für →Peterswaldau.

Pi|etạ [ital.], **Vesperbild,** →Andachtsbild 2).

Pietersz, Pietersz. [p'i:tərs], **1)** Aert, holländ. Maler, *Antwerpen oder Amsterdam 1550, begraben Amsterdam 12. 6. 1612, Sohn und Schüler von PIETER AERTSEN, malte kraftvolle Porträts und großformatige Gruppenbilder (Anatomie des Dr. S. Egbertsz, 1603; Amsterdam, Rijksmuseum). Sein Bruder Pieter (*Antwerpen 1540, †Amsterdam 1603) schuf v.a. Gruppenbilder mit architekton. Hintergrund (u.a. Regentenstücke).

2) Gerrit, holländ. Maler, eigtl. Gerrit P. **Sweelinck,** getauft Amsterdam 1. 11. 1566, † vor 1616(?), Bruder des Komponisten J. P. SWEELINCK, arbeitete in der manierist. Art des C. CORNELISZ VAN HAARLEM und malte Porträts und Gruppenbilder (Kompagnie des Hauptmanns Jan Jansz, 1604; Amsterdam, Rijksmuseum).

Pịetilä, Reima, finn. Architekt, *Turku 25. 8. 1923, gründete 1960 in Helsinki ein Büro, das er mit seiner Frau Raili (geb. Paatelainen) führt. Seine Bauten zeigen eine aus den jeweiligen landschaftl. Gegebenheiten entwickelte expressive Skulpturhaftigkeit.

HW: Kaleva-Kirche, Tampere (1959–66); Studentenhaus Dipoli, Otaniemi (1961–66); Siedlung Suvikumpu, Tapiola (1967–69); Kultur- u. Freizeitzentrum, Hervanta (1979).

Pietra Dura [ital. ›harter Stein‹], **Pietra-Dura-Mosaik,** ornamentales Mosaik, das aus unterschiedlich geformten Platten von farbigem Marmor, auch mit Einlagen von Schmucksteinen, Korallen und Perlmutter fugenlos aneinandergefügt und poliert wird; bes. in Florenz seit Mitte des 16. Jh. für Antependien, Grabplatten und Tischplatten **(Florentiner Mosaik).**

Pietro da Cortona, eigtl. Pietro **Berrettini,** ital. Maler, Baumeister, *Cortona 1. 11. 1596, †Rom 16. 5. 1669, tätig in Rom und Florenz, mit G. L. BERNINI, F. BORROMINI, C. RAINALDI Vertreter des röm. Hochbarock, malte myth. und relig. Zyklen in sinnl. Pathos auf riesigen Deckenfeldern, mytholog. Staffeleibilder, Altarbilder. Seine illusionist. Wand- und Deckenmalerei wirkt durch täuschende Untersicht und setzt den Raum nach Art CORREGGIOS scheinbar ins Unbegrenzte fort. Die riesige Decke des Saales im Palazzo Barberini in Rom (Allegorie auf das Pontifikat Urbans VIII.; voll. 1639) behandelte P. da C. als Einheit und leitete damit die Verschmelzung von Architektur und Malerei zum Gesamtkunstwerk ein, die seine Schüler G. B. GAULLI und A. POZZO fortführten. Seine architekton. Werke zeichnen sich durch plast. Verwendung von Säulenstellungen und starkes Miteinbeziehen des Umraumes durch die Fassadenarchitektur aus. Er baute die Kirche SS. Martina e Luca (Vorentwurf 1623, Baubeginn 1635), 1655 Fassade und Vorplatz von S. Maria della Pace und 1662 den Vorbau von S. Maria in Via Lata, alle in Rom; entwarf auch Villen, Plätze und ein Projekt zum Neubau des Louvre in Paris (1664).

Pigage [pig'a:ʒ], Nicolas de, frz. Baumeister, *Lunéville 2. 8. 1723, †Mannheim 30. 7. 1796, Schüler von É. HÉRÉ DE CORNY und der Pariser Akad.; seit 1749 in kurpfälz. Dienst. Seine Bauten und Raumgestaltungen zeigen den Übergang vom Rokoko zum frz. Klassizismus (Néoclassicisme) im Sinne des Louis-seize.

HW: Schloß Benrath bei Düsseldorf (1755–69); Bauten im Schwetzinger Schloßpark (um 1761–81); Karlstor in Heidelberg (1773–81).

Pigalle [pig'al], Jean-Baptiste, frz. Bildhauer, *Paris 26. 1. 1714, †ebd. 21. 8. 1785, Schüler von R. LE LORRAIN und J.-B. LEMOYNE, bildete sich 1736–39 in Rom weiter. Sein Werk zeigt Spannungen zw. barocker, bis zur Häßlichkeit übersteigerter Naturtreue (Sitzstatue Voltaires, 1776; Paris, Institut de France) und klassizist. Tendenzen in der klaren Linienführung und Glätte der Oberflächenbehandlung (Statuette des Merkur, 1744; Louvre; Wiederholung in großem Maßstab, 1748; Berlin-West, Staatl. Museen; Gegenstück: Sitzende Venus, ebd.). P. schuf ferner Denkmäler in pathet. Monumentalität (Grabmal des Marschalls Moritz von Sachsen, 1762–70; Straßburg, St. Thomas) oder klassizist. Strenge (Grabmal des Grafen d'Harcourt, 1769–76; Paris, Notre-Dame) sowie zahlreiche realist. Porträtbüsten und Kleinplastiken. Er gehört zu den wichtigsten Bildhauern des Louis-seize.

Jean-Baptiste Pigalle: Graf Henri-Claude d'Harcourt; vom Grabmal in Notre-Dame, Paris, 1769–76

Pigment [lat.], Maltechnik: Körperfarbe, unlösl. Farbpulver mit einer Teilchengröße über 1/10000 mm. P. sind die Farbmittel für Mal- und Anstrichfarben. P.-Farbstoffe müssen für Zwecke der Malerei erst verlackt werden. Man unterscheidet natürl. P. (→Erdfarben), künstl. P. (→Mineralfarben) und →Farblacke.

Pijnacker [p'ɛjnakər], Adam, holländ. Maler, →Pynacker.

Pijnas [p'ɛjnas], Jan, holländ. Maler, →Pynas.

Pilaster [ital.] *der,* Baukunst: flacher, wenig vorspringender Wandpfeiler mit Basis, Schaft und Kapitell, der als Projektion der Säule auf die Wand die Säulenordnungen seit der Antike begleitet. Der P. tritt somit immer gleichzeitig mit klass. Strömungen in der Architektur auf und hat die Aufgabe, Wandflächen zu gliedern und zw. freien Stützenstellungen und der geschlossenen Wand zu vermitteln. In der Rangfolge der Bauglieder in der Architekturtheorie liegt der P. zw. Säule und Lisene.

Piles [pil], Roger de, frz. Diplomat, Maler, Kunsttheoretiker, *Clamecy (Nièvre) 1635, †Paris 5. 4. 1709, bereiste die meisten europ. Länder, stellte 4 Kategorien zur Bewertung von Malerei heraus: ›dessin, colorit, composition, expression‹; er war ein Bewunderer der Kunst von P. P. RUBENS.

Pilgerstraßen, Reiserouten für die Wallfahrer im MA., größtenteils identisch mit wichtigen Handelsstraßen. Die bed. überregionalen Pilgerziele waren Santiago de Compostela in N-Spanien (Grab des Apostels Jakobus d. Ä.), Rom (Grab Petri) und Jerusalem (Hl. Grab). V. a. unter dem Einfluß der Cluniazenser entstanden im 11./12. Jh. in Frankreich große P., die von N nach Santiago de Compostela (Santiagostraßen, St.-Jakobswege) führten und wesentlich zur Vermittlung und Verbreitung burgund. Architektur und Skulptur beitrugen. Drei P. gingen aus von Mont Saint-Michel und Saint Denis, von Vézelay und Autun, von Clermont-Ferrand und Le Puy und vereinigten sich in Ostabat nördlich der Pyrenäen, um weiter über Saint-Jean-Pied-de-Port nach Santiago de Compostela zu führen. Eine vierte P. verlief von Arles und Toulouse über die Pyrenäen, Jaca und Monreal. Entlang der P. errichtete man neben Herbergen und Hospitälern für die Pilger z. T. monumentale Wallfahrtskirchen, die Glanz und Macht des cluniazens. Ordens demonstrierten. St. Martin in Tours, St. Martial in Limoges, St. Sernin in Toulouse und St. Jacobus el Major in Santiago de Compostela orientierten sich hauptsächlich an dem bes. in Burgund (Cluny) ausgebildeten Typus der zumeist rundgewölbten Emporenbasilika mit Stützenwechsel. Charakteristisch ist, daß die Emporen auch um Querhaus und Chor herumgeführt wurden.

VERA u. H. HELL: Die große Wallfahrt des MA. Kunst an den roman. P. durch Frankreich und Spanien nach Santiago de Compostela (1964).

Pilgerzeichen, Wallfahrtsandenken des Hoch- und Spät-MA. aus Blei, Zinn oder Silber (seit spätestens dem 12. Jh. bezeugt), bis ins 15. Jh. flache, meist durchbrochene Reliefdarstellungen (Gittergüsse) der am

Wallfahrtsort verehrten Heiligen oder Heiltümer. Seit dem 14. Jh. kamen die Spiegeldevotionalien auf, eine Kombination der P. mit kleinen Spiegeln, die auf mag. Weise die Ausstrahlung der Reliquien auffangen sollten. Ab der 2. H. des 15. Jh. ersetzen kleine Plaketten die Gittergüsse. In Malerei und Plastik wurden Wallfahrer zu ihrer Charakterisierung mit P. dargestellt.

Pilgram, Anton, Baumeister, Bildhauer, *Brünn um 1460, †Wien 1515, arbeitete in SW-Dtl., seit 1502 in Brünn und leitete 1511–15 als Dombaumeister in Wien die größte südostdt. Bauhütte in der Übergangszeit von der Spätgotik zur frühen Renaissance. Aus seinen bes. von der oberrhein. Kunst (Kreis des GERHAERT VON LEYDEN) beeinflußten Selbstporträts spricht ein neues künstler. Selbstbewußtsein im Sinne der Dürerzeit.

HW: Sakramentshaus und Chor der Kilianskirche in Heilbronn (1482–87, im 2. Weltkrieg z.T. zerstört); Kanzel in Öhringen (der Kanzelträger in Berlin-Ost, Staatl. Museen); Judentor in Brünn (1508, 1835 abgerissen; Konsolen in Brünn, Mus.); Jakobsschulstiege (1510) und Rathausportal (um 1511) in Brünn; Orgelfuß (1513) und Kanzel mit den Büsten der 4 Kirchenväter (1514/15) in Wien, St. Stephan (beide mit Selbstporträt).

Anton Pilgram: Selbstporträt an der Kanzel in St. Stephan in Wien; 1514/15

Pilgrim, Hubertus von, Bildhauer, *Berlin 24. 8. 1931, Schüler von B. HEILIGER in Berlin und von S. W. HAYTER in Paris, lehrt an der Akad. München; schuf u.a. das Adenauerdenkmal (Bronze, 1979–82; Bonn, vor dem Kanzleramt) und den Merkurbrunnen (Bronze, 1982; München); weiterhin Kupferstiche.

Pillnitz, Stadtteil im SO von Dresden, Dt. Dem. Rep.; Schloßkomplex am rechten Elbufer, ehem. Sommerresidenz des sächs. Hofes, mit dem barocken Wasserpalais (1720/21) und dem als architekton. Wiederholung gegenüberliegenden Bergpalais (1723; beide in ›chines.‹ Stil) von M. D. PÖPPELMANN. Mit beiden ist das dreiflügelige Neue Palais (1818–26, in ›japan.‹ Stil; Mus. für Kunsthandwerk) durch Galerien verbunden. Orangerie (um 1730) von Z. LONGUELUNE.

Germain Pilon: Marmorgrabmal der Valentine Balbiani; nach 1572 (Paris, Louvre)

Pilo, Carl Gustav, schwed. Maler, *Runtuna 5. 3. 1711, †Stockholm 2. 3. 1793. P. malte v.a. Porträts in farbl. Delikatesse und psycholog. Eindringlichkeit. Die ›Krönung Gustavs III.‹ (beg. 1782; Stockholm, Nat.-Mus.) ist, obgleich unvoll., einer der Höhepunkte der schwed. Malerei.

Pilon [pil'ɔ̃], Germain, frz. Bildhauer, Medailleur, *Paris um 1536/37, †ebd. 3. 2. 1590, Mitarbeiter von P. BONTEMPS; neben J. GOUJON der bedeutendste Bildhauer der frz. Renaissance. Er überwand deren Anfänge und die manierist. Tendenzen der Schule von Fontainebleau und F. PRIMATICCIOS (mit dem er am Doppelgrab für Heinrich II. und Katharina von Medici, 1565 ff., St. Denis, zusammenarbeitete) und gelangte, durch einfühlendes Naturstudium gefördert, zu plastisch geschlossener Klarheit der Form, in der sich bereits der Classicisme des 17. Jh. ankündigt (Marmorgrabmal der Valentine Balbiani, nach 1572; Louvre). Seine Stein- und Bronzebildwerke, Münzen und Medaillen waren von maßgebendem Einfluß auf die Kunst seiner Zeit.

WW: 3 Grazien für die Urne mit dem Herzen Heinrichs II. (1561 bis 1563; Louvre); Madonna auf dem Hochaltar der Église de la Couture, Le Mans (1570; Marmor); Christus am Ölberg (beg. 1588; Louvre).

Pilote [frz.] *die,* mächtige Stützen aus Stahlbeton, die eine offene Halle im Erdgeschoß des Bauwerks ermöglichen und den geschlossenen Baukörper erst mit dem 1. Obergeschoß beginnen lassen. Typ. Bauweise der 50er Jahre des 20. Jh., bes. bei LE CORBUSIER.

Piloty, 1) Ferdinand, Maler, Bruder von 2), *München 9. 10. 1828, †ebd. 21. 12. 1895, malte bes. histor. Wandgemälde (Fresken im Bayer. Nat.-Mus., Dekorationen in Neuschwanstein und Herrenchiemsee) und schuf Buchillustrationen.

2) Karl Theodor von (1860), Maler, Bruder von 1), *München 1. 10. 1826, †Ambach b. München 21. 7. 1886, Schüler von J. SCHNORR V. CAROLSFELD, seit 1856 Prof. (seit 1874 Direktor) der Münchner Akad.; eignete sich in Belgien (L. GALLAIT) und Paris (P. DELAROCHE) den farbenreichen Stil der realist. Historienmalerei an und wurde ihr bedeutendster Vertreter in Dtl. P. war der Lehrer von F. DEFREGGER, F. v. LENBACH, H. MAKART.

HW: Gründung der kath. Liga (1853; München, Neue Pinakothek); Seni an der Leiche Wallensteins (1855; ebd.); Einzug der Kreuzfahrer in Jerusalem (1855–60; ebd.); Tod Alexanders d. Gr. in Babylon (1886; Berlin, Nat.-Gal., seit 1945 verschollen, Skizze um 1885; München, Neue Pinakothek).

Die Münchner Schule 1850–1914, Ausst.-Kat., München (1979).

Pilsen, tschech. **Plzeň** [p'lzɛnj], Hauptstadt des Westböhm. Kr., ČSSR, 169 500 Ew. Die Stadt wurde im 13. Jh. von König WENZEL II. gegr. und war schon früh eine wichtige Handelsstadt. Der Stadtkern hat seinen ma. Grundriß bewahrt. Am Hauptplatz Häuser mit Renaissance-, Barock-, Empire- oder neugot. Fassaden. In der dreischiffigen got. Kirche St. Bartholomäus (1497 voll.) steht die Figur der Pilsener Madonna (1390). Das Renaissance-Rathaus (1554–74) ist mit (1907–12 erneuerten) Sgraffitos geschmückt; im Innern Wandmalereien. Bedeutend sind ferner das Franziskanerkloster mit Kirche aus dem 14. Jh. (barock umgebaut) und die barocke ehem. Dominikanerkirche; Westböhm. Mus. (Gebäude 1897–1901) mit reicher Samml., v. a. Plastik.

Pinakothek [grch. ›Bildersammlung‹], in Athen die Samml. von Weihgeschenktafeln auf der Akropolis. Seit der Renaissance werden, v. a. in Italien, Gemälde-Gal. als ›pinacoteca‹ bezeichnet. LUDWIG I. von Bayern führte für seine Gemälde-Samml. die Bez. ›Alte‹ und ›Neue P.‹ ein und gründete in München die 1825–36 von L. v. KLENZE erbaute ›Ältere‹ oder **Alte P.,** deren Grundstock die kurbayr. Samml., die kurpfälz. Gal. in Düsseldorf mit Werken der niederländ., dt. und frz. Malerei und die aus der Samml. BOISSERÉE erworbenen altdt. und altniederländ. Gemälde waren. Unter Ludwig I. wurde die Samml. um bed. Werke der ital. Malerei von GIOTTO, S. BOTTICELLI, GHIRLANDAIO und RAFFAEL erweitert. Die **Neue P.,** 1846–53 für die zeitgenöss. Gemälde des 19. Jh. von A. v. VOIGT erbaut, mußte nach den Zerstörungen durch den 2. Weltkrieg abgetragen werden, der Neubau von A. VON BRANCA wurde 1981 eröffnet.

Pinax [grch.] *der, Mz.* **Pinakes,** Schreibtafel im antiken Griechenland aus Holz, Ton, Marmor, Bronze, meist mit Verzeichnissen (z. B. Bürgerlisten). Gemalte oder reliefierte P. dienten als Weihgeschenke oder Schmuck im Heiligtum, in öffentl. Gebäuden, Wohnhäusern, auch im Grabbau.

Pincio [p'intʃo], **Monte P.,** lat. **Mons Pincius,** Hügel im Norden Roms, nach der in spätantiker Zeit dort begüterten Familie der Pincier benannt. Auf dem P. hatten LUCULLUS und SALLUST ihre großen Gärten. HADRIAN ließ hier 138 n. Chr. das Grabmal des ANTINOOS errichten und dabei einen Obelisken aufstellen (1822 in den Parkanlagen des P. wiederaufgerichtet).

Pińczów [p'ijntʃuf], Stadt in der Wwschaft Kielce, Polen, am Nida-Fluß, 8000 Ew. Wichtiges Zentrum der Reformation in Polen; Paulinerkloster 1436 gegr. (heute Mus.) und manieristisch-frühbarocke Kirche (17. Jh., mit got. Elementen); Reformatenkirche (um 1620) mit Kloster (1686–1706); Glockenturm 1685–91; manierist. Kapelle der Hl. Anna (um 1600, Santi Gucci-

Werkstatt); Palast der Wielopolski (um 1780) von F. NAX.

Pinelli, Bartolomeo, ital. Maler, Radierer, Lithograph, Bildhauer, *Rom 20. 11. 1781, †ebd. 1. 4. 1835, arbeitete als Schöpfer von Staffagefiguren für Vedutenmaler. Seine Radierungen zeigen ital. Volkstypen und -szenen; illustrierte ital. Klassiker.

Pinsel, Maltechnik: Handwerkzeug zum Auftragen von Flüssigkeiten. Abhängig von der Technik und je nach Zweck steht eine Vielfalt versch. P. zur Verfügung. Man unterscheidet u. a. nach der Verwendung (z. B. Aquarell-P., Strichzieher, Schläger, Vertreiber, Anschießer, Schablonierer, Verwasch-P.), nach der Form (z. B. Rund-, Zungen-, Flach-P., Schlepper) und nach dem Material (z. B. Haar-, Borsten-, Marder-, Rindshaar-, Fisch-P.) und nach Befestigungsart (z. B. Zwingen-, Kiel-, Ring-P.). Für dünnflüssige Farben verwendet man meist Haar-, für dickflüssigere Borsten-P. Früher banden sich die Maler ihre P. oft selbst. Feine Haar-P. wurden in Federkiele gefaßt, P. für Öl- und Wandmalerei auf Holzstiele gebunden. Die Haare müssen immer mit der ›Fahne‹ zur Spitze in gleicher Länge und zusammenlaufend sortiert werden.

Pinturicchio [-r'ikkjo], eigtl. Bernardino **di Betto Biagio** [-bi'a:dʒo], ital. Maler, *Perugia 1454(?), †Siena 11. 12. 1513, ausgebildet in Perugia, schloß sich PERUGINO an, mit dem er 1481–83 in der Sixtin. Kapelle in Rom zusammenarbeitete.

HW: Fresken in S. Maria in Aracoeli und S. Maria del Popolo in Rom; Ausmalung des Appartamento Borgia im Vatikan (1462–95); Freskenfolge aus dem Leben PIUS' II. in der Bibliothek des Doms in Siena (1502–08).

pinx., Abk. für **pinxit** [lat. ›hat gemalt‹], auf Gemälden, Stichen u. a. oft hinter dem Namen des Malers.

Piombo, ital. Maler, →Sebastiano del Piombo.

Piotrków Trybunalski [pj'ɔtrkuf-], Wwschaftshauptstadt in Polen, 69 000 Ew.; barocke Jesuitenkirche (1695–1727), ein Langhaus mit Seitenkapellen, zweitürmiger Fassade (1741/42), bedeutende Stuckarbeiten und Fresken; Klostergebäude (nach 1754, heute Schule); got. Pfarrkirche (14./15. Jh.) mit barocken Kapellen (1674); Dominikanerkloster mit Kirche (14. Jh., im 17. und 19. Jh. umgebaut); Zisterzienserkloster (1626–43); am Markt Bürgerhäuser (17.–18. Jh.).

Piper [p'aɪpə], John, engl. Maler, *Epsom (Surrey) 13. 12. 1903, kam 1933 in Paris in Berührung mit H. ARP, C. BRÂNCUŞI, F. LÉGER. Später malte er realist. Landschaften und Architekturen.

Piqué-Technik [pik'e-, frz.], Verfahren, bei dem feine Streifen oder Punkte aus Gold oder Silber in Schildpatt, Elfenbein oder weichere Metalle zu einem Muster eingeschlagen werden, bes. als Dekor für Dosen und Uhrengehäuse beliebt.

Piran, ital. **Pirano,** Stadt auf einer Landzunge im NW Istriens, Jugoslawien, am Golf von Triest, 5500 Ew., mit Bauten aus venezian. Zeit. P. gehörte zw. 1283 und 1797 zu Venedig. Pfarrkirche (1317; jetzige Form

Giovanni Battista Piranesi: Tiber-Insel; Radierung

1637) mit wertvollen Gemälden ital. Maler; Campanile (1607/08). Am Hauptplatz der Stadt Gebäude aus mehreren Epochen (venezian. Häuser im got. Stil, barocker Gemeindepalast; öffentl. Brunnen).

Piranesi, Giovanni Battista, ital. Kupferstecher, Archäologe, Baumeister, *Mogliano (Veneto) 4. 10. 1720, †Rom 9. 11. 1778, kam 1740 nach Rom, wo er sich nach kurzer Tätigkeit in Venedig 1745 niederließ. Hier entstanden seine in einer Verbindung von Grabstichelarbeit und Radierung geschaffenen Ansichten von Rom, die antike und barocke Baudenkmäler zeigen, in maler., durch scharfe Helldunkelgegensätze gesteigerter Monumentalität. Außer diesen ›Vedute di Roma‹ ließ er viele andere Folgen erscheinen, v. a. eine Reihe düsterer Raumphantasien (›Carceri‹) und eine Samml. von Aufnahmen röm. Altertümer (›Antichità Romane‹, 4 Bde., 1756). Während dieser Arbeiten wandelte sich sein Stil vom Barock zum Klassizismus. Die Umgestaltung der Kirche S. Maria del Priorato in Rom (1765) ist seine einzige authent. und zu Ende geführte Leistung als Architekt.

Sein Sohn Francesco P. (*1758 oder 1759, †1810) setzte das graph. Unternehmen seines Vaters fort.

J. Wilton-Ely: G. B. P. (a. d. Engl., 1978).

Piräus, grch. **Peiraieus** [ngrch. pirɛ'ɛfs], Haupthafen Griechenlands, 187 500 Ew. P. ist mit Athen zu einem Stadtkomplex zusammengewachsen. Die 3 Häfen, die kleinen Rundbuchten des Munichia- und Zeahafens im O (die antiken Kriegshäfen) und der große Haupthafen (im Altertum Kantharos) liegen um die Halbinsel mit dem ehemal. Burgberg Munichia. Im Archäolog. Mus. u. a. die 1959 beim Hafen gefundenen archaischen und klass. Bronzestatuen (Apoll, Athene) sowie die ›Piräusreliefs‹ (Kopien nach Parthenonskulpturen). – P., 493 v. Chr. von Themistokles zum Hafen Athens bestimmt und ausgebaut, wurde nach

460 v. Chr. durch die ›Langen Mauern‹ mit Athen verbunden, die Athen und P. zu einer uneinnehmbaren Festung machten.

Pirna, Stadt südöstlich von Dresden, an der Elbe, Dt. Dem. Rep., 48600 Ew.; spätgot. Marienkirche (1502 bis 1546), eine dreischiffige Hallenkirche mit originellen Gewölbeformen, Gewölbemalereien (1544–46) vollständig erh., prächtiger Renaissance-Sandsteinaltar (1611), einige hervorragende Grabdenkmäler und Epitaphien; in der Kirche (14. Jh.) des ehem. Dominikanerklosters Reste der ma. Ausmalung, im spätgot. Kapitelsaal Mus.; Rathaus (16. Jh., Umbau 19. Jh.), zahlreiche Bürgerhäuser (um 1500–17. Jh.).

Pisa, ital. Stadt und Erzbischofssitz am Arno, Toskana, 103600 Ew. P. war im 11.–13. Jh. führend in der Baukunst Mittelitaliens; ebenso gingen im 13. Jh. starke Wirkungen von der Kunst Nicola →Pisanos aus. – Im NW der Altstadt liegt die Piazza del Duomo mit Dom, Campanile, Baptisterium und dem →Camposanto. Der marmorinkrustierte Dom wurde seit 1063 von BUSCHETO gebaut, 1118 gew., Ende des 12. Jh. nach W erweitert und mit einer von Blendarkaden und 4 Reihen von Säulengalerien gegliederten Fassade abgeschlossen; am südl. Querschiff Bronzetür von →Bonanus von Pisa; im Inneren 68 antike Säulen, von Säulen getragene, reich skulptierte Kanzel von G. PISANO (1302–12), Apsismosaik von CIMABUE (1301), Grabmal Heinrichs VII. von TINO DA CAMAINO (1315). Der runde, 55 m hohe Campanile (›Schiefer Turm‹, 1173 beg.) mit 6 übereinanderliegenden Säulengalerien hat eine Neigung nach SO (schon während der Bauzeit durch Bodensenkung entstanden). Das Baptisterium, ein Rundbau, seit 1152 von DIOTISALVI gebaut, bekam im 13. und 14. Jh. Säulengalerien und got. Giebel; im Innern achteckiges Taufbecken von BIGARELLI DA COMO (1246) und reliefgeschmückte Kanzel von NICOLA PISANO (1260). Weitere Kirchen und Paläste des MA. und der Renaissance, u. a. Santo Stefano dei Cavalieri (Entwurf von G.

Pisa: Dom (1118 geweiht) und Schiefer Turm (1173 begonnen)

VASARI, 1565–69) und die Palazzi dei Cavalieri und Gherardesca an der Piazza dei Cavalieri; S. Michele in Borgo (im 10. Jh. gegr.); auf dem linken Arno-Ufer S. Paolo a Ripa d'Arno (11./12. Jh.) und S. Maria della Spina (13./14. Jh.). Im ehem. Kloster S. Matteo befindet sich das Nat.-Mus. mit vielen Werken bed. toskan. Künstler.

Pisac, Anlage der Inka in Peru, in strategisch günstiger Lage an den Berghängen des oberen Urubambatals, mit Zeremonialzentrum (Tempelbauten), Vorratshäusern, Ackerbauterrassen und gemauerten Wasserleitungen.

Pisanello, eigtl. Antonio **Pisano** (fälschlich Vittore), ital. Maler, Medailleur, *Pisa vor dem 22. 11. 1395, †Rom(?) vermutl. Okt. 1455, tätig in Pavia, Venedig, Mantua, Verona, Rom, Ferrara, Rimini, Neapel. P. gelangte, ausgehend vom Schönen Stil der Gotik, zu immer schärferer Erfassung der Wirklichkeit und wurde, bes. mit seinen Bildnismedaillen, zum Bahnbrecher der Renaissance in Oberitalien (BILD Medaille). In seinen Fresken und Handzeichnungen verbindet sich feinster ornamentaler Sinn mit oft überraschender Naturtreue, die v. a. seine Tierdarstellungen auszeichnet.

HW: Fresken: Verkündigung Mariä und Aufbruch des Hl. Georg zum Drachenkampf (Verona, S. Fermo); Fragmente von Schlachtenszenen (Mantua, Palazzo Ducale, Spätwerk). – Tafelbilder: Hl. Eustachius; Maria erscheint den Hl. Antonius und Georg (beide London, Nat. Gal.). – Porträts des Lionello d'Este (Bergamo, Akad.) und einer Prinzessin von Este (Paris, Louvre). – Bronzemedaillen, über 30 erh., auf der Vorderseite das realistisch und zugleich monumental gestaltete Bildnis, auf der Rückseite meist ein sinnbildl. Relief. – Zeichnungen im Codex Vallardi (Louvre; Sammelbd. mit Musterzeichnungen).

Pisano, 1) Andrea, ital. Goldschmied, Bildhauer, Architekt, Vater von 5), *Pontedera (bei Pisa) um 1295, †Orvieto um 1358(?). Sein einziges gesichertes Werk ist die älteste Bronzetür des Florentiner Baptisteriums mit Darstellungen aus dem Leben Johannes' des Täufers (1330–36), ein Höhepunkt der Florentiner Skulptur im Trecento. In seinem Reliefstil verbinden sich sienesi-

Pisanello: Allegorie der Luxuria; Federzeichnung, um 1425/1430 (Wien, Albertina)

Andrea Pisano: Überführung des Leichnams Johannes' des Täufers; Relief am Südportal des Baptisteriums in Florenz, 1330–36

Giovanni Pisano: Engel an der Kanzel in S. Andrea in Pistoia; 1297–1301

sche, vielleicht auch frz. Einflüsse mit den Ausstrahlungen GIOTTOS, dessen Nachfolger als Dombaumeister er von 1337–43 war. Damals arbeitete er an den Marmorreliefs am Untergeschoß des Campanile; um 1347 als Dombaumeister in Orvieto nachweisbar. Eine Reihe hervorragender Marmorbildwerke in Florenz, Pisa und Orvieto ist in der Zuschreibung zw. ihm und seinem Sohn Nino umstritten.

2) Antonio, ital. Maler und Medailleur, →Pisanello.

3) Giovanni, ital. Bildhauer und Architekt, Sohn von 4), *Pisa(?) um 1250, † bald nach 1314 in Siena(?), Schüler seines Vaters, an dessen Kanzel in Siena er mitarbeitete; ein gemeinsames Werk ist der Brunnen (Fontana Maggiore, 1277/78) in Perugia. Seit 1284 war P. an der Fassade des Sieneser Domes tätig, wurde dort Dombaumeister und siedelte 1297 in gleicher Eigenschaft nach Pisa über. Seine leidenschaftlich bewegten, von der Bindung an die Architektur weitgehend befreiten Statuen für die Sieneser Fassade (heute Dom-Mus.) gehören ebenso wie die beiden anschließend für S. Andrea, Pistoia (1301 voll.) und den Pisaner Dom (1302 bis 1312) geschaffenen Kanzeln zu den HW ma. Skulptur (weiteres BILD Kanzel). Er entwickelte einen individuellen Reliefstil, in dem die dreidimensional greifbare Erscheinung der Figur einem erregten Linienrhythmus geopfert wird. Kenntnis frz. Skulptur (Reims, Amiens) wird oft angenommen. Weitere Marmorarbeiten in Pisa, Padua, Prato und Genua.

M. AYRTON: G. P. (a. d. Engl., 1970).

4) Nicola (Niccolò), ital. Bildhauer, Vater von 3) *in Apulien(?) um 1225, † Pisa(?) bald nach 1278, einer der bedeutendsten europ. Bildhauer des MA., kam vielleicht im Umkreis FRIEDRICHS II. von Hohenstaufen mit Werken der Antike in Berührung; tätig in der Toskana, dort seit 1258 nachweisbar. Seine Kanzel im Pisaner Baptisterium (1260 signiert) verbindet toskan. Tradition mit Antikenstudium und über die Zisterzienser vermittelten got. Formen; es erscheinen erstmals in Italien im got. Sinn gestaltete Gewandfiguren. Das Bild des

Nicola Pisano: Das Jüngste Gericht; Relief an der Kanzel des Baptisteriums in Pisa, 1260 signiert

Menschen und seiner ird. Umgebung wird für P. in einem dem MA. sonst unbekannten Maß darstellungswürdig. In der Sieneser Domkanzel (1265–68) wandelt sich sein Reliefstil in Richtung auf erzähler. Reichtum und dramat. Zuspitzung der Szenen und wird zum Ausgangspunkt für seinen Sohn Giovanni. 1277/78 entstand als gemeinsame Arbeit der Brunnen in Perugia. Seit 1265 war P. an dem Statuenschmuck des Pisaner Baptisteriums tätig. Aus seiner Werkstatt stammt die Arca (Grabmal) di S. Domenico (1264–67; Bologna, S. Domenico; mit Bekrönung von →Niccolò dell' Arca).

5) Nino, ital. Bildhauer, Architekt, Sohn und Schüler von 1), *Pisa (?) um 1315, † ebd.(?) vor dem 8. 12. 1368, seit 1349 Nachfolger seines Vaters als Dombaumeister in Orvieto. Nur 3 gesicherte Werke blieben erh.: Madonna in S. Maria Novella, Florenz; Bischofsstatue in S. Francesco in Oristano (Sardinien); Madonna über dem Wandgrabmal des Dogen M. Cornaro in SS. Giovanni e Paolo, Venedig. Ein bed. Komplex von Marmorstatuen, so die ›Madonna del latte‹ (Pisa, Nat.-Mus.), bedarf hinsichtlich der Zuschreibung an Vater oder Sohn noch einer genauen Untersuchung. P. hat nachhaltig auf die oberital., speziell venezian. Skulptur des späten Trecento eingewirkt.

Piscina [lat. ›Fischbecken‹] *die,* in der Antike ein Wasserbecken in röm. Gärten und Badeanlagen; in der frühchristl. Kirche der Taufbrunnen und im MA. das Becken neben dem Altar in der Chorsüdwand, in dem der Priester bei der Messe Hände und Kelch wusch.

Písek [p'i:sɛk], Stadt im Südböhm. Kr., ČSSR, 28 100 Ew., entstand neben einer got. Burg des 13. Jh., die später mehrmals umgebaut wurde; im ›großen Saal‹ mit Kreuzgewölbe (2. H. 13. Jh.) sind got. Wandmalereien erh. Über den Fluß Otava führt eine ma. Steinbrücke (Mitte 13. Jh., die älteste Böhmens) mit barocken Statuen. Die got. Maria-Geburt-Kirche (13. Jh.) wurde nach einem Brand im Renaissancestil umgebaut und im 19. Jh. regotisiert; im Innern got. Wandmalerei (Kreuzabnahme, um 1310) und Taufbecken von 1587.

Pisis, Filippo de, ital. Maler, →De Pisis.

Camille Pissarro:
Die roten Dächer; 1877
(Paris, Musée d'Orsay)

Pissarro, Camille, frz. Maler, Graphiker, *auf St. Thomas (Antillen) 10. 7. 1830, †Paris 13. 11. 1903, begann als Kaufmann, malte 1852–54 in Caracas, kam 1855 nach Paris, wo er, bes. von C. COROT beeinflußt, anfangs tonige Stimmungslandschaften malte und sich dann seit 1859 unter dem Einfluß C. MONETS den Impressionisten anschloß. 1870/71 war er in London, wo er von den Bildern W. TURNERS beeindruckt wurde. Danach arbeitete er 1873/74 mit dem von ihm geförderten P. CÉZANNE in Pontoise und in Auvers-sur-Oise zus. Um 1885 malte er, angeregt von G. SEURAT, einige Jahre pointillistisch mit reinen Farben. Seine Bilder (Samml. v.a. im Musée d'Orsay, Paris) stellen bes. Landschaften dar, oft mit bäuerl. Staffage, seit Anf. der 1890er Jahre auch das Leben der Großstadtstraßen (Ansichten von Pariser Boulevards). Sein Œuvre umfaßt auch über 200 Radierungen und Lithographien. – P.s Briefe an seinen Sohn Lucien (hg. v. J. REWALD, 1953) sind wichtige Dokumente der Kunstauffassung seiner Zeit.

Pistoia, ital. Stadt und Bischofssitz nordwestlich von Florenz, 94800 Ew. P. ist reich an ma. Bauten bes. aus roman. Zeit: S. Andrea (im Innern reliefgeschmückte Kanzel von G. PISANO, 1301 voll.), S. Giovanni Fuorcivitas (Weihwasserbecken von G. Pisano; reliefgeschmückte Kanzel, 1270) und S. Bartolomeo in Pantano (Kanzel von GUIDO DA COMO, 1250). An der Piazza del Duomo liegen der Dom (12./13. Jh., spätere Veränderungen; in der Cappella di S. Jacopo Silberaltar toskan. Meister, 13.–15. Jh.) sowie Baptisterium (nach Plänen von A. PISANO 1338–59 erbaut) und die Palazzi Pretorio (14. Jh.) und del Comune (ab 1294; Mus. mit Werken in P. tätiger Künstler vom 13.–18. Jh.). Kirchen der Gotik sind S. Paolo, S. Domenico, S. Francesco. Aus der Renaissance stammen die Madonna dell'Umiltà und die Arkadenfront des 1277 gegr. Ospedale del Ceppo mit Terrakottafries aus der Werkstatt der Fam. DELLA ROBBIA.

Pistoletto, Michelangelo, ital. Maler, Aktionskünstler, *Biella (Piemont) 25. 6. 1933. Nach Aktionen und Happenings in Rom, Mailand und Turin begann P. unter dem Einfluß der Pop Art 1962 mit Spiegeln (polierter Stahl) zu arbeiten. Er verwendete hierbei lebensgroße Photographien szenisch gruppierter Figuren, die als Realitätszitate den gespiegelten Betrachter in ihren Wirklichkeitsbereich einbeziehen; auch Skulpturen aus Schaumstoff.

Pistoxenosmaler, attisch-rotfiguriger Schalenmaler des Strengen Stils, um 480–460 v. Chr. tätig. Er bemalte v. a. weißgrundige Schalen und bevorzugte großfigurige Innenbilder.

Pitalkhora, buddhist. Höhlenanlage in Maharashtra, westl. Indien, mit einer Chaityahalle und zahlreichen Viharas aus dem 1. Jh. v. Chr. Die Höhlen waren um einen offenen Hof gruppiert und über eine von reliefierten Elefanten getragene Terrasse zugänglich. Wächterfiguren und Fassadenreliefs sowie ein rundplast. Yaksha zeigen den feinen Skulpturenstil der frühen Satavahanas, mit dem zeitgleiche kleinformatige Terrakottaplaketten verglichen werden können.

Pitești [pit'eʃtj], Hauptstadt des Kr. Argeș, Rumänien, 133 200 Ew., ehem. Siedlung an der Kreuzung wichtiger Handelswege. Die Georgskirche (1656 erbaut) besitzt Fresken von 1876, die Dreifaltigkeitskirche (17. Jh.) solche von 1731; Mus. des Kreises Argeș; Städt. kunsthistor. Museum.

Pitha [Skt.], Sockel oder Fundament ind. Bildwerke oder Bauten. Götterfiguren stehen meist auf einem Lotussockel, an dem auch Adoranten und Stifterfiguren angebracht wurden. P. von Lingas dienen in Schalenform zum Sammeln des Zeremonialwassers und symbolisieren die Vulva (→Yoni).

Pithos:
kretischer P. aus Mallia;
17./16. Jh. v. Chr.

Pithos [grch.] *der, Mz.* **Pithoi,** großes, tönernes Vorratsgefäß des Altertums (z. T. übermannshoch), u. a. im ägäischen Kulturraum vorkommend; P. wurden auch zur Bestattung gebraucht.

Pitti, Palazzo Pitti, für den Kaufmann LUCA PITTI errichteter Palast (1457 ff.) auf dem linken Arnoufer in Florenz, 1560–70 von B. AMMANATI zum Sitz der Herzöge von Toskana ausgebaut (mit Spätrenaissancehof, dem ›Cortile‹, und rustikaler Bossenwerkfassade) und durch einen gedeckten Gang über den Ponte Vecchio mit den →Uffizien verbunden; im Lauf des 17. Jh. erweitert und als Gemäldegal. der MEDICI eingerichtet (→Galleria Palatina); 1865–70 Residenz des Königs von Italien. Der Palazzo P. beherbergt heute auch die Gal. d'Arte Moderna (ital. Malerei des 19. und 20. Jh.), Antikengal. und Silberkammer. Hinter dem Palazzo P. liegt der Boboli-Garten.

Pittoni, Giovanni Battista, ital. Maler, *Venedig 1687, †ebd. 17. 11. 1767, beeinflußt von S. RICCI, G. B. PIAZZETTA und G. B. TIEPOLO, dessen Nachfolger als Präsident der venezian. Akad. er 1758 wurde. P. war als Vertreter des ital. Rokoko für viele europ. Höfe tätig; Altarbilder, v. a. histor. und mytholog. Gemälde.

Pittura Metafisica [ital. ›metaphys. Malerei‹], Richtung der modernen ital. Malerei, die 1910/11 von

G. De Chirico begründet, 1917 in Ferrara von De Chirico und C. Carrà erweitert (damals entstand die Bez.) und später durch G. Morandi u. a. fortentwickelt wurde. Die P. M. erhielt geistige Anregungen von der Philosophie A. Schopenhauers und bes. F. Nietzsches, künstlerische von den Perspektivkonstruktionen der florentin. Frührenaissance und den protosurrealist. Bildvisionen A. Böcklins und M. Klingers. Hervorgegangen aus De Chiricos Erlebnis der mittäglich stummen Piazza Santa Croce in Florenz (1910), beschwört die P. M. immer wieder das Motiv ausgestorbener Plätze und Architekturfassaden, deren Leere körperlich greifbar ist oder durch Gliederpuppen (›manichini‹) verstellt wird. Es entstehen erstarrte Kastenräume von übersteigerten Perspektiven und harter Plastizität, in denen jedes Requisit sich durch eine eigene Horizontlinie isoliert. Die Maler der P. M. versuchen so, im Gegenzug zur Oberflächenkunst des Impressionismus, ›hinter die Dinge‹ zu schauen und ihr Rätsel zu entdekken.

Die P. M. war bis 1919 eine der wichtigsten Strömungen der europ. Malerei, die bes. den Surrealismus entscheidend beeinflußte. Danach ging, unter Berufung auf die ital. Tradition, De Chirico zu einem architektonisch bestimmten Klassizismus über (→Valori Plastici), um erst in den 1960er Jahren noch einmal eine ›neometaphysische Phase‹ auszubilden.

Pjöngjang, korean. Stadt, →Pyŏngyang.

Plafond [plafˈɔ̃, frz. ›Decke‹] *der,* Baukunst: mit Stuckwerk und Malerei geschmückte Flachdecke.

Plagwitz, poln. **Płakowice** [-vˈitsɛ], Dorf in der poln. Wwschaft Jelenia Góra (Hirschberg im Riesengebirge), am Bober; Renaissanceschloß, eine Dreiflügelanlage mit Arkadenhof (um 1550).

Plakat [niederländ., aus frz. placard], frz. **Affiche** [afˈiʃ], engl. **Poster** [pˈəʊstə], ein öffentlich angebrachter Anschlag aus dem Bereich des Graphik-Designs. Die werbende Absicht fast aller P. verlangt, daß Zuordnung von Bild und Text sowie die farbl. Gestaltung für den Vorübergehenden auffällig, ansprechend und schnell faßlich sind; auch soll es in der Erinnerung haften bleiben.

Geschichte. Seit dem 16. Jh. gibt es kleinformatige P., die Flugblättern oder Zeitungen, Verkaufsprospekten, Theaterzetteln u. a. gleichen: ein gedruckter Text, meist umrandet, oft begleitet von einem Bild im Holz- oder Kupferstich. Erst im 19. Jh., als die ersten Litfaßsäulen errichtet wurden, entstanden größere Formate und auffälligere Gestaltung. Nach ersten Ansätzen von J. Cheret, der bereits vereinfachte, spritzige und lichte P. druckte, kam H. de Toulouse-Lautrec, der Begründer der P.-Kunst, in den 90er Jahren zu einem knappen, linear begrenzten, stark farbigen Flächenstil. Die Technik der Farblithographie machte den Druck des unmittelbaren Künstlerentwurfes in großer Auflage möglich. Ihm folgten in Frankreich: T.-A. Steinlen, P. C. Puvis de Chavannes, P. Bonnard, A. Mucha; in England: A. Beardsley, C. R. Mackintosh, ›Beggarstaff Brothers‹ (Pseudonym für W. Nicholson und J. Pryde); in den

USA: E. PENFIELD, W. H. BRADLEY, L. J. RHEAD, J. LEYENDECKER, J. J. GOULD u. a. In Dtl. begann die P.-Kunst mit F. v. STUCK, M. KLINGER, T. T. HEINE, E. ORLIK, L. HOHLWEIN, H. UNGER, L. BERNHARD u. a. Mit der Ausbreitung der kommerziellen und polit. Werbung nach der Jh.-Wende gewann das P. große publizist. Bedeutung, an der die künstler. Bewegungen der Zeit regen Anteil hatten (Kubismus, Expressionismus und der Bauhausstil). Eine formal dem Surrealismus nahe Richtung verband extrem naturnahe Darstellungen (Farbphotos) mit abstrakten Elementen. Auch durch groteske und karikierende Gestaltungen wurden ungewöhnl. Wirkungen erzielt.

Nach dem 2. Weltkrieg suchte man in vielen Ländern durch Wettbewerbe die künstler. Qualität der P. zu erhöhen. Anregungen gingen bes. von der Schweiz, später von Polen und auch von Japan aus. Das Sammeln von P. als Poster (seit den 60er Jahren übl. Bez. für dekorative Druckgraphiken im P.-Format) ist Mode geworden. – 1970 entstand das Dt. Plakat-Mus. in Essen.

M. GALLO: Gesch. der P. (1975); Das frühe P. in Europa und den USA, ein Bestandskat., hg. v. K. POPITZ, 3 Bde. (1973–80).

Plakatfarben, Maltechnik: Kasein-Temperafarben mit genormten Farbwerten, die eine farbechte Reproduktion gestatten.

Plakette [frz.], kleine, meist rechteckige Tafel aus Bronze, Silber, Zinn oder Blei mit einer Reliefdarstellung. P. wurden an Möbeln und Geräten angebracht, dienten als Schmuck von Gürteln, Hüten, Mänteln und kamen selbständig vor, bes. auch in kirchl. Gebrauch **(Paxtafeln).** Die Blütezeit der P. war die ital. und dt. Renaissance; dargestellt wurden relig., mytholog., allegor. Figuren und Szenen sowie Porträts. Auch Gedenkmedaillen wurden P. genannt. (BILD Renaissance)

Płakowice [-v'itsɛ], poln. Name für →Plagwitz.

Plangi [malaiisch], ein Färbeverfahren in Reservierungstechnik; durch Falten, Binden oder Knoten verbleiben im Stoff ungefärbte Stellen.

Plankstetten, Gem. im Kr. Neumarkt i. d. Oberpfalz, mit 1129 gegr. Benediktinerabtei. Die roman. Klosterkirche (1138 gew.), eine flachgedeckte Pfeilerbasilika, wurde 1728 zurückhaltend barockisiert; Doppelturmfassade und zweifache Vorhallenanlage, spätgot. Polygonchor (1493–95).

Plantagenet-Stil [plænt'ædʒınıt-, engl.], der spätromanisch-frühgot. Baustil Südwestfrankreichs im Anjou, Poitou und in der Touraine zw. 1150 und 1250, benannt nach der zu jener Zeit dort herrschenden engl. Dynastie der Plantagenets. Kennzeichnend ist die Bevorzugung von Hallen- sowie Saalkirchen, Domikalgewölben und Chorfigurenzyklen. Beispiele: St. Martin in Angers, die Kathedrale von Poitiers.

Plaosan, Candi P. [tç-], buddhist. Tempelkomplex in Zentraljava (KARTE indonesische Kunst) aus dem 9. Jh., als architekton. Mandala nach W ausgerichtet, mit 2 gleichartigen Hauptheiligtümern, umgeben von einer Reihe kleinerer Tempel und 2 Reihen niedriger Stupas.

Plasencia [-θia], Stadt und Bischofssitz in der span. Prov. Cáceres, 26 100 Ew.; aus dem MA. sind die Stadtmauer mit Türmen sowie ein Aquädukt mit 53 Bogen erh. Die Alte Kathedrale (romanisch-gotisch; Kreuzgang 14./15. Jh.) ist verbunden mit der Neuen Kathedrale (1498 beg., unvoll.), die im Platereskenstil unter Mitwirkung von J. de Álava, A. de Covarrubias, R. Gil de Hontañón, D. de Siloé erbaut wurde, mit prächtigem Hauptretabel von G. Hernández (1626). Diözesan-Mus. (u. a. Gemälde von J. de Ribera).

Plass, tschech. **Plasy,** Stadt westlich von Prag, ČSSR. Zisterzienserkloster von Fürst Vladislav II. 1144 gegr., von den Hussiten (1421) zerstört, später im Barockstil u. a. von K. I. Dientzenhofer neu gebaut. Got. Königskapelle (um 1265), von den Fürsten Metternich zur Familiengruft im Empirestil umgestaltet.

Plastik [frz., aus grch.], →Bildhauerkunst.

Plastilin, Maltechnik: weich bleibende Modelliermasse aus Füllstoffen und Pigmenten in Öl, Wachs oder Pech gebunden. Zugaben von Glyzerin oder Rhizinusöl verhindern das Festwerden.

Plasy, Stadt in der ČSSR, →Plass.

Plated [pl'eɪtɪd, engl.], Bez. für Gegenstände (Leuchter, Platten, Kannen), die über einem unedlen Kern einen Silberüberzug haben.

Platereskenstil, span. **Estilo Plateresco** [›silberschmiedeartiger Stil‹], Ende des 15. Jh. etwa gleichzeitig mit dem spätgotisch geprägten →Isabellinischen Stil aufkommender span. Baustil, der bis zur Mitte des 16. Jh. vorherrschte, bes. in Fassadendekorationen. Der P. verschmolz spätgot. und maur. Elemente des Mudéjar-Stils mit dem bestimmenden Einfluß der ital. Frührenaissance. Der in ein strenges System von Vertikalen und Horizontalen gegliederte Fassadenschmuck mit reich skulptierten Medaillons, Wappen, versch. Säulen- und Bogenformen sowie Balustraden wirkt filigranhaft. Prächtige Beispiele sind die W-Fassade der Univ. von Salamanca (1515–33) und die Hauptfassade der Univ. von Alcalá de Henares (von R. Gil de Hontañón, 1541–53).

Platereskenstil: W-Fassade der Universität von Salamanca; 1515–33

Plattenburg, Wasserburg bei Kletzke, in der Prignitz, Dt. Dem. Rep., im späten MA. zeitweise Residenz des Bischofs von Havelberg; unregelmäßige Vierflügelanlage, großenteils spätgotisch, Bischofsflügel Anf. 17. Jh. ausgebaut.

Plattform, erhöhter Platz; in den Mesoamerikan. Hochkulturen häufig als Basis von Tempeln, Palästen, Stelen, Altären u. a.

Platz, von Bebauung umschlossene, öffentl. Zwekken dienende Fläche in Siedlungen. Die P.-Anlagen der Antike, die →Agora in Griechenland und das →Forum im röm. Reich waren Orte des kulturellen und polit. Lebens. P. des MA. entstanden urspr. als Markt-P. und waren von Kaufmannshäusern und öffentl. Gebäuden wie Kirche und Rathaus umgeben. In der Stadtbaukunst der Renaissance und des Barock war der P. in Zusammenhang mit Kirchen- und Schloßbauten ein wichtiges Ausdrucksmittel polit. Repräsentation. Im 19. Jh. entstanden Neuanlagen von P. im Zuge von Stadterweiterungen; P. bekamen dabei in Verbindung mit Grünanlagen dekorative Funktion oder wurden Ausdruck der gesteigerten Verkehrsbedürfnisse.

Platzer, Plazer, Johann Georg, Maler, *Eppan 25. 6. 1704, †ebd. 10. 12. 1761, seit 1721 v. a. in Wien tätig, malte, auf die Kunst des späten Manierismus zurückgreifend, vielfigurige Historienbilder und Allegorien in miniaturhafter Technik und hellfarbigem Kolorit.
HW: Atelier eines Malers (um 1750; Wien, Kunsthistor. Mus.); Atelier eines Bildhauers (um 1750; ebd.).

Platzlgewölbe, Baukunst: →Böhmische Kappe.

plauen, e. o. plauen, Pseudonym von E. →Ohser.

Plauen, Stadt im Vogtland, Dt. Dem. Rep., 79 500 Ew.; spätgot. Johanniskirche (1122 gegr., Neubau nach Brand 1548 beg.), eine dreischiffige Hallenkirche, Ausstattung aus anderen Kirchen stammend, u. a. spätgot. Schnitzaltar (Anf. 16. Jh.); in der Lutherkirche (1693 bis 1722), dem ältesten barocken Zentralbau Sachsens, einer der bedeutendsten mitteldt. spätgot. Flügelaltäre (um 1500); Rathaus (1508, Neubau nach 1548 in Renaissanceformen). Vom 1945 zerstörten Schloß der Vögte wurde der Rote Turm wiederhergestellt.

Pleinairmalerei [plɛn'ɛ:r-, frz.], →Freilichtmalerei.

Plemochoë, in der grch. Antike ein Opfergefäß; auch ein Parfumgefäß auf hohem Fuß und nach innen gebogenem Rand wird P. genannt.

Pleskau, russ. Stadt, →Pskow.

Pleß, poln. **Pszczyna** [pʃtʃ'ina], Stadt in der poln. Wwschaft Katowice (Kattowitz), 32 700 Ew. Das spätbarocke Schloß (1743–67) enthält spätgot. Fragmente (1424–49); es wurde 1870–74 umgebaut (heute Mus.); barocke Torwachen (um 1687); engl. Landschaftspark (18.–19. Jh.); klassizist. Herrenhof (um 1800).

Plettenberg, Stadt im Sauerland, NRW, 28 900 Ew. Die Pfarrkirche, eine westfäl. Pfeilerhalle des 13. Jh., hat höchst eigenwillige und einzigartige Chorflankentürme, Südportal mit Tympanonrelief und thematisch

Hans Pleydenwurff:
Auferstehung Christi (München, Alte Pinakothek)

ungewöhnl. Malereien im Chorgewölbe (Papst- und Kardinalswappen in Rankenwerk, 2. H. 15. Jh.).

Pleydenwurff, Pleidenwurff, Hans, Maler, *Bamberg um 1420, begraben Nürnberg 9. 1. 1472, seit 1457 als Bürger ebd. nachweisbar. Mit seiner Kunst setzte sich in der Nürnberger Malerei aus niederländ. Anregungen (R. VAN DER WEYDEN, D. BOUTS) ein neuer Sinn für die Wirklichkeit durch. Sein Sohn Wilhelm (†Nürnberg 1494) fertigte mit M. WOLGEMUT, der P.s Witwe geheiratet und die Werkstatt übernommen hatte, die Holzschnitte für H. SCHEDELS Weltchronik.

HW: Löwenstein-Diptychon (um 1456?): Christus als Schmerzensmann (Basel, Kunstmus.), Porträt Georg Graf von Löwenstein (Nürnberg, German. Nat.-Mus.); Hochaltar (1462 gew.; Breslau, St. Elisabeth, heute ebd., Schles. Mus. und Nürnberg, German. Nat.-Mus.); Kreuzigung (um 1470; München, Alte Pinakothek); Auferstehung Christi (ebd.).

Plinius der Ältere, Gaius Plinius Secundus, lat. Schriftst., *Como 23 oder 24 n. Chr., †79 beim Ausbruch des Vesuvs, lernte als Offizier große Teile des Reiches kennen. Von seinen Schriften ist die Naturgeschichte (›Naturalis historia‹) in 37 Büchern erh., deren Abschnitte über grch. Kunst eine wichtige archäolog. Quelle darstellen.

Plinthe [grch.] *die,* niedrige quadrat. oder rechteckige Sockelplatte unter Säulenbasen oder Fußprofilen von Monumenten, Standbildern, Wandsockelprofilen.

Pliska, Dorf in Bulgarien, 24 km nordöstlich von Schumen. 3 km nördlich liegt die Ruinenstätte der gleichnamigen Hauptstadt des 1. Bulgar. Reiches (7. bis 10. Jh.), ehemals von 2 Mauerringen und einem Erdwall umgeben. Ihre Bedeutung ging zurück, nachdem die Residenz 893 nach Preslaw verlegt wurde, und sie verödete nach Zerstörungen durch Tataren und Türken (14. Jh.). Durch Grabungen freigelegt wurden die Grundmauern eines kleinen und eines großen Palastes (9. Jh.), von Wohn- und Wirtschaftsgebäuden und die Reste der Hofkirche, einer auf den Grundmauern eines heidn. Tempels errichteten, dreischiffigen Basilika mit Baptisterium (vermutlich Ende 9. Jh.). Innerhalb der äußeren Befestigung Ruinen zahlreicher Klöster, Kirchen und Kapellen, darunter die der ›großen Basilika‹. – In P. befinden sich (neben Madara und Preslaw) die wichtigsten Denkmäler der 1. Phase der protobulgar. Kultur.

Płock [płɔtsk], Hauptstadt der Wwschaft P., Polen, am Ufer der Weichsel; Reste der im 14. Jh. von KASIMIR D. GR. gegr. Burg (erh. sind Uhrturm und Adelsturm). Der Dom, urspr. eine roman. Basilika mit Querschiff (1126–41), im 15. und 16. Jh. umgebaut u. a. durch J. CINI, wurde 1902/03 stark verändert; spätgot. Bartholomäuskirche (1356; im 16., 18. und 19. Jh. umgebaut); got. Kollegiatskirche (1607 gegr.; 1764–73 und später umgebaut, u. a. durch S. ZAWADZKI, 1786, und A. CORAZZI, 1840); Rathaus (1826/27) von J. KUBICKI errichtet; neoklassizist. Bürgerhäuser (18.–19. Jh.).

Ploieşti [ploj'eʃtj], Hauptstadt des Kr. Prahova, Rumänien, 207 000 Ew., ehem. Fürstensitz (seit 1597). Wichtigstes Kunstdenkmal ist die als Votivkirche 1639 von Matei Basarab gegr. Fürstenkirche (restauriert 1742, 1794 und 1879). – Wohnhausmus. Hagi Prodan (Bau um 1785); Histor. Museum des Kreises; Kunstmuseum.

Plön, Kreisstadt in Schlesw.-Holst., 10 100 Ew. Das dreiflügelige Barockschloß (1633–36, bis 1761 Residenz der Herzöge von Schlesw.-Holst.-Sonderburg-P.) besitzt einige Innenräume mit reicher Rokoko-Ausstattung (1753/55). Im Prinzenbau (1745–47) ein ovaler, zweigeschossiger Festsaal mit Rokoko-Stukkaturen (1747–51). Im ehem. klassizist. Rathaus (1816–18 von C. F. HANSEN) das Kreis-Mus. (umfangreiche Glas-Samml.).

Ploschkowitz, tschech. **Ploskovice** [-tsɛ], Gem. nordöstlich von Leitmeritz, ČSSR, mit einem prachtvollen Barock-Palast, der 1720–30 für die Großherzogin von Toscana erbaut wurde (Obergeschoß 1850 bis 1853). Die Gemälde des Schlosses stammen aus dem 19. Jh., v. a. von J. NAVRÁTIL.

Plowdiw, Stadt in S-Bulgarien, 332 900 Ew. Aus der Zeit des Thrakerreiches stammt ein thrak. Kuppelgrab (4. Jh. v. Chr.). In röm. Zeit war die Stadt **(Philippopolis,** auch **Trimontium)** Hauptstadt der Prov. Thrakien; Reste eines röm. Aquädukts, eines Tempels und eines Stadions sind erh.; aus türk. Zeit 2 große türk. Moscheen, die Ulu-Moschee (heute Dschumaja-Moschee) vom Ende des 14. Jh. und die Imaret-Moschee, ein Zentralbau mit Kuppel von 1444/45; türk. Bad Tschifte-Banja (Mitte 16. Jh.). Der Uhrturm vom Anfang des 17. Jh. ist der älteste seiner Art in Bulgarien. Archäolog., ethnograph. u.a. Mus.

Plumbate-Keramik, die →Bleiglanz-Keramik.

Pluton [grch.], lat. **Pluto,** grch. Mythos: Gott des Reichtums und der Unterwelt, seit dem 5.Jh. v.Chr. nachweisbar. Er verschmolz mit dem düsteren →Hades, teilte dessen Mythos, verlieh ihm aber mildere Züge. In P. hat sich die Gestalt des →Plutos, mit dem er auch namentlich zusammenhängt, in der Wirkung gesteigert und vertieft, indem er als Verkörperung der segenspendenden chthon. Mächte (Reichtum an Metall und Getreide) erschien. Dargestellt wurde er als düsterer Hades-P. und ähnlich wie Zeus mit Schale und Zepter oder wie Plutos, jugendlich, mit Füllhorn als Attribut. – Von den Römern wurde er **Dis** und **Orcus** genannt.

Plutos, altgrch. Personifikation und Gott des Reichtums und der Fülle, urspr. des Getreidevorrats, dann auch Herrscher des Totenreichs und →Pluton genannt; Sohn des Iasion und der Demeter. P. wurde häufig als Kind mit dem Füllhorn auf dem Arm der Friedensgöttin Eirene dargestellt.

Plzeň [p'lzɛnj], Stadt in der ČSSR, →Pilsen.

Poblano-Stil, Variante des mexikan. Barock, charakteristisch für die Volkskunst in und um Puebla seit der 2.H. des 17.Jh. Die im P.-S. arbeitenden Künstler knüpften an vorkolumb. Traditionen an, verwendeten indian. Stuckornamente, rote Ziegel und farbige Kacheln (Azulejos). Seine Blütezeit erreichte der P.-S. um die Mitte 18.Jh. mit der Gestaltung der Fassade von →Acatepec und des Innern von →Tonantzintla u.a.

Poblet, ehem. Zisterzienserkloster, 46 km nordwestlich von Tarragona, Spanien, 1153 von RAMÓN BERENGUER IV., König von Aragón, gegr., bis Ende des 14.Jh. voll.; neben →Santes Creus das bedeutendste Beispiel der Zisterzienserbaukunst in Spanien. Der dreifach ummauerte Baukomplex umschließt v.a. die dreischiffige roman. Kirche (Barockfassade des 17.Jh.) mit reich skulptiertem Hauptretabel von D. FORMENT (1526–31) und Gräbern der Könige von Aragón, frühgot. Kreuzgang (13./14.Jh.), Kapitelsaal (14.Jh.; Kapitelle mit pflanzl. Ornamenten) und den königl. Palast (1392; spätgot. Baudekor).

Poccetti [pɔttʃ'etti], Bernard(in)o, eigtl. B. **Barbatelli,** ital. Maler, *Florenz 1542 oder 1548, †ebd. 10. 11. 1612, einer der fruchtbarsten Dekorationsmaler von Florenz in der Übergangszeit vom Spätmanierismus zum Barock.

Pocci [p'ɔtʃi], Franz Graf von, Zeichner, Schriftst., Musiker, *München 7. 3. 1807, †ebd. 7. 5. 1876. Seine gemüt- und humorvollen Zeichnungen im Vignettenstil seiner Zeit sind meist Illustrationen zu fremden und eigenen Dichtungen. Er war ein satir. Zeichner für die ›Fliegenden Blätter‹ (›Der Staatshämorrhoidarius‹, 1857) und die ›Münchner Bilderbogen‹ und entwarf Naturskizzen in Zeichnung und Aquarell in der Art der dt.-röm. Landschaftsmalerei.

Pochoir [pɔʃw'aːr, frz.], Verfahren zum schnellen Kolorieren von Graphiken mittels einer Schablone sowie die Schablone selbst. Eine Platte aus Metall oder Pappe wird so ausgeschnitten, daß die Leerflächen den Flächen der Graphik entsprechen, die farbig erscheinen sollen. Die Platte wird auf die Graphik gelegt, so daß nur die Leerflächen Farbe annehmen können. Um Vielfarbigkeit zu erzielen, werden mehrere P. benötigt.

Podium [lat.], erhöhte Fläche für Redner, Schauspieler u. a.; im antiken Theater unterste Sitzreihe.

Podiumtempel, eine Form des Tempels bes. in der etrusk. und italischen Baukunst, bei der Cella und Säulenhalle sich nicht auf der grch. dreistufigen Krepis, sondern auf einem sockelartigen Podium erheben, an der Frontseite durch eine Freitreppe zugänglich.

Poelaert [p'uːlaːrt], Joseph, belg. Baumeister, *Brüssel 21. 3. 1817, †ebd. 3. 11. 1879, ausgebildet in Paris, schuf in Brüssel 1859 die Kongreßsäule und seit 1866 den Justizpalast, der größte Monumentalbau des 19. Jh. (auf einer Fläche von 26 000 m² in einem Stilgemisch des Historismus, 1883 voll.).

Poelenburgh [p'uːlənbyrx], Cornelis van, holländ. Maler, *Utrecht um 1586, begraben ebd. 12. 8. 1667, malte, von A. ELSHEIMER beeinflußt, kleine, zartfarbige arkad. Landschaften mit Nymphen und Hirten. Er war in Italien und London, ferner in Utrecht tätig. In seiner Werkstatt ließ er Bilder von seinen Schülern kopieren, die er dann nur noch retuschierte.

Poelzig, Hans, Architekt, *Berlin 30. 4. 1869, †ebd. 14. 6. 1936, lehrte in Breslau, Dresden, 1920–35 in Berlin; 1919–21 Vors. des ›Dt. Werkbundes‹. P., der den

Hans Poelzig: Zuschauerraum des ehem. Großen Schauspielhauses in Berlin; 1919; heute Friedrichstadt-Palast, Berlin-Ost

akadem. Historismus überwand, fand um 1910 zu einer städtebaulich wirksamen Bauauffassung kraftvoller, einfacher Massengliederung. Bed. sind seine Bauten für die Industrie und die darstellenden Künste. Sein Werk markiert die Mitte zw. konservativer Bauauffassung, Expressionismus und Internationalem Stil.

HW: Geschäftshaus, Breslau (1910); Wasserturm, Posen (1911); Chem. Fabrik, Luban bei Posen (1911/12); Ausstellungsbauten, Breslau (1913); Großes Schauspielhaus, Berlin (1919); Festspielhaus, Salzburg (Entwurf, 1920/21); Capitol-Lichtspiele, Berlin (1925); Messegelände, Berlin (1928/32); Verwaltung I. G. Farben, Frankfurt a. M. (1929/30); Haus des Rundfunks, Berlin (1930).

T. Heuss: H. P. ([2]1966).

Pöggstall, Marktgem. im Bez. Melk, NÖ; Schloß Rogendorf, eine unregelmäßige Anlage (im wesentlichen 16. Jh.) mit Bauelementen der Spätgotik und Renaissance; davor eine mächtige Barbakane, ein bes. gut erh. Beispiel dieser seltenen Art von Wehrbauten; Pfarrkirche (ehem. Schloßkapelle, um 1480) mit bemerkenswertem spätgot. bemaltem Flügelaltar.

Poikile, Stoa P. [grch. ›bunte Halle‹], antike Halle an der N-Seite der Agora in Athen aus der 1. H. des 5. Jh. v. Chr., so genannt nach den Wandgemälden von Polygnot, Mykon und Panainos mit Szenen aus der Geschichte Attikas und dem Mythos. Durch Ausgrabungen seit 1980 wurden Fundamente der bisher nur aus Beschreibungen bekannten Halle aufgedeckt.

Pointillismus [pwɛ̃-, von frz. point ›Punkt‹], →Neoimpressionismus.

Poiré [pwarˈe], Emanuel, →Caran d'Ache.

Poirier [pwarjˈe], frz. Künstlerehepaar; Anne (*Marseille 31. 3. 1942) und Patrick (*Nantes 5. 4. 1942), arbeiten seit 1970 zus.; Vertreter der Spurensicherung und Individuellen Mythologie. Sie rekonstruieren in kleinteilig-subtilen, poetisch-subjektiven Modellen archäolog. Stätten (Ostia Antica, 1971–73; Domus Aurea, 1975–77).

A. und P. P., Ausst.-Kat., Bonn (1978).

Poitiers [pwatjˈe], Hauptstadt des Dép. Vienne in W-Frankreich, 85 500 Ew.; kath. Bischofssitz. Außer einem der ältesten christl. Bauwerke in Frankreich, dem Baptisterium St. Jean (urspr. 4. Jh., Umbau in merowing. Zeit, Narthex um 1000, merowing. Sarkophage, Fresken des 12./13. Jh.), besitzt P. bed. roman. Kirchen: St. Hilaire-le-Grand (11./12. Jh., siebenschiffig, mit 3 Kuppeln über dem Mittelschiff), Notre-Dame-la-Grande (11./12. Jh.; Stufenhallenkirche mit reich gestalteter W-Fassade zw. 2 Türmen), Ste. Radegonde (11., 13. und 15. Jh., urspr. Grabbau der Schutzpatronin der Stadt aus dem 6. Jh.) und die zweitürmige Kathedrale (12.–15. Jh.; dreischiffige Hallenkirche im Plantagenet-Stil mit reich skulptierten Portalen, Glasmalereien und prächtigem Chorgestühl des 13. Jh.). Innerhalb des Justizpalastes haben sich Teile des ehem. Herzogspalastes erh. (Donjon, 1386–95; Großer Saal, 12./13. Jh., Ende des 14. Jh. verändert). Im Hôtel de Ville (Rathaus, 19. Jh.) Mus. des Beaux-Arts (Gemäldegal., antike Skulpturen, darunter die ›Minerva von P.‹).

Pokal [ital. boccale ›Becher‹], aus Fuß, Schaft und Kuppa bestehendes, meist mit einem Deckel versehenes Trinkgefäß aus Glas, Bergkristall, edlen und unedlen Metallen. In der Renaissance und im Barock waren **Prunkpokale** aus Gold, Silber und Glas sehr beliebt für profane und kirchl. Zwecke.

Pokrow [russ. ›Hülle‹, ›Schutz‹], die ostkirchl. Form des Schutzmantelbildes. Literar. Wurzel ist eine byzantin. Legende des 10. Jh. von der Vision des seligen Andreas, der in der Blachernen-Kirche in Konstantinopel sah, wie die in der Luft schwebende Madonna, umringt von Engeln und Heiligen, über die Betenden ihren Schleier ausbreitete. Diese Bildform entstand im 13. Jh. im Gebiet Wladimir-Susdal und war bes. im 14.–16. Jh. in der russ. Kunst beliebt.

Polack, Pollack, Polonus, Jan, Maler, *vermutlich Krakau 1435, †München 1519, seit 1482 ebd. als Stadtmaler nachweisbar; er war hier der führende Maler der ausgehenden Spätgotik. Seine Kunst zeigt neben poln. Einflüssen Elemente des Stils von V. STOSS und H. PLEYDENWURFF.

HW: Fresken in der Kirche zu Pipping (1479); Fragmente des Weihenstephaner Hochaltars (1483–85; München, Alte Pinakothek, Nürnberg, German. Nat.-Mus., Freising, Klerikalseminar); Tafeln der Hochaltäre der Peterskirche (um 1490) und der Franziskanerkirche (1492) in München (ebd., Bayer. Nat.-Mus.).

Pola de Lena, span. Ort in Asturien, rd. 20 km südlich von Oviedo; auf einem Hügel außerhalb die Kirche S. Cristina de Lena (9. Jh.), die Chorschranken mit einem Kanzelstein (mit pflanzl. und geometr. Ornamenten reich verziert) und fein gedrehte Säulen mit Kapitellen im Astur. Stil birgt.

Poldi-Pezzoli, Museo P.-P., Mailand, Privatsamml. des Mailänders G. G. POLDI-PEZZOLI DI ALBERTONE (*1822, †1879). Der Palazzo P.-P. wurde 1881 mit der Samml. v. a. ital. Malerei des 15.–18. Jh., Waffen und versch. anderen Kunstgegenständen der Öffentlichkeit übergeben.

Polenow, Wassilij Dmitrijewitsch, russ. Maler, *St. Petersburg 1. 6. 1844, †Gut Borok (heute Polenowo, Gebiet Tula) 18. 7. 1927, ausgebildet an der Akad. in St. Petersburg, Auslandsaufenthalte in Italien und 1872 bis 1876 mit I. REPIN in Frankreich; Mitgl. der ›Peredwischniki‹ und der Künstlervereinigung in Abramzewo. P. war v. a. Landschaftsmaler, widmete sich aber auch histor. Themen, bes. bibl. Darstellungen. Als Lehrer an der Moskauer Kunstschule (1882–95) hat er die jüngere Malergeneration (I. LEWITAN, K. KOROWIN) beeinflußt.

Poliakoff, Serge, frz. Maler russ. Herkunft, *Moskau 8. 1. 1906, †Paris 12. 10. 1969, verließ 1918 Rußland, lebte seit 1923 in Paris. Er malte seit 1938 (Begegnung mit W. KANDINSKY und R. DELAUNAY) abstrakt. P. entwickelte einen sehr persönl. Stil, in dem sich wenige, streng gegliederte und verzahnte Formen mit meist leuchtender Farbigkeit zu myst. Wirkung verbinden.

S. P., Ausst.-Kat., Paris (1973).

Polidoro da Caravaggio [-karav'addʒo], ital. Maler, →Caravaggio 2).

Polieren [lat.], Maltechnik: das Glätten einer Fläche bis zum Hochglanz. Leimgebundene Farben und Polimentvergoldungen wurden mit einem Zahn, heute meist mit einem Polierstein, Feuervergoldungen mit dem Polierstahl, Möbel durch zahlreiche dünne Lackaufträge mit weichem Lappen und Lacke, Stuck, Elfenbein u.a. durch Schleifen mit immer feineren Schleifmaterialien poliert.

Polierstahl, aus Stahl gefertigtes Werkzeug des Kupferstechers, mit dessen abgerundeter Spitze Korrekturen auf der Druckplatte angebracht werden, z. B. werden unbeabsichtigte Kratzer, Grate u. a. Spuren auf der Metallplatte flachgedrückt, damit diese im Druck nicht erscheinen. (→Schabkunst)

Polierstein, Maltechnik: Werkzeug zum Polieren u.a. von Blattvergoldungen. Dazu eignen sich harte (Raubtier-)Zähne oder geschliffene Steine (Achat, Onyx, Blutstein), die je nach Erfordernis geformt sind und mit leichtem Druck über die Fläche geführt werden. Seit Ausgang des MA. finden Zähne kaum noch Verwendung.

Polierweißfassung, Maltechnik: Sammelbegriff für barocke Weißfassungen zur Marmor-, Alabaster- und Porzellanimitation. Die Figuren erscheinen hierbei einfarbig weiß oder hellgrau, akzentuiert nur durch Glanz-Matteffekte. Eine P. kann entweder ein leimgebundenes Weiß auf Leimgrundierung sein, das wie eine Vergoldung poliert wird, oder ein gefirnißter Weißanstrich.

Poliment, Maltechnik: →Bolus. – **P.-Vergoldung** (Leimvergoldung), eine auf Bolus aufgetragene, polierbare Blattvergoldung, die v. a. für Skulpturen, Gemälde und Möbel verwendet wird.

Polke, Sigmar, Künstler, *Oels (Niederschlesien) 13. 2. 1942, kam 1953 in die Bundesrep. Dtl., studierte an der Düsseldorfer Akad. Seine großformatigen ›Rasterbilder‹ haben die unpersönl. Reproduktionstechnik der Massenmedien zum Thema, seine Stoffbilder auf gemusterten Dekorationsstoffen ironisieren subjektiv betonten Farbauftrag und triviale Kunsterwartungen. P.s geistvoll iron., nur scheinbar naive Bildsprache gewann starken Einfluß auf die jüngere dt. Malerei seit Ende der 1970er Jahre.

S. P., Ausst.-Kat., Tübingen (1976).

Pollaiuolo, 1) Antonio del, ital. Bildhauer, Goldschmied, Gießer, Maler, Stecher, *Florenz 1431 oder 1432, †Rom 4. 2. 1498. Die Bronzefiguren seiner beiden HW – der Grabmäler für SIXTUS IV. (1493 signiert; Vatikan. Grotten) und INNOZENZ VIII. (1493–97; St. Peter, Rom) – zeigen eine Verbindung von kühn im Raum entfalteten Bewegungen mit stark geöffneten Konturen und einem vielfältig gebrochenen Faltenstil, der an gleichzeitige Phänomene nördlich der Alpen erinnert (M. SCHONGAUER). Die Darstellung der im Raum bewegten, vielansichtigen Figur ist P.s Anliegen in Skulp-

Antonio del Pollaiuolo: Herakles den Antaios erwürgend; um 1485 (Florenz, Bargello)

tur (Kleinbronzen: Herakles den Antaios erwürgend, um 1485; Mus. Nazionale del Bargello, Florenz, u. a.) wie Malerei (2 Täfelchen mit Heraklestaten, Florenz, Uffizien; Fresko mit 5 nackten Tänzern, um 1470, Villa della Gallina bei Florenz; Martyrium des Hl. Sebastian, 1475, London, Nat. Gal.) und Graphik (sein Kupferstich ›Kampf der nackten Männer‹, um 1470/75, war für die Entwicklung der Aktdarstellung von Bedeutung; BILD Kupferstich). In seinen Profilporträts (Porträt einer vornehmen jungen Frau, Mailand, Mus. Poldi-Pezzoli) zeigt er sich von DOMENICO VENEZIANO und PIERO DELLA FRANCESCA beeinflußt. Sein Bruder Piero (*Florenz 1443, †Rom 1496) arbeitete mit ihm in Werkstattgemeinschaft (viele der wichtigen Werke sind von beiden); das HW Pieros ist das Hochaltarbild mit der Krönung Mariä in S. Agostino, San Gimignano (1483 signiert).

2) Simone del P., ital. Baumeister, →Cronaca.

Pöllau, Marktgem. in der Oststeiermark, Österreich, mit ehem. Augustiner-Chorherrenstift (1482–1785). Die barocke Stiftskirche (1701–12) mit reicher Ausmalung wurde vermutlich nach einem Entwurf von C. A. CARLONE erbaut; Stiftsgebäude im wesentlichen 1690 bis 1696. Auf einem Berg östlich von P. die got. Wallfahrtskirche Pöllauberg (Mitte 14. Jh.), eine zweischiffige Hallenkirche mit reichem Portal; mächtiger barokker Hochaltar (1710–30).

Polling, Gem. im Kr. Weilheim-Schongau, Oberbayern; got. ehem. Augustinerchorherren-Stiftskirche, eine fast quadrat. Hallenkirche (1416–20), 1621–28 in frühbarockem Stil durch H. KRUMPPER und G. SCHMUZER umgestaltet, Seitenkapellen 1761–65. Hochaltar (1623–29, Tabernakel 1764 durch J. B. STRAUB). Stattlicher Renaissanceturm (1605–11). Dreischiffiger Bibl.-Saal (Dekoration 1775–78 im Spätrokokostil).

Pollock [p'ɔlək], Jackson, amerikan. Maler, *Cody (Wyoming) 28. 1. 1912, †East Hampton (New York) 11. 8. 1956, gilt als der bedeutendste Vertreter des amerikan. →Action-Painting. In den 1930er Jahren stand er unter dem Einfluß der mexikan. Wandmaler (bes. von D. A. SIQUEIROS), deren expressiven Realismus er in ein heftig bewegtes, nahezu abstraktes Bildornament verwandelte. Anfangs der 1940er Jahre verstärkte sich (u. a. durch die Anregung R. MATTAS und der surrealist. Emigranten, aber auch durch die Schriften von C. G. JUNG) das automatische, aus dem Unbewußten schöpfende Element seiner Malerei, wozu Erinnerungen an die totemist. Zeichen indian. Mythologien kamen. 1946/47 setzten die großen ›Overall Paintings‹ (›Überall-Bilder‹) ein, in denen P. das spontane ›Dripping‹ (engl. ›Tröpfeln‹), z. T. mit Hilfe durchlöcherter Büchsen, aus denen die Farbe auf die Leinwand lief, zur Methode machte. So entstanden labyrinthisch verschlungene Farbnetz-Strukturen, die gestische Intensität mit formaler Konsequenz verbinden. In den letzten Bildern konzentrierte sich P. auf Schwarz-Weiß und öffnete die ›unendliche Arabeske‹ wieder ins Figürliche.

B. ROBERTSON: J. P. (Köln, o. J.); J. P., Catalogue raisonné, hg. v. E. V. THAW u.a., 4 Bde. (London 1978); J. P., Ausst.-Kat., Paris (1982).

Polonnạruwa, Ruinenstadt im nordöstl. Sri Lanka, am (368 entstandenen) Stausee Topavava, war von 780 bis 1290 königl. Residenz und buddhist. Religionszentrum. Von der kurzen Herrschaft der südind. Cholas im 11. Jh. zeugen 2 kleine steinerne Shivatempel im Dravida-Stil. V. a. im 12. Jh. entstanden unter den Königen PARAKRAMA BAHU und NISSAMKAMALLA umfangreiche Palast- und Kultanlagen. Als Bauformen finden sich neben verputzten Ziegelstupas (Kiri Dagoba und Rankot Dagoba, 60 m hoch) aus Ziegeln errichtete Hallentempel mit Tonnengewölben, in deren Apsis bis zu 12 m

Polonnaruwa: Lankatilaka-Tempel und Kiri Dagoba; 12. Jh.

hohe Buddhafiguren aus Ziegeln aufgestellt waren (Thuparama, Lankatilaka und Tivanka Pilimage mit Wandmalereien und Stuckfigurendekor), und pfeilergestützte Ziegel-Holz-Konstruktionen, deren Obergeschosse verfallen sind (Nissamkalata Mandapa), sowie als Sonderformen die siebengeschossige Ziegelpyramide Satmahal Pasada und die säulenumgebenen Rondelle Vatadage und Potgul Vihare. Bei letzterem befindet sich das 3,7 m hohe Felsrelief des Parakrama Bahu(?), beim Höhlentempel Gal Vihare die 15 m lange liegende Figur des sterbenden Buddha, daneben sein Jünger Ananda sowie eine meditierende Buddhafigur (BILD indische Kunst).

Polos [grch. ›Achse‹] *der,* Bez. einer zylindr. Kopfbedeckung mit sehr schmalem Rand, seit dem 2. Jahrtsd. v. Chr. in Babylonien und Anatolien nachweisbar. Der P., oft verziert, gelegentlich auch im Stil einer Federkrone, wurde in Darstellungen meist von Göttinnen getragen, im 1. Jahrtsd. v. Chr. auch von Göttern (z. B. Marduk); er war aber auch im profanen Bereich üblich.

Polozk, Stadt im N der Weißruss. SSR an der Düna, 72000 Ew. – Auf einem Höhenrücken zw. Düna und Polota, im alten Stadtkern von P., das schon für 862 erstmals erwähnt wird, liegt der Kreml mit der nach dem Vorbild der Kiewer Sophia erbauten Sophienkathedrale (1044–66, zw. 1738 und 1750 im Rokokostil umgebaut); etwas außerhalb das Erlöser-Euphrosyne-Kloster (vor 1159 entstanden) mit Kathedrale.

Polychromie [grch.] *die,* Vielfarbigkeit i. Ggs. zur Einfarbigkeit (Monochromie), wobei die Farben sich meist übergangslos gegeneinander absetzen, so daß P. auch soviel wie Buntheit bedeuten kann. Sie kennzeichnet die primitive und die Volkskunst, aber auch die hohe Kunst früherer Zeiten, und zwar in ungleich größerem Umfang, als die erh. Denkmäler erkennen lassen. Über die P. am Innen- und Außenraum eines Gebäudes →Farbigkeit der Architektur.

In der Bildhauerkunst war die P. in der altägypt. Kunst und in der grch. Kunst selbstverständlich. Die Buntheit des 6. Jh. v. Chr. wich im Laufe des 5. Jh. einer zarteren Farbgebung, die sich auf Kleidung, Haare, Augen, Lippen beschränkte, das Inkarnat aber dem Material (Marmor, Elfenbein) überließ.

Auch die ma. Plastik war in viel stärkerem Maß polychrom als das aus dem heutigen Zustand zu schließen ist. Die →Fassung der Skulptur brachte einen eigenen, dem Bildhauer oder Schnitzer in Ansehen und Bezahlung ebenbürtigen Beruf hervor: den Faßmaler.

Die Einfarbigkeit der Plastik ist das Ergebnis einer sich in der Renaissance anbahnenden, vom Barock unterbrochenen Entwicklung, die sich erst im Klassizismus endgültig durchgesetzt hat. Gleichzeitig mit diesem kam es aber zu einer Wiederentdeckung der P. der Antike und des MA. und zu einer theoret. oder denkmalpfleger. Auseinandersetzung über die Bedeutung der Farbe in Architektur und Plastik im Lauf des 19. Jh. Eine Wiederbelebung der P. gelang nur vereinzelt (M. KLINGER). Erst wieder in der Pop Art nahm die P. als

Reflexion auf die Industrieprodukte und die Werbung breiten Raum ein (Signal-, Schock-Farben).

T. BRACHERT: Die Techniken der polychromierten Holzskulptur (1975); URSULA SPINDLER-NIROS: Farbigkeit in den bayer. Kirchenräumen des 18. Jh. (1981).

Polyeuktos, athen. Bildhauer des 3. Jh. v. Chr. Von seiner 280 v. Chr. auf dem Markt von Athen aufgestellten Bronzestatue des Redners DEMOSTHENES (4. Jh. v. Chr.) sind römisch-kaiserzeitl. Repliken erhalten.

Polygnot, grch. **Polygnotos,** grch. Maler der 1. H. des 5. Jh. v. Chr. aus Thasos, schuf nach den Perserkriegen bed., aus Beschreibung des PAUSANIAS bekannte Wandgemälde, so den ›Freiermord des Odysseus‹ (Athenatempel von Plataä, nach 478), ›Das eroberte Troja‹ und wohl auch die ›Schlacht bei Marathon‹ (Stoa Poikile, Athen, um 460), ›Odysseus in der Unterwelt‹ (Lesche der Knidier, Delphi, um 450) u. a.

Polygonalmauern, Polygonmauerwerk [grch. polygonon ›Vieleck‹], Mauern aus Natursteinen, die nicht rechtwinklig zugerichtet sind, so daß das Fugenbild aus unregelmäßigen Vielecken besteht. Sie überwogen in der Frühzeit grch. Architektur und wurden auch von den Inka beim Terrassen- und Festungsbau verwendet. (BILD Inka)

Polyklet: Diadumenos; römische Marmorkopie, (Athen, Nationalmuseum)

Polyklet, grch. **Polykleitos, 1)** grch. Bildhauer aus Argos, Haupt der peloponnes. Erzgießerschule der 2. H. des 5. Jh. v. Chr. An seine nur in zahlreichen röm. Marmorkopien erh. Bronzestatuen des Doryphoros (um 450) und des Diadumenos (um 430) lassen sich verwandte Werke anschließen. Von ihnen darf man wohl einen Herakles, einen Hermes, einen Diskuswerfer und einen den Siegeskranz aufsetzenden Jüngling (›Westmacottcher Athlet‹) P. selbst zuschreiben, während andere, z. B. der ›Narziß‹ und der ›Dresdener Knabe‹, seiner Schule entstammen dürften. Von den nach antiker Überlieferung im Wettstreit zw. P., PHIDIAS, KRESILAS und PHRADMON für das Artemision in Ephesos geschaffenen, in Kopien erh. Amazonenstatuen geht die ›Sosikles-Amazone‹ in den Kapitolin. Museen (Rom) wohl auf P. zurück. Ob dieser P. oder ein um eine Generation jüngerer Bildhauer dieses Namens das Goldelfenbeinbild der Hera im Heraion von Argos, dessen Kopf auf argiv. Münzen wiedergegeben ist, geschaffen hat, bleibt unsicher. Seine theoret. Schrift ›Kanon‹ behandelte die Maßverhältnisse des menschl. Körpers. Charakteristisch für P. sind gedrungene Gestalten mit ›quadratischen‹ (Plinius d. Ä.: ›quadrata‹) Körpern, im klass. Kontrapost, der Schreiten und Stehen verbindet.

2) P. der Jüngere, grch. Bildhauer, Baumeister des 4. Jh. v. Chr. aus Argos. Von seinen Bauwerken ist vermutlich die Tholos im Asklepieion zu Epidauros in Resten erhalten.

polylober Bogen, →maurischer Stil.

Polynesien. P. (West-P. mit Fidschi, Tonga, Samoa; Zentral-P. mit Cook-, Tubuai-, Gesellschafts-Inseln; Ost-P. mit Tuamotu-, Marquesas-Inseln sowie Rand-P. mit Hawaii, Osterinsel, Neuseeland) wurde von W, vermutlich ab etwa 1600 v. Chr., besiedelt. Trotz der großen Entfernungen zeigen die Inselgruppen Gemeinsamkeiten: Polytheismus, Priester als Verbindung zu den Gottheiten, eine soziale Schichtung in Adlige, Freie und z. T. auch Sklaven sowie – anders als in den anderen Kulturen Ozeaniens – eine Berufsgruppe von Handwerkern und Künstlern, die sogar einen eigenen Gott hatte. Aus Holz, seltener aus Stein (→Osterinsel) gefertigte figurale Götterdarstellungen haben bes. auf →Hawaii (hier neben vorzügl. Federarbeiten), den →Marquesas-Inseln, Neuseeland (→Maori) und auf →Nukuoro ein hohes Maß an künstler. Entfaltung erreicht. Hervorragende Beispiele sind die Darstellung des Gottes Te Rongo und die Stabgötter von den Cook-Inseln, v. a. von Rarotonga; die Figuren haben gerundete Köpfe, die Gesichter ovale, stark betonte Augen, gerade, flache Nase und großen Mund; Arme und Beine sind i. Ggs. zu Bauch und Penis nicht betont. Die Stabgötter sind dagegen flache Schnitzereien, bei denen unter einem auf Profilwirkung gearbeiteten Kopf (Augen und Mund typisch geformt) an Stelle des Körpers kleine Figuren zu einem Band zusammengefaßt sind. Wie bei vielen Kultfiguren in P. blieb auch hier die künstler. Arbeit i. d. R. unter einer Umhüllung aus →Tapa verborgen. Bemerkenswert sind ferner figürl. (meist weibl.) Elfenbeinschnitzereien (Walzahn) aus West-P. (Tonga, Fidschi), die, materialgerecht, gerundete Formen zeigen. Eine bed. Rolle spielt die ornamentale Oberflächengestaltung, die sich an die Tatauierung menschl. Gesichter anlehnt, in geradlinig-geometr. (Tonga-, Samoa-, bes. Cook- und Tubuai-Inseln) oder kurvig-linearen Mustern (Neuseeland, Marquesas-Inseln).

A. Wardwell: The sculpture of Polynesia, Ausst.-Kat., Chicago (1967); R. Duff: No sort of iron, Ausst.-Kat., Christchurch (1969); T. Barrow: Art and life in Polynesia (Wellington 1972); Adrienne Kaeppler: Artificial curiosities, Ausst.-Kat., Honolulu (1978).

Polynesien:
Gott der Fischer; Holz, Höhe 42 cm, Rarotonga, südl. Cook-Inseln, vor 1776 (München, Staatl. Museum für Völkerkunde, Sammlung Cook/Wagner)

Polyphem, grch. Mythos: einer der Kyklopen, ein einäugiger Sohn des Poseidon, der Menschen fraß. Odysseus wurde mit 12 Gefährten auf seiner Irrfahrt von ihm gefangengehalten. Als P. schon einige Gefährten verzehrt hatte, machte Odysseus ihn trunken, brannte ihm mit einem Pfahl das Auge aus und entkam mit den anderen unter den Bäuchen der Riesenschafe. Damit beschwor Odysseus die Rache des Poseidon herauf. Flucht und Blendung des P. lassen sich in der grch. Vasenmalerei schon im 7. Jh. v. Chr. (Amphora, Eleusis, Mus.; Kanne, Ägina, Mus.), später auch freiplastisch (→Sperlonga) nachweisen. Häufig wurde die Werbung des P. um die zarte Galathea seit dem Hellenismus und dann wieder in der Neuzeit dargestellt.

B. Fellmann: Die antiken Darstellungen der Polyphemabenteuer (1972); B. Andreae: Odysseus (1982).

Polyptychon [grch.] *das,* ein Altaraufsatz mit mehr als 2 Flügeln (→Altar).

Polythyron [grch.] *das,* der →Pfeilersaal in der kret. Palastarchitektur.

Pomata, Ort am SW-Ufer des Titicacasees, Peru. Die Kirche Santiago (17. Jh., Fassade 18. Jh.) weist alle Eigentümlichkeiten auf, die für die ganz vom Stil der indian. Bevölkerung geprägten Kirchen um den Titicacasee typisch sind. Stukkaturen, Reliefs und Ornamente im Innern und an den Portalen zeigen Details aus der einheim. Flora und Fauna, aber auch viele Anklänge an vorkolumb. Formen, v.a. der Chavín-Kultur. Das Hauptportal scheint im Aufbau dem Sonnentor von Tiahuanaco nachempfunden.

Pommerscher Kunstschrank, in Augsburg um 1615–17 unter der Leitung des Diplomaten und Kunstkenners P. HAINHOFER (*1578, †1647) für Herzog PHILIPP II. von Pommern (*1573, †1618) hergestellter →Kabinettschrank, der als HW dieser Art gilt. Der Aufbau, ein Ebenholzschrein von U. BAUMGARTNER (*1580, †1652) mit Silberarbeiten von M. WALLBAUM (*1554, †1632), mit Email- (von D. ALTENSTETTER) und Steinarbeiten, Schnitzereien u.a. (1945 zerstört) stand urspr. auf einem sockelförmigen Tisch, der später umgestaltet wurde. Er enthielt viele Gerätschaften aus Silber u.a. Materialien, eine Hausapotheke, mathemat. und physikal. Instrumente, heute im Kunstgewerbemus. Charlottenburger Schloß, Berlin (West).

Pommersfelden, Gem. im Kr. Bamberg, Bayern, 2100 Ew. Das Barockschloß Weißenstein, Sommersitz des Mainzer Kurfürsten und Bamberger Fürstbischofs Lothar Franz v. Schönborn, wurde 1711–18 von J. DIENTZENHOFER und J. L. v. HILDEBRANDT erbaut, eine großartige Dreiflügelanlage mit säulengeschmücktem Mittelrisalit, vorbildlich für den dt. Schloßbau des 18. Jh. Prunkvolle, kostbare Innenausstattung von J. R. BYSS, J. M. ROTTMAYR u.a., bes. Treppenhaus, Sala terrena, Marmorsaal, Spiegelkabinett, Kapelle; Graf v. Schönbornsche Kunstsamml. (Barockgal., Mus.). Halbkreisförmiges Marstallgebäude (1717/18 von M. v. WELSCH) mit ausgemalter Sattelkammer.

Pomo, Gruppe der Kaliforn. Indianer, die bes. kunstvolle →Flechtarbeiten herstellte.

Pomodoro, 1) Arnaldo, ital. Bildhauer, Bruder von 2), *Morciano di Romagna 23. 6. 1926, schuf seit den 1960er Jahren Metallplastiken mit geometr. Formen (v.a. Kugeln), deren Oberflächenhöhlungen komplizierte Innenstrukturen sichtbar werden lassen (›Grande Disco‹, 1965–68; Darmstadt, am Theater).

2) Giò, ital. Bildhauer, Bruder von 1), *Orciano di Pesaro 17. 11. 1930, schuf seit 1955 abstrakte Plastiken aus Metall und Stein, häufig mit weich fließender, polierter Oberfläche, die die Wirkung des Lichts auf die Form betonen.

Pompejanisch|rot, Maltechnik: →Eisenoxidfarbe.

Pompeji, ital. **Pompei,** Stadt südöstlich des Vesuvs (Italien), 22100 Ew.

Die antike Stadt P., seit dem 7. Jh. v. Chr. besiedelt, zunächst von Oskern, dann Etruskern und Samniten, wurde 80 v. Chr. röm. Kolonie und von da an beliebter Wohnort der röm. Mittelschicht; außerhalb der Stadt entstanden bed. Landvillen, v.a. die Mysterien-Villa (BILD römische Kunst) mit gemalten Darstellungen von Mysterienfeierlichkeiten sowie eine noch nicht lokali-

Pompeji: Forum

sierte Villa des Cicero. Durch ein Erdbeben 62 n. Chr. schwer beschädigt und erst z. T. wieder aufgebaut, wurde die Stadt (etwa 12 000–15 000 Ew.) durch den Vesuvausbruch vom 24. 8. 79 n. Chr. völlig verschüttet. 1748 begannen die offiziellen Ausgrabungen. Die städtebaul. Anlage ist in den versch. Planungsphasen gut erhalten; mehrere Befestigungsanlagen sind nachweisbar, die letzte, mit Mauern und Türmen, aus der Zeit um 100 v. Chr. Im SW lag der Altstadtkern mit dem Forum und seiner zweigeschossigen umlaufenden Säulenhalle, umgeben von Tempeln, Amtsgebäuden, Wirtschaftsbetrieben und Basilika; im S der Stadt Reste eines dorischen Tempels vom 6. Jh. v. Chr.; hier lagen das Große und Kleine Theater, im SO das Amphitheater und die große Palästra. Unter den Thermenanlagen sind die Stabianer Thermen im Zentrum der Stadt am bedeutendsten. Die von der modernen Archäologie in 9

Pompeji: Lageplan

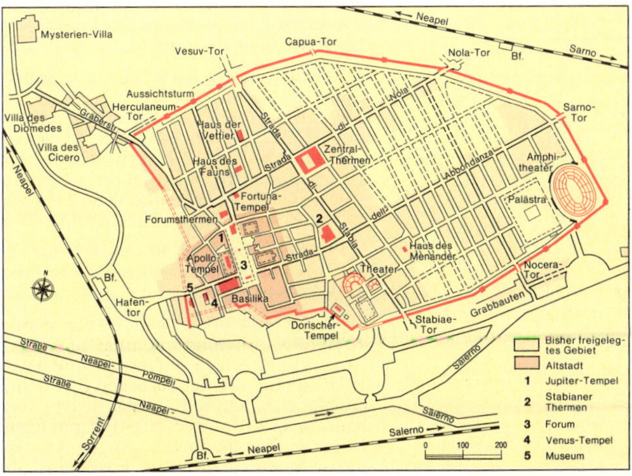

Regionen unterteilte Stadt wird von Wohnhäusern bestimmt; es dominiert dabei das Atriumhaus, später oft um das aus Griechenland übernommene Peristyl erweitert; die Grundrisse variieren stark, oft sind mehrere Umbauphasen erkennbar. Zu den bekanntesten Häusern gehören v. a. das ›Haus des Fauns‹, in dem ein Mosaikbild der →Alexanderschlacht gefunden wurde, das ›Haus der Vettier‹ und das ›Haus der vergoldeten Amoretten‹, beide mit reicher Skulpturenausstattung. Unter den ausgegrabenen antiken Städten gibt P. – neben dem reicheren Herculaneum – die lebendigste Vorstellung vom Aussehen und Leben einer späthellenist. und frühkaiserzeitl. Stadt: von den Plätzen, Tempeln und öffentl. Gebäuden, den Gräbern, von der Vielfalt der Häuser, von den Handwerksbetrieben, von den Einrichtungsgegenständen und Gerätschaften des Alltags; Wandinschriften geben Auskunft über Begebenheiten des tägl. Lebens: Geschäftsanzeigen, Wahlagitationen, Gladiatorenscherze, Liebesgeständnisse sowie pornograph. Darstellungen. Von besonderer Bedeutung sind schließlich die Wandmalereien weniger wegen ihrer Qualität als wegen ihrer großen Zahl und oft guten Erhaltung (→römische Kunst).

P., Ausst.-Kat., Essen (1973); T. KRAUS u. L. v. MATT: Lebendiges P. (1974); Neue Forschungen, P. ..., hg. v. B. ANDREAE u. H. KYRIELEIS (1975); P. 1748–1980, Ausst.-Kat., Rom (1981); R. ETIENNE: P. (a. d. Frz., [3]1982); P., Lübbes archäolog. Führer, hg. v. F. COARELLI (a. d. Ital., 1982).

Pomposa, Abtei im Mündungsgebiet des Po, eine frühe Gründung der Benediktiner (7. oder 9. Jh.), bed. geistiges Zentrum im 11./12. Jh.; im 14./15. Jh. wegen Malaria verlassen; Abteikirche aus dem 8./9. Jh. mit Atrium und Campanile aus dem 11. Jh.; große Teile des Kircheninneren mit Fresken aus der Mitte des 14. Jh. ausgemalt (Apsisfresken von VITALE DA BOLOGNA); Kapitelsaal und Refektorium aus got. Zeit.

Pomtan [›die Toten‹], *Ez.* **Pomdo,** kleine Specksteinfiguren, die auf dem Gebiet der →Kissi, Kono und Koranko (Guinea, Sierra Leone) gefunden wurden.

Ponce [p'onse], Stadt an der Südküste von Puerto Rico, 188 200 Ew. Die 1692 gegr. Stadt hat noch viel von ihrem kolonialzeitl. Charakter bewahrt. Die Kathedrale (im 17. Jh. gegr.), baulich oft verändert, ist heute v. a. durch klassizist. Stilelemente gekennzeichnet. Das 1965 erbaute Mus. of Art gehört zu den wichtigsten Museen im karib. Raum (europ. Kunstwerke aus mehreren Jh. sowie Werke zeitgenöss. einheim. Künstler).

Ponderation [lat.], Bildhauerkunst: der Ausgleich der Gewichtsverhältnisse des Körpers; bekannteste Art ist der →Kontrapost.

Ponferrada [-ða], Stadt in der span. Prov. León, 46 600 Ew.; überragt von einer zu einem Hotel umgebauten Templerfeste mit roman. und got. Bauteilen (ab 1218 erbaut; z. T. rekonstruiert); außerhalb der Stadt die mozarab. Kirche S. Tomás de las Ollas (10. Jh.), ein Saalbau mit ovalem Chor und polygonaler Kuppel. 20 km südlich die romanisch-got. Klosterkirche S. Pedro de Montes (12./13. Jh., Fassade 18. Jh.).

Ponta Delgada [-dɛlg'aða], portugies. Distriktshauptstadt an der S-Küste der Azoren-Insel São Miguel, 20200 Ew.; zahlreiche Kirchen und Klöster des 16. und 17. Jh. sowie Häuser und Paläste des 18. Jh. bestimmen das Stadtbild. Kirche S. José (15. und 18. Jh.; Azulejosausstattung); S. Sebastião (1533 bis Ende 17. Jh.), von barocken Formen bestimmt, mit prächtigem Hauptportal im Emanuelstil; ehem. Jesuitenkirche Igreja do Colégio (1592 beg.) mit üppiger Barockfassade; im Kloster S. André (im 16. Jh. gegr.) das Mus. Carlos Machado (volks- und naturkundl. Samml. zur Geschichte der Azoren, Gemälde- und Skulpturensamml.).

Pont-Aven [pɔ̃tav'ɛn], Gem. im frz. Dép. Finistère Bretagne, 3800 Ew. In den 1880er Jahren arbeitete hier eine Gruppe von Malern (P. GAUGUIN, E. BERNARD, P. SÉRUSIER u. a.), deren durch Ausdruckssteigerung der Farbe und Vereinfachung der Form gekennzeichneter Stil (Cloisonismus) bestimmenden Anteil an der künstler. Bewegung hatte, die den Impressionismus ablöste.

Pont du Gard [pɔ̃dyg'a:r], röm. Aquädukt, →Gard.

Ponte, Jacopo **da P.,** ital. Maler, →Bassano.

Pontevedra [-β'eðra], span. Stadt in W-Galicien, 53100 Ew. Die spätgot. Kirche S. María la Mayor (um 1559 voll.) besitzt eine platereske Hauptfassade; barokke Kirche La Peregrina (1778–81; Rundbau mit konvexer Fassade); in der ehem. Kirche S. Domingo (14. Jh.) das Archäolog. Mus. (röm. und ma. Samml.); Prov.-Mus. (keltiber. Samml., Gemäldegal.).

Ponti, Giò (Giovanni), ital. Architekt, *Mailand 18. 11. 1891, †ebd. 16. 9. 1979, baute 1923–36 in neoklassizist. Formen, gründete 1928 die Ztschr. ›Domus‹, organisierte 1933 die 5. Triennale in Mailand und entwarf Industrie-Design. Seine Bauten zeichnen sich durch freie Plastizität und z. T. modische Verfeinerung aus.

HW: Banca Unione in Mailand (1926); Mathemat. Institut der Univ., Rom (1934); Verwaltungsgebäude der Firma Montecatini, Mailand (1936); Pirelli-Hochhaus, ebd. (1958, mit P. L. NERVI).

Pontigny [pɔ̃tiɲ'i], Gem. im frz. Dép. Yonne, Burgund, früher (1114–1792) Sitz einer Zisterzienserabtei. Die Abteikirche (Mitte 12. Jh.) zählt zu den schönsten Bauten zisterziens. Frühgotik wegen der Einheitlichkeit des Stils und der Proportionen.

Pontische Vasen, die qualitätvollste Gattung etrusk. schwarzfiguriger Vasen, meist Amphoren; im 3. Viertel des 6. Jh. v. Chr. wohl in Vulci hergestellt (Mitarbeit grch. Einwanderer möglich). Die Forschung nahm früher Herkunft von der pontischen Küste an.

Pontius, Paul(us), fläm. Kupferstecher, *Antwerpen 27. 5. 1603, †ebd. 16. 1. 1658, Schüler von L. VORSTERMANN, einer der besten unter den von P. P. RUBENS für die Vervielfältigung seiner Gemälde ausgebildeten Stechern (→Rubensstecher). Er hat auch nach A. VAN DYCK (v. a. 30 Blätter der ›Ikonographie‹) gestochen.

Pontormo, Jacopo da, eigtl. J. **Carrucci** [karr'uttʃi], ital. Maler, *Pontormo (bei Empoli) 24. 5. 1494, begraben Florenz 2. 1. 1557, Schüler von A. DEL SARTO, wandte sich vom klass. Stil der Hochrenaissance ab und gelangte, z. T. unter dem Eindruck nord. Kunst (A. DÜRER), zu einem neuen Ausdrucksstil. Seine Gestalten wirken schwerelos, die Farben sind kühl und erscheinen transparent. Obwohl sein hauptsächl. Interesse relig. Themen galt, war er auch als Porträtmaler von hervorragender Bedeutung. Es wurde versucht, ihm auch plast. Arbeiten zuzuschreiben.

HW (in Florenz): Fresko der Heimsuchung Mariä, Vorhof der Santissima Annunziata (1514–16); Madonna mit Heiligen, S. Michele in Visdomini (1518); Fresken der Passion Christi im Klosterhof der Certosa (1523/24); Ausmalung der Capponi-Kapelle in S. Felicità (Verkündigung, Grabtragung, 1525–28); Heimsuchung Mariä, Pfarrkirche in Carmignano bei Florenz (um 1528/29, BILD Manierismus). – Porträts in der Pinakothek, Lucca, und im Städelschen Kunstinstitut, Frankfurt am Main.

Poons [pu:nz], Larry (Lawrence), amerikan. Maler, *Tokio 1. 10. 1937, lebt in New York, steht zw. Abstraktem Expressionismus und Farbfeldmalerei; schuf (beeinflußt vom späten P. MONDRIAN) Bilder mit farbigen Punktsystemen, danach Bilder mit frei ausfließenden vertikalen Farbschlieren, die sich zu einem schillernden Farbgewebe verdichten.

Poorter, Willem de, holländ. Maler, *1608, †nach 1648, war 1630–45 in Haarlem und Wijk ansässig, malte bibl. und mytholog. Bilder in der dunkeltonigen Art des frühen REMBRANDT.

Pop Art [p'ɔpɑ:t, engl.], Strömung der →zeitgenössischen Kunst, die in den 1960er Jahren bald auch auf andere Bereiche wie die Unterhaltungsmusik übergriff. Der Begriff P. A. wurde von dem engl. Kritiker L. ALLOWAY geprägt.

Die P. A. entdeckte die bunte Welt der Unterhal-

Pop Art: Richard Hamilton, ›Just what it is that makes today's home so different, so appealing?‹; Collage, 1956 (Tübingen, Kunsthalle)

tungsindustrie und der Werbung als eigene ästhet. Wirklichkeit. Banale Objekte des Massenkonsums wurden durch Isolierung, Ausschnitt, Vergrößerung, Reihung entweder der Objekte selbst (die als vorfabrizierte Elemente benutzt werden) oder genauer Imitationen verfremdet, parodiert oder fetischisiert. Als gegenständl., um eine unmittelbare Aussage bemühte Kunst stand die P. A. in programmat. Gegensatz zur Informellen Kunst. Die P. A. entstand in 2 voneinander unabhängigen Richtungen in London (hervorgegangen aus der 1952 gegr. ›Independent Group‹) und in den USA. Sie wollte die Kunst aus ihrer Isolation herausführen und mit moderner Lebenswirklichkeit verbinden. Sie manifestierte sich in der Photomontage, im Environment, im Happening, künstler. Ausdrucksformen, die meist schon vor der eigtl. P. A.-Bewegung aufgekommen waren. Auch der banalste Gegenstand des alltägl. Lebens erhielt Darstellungs- und Ausstellungswert. Grelle Farbzusammenstellungen und große Formate wurden bes. in der amerikan. P. A. (›Popfarben‹) bevorzugt und weisen auf eine stark an der Werbung orientierte Ästhetik hin.

Der Ursprung der P. A. lag schon in den 1950er Jahren (R. RAUSCHENBERG, J. JOHNS u. a. in New York). Der rasche Erfolg amerikan. Künstler wie J. DINE, R. LICHTENSTEIN, C. OLDENBURG, J. ROSENQUIST, G. SEGAL, A. WARHOL, T. WESSELMANN hing auch mit der Neubewertung der Volkskunst in den USA zusammen. Engl. Künstler (R. HAMILTON, P. BLAKE, später D. HOCKNEY, A. JONES, R. B. KITAJ, P. PHILIPPS) arbeiteten öfter kleinformatiger und graphischer als die amerikan. Richtung. In den anderen europ. Ländern schlossen sich P.-A.-Künstler der von P. RESTANY 1960 gegründeten Gruppe ›Nouveaux Réalistes‹ (→Nouveau Réalisme) an.

LUCY R. LIPPARD: P. A. (a. d. Engl., 1968); Du Mont's kleines Lexikon der P. A., hg. v. J. PIERRE (a. d. Frz., 1978).

Popayán, Stadt in SW-Kolumbien, 1760 m ü. M., 138000 Ew.; Kulturzentrum mit vielen gut erhaltenen Bauten der Kolonialzeit. Der Klosterkirche S. Francisco (das Kloster ist heute Hotel), eine dreischiffige Basilika (beg. Anf. 18. Jh.) mit barock-manierist. Hauptfassade, ist ein HW der ausgehenden Kolonialzeit, mit reicher Kunstsamml. und kelchförmiger, holzgeschnitzter Kanzel (Anf. 18. Jh.) mit einzigartiger, bis zum Filigran verfeinerter Ornamentik und skulptierten Heiligenfiguren. In der Kirche S. Domingo mit barockem Hauptportal zeigt der Hauptaltar noch roman. Stilelemente. Das Kloster S. Domingo mit platereskem Steinportal beherbergt heute die Univ. de Cauca. Die Jesuitenkirche ist manieristisch mit barockem Portal; Kirche La Encarnación mit bedeutenden Retabeln (u. a. Altar La Inmaculada).

Pöppelmann, Matthäus Daniel, Baumeister, *Herford 3. (?)5. 1662, †Dresden 17. 1. 1736, trat 1686 in kursächs. Dienst und wurde 1718 nach Studienreisen nach Salzburg, Wien, Rom und Paris Oberlandbaumeister des Kurfürsten AUGUST DER STARKE in Dresden. Seine mächtigen Schloßentwürfe blieben Projekte; in der Grundform anfangs italienisch, später französisch bestimmt, zeigen sie eine in sich geschlossene Wirkung der Bauglieder und reiche Fassaden. Ausgeführt wurde 1711–28 der Dresdner →Zwinger. Das Elbschloß Pillnitz (1720–23), wie der Zwinger ein Pavillonbau mit Galerien (Wasser- und Bergpalais), zeigt den Einfluß der Chinamode. Kraftvoll in ihrer Bauform sind P.s Bürgerhäuser und die gedrungene Augustusbrücke in Dresden (1727–31, abgebrochen 1907).

WW: Entwürfe für das königl. Schloß in Warschau (um 1707 ff.); Taschenbergpalais (1707–11; Dresden, Mittelpavillon 1712, Seitenflügel 1756 und 1763, 1945 ausgebrannt); Japan. Palais (1715, von anderen voll., 1945 zerstört, wiederaufgebaut); Moritzburg (Umbau beg. 1723, voll. unter Z. Longuelune). – Pläne zur Dreikönigskirche in Dresden (1732–39).

H. Heckmann: M. D. P. (1972).

Poprad, dt. **Deutschendorf,** Stadt im Ostslowak. Kreis, ČSSR. Die Kirche St. Aegidius, frühgotisch (Ende 13. Jh.) mit Langhaus aus der Mitte des 15. Jh., hat einen Glockenturm (1658) in den für die Zipser Städte charakterist. Renaissanceformen mit Attika. Neben Bürgerhäusern des 18. und 19. Jh. sind solche des 16. und 17. Jh., v. a. im Ortsteil Spišská Sobota (seit 1954 unter Denkmalschutz), erhalten; dort auch die spätgot. St. Georgskirche (Bau 13. Jh., 1460–64 umgebaut) mit bed. Flügelaltar.

Populonia, eine der bedeutendsten etrusk. Städte, nördlich von Piombino (Italien), gegenüber von Elba am Meer gelegen. P. war ein Verarbeitungszentrum des aus den Colline Metalliferi gewonnenen Erzes. Ausgegraben wurden v. a. die Nekropolen mit Tumulus- und Aedicula-Gräbern mit reichen Beigaben (Bronzen, grch. Keramik).

Porcellis [pors'ɛlis], Jan, niederländ. Maler, *Gent um 1584, †Zoeterwoude bei Leiden 29. 1. 1632, malte meist in grauem Ton gehaltene Seebilder mit bewegtem Wellengang.

Pordenone, ital. Stadt in Friaul, südwestlich von Udine, 52400 Ew. Die Altstadt ist geprägt von Häusern und Palästen aus Gotik, Renaissance und Barock mit Laubengängen und Fassadenmalereien (z. T. verwittert). Dom (1468 gew., mehrfach verändert; Renaissanceportal, 1511) mit Gemälden von Pordenone (1515 und 1533–35); romanisch-gotischer Campanile (13./14. Jh., mit Spitzhelm und Renaissanceportal); got. Palazzo Comunale.

Pordenone, eigtl. Giovanni Antonio **de' Sacchi(s)** [-s'akki(s)], genannt **Il P.,** ital. Maler, *Pordenone 1483/1484, begraben Ferrara 14. 1. 1539, bildete sich in Venedig unter Giorgione, Palma il Vecchio und Tizian, wurde auch von Correggio und Michelangelo beeinflußt. In seinem Stil verbindet sich venezian. Farbigkeit mit leidenschaftl., v. a. von Michelangelo bestimmter Bewegung.

HW: Schutzmantelmadonna mit 2 Heiligen (1515; Pordenone, Dom); Fresken im Dom in Cremona (1520–22, Kreuzabnahme) und in der Madonna di Campagna in Piacenza (1529–31); der Hl. Lorenzo Giustiniani (1532, Venedig, Accademia).

Poreč [p'ɔrɛtʃ], ital. **Parenzo,** Stadt und Seebad auf einer Halbinsel an der Westküste Istriens (Kroatien), Jugoslawien, 4300 Ew. P. ist röm. Ursprungs, gehörte später u. a. zu Byzanz und Venedig. Bedeutendster byzantin. Bau ist der Euphrasius-Dom, eine dreischiffige Basilika, 535–550 auf Fundamenten eines älteren Baus errichtet (Sakristei, Glockenturm u. a. kamen später hinzu), nach 1945 restauriert. Die Basilika hat ein Atrium, reich verzierte Kapitelle und bed. Mosaiken; in P. z. T. erh. röm. Ruinen, Wohnhäuser aus dem MA. (Domherrenhaus 1251), got. Palast (15. Jh.) mit reich verzierten Drillingsfenstern.

Poros, gut zu bearbeitende Kalksteinart, die im antiken Griechenland v. a. für Bauten und Skulpturen der archaischen und frühklass. Zeit verwendet wurde.

Porphyr [grch. ›purpurfarben‹], Sammelname für vulkan. und subvulkan. gut polierbare Gesteine von meist rötl. Farbe. Der rötlich-braunviolette P. der Antike wurde in Ägypten gebrochen, aber kaum verarbeitet. Ein gelbgrünl. P. kam aus der Umgebung von Sparta. Selten sind schwarze, braune und violette Abarten. – Die Römer verwendeten den kostbaren Stein aus Ägypten seit dem 1. Jh. n. Chr. als bevorzugtes Material für aufwendige Bauten und Plastiken, v. a. für den kaiserl. Gebrauch; auch Wannen, Sarkophage, Prunkbecher u. ä. wurden aus P. gearbeitet.

Porrentruy [pɔrãtrɥ'i], dt. **Pruntrut,** Stadt im schweizer. Kt. Jura, 7300 Ew. Das Schloß (ma. Rundturm, Umbau mit Renaissancefassade 2. H. 16. Jh.) war nach der Reformation bis 1792 Sitz des Bischofs von Basel; unterhalb des Schlosses die Porte de France (1764) zw. 2 Rundtürmen (1563). Pfarrkirche St. Pierre (14. Jh.), Jesuitenkolleg (1579–1604) und Jesuitenkirche (1591–1604), von einem Wessobrunner Meister überreich mit Stukkaturen (Marienleben) ausgestattet. Bed. Profanbauten des 18. Jh. sind Rathaus, Spital, Hôtel des Halles und Hôtel de Gleresse.

Porta, 1) Giacomo della, ital. Baumeister, *Rom um 1540, †ebd. 1602, stand in der Nachfolge MICHELANGELOS, nach dessen Plänen er ab 1563 in Rom den Kapitolsplatz mit Konservatorenpalast und die Umgestaltung des Senatorenpalastes leicht abgeändert ausführte; seit 1573 Bauleiter von St. Peter. P. übernahm von seinem Lehrer G. DA VIGNOLA die Bauleitung der Kirche Il Gesù (Fassade 1577 voll.); mit ihrer wuchtigen, auf Fernsicht bezogenen Massenbewegung bereitete er den frühen Barock vor.

HW: Rom, Petersdomkuppel, gegenüber Michelangelos Entwurf um 4,24 m überhöht (1588–90; mit D. FONTANA); Loggia und Vollendung des Palazzo Farnese (1589); Villa Aldobrandini in Frascati (1598 ff., von C. MADERNO voll.).

2) Guglielmo della, ital. Bildhauer, Antikenrestaurator, Architekt, *Porlezza bei Lugano Anf. des 16. Jh., †Rom 1577, erstmals erwähnt 1531 in Genua, beeinflußt v. a. von MICHELANGELO und A. SANSOVINO. Sein HW ist das Grabmal für Papst PAUL III. in St. Peter, Rom (1549–75), mit der sitzenden Bronzefigur des Verstorbenen und den liegenden Marmorgestalten von ›Justitia‹ und ›Prudentia‹; als Freigrab geplant; nach mehreren Versetzungen nur noch Fragment (Liegefiguren der ›Pax‹ und ›Abundantia‹ im Palazzo Farnese, Rom).

Portal

Sturzpfosten-P.

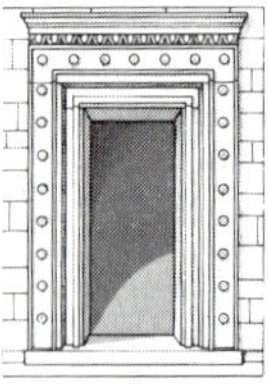

Rahmen-P.

Rundbogen-P.

Porta Coeli, Cartuja de P. C. [kart'uxa-], span. Kartäuserkloster rd. 20 km nordwestlich von Valencia, im 13. Jh. gegr., im 18. Jh. erweitert, mit einschiffiger, urspr. got. Kirche (Deckengemälde und Marmordekorationen des 18. Jh.), Refektorium (1740) und 3 Kreuzgängen (aus Gotik und Renaissance).

Portal [lat.] *das,* die oft bed. Ausmaße annehmende Außentür eines Baues. Die Haupttypen sind: **Sturzpfosten-P.:** 2 in die rechteckige Wandöffnung eingeschobene Pfosten tragen einen horizontalen Sturz, zu dessen Entlastung ein Bogen oder (seltener) ein Giebel in die Obermauer eingezogen sein kann; bereits in der ägypt. Kunst ausgebildet. **Rahmen-P.:** ein Sturzpfosten-P. mit rahmenförmiger Ausgestaltung von Pfosten und Sturz, der Gebälkcharakter erhalten kann; charakteristisch für die griechisch-röm. Sakralarchitektur. **Rundbogen-P.:** Anstelle des waagerechten Sturzes erscheint ein Rundbogen (Archivolte); bereits in der babylon. Baukunst. **Nischen-P.:** Die Türöffnung erscheint in der Tiefe einer rundbogigen Nische; v. a. in der spätröm. und frühma. Baukunst. Das **Stufen- und Säulen-P.** zeigt die Verräumlichung des P. noch stärker und zugleich gegliederter als das Nischen-P. Die Gliederung des Gewändes entspricht den rund- oder spitzbogigen Archivolten darüber, die sich von außen nach innen konzentrisch verkleinern; wichtigster P.-Typ der Romanik und Gotik. Das vom innersten Bogen umschlossene Feld bildet das →Tympanon. (→Figurenportal; BILDER Gnesen, Freiberg; WEITERE BILDER S. 55)

Portalegre [purtal'ɛγrə], portug. Stadt und Bischofssitz im Alto Alentejo, 11 000 Ew. Zahlreiche barocke Adelspaläste und Häuser des 17./18. Jh. prägen das Stadtbild; Kathedrale (16. Jh., Fassade 18. Jh.); in der ehem. Klosterkirche S. Bernardo reichskulptiertes Renaissancegrabmal des Kirchenpatrons von N. CHANTEREINE (Anf. 16. Jh.). Städt. Mus. (Keramiksamml.), Mus. Casa de José Regio (sakrale Kunst).

Porta Nigra [lat. ›schwarzes Tor‹], nachantiker Name des nördl. röm. Stadttores in Trier, erbaut im 2. Jh. n. Chr. Die burgartige Anlage (2 rechteckige vierge-

Porta Nigra in Trier; 2. Jh. n. Chr.

schossige Türme und 2 dreigeschossige Tortrakte umschließen einen Hof) ist eines der besterhaltenen röm. Bauwerke in Dtl.

Portatile [lat.] *das,* tragbare Altarplatte, →Tragaltar.

Port-au-Prince [pɔrtopr'ɛ̃s], Hauptstadt von Haiti, an der W-Küste der Insel, rd. 500 000 Ew. In der Apsis der Kathedrale Ste. Trinité (1. H. 18. Jh., klassizistisch) sind Wandmalereien und Altarbild eindrucksvolle Beispiele der naiven Malerei Haitis; weitere Beispiele im Centre d'Art. Der Nationalpalast wurde 1918 nach dem Vorbild des Kapitols in Washington erbaut.

Portikus [lat.] *der,* **1)** Säulenhalle mit geschlossener Rückwand (i. Ggs. zur offenen →Kolonnade). Der P. ist meist Teil eines Baukomplexes, seltener selbständiger Bau, v. a. in der röm. Architektur; er entspricht der grch. →Stoa; seit der Renaissance ist der P. als säulentragender Vorbau beliebt.

2) bei engl. Kirchenbauten v. a. des 7. Jh. die Seitenräume, die diese Bauten anstelle von Seitenschiffen haben.

Portinari, Cândido, brasilian. Maler ital. Herkunft, *Brodósqui (São Paulo) 29. 12. 1903, †Rio de Janeiro 7. 2. 1962, begann unter dem Einfluß von Kubismus und Surrealismus, wandte sich seit Mitte der 1930er Jahre einem sozialkritisch engagierten Realismus zu, der sich in großformatigen, dem Muralismo verpflichteten Wandgestaltungen ausprägte (›Krieg und Frieden‹, 1953–56; New York, UN-Gebäude).

Portinari-Altar, HW des HUGO VAN DER GOES (BILD), von TOMMASO PORTINARI, dem Vertreter der Medici in Brügge, um 1475 für die Kirche des Hospitals S. Maria Nuova in Florenz gestiftet (jetzt Uffizien).

Portlandvase [p'ɔːtlənd-], **Barberinivase,** antikes Glasgefäß des 1. Jh. v. Chr., wohl ein Werk der augusteischen Hofkunst, mit aufgelegter Reliefdarstellung (mytholog. Szenen) in weißem Glasfluß auf dunkelblauem Grund. Die P. (seit 1810 im Brit. Mus.) hatte versch. Besitzer, u. a. die röm. Familie Barberini und die Herzogin von Portland. Die Vase wurde häufig nachgebildet, v. a. von J. WEDGWOOD. (BILD S. 56)

Portman [p'ɔːtmən], John C., amerikan. Architekt, *Walhalla (South Carolina) 4. 12. 1924; zahlreiche Geschäfts- und Hotelbauten, alle um riesige, überdachte Wandelhallen gruppiert. Seine luxuriösen Bauten leiten sich aus der europ. Hallen- und Passagenarchitektur des 19. Jh. ab.

HW: Mehrere Hotels der Hyatt Regency-Kette, u. a. in San Francisco (1973); Bonaventura-Hotel, Los Angeles (1976); Renaissance-Center, Detroit (1977).
Schrift: The architect as developer (1976, mit J. BARNETT).

Porto [p'ortu, portug. ›Hafen‹], **Pôrto,** früher **Oporto,** Hafenstadt und Bischofssitz im N Portugals, 336 000 Ew. In der engen Altstadt, in steilen Terrassen aufsteigend, liegen die Kathedrale (urspr. romanisch, im 17./18. Jh. erneuert) mit Silberaltar (1632–1732) in der Capela-mór und got. Kreuzgang (mit Azulejos-Wandbildern des 18. Jh.), der Bischofspalast (18. Jh.),

Portal

Nischen-P.

Stufen- und Säulen-P. (romanisch)

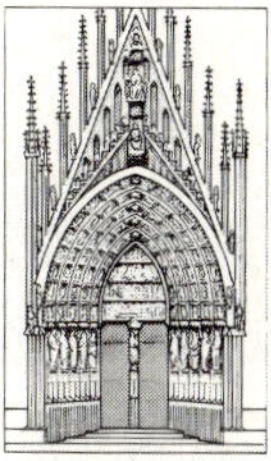

Stufen- und Säulen-P. (gotisch)

Portlandvase; Höhe 25 cm; 1. Jh. v. Chr. (London, Brit. Museum)

die Jesuitenkirche der Grilos (von B. ALVARES, 1614 voll.; Fassade mit dreifachem Giebel, Voluten, Nischen und Pilastern) und die ehem. Klosterkirche S. Clara (1416 beg.; innen ganz mit Talhas Douradas überzogen). Westlich davon liegen die got. Kirche S. Francisco (im Innern Talhas-Douradas-Schmuck), daneben die 1842 an Stelle des abgebrannten Klosters errichtete Börse (Bolsa), weiter nördlich die Kirche dos Clérigos (1732–50, auf ovalem Grundriß; freistehender, 75 m hoher Glockenturm), die beiden Carmo-Kirchen (17. und 18. Jh.; innen mit Talhas Douradas) und der ehem. königl. Palast (1795, heute Nat.-Mus. Soares dos Reis mit Gemälde- und Skulpturensamml.). Nordwestlich außerhalb der Stadt liegt die roman. Kirche de Cedofeita (wohl Neubau des 12. Jh.).

Port of Spain [pɔːt ɔv speɪn], Hauptstadt von Trinidad und Tobago, an der nördl. W-Küste von Trinidad, 120 000 Ew. Die Festung S. Andrés (1787) ist das älteste erhaltene Bauwerk der Stadt. Die Fassade der kath. Kathedrale (1815–32, neugotisch) wird von dreistöckigen Türmen flankiert. Die anglikan. Kathedrale (1816 bis 1826) im Stil der engl. Neugotik besitzt einen schönen Altar und kunstvolle Schnitzereien im Chor.

Portoghesi [-gˈeː-], Paolo, ital. Architekt, *Rom 2. 11. 1931, wurde in seinen Bauten und Entwürfen von der Raumauffassung des ital. Barock beeinflußt (geschwungene Wand- und Deckenkonstruktionen, Kreissegmente als Bestandteil von Grundrissen), die er durch moderne Technologien, z. B. Stahlbetonkonstruktionen, verwirklicht.

HW: Techn. Institut, L'Aquila (1969–76); Kirche Sacra Famiglia, Salerno (1971); Königl. Palast in Amman, Jordanien (1973–75; Projekt); Moschee und islam. Kulturzentrum, Rom (1976; Projekt).

Schrift: Dopo l'architettura moderna (1980; dt.)

F. MOSCHINI: P. P. (Florenz 1979).

Portogruaro, ital. Stadt und Bischofssitz in der Prov. Venedig, 23 000 Ew.; Dom (Neubau des 17. Jh.); Palazzo Comunale (14. Jh.); Mus. Concordiese mit bed. Funden aus der 2 km entfernten röm. Stadt Julia Concordia.

Porträt: Kopf aus Uruk; Marmor, um 3000 v. Chr. (Bagdad, Irak-Mus.)

Porträt: Perikles; röm. Marmorkopie nach der Statue des Kresilas, um 430 v. Chr., (Rom, Vatikan. Museen)

Porträt, Portrait [pɔrtrˈɛ, frz.] *das,* künstler. Darstellung eines Menschen mit der ihm eigenen individuellen Physiognomie, Haltung und psych. Ausdruckslage. Hauptfunktion des P. ist, den Dargestellten zu vertreten, ihn zu ehren und ihm über den Tod hinaus ein Andenken zu bewahren. Nach der Anzahl der Personen unterscheidet man **Einzel-, Doppel-** und **Gruppenporträt.** Weiterhin ergibt sich eine Einteilung der P.-Typen in Ganzfigur, Kniestück (stehende oder sitzende Halbfigur), Brust- und Kopfbild. Bei letzteren ist die Konzentration auf die individuellen Gesichtszüge am stärksten, wobei durch frontale Vorderansicht (en face) oder Seitenansicht (Profil-, Halbprofil-, verlorene Profildarstellung) unterschiedl. Ausdrucksgrade der Persönlichkeitsdarstellung erreicht werden können. Beim Reihenporträt sind mehrere Einzel-P. nebeneinander auf gleicher Höhe dargestellt. Neben der Einteilung des P. nach diesen versch. Bildtypen ist die Unterscheidung nach sozialer und gesellschaftl. Stellung gebräuchlich

Porträt: Thomas Gainsborough, ›Die Töchter des Malers‹, Doppel-P.; um 1760/61 (London, National Gallery)

(Kinder-, Jünglings-, Greisen-, Männer-, Frauen-, Familien-P.; Herrscher-, Gelehrten-, Professoren-, Künstler-, Bürger-P.). Über die Selbstdarstellung des Künstlers im P. →Selbstporträt.

GESCHICHTE

Alter Orient. Von der Geschichte des mesopotam. P., die mit dem Kopf aus Uruk (um 3000 v. Chr.) beginnt, sich in dem etwa 600 Jahre jüngeren Königskopf der Dynastie von Akkad eindrucksvoll fortsetzt, hat man wegen der fragmentar. Überlieferung nur unzureichende Vorstellungen; ob individuelle Züge beabsichtigt waren, ist fraglich. Wenn man allg. Schlüsse aus dem Vergleich mit Darstellungen aus altbabylon. (Hammurapi-Stele, um 1700 v. Chr.) und neubabylon. Zeit (Kudurru des Marduk-apla-iddina II., um 700 v. Chr.) ziehen darf, erscheint die Wiedergabe stark formalisiert. Das Königsbild war wohl ein Hauptträger der Entwicklung, aber sicher nicht der einzige.

Die ägypt. Kunst bemühte sich, den Menschen so darzustellen, wie er seinem Wesen und seiner sozialen Funktion nach gesehen wurde, unabhängig von Lebensalter und allen Zufälligkeiten des Augenblicks. Da man von einem zeitlosen Idealalter ausging, fehlen Kinder- und Altersbildnisse fast völlig. Selbst die tragisch-heroischen Herrscherbildnisse der späten 12. Dynastie kann man trotz großer Lebensnähe und Ausdruckskraft nicht als P. ansprechen. Nur die Köpfe von Amarna (Amenophis IV., Nofretete), die nach Gipsabgüssen gearbeitet sind, lassen, wenn auch stilisiert, individuelle Züge erkennen.

Die Griechen stellten den Menschen anfänglich mit idealisierten Zügen dar, den Göttern ähnlich. Noch der Perikles-Kopf von Kresilas zeigt Verwandtschaft mit Göttertypen. Das 4. Jh. erweiterte die Ausdrucksmöglichkeiten. Individuelle Züge wurden in steigendem Maße im P. festgehalten (P. des Sokrates, Platon, Sophokles, Aristoteles). Neben Weihgeschenk und Grab-

Porträt: Tizian, ›Karl V.‹; 1548 (München, Alte Pinakothek)

mal traten nun Ehrendenkmäler auf öffentl. Plätzen. Die hellenist. P.-Kunst des 3.–1. Jh. v. Chr. erschloß neue Ausdrucksmöglichkeiten. Sie steigerte, v. a. im Herrscher-P., die menschl. Erscheinung ins Heroisch-Pathetische, erfaßte aber auch mit neuer Sachlichkeit das Individuum. Aus der Phantasie entstandene P. großer Persönlichkeiten der Vergangenheit (Homer, Aristophanes) wurden schon seit dem 5. Jh. v. Chr. neben den Bildnissen jüngst Verstorbener oder noch Lebender geschaffen. Das reine Kopf-P. spielte nur auf Münzen eine Rolle (Alexander d. Gr.).

Bei den Römern erschien das P. von Anfang an v. a. als →Büste oder →Herme. Seine Ursprünge hängen mit dem Ahnenkult zusammen. Das röm. P. will das getreue Abbild des Menschen in seiner Endlichkeit darstellen. Es erhöht, heroisiert, verschönt nur, wo es unter dem Einfluß des griechisch-hellenist. P. steht, v. a. im Herrscherbild (Augustus). Die Nüchternheit gegenüber dem Wirklichen ist die Stärke des röm. P. Die bedeutendsten Schöpfungen des realistisch gestalteten P. gehören dem 1. Jh. v. Chr. an (Pompeius, Cicero, Caesar). Römisch sind auch die zahllosen Kopien nach grch. P., die sich freilich v. a. auf die Büste beschränken. Etrusk. P. sind meist aus dem sepulkralen Bereich erh. (Deckelfiguren hellenist. Sarkophage und Urnen). In ihrem Realismus, der die Wiedergabe häßl. Züge nicht scheut, sind sie den römisch republikan. P. verwandt. Weniger individualistisch, aber sicher als P. der Verstorbenen gemeint, sind die Figuren in den Grabfresken des 4./3. Jh. v. Chr. in Tarquinia (Gräber ›degli Scudi‹, ›dell'Orco‹). Die Auflösung des röm. Wirklichkeitssinns war ein langer, seit dem ausgehenden 3. Jh. n. Chr. immer deutlicher in Erscheinung tretender Vorgang: Die Gesichter verloren die Formenfülle, sie wurden flach, die Augen übergroß, die P. ähnelten sich über Länder und Zeiten hinweg (Kolossalkopf Konstantins d. Gr., Rom, Kapitolin. Museen; Kaiserstandbild in Barletta; ägypt. Mumien-P.; byzantin. Mosaiken in Ravenna). Dieser Prozeß der Entindividualisierung wurde in den Darstellungen der christl. Kunst aufgegriffen.

Europ. Mittelalter und Neuzeit. Die Auffassung des frühen und hohen MA. mit der auf das Jenseits ausgerichteten Religion widersprach der Darstellung des irdischen Menschen und verdrängte das eigentl. P. Stattdessen entstanden typisierte Idealbildnisse, die auf Ähnlichkeit verzichteten und den Dargestellten durch Wappen, Insignien u. ä. kennzeichneten (Autoren- und Dedikationsbilder in der Buchmalerei, Grabfiguren). Für die Entwicklung des neuzeitl. P. sind die Stifter-P. bedeutsam. Seit dem späten 14. Jh. wurde die individuelle Ähnlichkeit wieder als künstler. Gestaltungsprinzip vorrangig, bes. in der franco-fläm. Buchmalerei (P. Johannes des Guten, um 1360, Paris, Bibl. Nat.) und in Böhmen (Erzherzog Rudolf IV. von Habsburg, um 1365, Wien, Erzbischöfl. Diözesan-Mus.). Unter den Bildhauern waren P. PARLER und seine Werkstatt sowie C. SLUTER wegweisend. Im 15. Jh. nahm die P.-Malerei einen immer breiteren Raum ein, Zentren wurden Italien und die Niederlande (J. VAN EYCK, R. VAN DER WEYDEN, D. BOUTS, H. VAN DER GOES, H. MEMLING). In der ital. Frührenaissance bevorzugte man das strenge Profil-P. im Rückgriff auf die antike P.-Büste und P.-Medaille (PISANELLO, DOMENICO VENEZIANO). Das durch Humanismus und Renaissance geweckte Selbstbewußtsein und Interesse für das Individuum entwickelte eine immer breiter werdende Typenvielfalt. LEONARDO DA VINCI und RAFFAEL gaben dem Brust- und Halbfigu-

Porträt: Hans Holbein d. J., ›Eduard VI. als Kind‹; 1543 (Washington, D. C., National Gallery of Art)

Porträt:
Oskar Kokoschka, ›Professor Forel‹; 1910 (Mannheim, Kunsthalle)

ren-P. die klass. Form, TIZIAN verwendete als erster das bis dahin dem Grabmal vorbehaltene Ganzfiguren-P. Einen Höhepunkt erreichte das P. bei H. HOLBEIN D. J., A. DÜRER und L. CRANACH. Das Repräsentationsbedürfnis des Barock hatte einen erneuten Aufschwung der P.-Kunst zur Folge, wobei pathet. Haltung, prunkvolle Gewänder und pompöse Draperien die Darstellungen bestimmten (P. P. RUBENS, A. VAN DYCK). F. HALS und REMBRANDT schufen dagegen schlichtere, psychologisch ausdrucksvolle P., bes. in ihren Gruppen- und Selbst-P. In der Bildhauerkunst ragen G. L. BERNINI, J.-A. HOUDON, F. X. MESSERSCHMIDT heraus. Im 17. und 18. Jh. war das Porträtieren die vornehml. Aufgabe der Maler am Hof und für private Auftraggeber (Frankreich: P. DE CHAMPAIGNE, N. DE LARGILLIÈRE, H. RIGAUD, J.-M. NATTIER; England: J. REYNOLDS, T. GAINSBOROUGH; Dtl.: A. PESNE, A. GRAFF). Einen der letzten Höhepunkte stellen die P. von F. DE GOYA um 1800 dar. Die Freundschaftsbildnisse der Romantik (P. O. RUNGE), die Milieucharaktere von H. DE TOULOUSE-LAUTREC, die existenziellen Selbstbildnisse von V. VAN GOGH im 19. Jh. und die ausdrucksstarken P. von L. CORINTH, M. SLEVOGT, M. BECKMANN, O. KOKOSCHKA u. a. im 20. Jh. zeigen trotz der Photographie, die immer mehr die Aufgaben der P.-Malerei übernahm, eine kontinuierl. künstler. Auseinandersetzung mit dem P.

In Asien sind Anregungen zur P.-Darstellung v. a. von der chines. Kultur ausgegangen. Die Porträtierten (Adlige, Beamte, Krieger) begegnen über Jh. in Skulptur, Relief und Malerei, wie sie durch Grabfunde überliefert sind, meist typisiert und idealisiert. In der Zeit der Sechs Dynastien formulierte KU K'AICHIH (†um 405) eine Ästhetik der P.-Malerei, die für die folgenden Jh. verbindlich blieb und nicht ›formale Ähnlichkeit‹, sondern die Erfassung der ›geistigen Resonanz‹ und die Einsicht in das ›Wesen der Seele‹ des Modells forderte, was eine starke Idealisierung, häufig Typisierung zur Folge hatte. Beispielhaft für die P.-Malerei der

T'ang-Zeit sind die Kaiserporträts des YEN LI-PEN und das WANG WEI zugeschriebene P. des Fu Sheng. Künstler. Höhepunkt der Südl. Sung-Zeit ist das im Geist der →Ch'an-Malerei geschaffene Ideal-P. des Li T'ai-po von LIANG K'AI. Eine bes. Stellung in der chines. P.-Malerei nehmen die Priester-P. des Ch'an-Buddhismus (12.–14. Jh.) ein. Von anonymen Meistern geschaffen und mit persönl. Widmung des Abtes versehen, wurden sie einem bevorzugten Schüler zum Zeichen der Lehrnachfolge überreicht; ihrer Funktion als stellvertretende Vergegenwärtigung des Zen-Meisters entsprechend, zeichnen sie sich durch einen starken Realismus aus. Einen makaberen Realismus zeigen die von spezialisierten Berufsmalern geschaffenen Ahnen-P., die nur dem Ahnenkult dienten.

In Japan gelangte außer den von China beeinflußten zen-buddhist. Priester-P. ab 1770 das Schauspieler-P. im Farbholzschnitt des Ukiyo-e zu prägnanten Formulierungen.

In Indien steht die P.-Darstellung als Leistung der Mogulkünstler einzigartig da. Sie wurde von AKBAR (†1605) gefördert, der gegen Ende seiner Regierungszeit, als Grundstock einer Sammlung, P. von Adeligen und Hofbeamten anfertigen ließ. Auch die unter JAHANGIR (1605–27) entstandenen P. vermögen trotz schematisiert erscheinender Darstellung der Gestik und Körperhaltung die Individualität und den Charakter des Porträtierten zu vermitteln. Die Porträtisten der Rajput-Malerei versuchten sich zwar im 17. Jh. eng den Vorbildern der Mogulateliers anzuschließen, neigten aber im Laufe der Zeit zu einer oft idealisierenden Überbetonung individueller Züge (Barttracht, Kleidung, Körperhaltung) des Porträtierten. Am beliebtesten waren volles Profil und Dreiviertelansicht. En-face-P. und individuelle P. von Damen erschienen der Zeit unangebracht.

E. BUSCHOR: Das P. (1960); ders.: Das hellenist. Bildnis (1971); J. POPE-HENNESSY: The portrait in the Renaissance (London 1963); H. KELLER: Das Nachleben des antiken Bildnisses von der Karolingerzeit bis zur Gegenwart (1970); H. BRINKER: Die Zen-Buddhistische Bildnismalerei in China und Japan (1973); R. SCHOCH: Das Herrscherbild in der Malerei des 19. Jh. (1975).

Porträt:
Sokrates; kaiserzeitl. Marmorkopie nach einem grch. Bronze-Original, um 380 v. Chr. (Neapel, Archäologisches Nationalmuseum)

Porträt:
Marcus Tullius Cicero; 1. Jh. v. Chr. (Rom, Kapitolin. Museen)

Porvoo, schwed. **Borgå** [b'ɔrgo:], Stadt in S-Finnland, östlich von Helsinki, 19200 Ew., Bischofssitz. Got. Dom (1414–18) mit hohem weißem Giebel, der mit Backsteinornamenten geschmückt ist; daneben freistehender Glockenturm und eine kleine Holzkirche (1740). Im Rathaus (1764) das Stadt-Mus. (Skulpturen von V. VALLGREN, Gemälde von A. EDELFELT).

Porzellan [von ital. porcellana ›Porzellanschnecke‹] *das*, keram. Erzeugnis aus Kaolin, Quarz und Feldspat. Dem bildsamen Kaolin verdankt die Masse ihre Formbarkeit und Feuerfestigkeit. Feldspat und Quarz sind Magerungsmittel, d. h. sie setzen die Formbarkeit und die Brenn- und Trockenschwindung herab. Der Feldspat wirkt auch als Flußmittel, da er der einzige beim Brennen der Masse schmelzende Bestandteil ist. Die einzelnen Rohstoffe müssen sehr rein, v. a. eisenfrei sein.

P. wird durch Drehen, Gießen und Pressen geformt. Teller, Tassen, Schüsseln wurden früher auf der Töpfer-

Porzellan:
Bonbonnière; Capodimonte um 1745 (New York, Metropolitan Museum, Samml. S. Untermyer)

Porzellan: Muschelschale; Meißen um 1730 (München, Bayer. Nationalmuseum)

Prozellan: Porzellanmarken

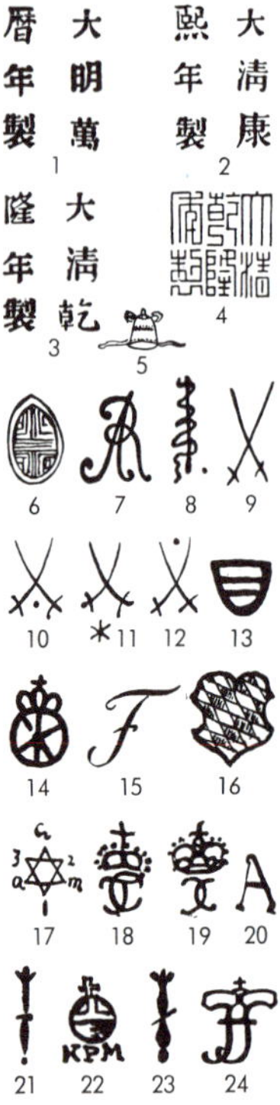

scheibe gedreht. In heutigen Formgebungsanlagen formt man durch Eindrehen in Gipsformen mit einer Schablone.

Das Gießen wird z. B. für figürl. Darstellungen und Vasen, Terrinen, Schalen angewendet. Von dem Gegenstand wird ein Modell aus Gips oder Ton angefertigt und von diesem ein Gipsabguß, der die Gießform bildet. Henkel, Ausgüsse und Teile von Figuren werden gesondert gegossen und in halbfeuchtem Zustand angesetzt (angarniert).

Nach dem Formen werden die Stücke sorgfältig getrocknet, wobei keine Trockenrisse entstehen dürfen, und danach zur ersten Verfestigung bei etwa 900° C verglüht; sie werden dabei porös, was für das Glasieren notwendig ist. Die Glasur wird durch Eintauchen in die Glasuraufschlämmung aufgebracht; sie ist leichter schmelzbar als die Grundmasse und glasähnlich. Eine gute Glasur muß gut ausfließen und den gleichen Ausdehnungskoeffizienten wie der Scherben haben, da sich sonst beim Erkalten Haarrisse bilden oder die Glasur abblättert. Beim Brennen schmilzt auch die Glasur, gewöhnlich etwas später als der Feldspat der Masse, aber auch bedeutend heftiger, und überzieht den ganzen Gegenstand mit einer glänzenden, harten Glasschicht.

Kennzeichnend für das P. ist ein weißer, dichtgesinterter, mehr oder weniger durchscheinender Scherben, der an Bruchflächen einen schwach glänzenden, meist muscheligen Bruch aufweist.

Arten. Gemäß der Brenntemperatur unterteilt man die P. in **Hart-P.** und **Weich-P.** Hart-P. werden bei 1380° C–1445° C gebrannt, sind tonerdereich und flußmittelarm und werden für Tafelgeschirr und figürl. Darstellungen verwendet. Luxus- und Kunstgegenstän-

Porzellan: Porzellanmarken; **1** China, Kaisermarke, Wan-li (1573–1619). **2** China, Kaisermarke, K'ang-hsi (1662–1722). **3** China, Kaisermarke, Ch'ien-lung (1736–96). **4** China, Kaisermarke, Siegelschrift, Ch'ien-lung (1736–96). **5** Glocke (buddhist. Symbol). **6** Japan, Arita-P. **7** Meißen, Monogramm König August II. und König August III. (bis 1733). **8** Meißen, Merkurstab (um 1723). **9** Meißen (1725–63, 1813–1924 und gegenwärtig). **10** Meißen, Schwertermarke (um 1763–74). **11** Meißen, Schwertermarke (um 1774–1813). **12** Meißen, Schwertermarke (um 1924–34). **13** Wien (unterglasurblau seit 1749). **14** Höchst. **15** Fürstenberg (18. und 19. Jh.). **16** Nymphenburg (1754 bis um 1800). **17** Nymphenburg (1747–60). **18** Frankenthal (1762–98). **19** Ludwigsburg (um 1758–93). **20** Ansbach. **21** Berlin, Königl. Manufaktur (1763–1837). **22** Berlin, Königl. Manufaktur (seit 1837). **23** Berlin, Königl. Manufaktur (seit 1870). **24** Fulda

de werden auch aus Weich-P. hergestellt, das bei 1240 °C–1320 °C gebrannt wird und nur geringer mechan. Belastung ausgesetzt werden kann. Bes. Arten sind: das v. a. in England hergestellte **Knochen-P. (Bone China** [bəʊn tʃ'aɪnə]), dem 40–50 % Knochenasche und Speckstein beigemischt sind. Es ist rein weiß, transparent und leicht. Infolge einer geringen Glasurbrandtemperatur läßt es sich leichter und wirkungsvoller mit Farben dekorieren als Hart-P. Die Technik der Herstellung entspricht der des Steinguts.

Biskuit-P. hat hohen Feldspat- und niedrigen Quarzgehalt; Quarz fehlt oft ganz. Es bleibt stets unglasiert und hat oft eine seidige, mattglänzende Oberfläche.

Seger-P. (nach dem Keramiker H. SEGER, *1839, †1893) aus Quarz, Feldspat und Kaolin ist ein an Magerungsmitteln reiches P. Durch Unterglasurmalerei, farbige Craquelée- und Kristallglasuren sowie reliefartig aufgetragene Emaillen kann es leicht verziert werden.

Fritten-P. ist dem echten P. äußerlich sehr ähnlich, steht aber in der Zusammensetzung dem Glas viel näher. Hauptbestandteil ist eine aus Sand, Salpeter, Kochsalz, gebranntem Alaun, Soda und Gips zusammengeschmolzene, glasige Masse (Fritte), die nach dem Zusammenschmelzen pulverisiert und dann mit je 12,5 Teilen Kreide und Kalkmergel gemischt wird. Es ist wenig widerstandsfähig und wird kaum noch verwendet.

Verzierung. Häufig wird die Masse mit einem Farbstoff durchsetzt. Als Farbkörper dienen Metalloxide oder Oxidgemische, die die hohe Temperatur des P.-Brandes aushalten, z. B. Kobaltoxid für Blau, Chromoxid für Grün, Eisenoxid für Rötlich, Manganoxid für Gelblich. Vielfach wird aber nur eine dünne farbige Schicht (Engobe) durch Eintauchen der unverglühten Stücke in die mit Wasser angerührte farbige Masse aufgetragen, oder man benutzt zum Anfärben der Oberfläche Farblösungen von Metallsalzen, die beim Glühen ein färbendes Oxid oder Metall hinterlassen. Am besten eignen sich hierfür die Nitrate, z. B. Kobalt-, Nickel-, Kupfernitrat. Auch farbige Glasuren, die i. a. mit den gleichen Oxiden hergestellt werden, finden Verwendung. Meist werden jedoch Emailfarben unter oder auf die Glasur aufgemalt (P.-Malerei). Die **Unterglasurfarben** sind überaus weich und praktisch unvergänglich und unabnutzbar. Es lassen sich aber nur solche Farben (Scharffeuerfarben) benutzen, die bei der Temperatur des Garbrandes beständig sind, z. B. die Metalloxide. Am ältesten ist die Verwendung von Kobaltoxid zur blauen Unterglasurmalerei, wie sie zur Herstellung des Meißener Zwiebelmusters ausgeführt wird. Später verwendete man auch das dunkle Chromgrün (Chromoxid). **Aufglasurfarben** liegen reliefartig der Glasur auf;

Porzellan:
Porzellanmarken

Porzellan: Porzellanmarken; **25** Gotha. **26** Volkstedt-Rudolfstadt. **27** Kloster Veilsdorf. **28** Wallendorf. **29** Rosenthal (Neuzeit). **30** Chantilly. **31** Vincennes (vor 1753). **32** Vincennes (1753). **33** Sèvres (1778). **34** Sèvres (1793–1800). **35** Lille (1784–1817). **36** Haag. **37** Chelsea (um 1753–58). **38** Worcester (seit 1751). **39** Minton (seit 1851). **40** Zürich. **41** Capodimonte. **42** Capodimonte (bis 1759, seit 1759 Buen Retiro). **43** Neapel. **44** Doccia. **45** Kopenhagen, Königl. Manufaktur (Marke seit 1885). **46** Rörstrandt (Neuzeit). **47** St. Petersburg unter Katharina II. (1762–96)

sie sind weniger haltbar als die Unterglasurfarben, doch ist die Mannigfaltigkeit der Farbtönungen reicher.

Oft wird P. auch mit Gold verziert. Beim **Poliergoldverfahren** wird das Gold als äußerst feines Pulver mit einem Flußmittel (basisches Wismutnitrat und Borax) versetzt, mit etwas Terpentinöl und Lavendelöl vermischt, mit dem Pinsel aufgetragen und dann unter Muffeln (Schammottekapseln) im Ofen gebrannt. Die nach dem Brand matt erscheinende Vergoldung wird mit Achatwerkzeugen poliert. Beim **Glanzgoldverfahren** wird das Gold als Lösung einer organ. Goldverbindung verwendet, die das Metall nach dem Brand in einer hauchdünnen, glänzenden Schicht zurückläßt. Ähnlich werden die anderen Edelmetalle (Silber, Platin) aufgetragen. Weitere Gestaltungsmittel: →Glasur, →Craquelée 1), →Lüster 2).

GESCHICHTE

Ostasien. Das Ursprungsland des P. ist China. Hier vollzog sich eine schrittweise Entwicklung von der Keramik zum kaolinhaltigen P., wobei in China der Unterscheidung zw. Keramik und P. weniger Bedeutung beigemessen wurde als im Westen. Als echtes P. gelten bereits die unter der Sung-Dynastie (11. Jh.) hergestellte bläulich-weiße Ware (Ch'ing-pai-yao, Ying-ch'ing-yao) und die elfenbeinfarbige Ware (Ting-yao) aus den Provinzen Kiangsi und Hopei. Sie bilden die Vorformen des in Chingtechen (Prov. Kiangsi) hergestellten offiziellen P. der Mongolenherrscher (Shu-fu-Ware, d. h. für den kaiserl. Bedarf hergestellt), das bereits z. T. Vorformen der Kobaltblau-Unterglasurmalerei zeigt. Mit dem Ausbau der kaiserl. P.-Manufakturen zu Beginn der Ming-Zeit (seit 2. H. 14. Jh.) in und um Chingtechen verbesserte sich ständig die Technik der P.-Herstellung, und die Produktion von →Blauweißporzellan mit Kobaltoxid-Unterglasurmalerei stieg gewaltig an. In der 1. H. des 15. Jh. gelangte auch die Technik der roten Kupferoxid-Unterglasurmalerei in Chingtechen zur Perfektion. Daneben entstand seit Beginn der Ming-Zeit rein weißes P., teilweise mit unter der Glasur in Gravierung oder in weißem Schlicker angebrachtem Dekor (Nachahmungen unter Kaiser Ch'ien-lung, 18. Jh.), sowie mehrfarbiges P. (Drei-Farben-Dekor,

Porzellan: Terrine; Sèvres 1759 (München, Bayer. Nationalmuseum)

Cloisonné-Technik). Seit Ende der Ming-Zeit wurde →Blanc de Chine hergestellt, das zum qualitativ besten P. des 17. und 18. Jh. zählt. Die monochromen und geflammten Glasuren erlebten ihre Blütezeit in der Ch'ing-Dynastie im 18. Jh. (→Sang de bœuf). Einen großen Aufschwung nahm im 18. Jh. auch der über der Glasur aufgebrannte Schmelzfarbendekor (Muffelfarben), der häufig in Kombination mit Unterglasurblau-Malerei erscheint (Fünf-Farben-Dekor, →Famille jaune).

In Japan wurde nach Entdeckung reicher Kaolinlager auf NW-Kyushu 1616 in →Arita das erste P. hergestellt, zunächst nur nach kontinentalem Vorbild: weiß mit unter der Glasur liegendem blauem Dekor (sometsuke). Ab Mitte 17. Jh. wurde auch für den Export produziert, der über den Hafen Imari (→Imari-Porzellan) abgewickelt wurde, nach dem es dann auch oft bezeichnet ist. Um 1640 wurde in Arita Kakiemon, ein bunter Schmelzfarbendekor, entwickelt, dessen graziöser Stil später in Meißen kopiert wurde. In der Manufaktur der Fürsten Nabeshima entstand ein streng höf. P. Das →Hirado-Porzellan aus Mikawachi gilt als erlesenstes P. Japans. Lange Zeit hatte Kyushu das P.-Monopol, später konkurrierten das im Kolorit wärmere und schwerere P. aus Seto und Kioto (Kyo-yaki).

Europa. Seit Ende des 13. Jh. gelangten Einzelstücke von chines. P. nach Europa. Im 17. Jh. betrieben die Niederländer über die Ostind. Kompanie einen regelrechten Einfuhrhandel. Versuche, P. nachzuahmen, wurden bereits um 1500 in Venedig und in der 2. H. des 16. Jh. an mehreren ital. Höfen unternommen (→Medici-Porzellan). Im 17. Jh. schufen bes. die Niederländer eine sich in der Zierweise an ostasiat. Vorbilder anlehnende Ersatzware in den Delfter Fayencen (BILD).

In Dtl. machte seit 1693 E. W. v. TSCHIRNHAUS keram. Schmelzversuche mit großen Brennlinsen. 1706 gelang es in Meißen, rotes Steinzeug, 1708 weißes Hart-P. im Brennofen herzustellen. 1710 wurde die P.-Manufaktur Meißen gegr. Neben rotem Steinzeug begann man weißes P. herzustellen, das anfänglich noch an ostasiat. Vorbildern orientiert war. Seit den 20er Jahren des 18. Jh. wurden die Gefäßkeramik, ihre Bemalung und Vergoldung sowie die dekorative Klein- und Großbildnerei v. a. unter J. G. HÖROLDT und J. J. KÄNDLER (BILD) ausgebildet. Das P. erwies sich als ein dem Formgefühl des Rokoko bes. entsprechender Werkstoff; Meißen

Porzellan: Terrine und Schüssel; Worcester um 1760/70 (Düsseldorf, Hetjensmuseum)

Porzellan: Schäfergruppe; Frankenthal um 1760 (München, Bayer. Nationalmuseum)

(Vieux Saxe) behauptete jahrzehntelang seine führende Stellung, auch als andere Manufakturen in Dtl. und im Ausland P. herstellten: in Wien seit 1717, in Berlin seit 1751, in Höchst seit 1746, in Fürstenberg, Nymphenburg (BILD Nymphenburger Porzellan), Frankenthal und Ludwigsburg etwa seit der gleichen Zeit. Kleinere Manufakturen arbeiteten u. a. in Ansbach, Fulda, Kassel, Kloster Veilsdorf, Volkstedt-Rudolstadt.

In Frankreich gelangte man zur Herstellung eines künstlerisch hochwertigen Weich-P.; führend war die Königl. Manufaktur in Sèvres; gegen Ende des 18. Jh. brachten mehrere Privatmanufakturen in Paris und Umgebung gute Leistungen hervor. In England gelangten v. a. die Manufakturen von Worcester (gegr. 1751) und Chelsea (seit etwa 1745) zu Ansehen. In Italien wurde bereits 1720 P. in Venedig hergestellt, später in Doccia bei Florenz und bes. in der Manufaktur von →Capodimonte bei Neapel (1743), die starken Anteil an der Gründung der Manufaktur von Buen Retiro bei Madrid (1759) hatte. Zu hoher Bedeutung gelangte das →Kopenhagener Porzellan. In St. Petersburg bestand seit 1744 eine Manufaktur, die ihre Blütezeit unter KATHARINA II. erlebte (→Lomonossow-Porzellanfabrik).

Die europ. P.-Kunst des 18. Jh. stand in engstem Zusammenhang mit der verfeinerten Kultur der Fürstenhöfe. Von hervorragender Qualität waren ihre Erzeugnisse in der veredelten Gefäßkeramik und in der figürl. Darstellung, nicht selten wechselten Handwerker und Künstler die Manufakturen und prägten die Erzeugnisse nach ihren individuellen Formvorstellungen. Das 19. Jh. brachte einen künstlerischen Abstieg. Die großen Fabriken hielten an den überlieferten Formen und Zierweisen fest und strebten v. a. nach technischen Verfeinerungen. Eine Neubelebung ging Ende des 19. Jh. von Kopenhagen aus. Sie führte im 20. Jh. zu einem neuen künstlerischen Aufschwung, besonders auch in Deutschland.

Über die Herkunft der P.-Stücke gibt, abgesehen von Fälschungen, die **Porzellanmarke** Auskunft. Da sie sich meist im Lauf der Zeit veränderte, dient sie auch als Datierungshilfe.

H. JEDDING: Europ. P., 1 (1970); G. WEISS: Ullstein P.-Buch ([5]1973); L. DANCKERT: Hb. des europ. P. ([3]1974); F. HEINITZ-DAVID: Wunder des P. Der Ferne Osten (a. d. Frz., 1977); DAISY LION-GOLDSCHMIDT: Ming-P. (a. d. Frz., 1978); WALTRAUD NEUWIRTH: Porzellanmaler-Lexikon, 2 Bde. (1978); Bruckmann's P.-Lexikon, hg. v. EFFI BIEDRZYNSKI, 2 Bde. (1979); U. WIESNER: Chines. P., Ausst.-Kat., Hildesheim (1981); E. POCHE: Porzellanmarken aus aller Welt ([5]1981); Europ. P., bearb. v. MARGRIT BAUER, Kat. des Mus. für Kunsthandwerk Frankfurt a. M. (1983).

Porzellan: Vase mit Kaiserkrone; Kopenhagen um 1900 (Karlsruhe, Badisches Landesmuseum)

Porzellanfassung, Weißfassung, Maltechnik: Porzellanimitation auf Holz- und Steinskulpturen; dabei werden die materialtyp. Formen in der Grundierung nachgebildet, die weiß oder mit typ. Farben und rißbildenden Firnissen überzogen wird (→Polierweißfassung).

Porzellankabinett, Porzellanzimmer, Raum, dessen Innendekoration aus Porzellan geschaffen wurde. Frühe Beispiele in Dtl. sind das P. in der Bamberger Residenz (um 1700) und im Schloß von Berlin-Charlottenburg (1705).

Porzellanmünzen, Notgeld aus der Meißener Porzellanmanufaktur, 1920/21 aus rotbraunem Böttgersteinzeug oder weißem Biskuitporzellan hergestellt; es kam nicht in den amtl. Verkehr.

Posas [span.] *Mz.*, kleine pavillonartige Kapellen, im 16. Jh. im spanisch-amerikan. Kolonialreich an den 4 Ecken eines ummauerten Klosterhofs (Atrium) als Prozessionsstationen errichtet.

Posch, Leonhard, Bildhauer, Medailleur, *Fügen/Zillertal (Tirol) 7. 11. 1750, †Berlin 21. 6. 1831, Schüler von J. HAGENAUER, mit dem er in Wien (seit 1774 ebd.) an den Gartenfiguren für Schönbrunn v. a. als Medailleur arbeitete. In Berlin wurde P. (seit 1814 ebd.) an der Kunstakad. Lehrer des Modellierens. – Zu seinen insgesamt 800 Medaillen (Modelle in Wachs, Abgüsse in Eisen und Zinn) gehören u. a. Porträts von W. A. Mozart (1788, 1790), Prinz Louis Ferdinand (1806), F. v. Schiller (1809), A. W. Iffland (1809), Königin Luise (1810) und v. a. J. W. v. Goethe (1827) und A. v. Humboldt (1828).

Poschiavo [poski'a:vo], dt. **Puschlav,** Gem. im schweizer. Kt. Graubünden, 3700 Ew.; spätgot. Stiftskirche S. Vittore (15./16. Jh.) mit hohem roman. Turm; barocke Kirche S. Maria Assunta (1692–1711) mit achteckiger Kuppel, illusionist. Kuppelgemälde; Palazzi des 17. und 18. Jh., u. a. Hotel Albrici (Samml. holländ. Gemälde).

Poseidon, grch. **Poseidon,** von den Römern **Neptun** gleichgesetzt, grch. Mythos: der Gott des Meeres,

Sohn des Kronos und der Rhea, Bruder des Zeus und des Hades; ihm fiel bei der Teilung der Welt das Meer zu, wo er mit seiner Gemahlin Amphitrite und den niederen Meergöttern lebte. Er galt als Erderschütterer und Blitzgott, aber auch als Heiler und Erbauer von Mauern, der in Beziehung zu Athene gesetzt wurde. Kultisch genoß er im Binnenland (Böotien, Arkadien) v.a. als Gott des Erdbebens und des Pferdes, an den Küsten des Ägäischen Meeres und auf den Inseln als Gott des Meeres und des Fischfangs Verehrung. In der Kunst wurde P. dem Zeus ähnlich gestaltet, meist ehrwürdig und bärtig, nackt oder nur wenig bekleidet, aber v.a. durch seine Attribute Dreizack, Fisch und Delphin eindeutig abgehoben. Er erscheint allein, im Götterverband, im Gigantenkampf, in Herakles- und Theseusmythen u.a. Seit archaischer Zeit wurde er zunächst v.a. auf grch. Vasen, dann auch auf Reliefs wie im Ostfries des Parthenon im Götterverband (Athen, Akropolis-Mus.) und auf dem Westgiebel im Streit mit Athene (London, Brit. Mus.) dargestellt. Freiplast. Darstellungen haben sich in großer Zahl erhalten wie die Marmorstatuen von Pergamon (2. Jh. v. Chr., Berlin-Ost, Staatl. Museen) und Melos (1. Jh. v. Chr., Athen, Nat.-Mus.), sind aber nicht immer eindeutig als P. zu bestimmen (so die dem KALAMIS zugeschriebene Statue vom Kap Artemision, um 460 v. Chr., Athen, Nat.-Mus.). Die Kunst der Neuzeit bevorzugte thematisch die Besänftigung des Sturmes (DIDO-MEISTER, P. P. RUBENS) und die triumphale Darstellung von P. mit Amphitrite auf den Wellen (P. P. RUBENS, N. POUSSIN). Beliebt war P. v.a. auch als Brunnenfigur.

Posen, poln. **Poznań** [p'ɔznajn], Hauptstadt der Wwschaft Poznań, Polen, an der Warthe, 536000 Ew. P. entstand um eine frühslaw. Burg und war im 10. Jh. Hauptsitz poln. Herzöge, seit 968 Bischofssitz, seit 1138 Sitz der Herzöge von Großpolen; 1253 erhielt P. dt. Stadtrecht. Im 16. Jh. erlebte es eine wirtschaftl. und kulturelle Blüte. Ein erneuter Aufschwung setzte Ende des 18. Jh. ein, der sich unter preuß. Herrschaft (1793 bis 1806; 1815–1918) und z. Z. des Hzgt. Warschau fortsetzte. Im ältesten Stadtteil auf der Dominsel (Ostrów-Tumski), am rechten Ufer der Warthe, entstand nach 968 eine vorroman. Basilika aus Stein mit quadrat. Chor und 2 Seitenkapellen. Nach ihrer Zerstörung (1038) wurde im 14./15. Jh. auf dem alten Plan eine got. Backsteinbasilika mit zweitürmiger Fassade gebaut (16. und 18. Jh. umgebaut, nach 1945 rekonstruiert im Zustand des 14./15. Jh.). Unweit des Doms die got. Marienkirche (1442–48), die spätgot. Gesangschule ›Psałteria‹ (1512), Mus. der Erzdiözese (1518) und die roman. Johanneskirche (Ende 12. Jh.). Seit etwa dem 13. Jh. entwickelte sich die Stadt am linken Ufer der Warthe. Mittelpunkt der Altstadt ist der Marktplatz, umgeben von Häusern aus dem 15. Jh. (nach 1945 rekonstruiert) und Palästen; u. a. Działyński-Palast mit barock-klassizist. Fassade (1773–81); klassizist. Hauptwache (1787). Inmitten des Marktplatzes das Rathaus (heute Stadtmus.), urspr. gotisch (13./14. Jh.), 1550–60 von G. B. QUADRO im Renaissancestil umgebaut, mit Arkaden, Attika und Loggia (Turm

1781–83 überbaut). Der Repräsentationssaal (1555) im 1. Obergeschoß hat reich dekoriertes Kassettengewölbe. Neben dem Rathaus ehem. Krämerhäuser mit Laubengängen und Bürgerhäuser (15.–17. Jh.). Unweit des Altstadtmarktes das Kunstgewerbemuseum (13. Jh., im 18. Jh. umgebaut; 1963 rekonstruiert), das Archäolog. Mus. im ehem. Górka-Palast (1857; 1945 zerstört, 1960–67 wiederhergestellt) und der klassizist. Bau der Raczyński-Bibl. (1829). Die Pfarrkirche, ehem. Jesuitenkirche, ein Barockbau (1649–53; 1677–86; 1711 voll.), hat zahlreiche Kunstwerke im Innern, neben der Kirche das ehem. Jesuitenkloster. Die ehem. got. Dominikanerkirche (13. Jh.) wurde barock umgebaut. Die Kirche des Karmeliterklosters ist eine spätgot. Halle (1465–70) mit barocker Muttergotteskapelle (1726) und barockem Altar; barocke Franziskanerkirche (1665–1728) mit reicher Ausstattung, Stuckarbeiten (17./18. Jh.), Fresken (um 1720). Von den Bauten des 20. Jh. sind erwähnenswert das Theatergebäude, Univ.-Bibl., neoklassizist. Oper, Collegium Minus der Univ., ehem. Kaiserschloß (heute Kulturpalast).

Posnik, Postnik, P. Jakowlew, Iwan(?), russ. Baumeister des 16. Jh., *Pskow, erbaute 1555–60 mit BARMA die Basilius-Kathedrale auf dem Roten Platz in Moskau.

Pößneck, Stadt in Thüringen, Bez. Gera, Dt. Dem. Rep., 19100 Ew.; spätgot. Stadtkirche St. Bartholomäus (Chor und Turm 1474–90); Rathaus im Übergang von Spätgotik zu Renaissance (1478–86) mit Treppengiebel (1499) und reizvoller Freitreppe (1530/31).

Post, 1) Frans, holländ. Maler, Bruder von 2), *Leiden um 1612, †Haarlem 16. 2. 1680, ging 1637 nach Brasilien, ließ sich 1644 in Haarlem nieder, malte v. a. brasilian. Landschaften.

2) Pieter, holländ. Baumeister, Maler, Bruder von 1), getauft Haarlem 1. 5. 1608, begraben Den Haag 8. 5. 1669, tätig in Haarlem und Den Haag, neben J. VAN KAMPEN (mit dem er zusammenarbeitete) ein Hauptvertreter des Palladianismus in den Niederlanden; als Maler schuf er Schlachtenbilder.

HW: Schloß Huis ten Bosch, Den Haag (1645–52); Rathaus zu Maastricht (1659–64).

Postament [ital.], Baukunst: Sockel oder Unterbau einer Säule, eines Pfeilers oder einer Statue.

Poster [p'əustə, engl.], →Plakat.

Postmodernismus [lat.], umstrittener Begriff der Architekturtheorie, 1976 durch den amerikan. Architekturkritiker C. JENCKS geprägt. P. bezeichnet die vielfältigen Bestrebungen junger Architekten der Nachkriegszeit, dem formalen und moralisierenden Diktat des architekton. Funktionalismus und des Rationalismus durch spieler. und ironisierenden Umgang mit Bauformen, architekturhistor. Zitaten und Stilmixturen (Eklektizismus) zu entgehen, um ein vielschichtiges Erleben von Architektur zu ermöglichen (C. W. MOORE, R. A. M. STERN, R. VENTURI).

C. JENCKS: Die Sprache der postmodernen Architektur (a. d. Engl., 1978).

Postnik, Iwan(?), russ. Baumeister, →Posnik.

Post Painterly Abstraction [pəust p'eintəli æbstr'ækʃn, engl. ›nachmalerische Abstraktion‹], **Neue Abstraktion,** von dem Kritiker C. Greenberg 1964 in New York geprägte Bez. anläßlich einer Ausstellung amerikan. Malerei, die, i. Ggs. zum Action-Painting, die objektive Ausdruckskraft der reinen Farbe darstellt; hierzu zählen →Farbfeldmalerei und →Hard Edge.

Postsurrealismus, Richtung der zeitgenöss. Malerei, die einzelne Aspekte des Surrealismus aufgreift und den umfassenden Anspruch des klass. Surrealismus, Kunst und Leben zu vereinen, auf eine Traumwelt phantast. Bildmotive reduziert (Wiener Schule des Phantastischen Realismus u. a.).

Potbellies [p'ɔtbelɪz, engl.], massive Steinskulpturen, meist in Rundform mit z. T. äußerst kleinen Extremitäten, die in mehreren archäolog. Fundorten des südl. Mesoamerika (Abaj Takalik, Kaminaljuyú, Izapa, Monte Alto, Copán) gefunden wurden. Eine sichere Datierung war lange nicht möglich. Nach neuen Funden aus dem Ort Santa Leticia, El Salvador, sind sie in die späte vorklass. Epoche einzuordnen (etwa 500 v. Chr. bis 100 n. Chr.).

Poterne, Bez. für einen gemauerten oder in Steinen gesetzten Gang, der unter der Stadtmauer nach außen führte und bei der Belagerung einen Ausfall ermöglichte. P. wurden häufig in der hethit. Befestigungsarchitektur angelegt.

Potosí, Hauptstadt des Dep. P., Bolivien, 3976 m ü. M., 84 100 Ew. In der 1545 gegr. Stadt, aus der fast ⅔ des im 17. Jh. geförderten Silbers stammte (in dieser Zeit rd. 200 000 Ew.), sind aus der Kolonialzeit viele eindrucksvolle Kirchen erhalten, die bes. durch indian. Einflüsse geprägt sind. Ein HW ist die Kirche Copacabana (17. Jh.) mit lat. Kreuz als Grundriß, im Innern schöne Deckenvertäfelungen und Kuppel im Mudéjar-Stil. Die Kirche S. Lorenzo (1548 gegr., heutiger Bau v. a. 1728–44) ist einschiffig mit Kuppel; das Portal zeigt gewundene Säulen, Karyatiden, florale Ornamentik, aber auch im Kirchenschiff finden sich phantasievolle indian. Steinmetzarbeiten. Das Portal der Kirche S. Francisco (gew. 1726) ist im Stil des indian. Barock gestaltet, im Innern neoklassizist. Retabel und Skulpturen des 16. Jh. Bes. bemerkenswert sind u. a. noch die Kirchen S. Domingo (Ende 16. Jh., Renaissanceportal, schöne Holzdecke), Jesuitenkirche La Compañía (der Turm ist ein HW des indian. Barockstils), La Merced (gegr. 16. Jh., zweistöckige Retabelfassade mit Portal von 1687). Die Kathedrale (heutiger Bau 1809–33) in klassizist. Stil ist dreischiffig mit Seitenkapellen und oktogonaler Kuppel. Die Casa Real de la Moneda (königl. Münze, 1542 gegr., heutiger Bau 1773) ist einer der bedeutendsten Profanbauten der Kolonialzeit in Südamerika (heute Mus.; Kolonialkunst, Münzen u. a.).

Potpourrivase [p'ɔtpuri-, frz.], reich dekorierte Fayence- oder Porzellanvase des 18. Jh. mit durchbroche-

Potsdam: Schloß Sanssouci; 1745–47

nem Deckel zur Aufbewahrung von Kräutern und duftenden Essenzen.

Potsdam, Hauptstadt des Bez. P., Dt. Dem. Rep., an der zu Seen erweiterten Havel, 124600 Ew.; wurde unter dem Großen Kurfürsten FRIEDRICH WILHELM von Brandenburg (1640–88) Residenz neben Berlin. Der histor. Stadtkern mit seinen barocken und klassizist. Bauten wurde 1945 durch Bomben schwer beschädigt. Erh. sind u.a.: das Holländ. Viertel (1737–42) von J. BOUMANN, die barocke Frz. Kirche (1751/52), das ehem. Ständehaus (1770, Bezirks-Heimatmus.), das barocke ehem. Militärwaisenhaus (1771–77), die frühklassizist. ehem. Hauptwache (1796), Nauener (1755) und Brandenburger Tor (1770). Wiederhergestellt sind u.a.: das barocke Rathaus mit thronendem Atlas auf der Turmkuppel (1753) von Boumann, das barocke Stadtpalais (1744–51) von G. W. v. KNOBELSDORFF, die klassizist. Nikolaikirche (1830–37) von K. F. SCHINKEL mit der Kuppel von L. PERSIUS und F. A. STÜLER (1843 bis 1850), der barocke Marstall (1675), von J. A. NERING als Orangerie gebaut, 1746 von Knobelsdorff umgestaltet. Zerstört wurde das Stadtschloß (1660–82, 1745–56 durch Knobelsdorff umgestaltet), die Ruine 1959/60 abgetragen; auch die Garnisonkirche (1730 bis 1735 von P. GERLACH) ist zerstört (Turmstumpf 1968 gesprengt). Nördlich der Altstadt am Heiligen See liegen im Neuen Garten das Marmorpalais (1787–91 von C. v. GONTARD) und Schloß Cecilienhof (1913–16). Im W von P. liegen Schloß und Park **Sanssouci**. Das Schloß, von FRIEDRICH D. GR. z.T. nach eigenen Entwürfen durch Knobelsdorff erbaut (1745–47), ist ein eingeschossiger Bau vom Typ des Orangerieschlosses, mit seinem plast. Schmuck (Hermenfiguren der Gartenfront) und der reichen Innenausstattung ein HW des dt. Rokoko. Daneben liegt die Bildergal. (1755–63; v.a. Gemälde des 17. Jh.). Der Park wurde nach Entwürfen von Knobelsdorff angelegt (im 19. Jh. verändert). Hier liegen die spätbarocke Dreiflügelanlage des Neuen Palais (1763–69) mit den Communs und Kolonnaden, die Orangerie (1851–60), nach Entwürfen von Persius ausgeführt von Stüler, ferner die spätklassizist. Friedenskirche (1843–54), Chines. Teehaus (1754–56), Antikentempel (1768/69), Freundschaftstempel (1768–70), Drachenhaus (1770); nach S hin Park und Schloß →Charlottenhof. Im Stadtteil **Babelsberg** neugot. Schloß, 1835 von Schinkel beg., 1845–49 von J. H. STRACK voll. Im Schloßpark (1833 beg. von P. J. LENNÉ) u. a. got. Gerichtslaube (14. Jh.) vom alten Berliner Rathaus, neugot. Prinzenhaus (1833), neugot. Maschinenhaus (1843–45).

G. DEHIO: Hb. der dt. Kunstdenkmäler, Berlin (DDR), Bezirk P. (1982).

Pott|asche, stark alkal., kristallines Pulver, das aus der Asche verbrannter Hölzer oder Tierabfälle gewonnen wurde. P. wurde zur Herstellung von Wasserglasanstrichmitteln (→Mineralfarben), früher auch als Emulgierhilfe bei fetten Materialien verwendet.

Potter, Paulus, holländ. Maler, getauft Enkhuizen 20. 11. 1625, begraben Amsterdam 17. 1. 1654, Schüler seines Vaters Pieter P. (*um 1597, †1652), stellte in meist kleinformatigen helltonigen Bildern Weiden mit Vieh in sonniger Beleuchtung dar. Die Tiere sind mit äußerster Genauigkeit wiedergegeben. P. führte die Gattung der Tierdarstellung zu höchster Vollendung.

HW: Der Stier (1647, Den Haag, Mauritshuis).

Poudreuse [pudr'ø:z, frz.] *die,* Toilettentisch (Frankreich 18. Jh.), häufig mit dreigeteilter Deckplatte; im Mittelteil ein Spiegel. P. wurden in zahlreichen Varianten hergestellt und reich verziert.

Pourbus [p'urbys], niederländ. Malerfamilie: Pieter (*Gouda um 1510, †Brügge 30. 1. 1584) malte außer relig. Bildern meist Porträts. Sein Sohn, Frans d. Ä. (*Brügge 1545, †Antwerpen 19. 9. 1581), Schüler seines Vaters und von F. FLORIS, malte relig. Bilder (Flügelaltar ›Christus und die Schriftgelehrten‹, 1571, Gent, St. Bavo) und v. a. kräftig modellierte Porträts. Dessen Sohn, Frans d. J. (*Antwerpen 1569, begraben Paris 19. 2. 1622), war einer der bekanntesten internat. Hofporträtisten, tätig auch in Mantua und Paris (Maria de' Medici, 1609, Heinrich IV., 1610, beide Louvre).

Poussin [pus'ɛ̃], **1)** Gaspard, eigtl. G. **Dughet** [dyg'ɛ], frz. Landschaftsmaler, Schwager von 2), nach dem er sich P. nannte, auch **le Guaspre P.** gen., *Rom 7. 6. 1615, †ebd. 25. 5. 1675, überwand die barock bewegten Formen seiner Frühzeit und malte unter dem Einfluß von DOMENICHINO, ANNIBALE CARRACCI, CLAUDE LORRAIN, bes. aber seines Schwagers, klar gegliederte ›heroische‹ Landschaften, die bei aller klass. Beruhigung auch von romant. Stimmungsgehalt erfüllt sind und von Goethe hoch geschätzt wurden. Die realist. Grundhaltung seiner Spätwerke läßt bereits an G. COURBET denken.

HW: Freskolandschaften mit Darstellungen aus der Gesch. des Propheten Elias (1647–51; Rom, S. Martino ai Monti); Landschaften

Nicolas Poussin: Das Reich der Flora; 1631 (Dresden, Gemäldegalerie)

(Fresken und Ölbilder, Rom, Palazzo Colonna, Palazzo Doria Pamphili); Gewitterlandschaft (Wien, Kunsthistor. Mus.).

2) Nicolas, frz. Maler, Schwager von 1), *Villers-en-Vexin (Eure) Juni(?) 1594, †Rom 19. 11. 1665, ging 1624 nach Venedig, wo er mit Werken G. BELLINIS und TIZIANS vertraut wurde, und Rom, folgte Ende 1640 einem Ruf LUDWIGS XIII. nach Paris, kehrte, unbefriedigt vom Hofdienst, 1642 endgültig nach Rom zurück. Eingehendes Studium der Antike, von dem zahlreiche Zeichnungen nach Reliefs und Skulpturen zeugen, und die Bemühungen um eine regelhaft begründete Kunstlehre vermittelten seinen Werken jene Klarheit und Gesetzmäßigkeit, die als vollendeter Ausdruck klass. Gesinnung v. a. in Frankreich als vorbildlich galten. Seine Landschaften der reifen Zeit und die Schauplätze seiner Figurenkompositionen sind aus wohldurchdachten Architektur- und groß gesehenen Naturformen in übersichtl. Ordnung aufgebaut; seine Gestalten zeichnen sich durch edle Haltung und natürl. Anmut aus. P. gilt als Schöpfer der ins Ideale und Erhabene gesteigerten heroischen Landschaft (→Landschaftsmalerei). Sein in den Werken der frühen und mittleren Zeit noch warmes, von Tizian beeinflußtes Kolorit wurde später kühler und trat in seiner Bedeutung für das Bild hinter der durch die Zeichnung bestimmten Form zurück. Neben relig. Stoffen malte er Themen der antiken Welt und Mythologie. Die Werke von P. sind vollkommener Ausdruck des frz. Classicisme des 17. Jh. in der Malerei.

HW: Der Parnaß (1626/27; Madrid, Prado); Der Tod des Germanicus (1626–28; Minneapolis, Institute of Arts); Das Reich der Flora (1631; Dresden, Gemäldegal.); Landschaft mit Matthäus und dem Engel (1644; Berlin-West, Staatl. Museen); Rebekka am Brunnen (1648; Louvre); Landschaft mit Diogenes (1648; ebd.); Selbstporträt

(1650; ebd.); Die Jahreszeiten (4 Landschaften, 1660–64; ebd.); Grablegung Christi (um 1657; Dublin, Nat.-Gal.).

A. BLUNT: N. P., 2 Bde. (London 1967); K. BADT: Die Kunst des N. P. (1969); J. THUILLIER: Tout l'œuvre peint de P. (Paris 1974); P., Ausst.-Kat., Edinburgh (1981).

Poussinisten und Rubinisten, →Akademie.

Požajslis [-ʒ-], Kloster (1667–90 erbaut) in der Nähe von Kaunas, Litauische SSR, mit der nach dem Vorbild von S. Maria della Salute in Venedig gebauten Kirche; im Inneren prächtige Marmorinkrustation, Fresken und Stukkaturen.

Poznań [p'ɔznajn], poln. Name von →Posen.

Pozzo, Andrea, ital. Maler, Bildhauer, Baumeister, *Trient 30. 11. 1642, †Wien 31. 8. 1709, 1681–1702 in Rom, dann in Wien tätig, führte mit überlegener Beherrschung der Perspektive die scheinräuml. Wand- und Deckenmalerei zur Vollendung; grundlegend für die illusionist. Raumbehandlung des Spätbarock.

HW: Gewölbeausmalung in S. Ignazio in Rom (um 1685; BILD Barock); innerer Umbau und Ausmalung der Jesuitenkirche in Wien (1703 ff.); Deckengemälde im Festsaal des Gartenpalais Liechtenstein, Wien (1704–08). Altarbilder. – Lb.: Perspectiva pictorum atque architectorum (Rom 1693 und 1698).

Pozzuoli, Hafenstadt am Golf von Neapel (Italien), 68 400 Ew. P., eine grch. Gründung von 528 v. Chr. **(Dikaiarcheia),** stieg unter den Römern zum 1. Hafen Roms als **Puteoli** auf (Mittelpunkt des röm. Orienthandels), seit dem 2. Jh. n. Chr. zunehmend von Ostia überflügelt. Bauten aus röm. Zeit sind v. a. 2 Amphitheater und die Ruinen des großen Macellum (früher als Tempel des Serapis gedeutet), ehemals eine große Anlage, deren weiter Hof mit Rundbau in der Mitte von umlaufenden Arkaden und Ladenreihen begrenzt war; 3 hohe Säulen der Vorhalle stehen noch aufrecht. Säulenreste eines Augustustempels sind im Dom S. Proculo (11., 16., 18. Jh.) verbaut.

Prabhamaṇḍala [Skt. ›Glanzkreis‹], der Nimbus ind. Götterfiguren.

Prachatitz, tschech. **Prachatice** [-tsɛ], Stadt im Südböhm. Kr., ČSSR, 7900 Ew., westlich von Budweis. Die ma. Siedlung erhielt Anf. 14. Jh. Stadtrechte und wurde von Stadtmauern im 14./15. Jh. umgeben (neue Befestigungen und Tore aus dem 16. Jh.). Der älteste Bau, auf Grundmauern einer roman. Kapelle, ist die breite Halle der Jakobskirche (14. Jh., im 15. und 16. Jh. erweitert) mit got. Steinmetzarbeiten, Wandmalereien und Schnitzereien aus Gotik und Renaissance. Weitere bed. Bauten sind die Alte Schreibschule (14. Jh.; 1540 bis 1557 umgebaut), mit Sgraffiti (nach H. S. BEHAM) verziert, und das ehem. Sytra-Haus (1604; heute Mus.) mit Porträts der böhm. Herrscher. Am Hauptplatz steht das ›Alte Rathaus‹ von 1571 mit Sgraffito-Schmuck.

Pradakshinapatha [Skt.], eingezäunter Weg oder umwallter Korridor um den ind. Stupa oder die Cella des ind. Tempels.

Pradier [pradj'e], James (Jean-Jacques), frz. Bildhauer, *Genf 23. 5. 1790, †Bougival bei Paris 4. 6. 1852, lebte 1813–19 in Rom, arbeitete in einem durch romant.

Empfindsamkeit beeinflußten klassizist. Stil; schuf Terrakottabozzetti.

HW: Göttinnen am Giebel von Ste. Madeleine, 12 Viktorien um das Grab Napoleons I. im Invalidendom, Reliefs am Arc de Triomphe, Molière-Brunnen (alle Paris); Rousseau-Denkmal (Genf).

Pradilla y Ortiz [prað'iʎa i ɔrt'iθ], Francisco, span. Maler, *Villanueva de Gállego (Saragossa) 24. 7. 1848, †Madrid 1. 11. 1921; 1881–83 Leiter der span. Kunstakad. in Rom, danach in Madrid, wo er seit 1894 Dir. des Prado war. Zu seiner Zeit viel beachtet als Fresken- und Historienmaler; typ. Vertreter des span. Neubarock.

HW: Johanna die Wahnsinnige am Sarg ihres Gatten (1877; Madrid, Mus. Nacional de Arte Moderno); Die Übergabe von Granada (1882; Deckenmalereien im Palacio del Senado, Madrid).

Prado, Museo del P. [-ðel pr'aðo], span. Nat.-Mus. in Madrid, benannt nach dem Park P. de S. Jerónimo, in dem der Bau 1785 von J. DE VILLANUEVA beg. wurde. 1819 als königl. Mus. für Malerei und Bildhauerkunst eröffnet, seit 1868 Nat.-Mus. Die Samml. des Museo del P. sind aus den kunsthistor. und wissenschaftl. Samml. des span. Königshauses hervorgegangen, ihre Bestände an alter Malerei gehören zu den bedeutendsten der Welt (GIORGIONE, G. B. TIEPOLO, TIZIAN, P. P. RUBENS, A. VAN DYCK, EL GRECO, D. VELÁZQUEZ, B. E. MURILLO, F. GOYA u.a.). P. PICASSOS Kolossalgemälde ›Guernica‹ hängt seit 1981 im P.

Praeneste, Stadt in Latium, Italien, →Palestrina.

Prag, tschech. **Praha,** Hauptstadt der ČSSR, 1,183 Mio. Ew., beiderseits der Moldau. Auf dem Boden des heutigen P. gab es im 9. Jh. mehrere Dörfer, die sich zu einer Siedlung zw. zwei Burgen (Hradschin und Wyschehrad) entwickelten. 973 wurde das Bistum P. gegr., die heutige Altstadt erhielt 1255 Nürnberger Stadtrecht. König OTTOKAR II. legte 1267 die ›Kleinseite‹ am linken Ufer der Moldau an. Die Neustadt gründete 1348 Kaiser KARL IV., unter dem die Blütezeit P.s begann. 1784 wurden Altstadt, Neustadt, Kleinseite und Hradschin zu einer Stadt zusammengeschlossen. Die meisten Baudenkmäler hat P. aus Gotik und Barock.

In der **Altstadt** sind mehrere Wohnbauten mit roman. Kellern, got. Überbauungen und barocken Fassaden zu finden. Der got. Pulverturm ist einer der 13 Türme der alten Stadtbefestigung. Das Altstädter Rathaus (seit 1338; mehrmals erweitert, zuletzt 1878) hat got. Konferenzsaal. Neben dem Eingang astronom. Uhr (1490) mit Marionettenspiel. Der Teynhof (Ungelt) gegenüber diente Kaufleuten als Handels- und Lagerplatz. Die Teynkirche (1135 gegr.), zunächst für die Kaufleute bestimmt, wurde seit 1365 in got. Stil neu erbaut (später z. T. umgestaltet), daneben das Granovsky-Haus im Renaissancestil. Die Kirche St. Nikolaus (1272 gegr.) wurde nach Plänen von K. I. DIENTZENHOFER 1732–37 barockisiert. Etwa gleichzeitig entstanden die Heiliggeistkirche, das Agneskloster (1234 gegr.), das ehem. Annenkloster und die Ägidienkirche. Barocke Bauten sind u. a. die Kirche St. Salvator (1578–1714) und die Kirche St. Franziskus (17. Jh.), ferner die Jakobskirche (1232 gegr., barock umgebaut) sowie viele Adelspaläste

(Golz-Kinsky, heute Abteilung der Nat.-Gal.; Clam-Gallas; Pachta u. a.). Aus jüngerer Zeit stammen das Ständetheater, 1781–83 als Böhm. Nat.-Theater gegr. (heute Tyl-Theater), das Gerichtsgebäude am Obstmarkt, einst Teil des königl. Münzhofs; das Rudolfinum (Künstlerhaus, 1876–84; heute Konzerthaus ›Prager Frühling‹). Das erste Hauptgebäude der 1348 gegr. Univ. ist das Collegium Carolinum, entstanden aus einem Wohnhaus (1370) mit got. Erker. Im Collegium Clementinum mit prächtigen Barocksälen ist heute u. a. die Univ.-Bibl. untergebracht. Der Altstädter Brückenturm wurde Ende 14. Jh. erbaut. Er gilt als schönster Brückenturm Europas. Die Karlsbrücke ließ Karl IV. seit 1357 errichten. Ab 1683 wurde sie mit Heiligenstatuen geschmückt (älteste: Johann Nepomuk am Ort seines Märtyrertodes). Zu den ältesten Siedlungen im Prager Bereich gehört die Judenstadt (Josefstadt) mit vielen Kunstdenkmälern, u. a. die Altneusynagoge von 1270 (älteste Europas), die Hohe oder Ratssynagoge (urspr. Renaissance; im 17. Jh. umgestaltet), die Pinkas-Synagoge (14. Jh., Umbauten 1536, 1625) mit dem Denkmal der Opfer des Nationalsozialismus und der alte jüd. Friedhof mit Grabsteinen (15.–18. Jh.).

Zentren der **Neustadt** (unter Einschluß älterer Siedlungen vor der Altstadt im S gegr.) sind Wenzels- und Karlsplatz. Das Reiterstandbild des Hl. Wenzel (1912 bis 1913) ist von J. MYSLBEK. Das Nat.-Mus. (Neurenaissance) wurde 1885–90, das Nationaltheater 1868 bis 1883 gebaut. Der Kern des Neustädter Rathauses stammt aus dem 14. Jh. Aus luxemburgischer Zeit sind u. a. die Kirchen Maria Schnee (1346), die Heinrichskirche (1348) und St. Wenzel am Zderas. In der Barockzeit entstanden Adelspaläste: Palais Sweetssporck, Schirnding (Kanka-Haus), Sylva-Tarouca, Losy (heute Lenin-Mus.), im 18. Jh. das Palais Mac Neven. Über der Moldau im S erhebt sich der **Wyschehrad**. Als zeitweiliger Fürstensitz war die Burg ein Gegenstück zum Hradschin. Im 15. Jh. entwickelte sich der Wyschehrad zur selbständigen Siedlung, in der 2. H. 17. Jh. wurde er zur Festung mit barocken Torwerken ausgebaut. Die oft umgebaute Kollegiatkapitelskirche St. Peter und Paul und die roman. Martinsrotunde stammen aus dem 12. Jh.

Der malerischste Stadtteil P.s ist die **Kleinseite**. In der Barockzeit entstanden hier fast 200 Adelspaläste (Auersperg, Buquoy, Fürstenberg, Kolowrat, Liechtenstein, Lobkowitz, Morzin, Nostitz, Rohan, Schönborn, Sternberg u. a.) mit prächtigen Gärten. Das Waldstein-Palais mit Reithalle und Sala terrena, von ital. Baumeistern für Wallenstein errichtet, ist der schönste Adelspalast P.s. Die St.-Nikolaus-Kirche, ein Werk von C. und K. I. DIENTZENHOFER (1. H. 18. Jh.), die Thomaskirche der Augustiner-Eremiten (13. Jh., 1725–31 von K. I. Dientzenhofer barockisiert) und die Wallfahrtskirche Maria vom Sieg (1611–13 für dt. Protestanten erbaut, 1624 den Karmelitern übergeben), wo das Prager Jesuskind verehrt wird, sind die bedeutendsten Kirchen der Kleinseite.

Die Prager Burg **(Hradschin)** war seit dem frühen MA. Sitz der Přemysliden-Fürsten, der Könige und Prä-

Prag: Teynkirche

sidenten. Reste der frühen Burg wurden bei Grabungen aufgedeckt (Holzbauten, Palast u. a.). Got. Erweiterungsbauten errichteten KARL IV. und WENZEL IV. B. RIETH schuf den Wladislawsaal (1486–1502), einen der bedeutendsten Räume des Hofpalastes; weitere Bauten sind u. a. der Span. Saal und die Dt. Galerie (Ende 16. Jh.). Die heutige Gestalt der Burg geht auf den Umbau unter MARIA THERESIA zurück. Die Kirche St. Veit wurde von Herzog WENZEL D. HL. gestiftet. An Stelle von Wenzels Rundkirche entstanden im 11. Jh. eine roman. Basilika und später die got. Kathedrale der Meister MATTHIAS VON ARRAS und PETER PARLER; 1929 wurde der Dombau abgeschlossen. In der Wenzelskapelle ist das Hochgrab des Heiligen, eine Nebenkammer birgt die Krönungskleinodien. Das königl. Oratorium, die erzbischöfl. oder Pernstein-Kapelle, das Grab Johann Nepomuks (1733–36) und das königl. Mausoleum, die Gruft der böhm. Könige, gehören zu den wichtigsten Gedenkstätten des Doms St. Veit. Bei der roman. Georgskirche (um 920) auf der Burg gründeten die Fürsten das erste Frauenkloster Böhmens (973, heutige Gestalt aus dem 12. Jh.). In der Allerheiligenkapitelskirche (1370–87 von P. Parler) ist Prokop von Sazawa, ein Landespatron, bestattet. Ein Renaissancebau ist das Lustschloß Belvedere der Königin ANNA (1536–63).

Neben der Burg stehen das Erzbischöfl. Palais (1561; im 17. Jh. von J. B. MATHEY barockisiert) sowie zahlreiche Domherrenhöfe und Adelspaläste (darunter das Palais Schwarzenberg mit charakterist. Sgraffitoschmuck). Vom Palais Toskana (von J. B. Mathey) aus wurden die kaiserl. Privatgüter verwaltet. Die Loretokapelle (seit 1626) mit dem Loretoschatz, im ältesten Kapuzinerkloster Böhmens (1600), ist eines der schönsten Barockdenkmäler P.s. Das Palais Czernin, P.s monumentalster Adelspalast (1669–77), ist heute Außenministerium. Die ehem. Prämonstratenserabtei Strahov (im 12. Jh. gegr., barock umgebaut) südwestlich der Burg ist Mus. des tschech. Schrifttums.

E. POCHE: P. (1979); M. PAVLIK und V. UHER: Barockarchitektur in P. (1981); G. WACHMEIER: P. ([4]1981); V. LORENC: Das P. Karls IV. (a. d. Tschech., 1982).

Prager, Heinz-Günther, Bildhauer, *Herne 19. 12. 1944, entwickelte plast. Formsysteme aus wenigen geometr. Metallelementen (Zylinder, runde oder rechteckige Platten, Stangen), die spezifisch plast. Themen wie Körperlichkeit, Körpermaß sowie das Verhältnis des Betrachters zur Plastik behandeln.

Pragmatik, →Semiotik.

Praha, Hauptstadt der ČSSR, →Prag.

präkolumbische Kulturen, die Kulturen Amerikas vor der europ. Entdeckung und Eroberung (→Andine Hochkulturen, →Indianer, →Mesoamerikanische Hochkulturen, →Zentralamerikanische Kulturen).

Prambanan, größte shivait. Tempelanlage (9. Jh.) auf Zentraljava (KARTE indonesische Kunst). Auf einer riesigen Terrasse befindet sich eine Gruppe von 8 Tempeln mit dem Haupttempel →Lara Jonggrang (BILD indonesische Kunst), südlich und nördlich daneben ein dem Gott Brahma und dem Gott Vishnu geweihter Tempel, jeweils gegenüber Tempel der Symboltiere. Die Terrasse ist von einer niedrigeren Terrasse umgeben, auf der 224 kleine Tempel in 3 konzentr. Reihen stehen. Am Schnittpunkt der Diagonalen der Haupt-Terrasse befindet sich, in bezug auf die Tempel asymmetrisch, eine Aschenurne. Die Anlage war im 16. Jh. durch ein Erdbeben zerstört worden.

Prampolini, Enrico, ital. Maler, Architekt, Bühnenbildner, Kunsttheoretiker, *Modena 20. 4. 1894, †Rom 18. 6. 1956, gehörte zu den wichtigsten Vertretern des ›2. Futurismus‹. Seine Bedeutung liegt v. a. in der Vermittlung zw. den futurist. Ideen und zahlreichen anderen Avantgarde-Strömungen (1916 Teilnahme am Dadaismus in Zürich, 1925–37 alljährl. längere Aufenthalte in Paris). Auch als Maler versuchte P. wechselnde Synthesen des Futurismus mit der geometr. Konstruktion. Seit 1929 entwickelte er seine Malerei des ›kosmischen Idealismus‹, die eine neue Vision des Universums anstrebte, seit 1935 ›polymateriale Experimente‹, ein Vorausgriff auf die Materialkunst. Außerdem Bühnenbilder und Entwürfe für Filmdekor.

Prandtauer, Prandauer, Jakob, österr. Baumeister, getauft Stanz bei Landeck 16. 7. 1660, †St. Pölten 16. 9. 1726, war im Dienst des Abtes BERTHOLD DIETMAYR von Melk (seit 1701) der führende Klosterbaumeister Österreichs. Unter meisterhafter Nutzung der Naturlage gliederte P. die breitgelagerten Blöcke seiner Bauten auf zusammenfassende Höhepunkte hin; ihre kraftvoll bewegte Oberfläche ist auf Fernwirkung berechnet. Unter dem Einfluß von C. A. CARLONE und J. B. FISCHER VON ERLACH gab P. dem barocken Stiftsbau eine Kirche, Palast und Konvent umfassende Form.

HW: Stift Melk an der Donau (1702–26; BILD Melk); Wallfahrtskirche Sonntagsberg bei Waidhofen a. d. Ybbs (1706–17); Stift St. Florian bei Linz (als Nachfolger von CARLONE seit 1708, Treppenanlage 1706–14, Marmorsaal 1718–24); Kirche des Karmeliterinnen-

Klosters St. Pölten (1708–12); Bischofshof in Linz (1721–26); Jagdschloß Hohenbrunn bei St. Florian (1725–29).

Prang, Stupa-Form in der thailänd. Baukunst, bes. der Kunst von →Ayutthaya, mit recht- oder mehreckiger Basis; übernommen aus der Kunst von →Lopburi mit Einfluß der →Khmer-Kunst (Tempelberg).

Prantl, Karl, österr. Bildhauer, *Pöttsching (Burgenland) 5. 11. 1923, schuf v.a. blockhafte Plastiken aus Stein (Marmor, Granit, Sandstein, Muschelkalk), die eine gewachsene, organ. Struktur mit zeichensetzenden Einkerbungen oder Mulden zeigen; von ihm als ›Steine zur Meditation‹ bezeichnet. P. ist der Initiator von internat. Bildhauer-Symposien (erstmals 1959 in St. Margarethen, Burgenland).

P. WEIERMAIR: K. P., Plastiken 1950–72 (1973).

Präraffa|eliten, engl. **Pre-Raphaelite Brotherhood** [priːrˈæfəlaɪt brˈʌðəhʊd], 1848 in London gegr. Künstlervereinigung; beteiligt waren zunächst: W. H. HUNT, J. E. MILLAIS, D. G. ROSSETTI, J. COLLINSON-(*1825, †1881), T. WOOLNER (*1825, †1892), F. G. STEPHENS (*1828, †1907) und W. M. ROSSETTI (*1829, †1919). Ihnen nahestehend waren F. M. BROWN, später E. BURNE-JONES (BILD) und W. MORRIS (BILD). Der Kritiker J. RUSKIN schloß sich ihnen bald an. Die P. empfanden sich als Revolutionäre, standen in Opposition zur Londoner Akad. und nahmen sich die ital. Malerei vor RAFFAEL zum Vorbild. In ihren Auffassungen und den oft relig. Themen ihrer Bilder erinnern sie an den Lukasbund dt. Künstler in Rom im frühen 19. Jh. Von jenen übernahmen sie auch stilist. Elemente, wie die klare Linearität und die starke Farbigkeit, deren Wirkung sie durch das Malen auf weißem Kreidegrund noch erhöhten. Die naturalist. Darstellung und die genaue psycholog. Charakterisierung gehören jedoch eher in die engl. Tradition.

R. IRONSIDE: Pre-Raphaelite painters (London 1948); D. S. WELLAND: The Pre-Raphaelites in literature and art (New York 1953); W. E. FREDEMAN: Pre-Raphaelitism (Cambridge, Massachusetts, 1965); J. D. HUNT: Pre-Raphaelite imagination 1848–1900 (London 1968); L. HÖNNIGHAUSEN: P. und Fin de siècle (1971); G. METKEN: Die P. (1974); E. BERGMANN: Die P. (1980).

Prasạda [Skt.], das ummauerte und übertürmte Sanktum ind. Tempel, bisweilen auch Bez. für den gesamten Tempel mit Vorhalle.

Pratihạra-Dynastie, kunstförderndes Herrscherhaus des 8.–11. Jh. in N-Indien, unter dem die Ikonographie der mittelalterl. hinduist. Kunst ihre kanonische Ausprägung erhielt.

Prato, Stadt und Bischofssitz in der Prov. Florenz, Italien, 155 800 Ew.; roman. Dom mit got. Chorkapellen und Mitte des 15. Jh. vollendeter Fassade mit Marmorinkrustation; Außenkanzel mit Baldachin (1434 bis 1438; nach Entwurf MICHELOZZOS) und Reliefplatten (von DONATELLO); im Inneren Madonna von G. PISANO, Fresken von FRA FILIPPO LIPPI und A. GADDI, reliefgeschmückte Kanzel von MINO DA FIESOLE. Die Kirche S. Maria delle Carceri (1484 ff. von G. DA SANGALLO) ist ein Zentralbau über grch. Kreuz; im Inneren Terrakottaarbeiten von A. DELLA ROBBIA. Kastell FRIEDRICHS II.;

Praxiteles: Aphrodite von Knidos; kaiserzeitliche Kopie (Rom, Vatikanische Museen)

an der Piazza del Comune der Palazzo Pretorio (13./14. Jh.) mit Gemäldesammlung.

Praxiteles, grch. Bildhauer des 4. Jh. v. Chr., Schüler seines Vaters KEPHISODOT, war mit SKOPAS und LYSIPP der bedeutendste Bildhauer der spätklass. Epoche. Durch eine hohe Meisterschaft in der Oberflächenbehandlung und feinste Ausgewogenheit der Körperrhythmen gab er seinen Gestalten eine neuartige poet. Anmut. In seinen Götterbildern hat er göttl. Wesen in liebenswürdig vermenschlichter Gestalt wiedergegeben. P., von dessen Werk im Original vermutlich nur der Hermes von Olympia erh. ist, schuf vorwiegend in Marmor; nur wenige Bronzestatuen sind literarisch bezeugt. Kaiserzeitl. Kopien einiger seiner Werke vermitteln eine Vorstellung von seiner Entwicklung: Der Frühzeit entstammen der ›einschenkende Satyr‹ (um 360/50) und vielleicht die halbbekleidete ›Aphrodite von Arles‹ (um 350). In seinem HW, der ›Aphrodite von Knidos‹ (um 340), wird zum erstenmal in der grch. Kunst anstelle der Vollkommenheit der klass. männl. Gestalt die Schönheit des Frauenkörpers dargestellt. Der Knabe ›Apollo Sauroktonos‹ (›Eidechsentöter‹) wandelt einen heroisch-myth. Vorgang ins Spielerisch-Graziöse um. Der im Heratempel von Olympia gefundene ›Hermes mit dem Dionysosknaben‹ (vermutlich ein Original des P., von manchen für eine Kopie oder Neuschöpfung des 1. Jh. v. Chr. angesehen; BILD griechische Kunst) dürfte mindestens als Konzept ein Spätwerk des P. sein (um 330/320). Die erh. Reliefs (um 320 v. Chr.) der Musenbasis von →Mantinea verbindet man mit der Werkstatt des P.

Predella [ital.], **Altarstaffel, Staffel,** auf der Mensa des Altars stehender Unterbau des →Retabels; als Brett- oder Kasten-P. gebildet, ragt sie i. a. etwas über die Flucht der oberen Altarteile hervor. Ihre Entwicklung ging mit der des →Polyptychons zusammen. Die frühesten P. haben sich an ital. Altären erhalten (z. B. am Pisaner Altar des SIMONE MARTINI von 1320). Zwei Hauptgruppen lassen sich gegeneinander abgrenzen: P. mit Halb- oder Ganzfiguren (Stifter, Heilige u. a.) und solche mit szen. Darstellungen (in späterer Zeit kommt es auch zu Mischformen). Daneben gibt es P. mit Inschriften, Wappen oder rein dekorativer Bemalung. Die Rahmenformen der P. sind vielfältig: einfache Rechteckfelder mit aufgesetzten schlichten Rahmen bis hin zur Rahmung durch Arkaden, Vierpässe, Tondi und andere Schmuckformen. Bes. im Barock diente die P. oft als Reliquienschrein. (BILD Isenheimer Altar)

Predigerkirchen, →Bettelordenskirchen.

Predis, Ambrogio de, ital. Maler, *Mailand um 1455, dort tätig bis mindestens 1508, war Mitarbeiter des LEONARDO DA VINCI bei der 2. Fassung der Felsgrottenmadonna (London, Nat. Gal.) und schuf charaktervolle Porträts (Kaiser Maximilian, 1502; Wien, Kunsthistor. Museum).

Preetz, Stadt im Kr. Plön, Schlesw.-Holst., 15 200 Ew., mit ehem. Benediktinerinnenkloster (um 1211 gegr., jetzt Damenstift). Die Stiftskirche, eine got. Backstein-Stutzbasilika (1325–40), hat in 3 Mittelschiffsjochen einen Nonnenchor mit einzigartigem siebzigsitzigem Gestühl (um 1335–70, um 1700 verändert), ferner wirkungsvollen Orgelprospekt (1573/1686), Régence-Chorgitter (1738), Hochaltar (1743), Knorpelwerkbarockaltar (1656). In der Stadtkirche (spätroman. Chor um 1210, barockes Langhaus 1689/90 und 1725–28), prachtvolle Régence-Westempore (1733).

Preisler, Jan, tschech. Maler, *Popovice bei Beraun 18. 2. 1872, †Prag 27. 4. 1918, seit 1913 ebd. Prof. an der Akad. der bildenden Künste, malte zunächst Allegorien in spätromant. Stil, später nach idealischen Motiven, v. a. unter dem Einfluß von A. BÖCKLIN. In dieser Periode wird auch die Kenntnis der letzten Bilder von H. v. MARÉES deutlich. Linie und Kolorit sind dekorativ und stehen in neuklassizist. Komposition. – Seit 1897/98 schuf P. v. a. Wandmalereien.

Prell, Hermann, Maler, *Leipzig 29. 4. 1854, †Dresden 18. 5. 1922, lehrte an den Akad. in Berlin (1886–92) und Dresden (1892–1917). Der pomphafte Naturalismus seiner allegor. und histor. Wandgemälde und Mosaiken entsprach dem Wilhelmin. Geschmack.

Preller, 1) Friedrich d. Ä., Maler, Vater von 2), *Eisenach 25. 4. 1804, †Weimar 23. 4. 1878, lehrte nach Studien in Weimar (H. MEYER), Dresden und Antwerpen seit 1834 an der Zeichenschule in Weimar. Angeregt von J. A. KOCH in Rom (1828–31), malte P. heroische Landschaften. Später bevorzugte er mytholog. Themen, deren Ausführung in flachem Idealismus erstarrte.

HW: Odysseefresken (1832–34; Leipzig, Univ.-Bibl.); Ausmalung des Wielandzimmers im Schloß zu Weimar (1836–41); Kohlezeichnungen des erweiterten Odysseezyklus (1854–56; Berlin-Ost, Nat.-Gal.); Odysseezyklus (1865–69; Weimar, Mus., Preller-Gal.).

2) Friedrich d. J., Maler, Sohn von 1), *Weimar 1. 9. 1838, †Dresden 21. 10. 1901, seit 1880 Prof. der Akad. in Dresden; setzte die Stilrichtung seines Vaters fort.

HW: Wandbilder grch. Landschaften (1890/91; Dresden, Albertinum).

Prendergast [pr'endəgæst], Maurice Brazil, amerikan. Maler, *St. John's (Neufundland) 10. 10. 1859, †New York 1. 2. 1924, studierte 1891–94 in Paris, gehörte zur Künstlergruppe ›The Eight‹ (→Ashcan School). Sein Stil ist dem Neoimpressionismus verpflichtet, zeigt aber einen eigenen naiv-lyr. Ton. In Parklandschaften, Picknick-, Strand- und Straßenszenen schildert er eine heitere, bunte Ferienwelt (›Die Promenade‹, 1913; New York, Whitney Mus.).

Prenzlau, Stadt in der Uckermark, Dt. Dem. Rep., 22300 Ew. Das histor. Stadtbild wurde 1945 großenteils vernichtet. Erh. sind bed. Reste der Stadtmauer mit Mauertürmen und 3 Tortürmen. Die got. Marienkirche (im wesentlichen 2. H. 14. Jh., 1945 ausgebrannt, im Wiederaufbau) ist mit ihrem reich gegliederten Ostgiebel eine der bedeutendsten Backsteinkirchen in N-Dtl. In der frühgot. Nikolaikirche, ehem. Dominikanerkirche (beg. 1275), Schnitzfiguren eines prächtigen, 1945 zerstörten Lübecker Schnitzaltars; das Dominikanerkloster (Mitte 14. Jh.) ist fast vollständig erh. (Mus.). Frühgot. Dreifaltigkeitskirche, ehem. Franziskanerkirche (Mitte 13. Jh.). Als Ruine erh.: Westbau der ehem. Nikolaikirche (Mitte 13. Jh.), Jakobikirche (13. Jh.), Heiliggeistkapelle (14. Jh.).

Presbyterium [grch.-lat.], Baukunst: der Hochaltarraum in der Apsis (da in der Urkirche Bischof und Presbyter dort ihren Platz hatten).

Preschau, Stadt in der ČSSR, →Prešov.

Preslaw, Stadt in O-Bulgarien, südwestlich von Schumen. 3 km südlich der modernen Stadt befinden sich die Ruinen des alten P., seit 893 Hauptstadt des 1. bulgar. Reichs unter Zar SIMEON sowie Patriarchensitz; nach 1185 war es auch Hauptstadt des 2. bulgar. Reiches bis zur Eroberung durch die Osmanen 1388. Innerhalb zweier Befestigungsringe – Reste einer Stadtmauer sind erh. – sind die Grundmauern der ›Goldenen Kirche‹ (Rotunde, auf einen heidn. Tempel zurückgehend) und Fundamente von Palästen und mehr als 20 Kirchen u. a. Gebäuden erh. Die Reste mittelalterl. Bauten repräsentieren die 2. Phase der altbulgar. Kunst (nach Pliska), deren dominierender Sakralbautyp der Zentralbau, die Kreuzkuppelanlage in der armen. Variante war (z. B. Kathedrale Gebe-Klisse). In der Umgebung wurden die Reste von 7 Klöstern ausgegraben, deren wichtigste Patlejna und Awradak gewesen sind.

Prešov [pr'ɛʃɔf], dt. **Preschau,** Stadt im Ostslowak. Kr., ČSSR, 69 500 Ew. P. wurde 1374 freie königl. Stadt und war wichtiger Handelsort. Erh. sind Reste der Stadtbefestigung. Die kath., urspr. einschiffige Nikolauskirche von 1347 wurde im 15. Jh. zu einer dreischiffigen Halle mit reich figuriertem Gewölbe ausgebaut (1515 voll.); später kamen Renaissance-Elemente hinzu; Wandmalereien (15.–17. Jh.), mehrere spätgot. Schreinaltäre, Hauptaltar (1490–1506). Evang. Kirche (16. Jh.), orth. Kirche im Rokokostil (17. Jh.). Am Hauptplatz Renaissance-Häuser mit erh. got. Teilen. Das palastartige Rákoczy-Haus (heute Mus. der Slowak. Räterepublik) entstand im 16. Jh. aus 2 got. Bürgerhäusern; es hat eine dekorative Fassade und Attikabekrönung (1951–55 rekonstruiert). In Prešov-Solivar eine ehem. Salinen-Anlage (16.–18. Jh.), die ›Kammern‹ (heute Mus.).

Pressbrokat, Maltechnik: in Modeln aus Farbteig hergestellte hauchdünne Applikationen auf ma. Tafelbildern und Skulpturen, die vergoldet und bemalt der spätgot. Materialillusion dienten.

Preßburg, slowak. **Bratislava,** ungar. **Pozsony** [p'oʒonj], Hauptstadt der Slowakei, ČSSR, 374 900 Ew. Zur Römerzeit bestand an der strategisch wichtigen Donaufurt ein Kastell (Reste eines Wachturms freigelegt). Stadtrecht erhielt P. 1217 und wurde 1405 königlich-ungar. Freistadt; 1541–1784 war P. Hauptstadt des habsburg. Ungarn.

Auf einem Hügel, der schon um 2500 v. Chr. besiedelt war, entstand seit dem MA. die heutige Burg, ein eindrucksvoller kubischer Bau mit 4 Ecktürmen, die v. a. im 17./18. Jh. umgestaltet und seit 1953 restauriert wurde. Erh. sind u. a. das spätgot. Sigismundtor (1434 bis 1437) sowie Stukkaturen einer Renaissance-Decke im 2. Obergeschoß. Von der Stadtbefestigung (14. Jh.) blieb das Michaelstor in später veränderter Form erh. Am ehem. Hauptplatz das urspr. got. ›Alte Rathaus‹ (heute Mus.) mit Hof und Arkaden in 2 Geschossen. Vor dem Rathaus der Renaissance-Rolandsbrunnen. Franziskanerkloster (13. Jh.) und -kirche wurden im 18. Jh. barockisiert. An die Kirche schließt die got. Johanneskapelle an (1380). An der Stelle der roman. Kirche des Hl. Salvator (1221) entstand die Domkirche des Hl. Martin (1302–1452; später erweitert), im Innern plast. Gruppe des Hl. Martin (1734) von G. R. DONNER. Got. Kirche des Klarissenordens (13./14. Jh.). P. hat zahlreiche Paläste; u. a. Primatialpalais (1777–81) mit Mosaikkopien der urspr. Fresken von A. F. MAULBERTSCH, Gobelins aus dem 17. Jh.; Palais der Städt. Gal., ein Rokoko-Bau von 1768–70; Nationaltheater (1866) im Stil der Neurenaissance.

Preßglas, Sammelbegriff für Glasgegenstände, die durch Pressen zähflüssiger Glasmasse in Formen erzeugt wurden. Das manuelle Pressen von Glas war schon in der Antike bekannt.

Prestel, Johann Gottlieb, Maler, Kupferstecher, *Grönenbach 18. 11. 1739, †Frankfurt am Main 5. 10. 1808, arbeitete nach Italienreisen seit 1769 in Nürnberg, seit 1783 in Frankfurt am Main. In Einzelblättern und in 3 Sammlungen gab er hier täuschend ähnl. Reproduktionen von Handzeichnungen heraus, für die er ein nach ihm benanntes Verfahren erfand.

Preti, Mattia, genannt **il Cavalięre Calabręse,** ital. Maler, *Taverna (Kalabrien) 24. 2. 1613, †Valletta (Malta) 13. 1. 1699, lebte seit 1661 als Malteserkomtur ebd., bildete sich in Rom, Venedig und Bologna. In seinem von GUERCINO beeinflußten, auf starke Helldunkelwirkung ausgehenden Stil verbindet sich breite maler. Gestaltung mit kraftvollem Naturalismus.

HW: Chorfresken in S. Andrea della Valle (Rom); Deckenbilder aus der Katharinenlegende in S. Pietro a Majella (Neapel); Gastmahl Belsazars (ebd., Gal. Nazionale di Capodimonte); Clorinda befreit Olindo und Sofronia (Genua, Palazzo Rosso); Marter des Hl. Bartholomäus (Dresden, Gemäldegal.).

Pretọria, Hauptstadt der Rep. Südafrika, Transvaal, 1490 m ü. M., 528400 Ew.; Freilicht-Mus. mit Felsbilder-Samml. Auf einem Hügel vor der Stadt liegt das Vortrekker-Denkmal, ein Granitbau (1938–49 erbaut).

Pretzsch/Elbe, Stadt im Kr. Wittenberg, 3100 Ew.; Renaissanceschloß (1571–74), barocke Umbauten, Kavalierhäuser und Parkanlage (Anf. 18. Jh.) von M. D. PÖPPELMANN und B. PERMOSER. Stadtkirche (1647–52) mit reicher Barockausstattung; Barockhäuser und Barockrathaus.

Preußisch Blau, Berliner Blau, Pariser Blau, Milọriblau, Maltechnik: Cyaneisenblau, 1704 entdeckt, bereicherte die an blauen Tönen arme Malerpalette.

Preußische Kappe, Baukunst: →Gewölbe.

Preußischer Kulturbesitz, →Stiftung Preußischer Kulturbesitz.

Previtali, Andrea, ital. Maler, *Berbenno bei Bergamo 1480, †Bergamo 7. 11. 1528, war 1490–1500 in der Werkstatt GIOVANNI BELLINIS tätig, arbeitete seit 1511 in Bergamo, wo er zunehmend unter den Einfluß von L. LOTTO geriet.

HW: Madonna mit Heiligen (1506; Bergamo, Accademia Carrara); Madonna mit Heiligen und Stiftern (ebd.); Auferstandener Christus (1513; Mailand, Brera).

Preyer, Johann Wilhelm, Maler, *Rheydt 19. 7. 1803, †Düsseldorf 20. 2. 1889, malte Landschaften und bes. Früchtestilleben in kleinem Format, die in ihren dekorativen Arrangements und ihrer minuziösen Ausführung zu den besten der dt. Malerei des 19. Jh. gehören.

Priamos, grch. Mythos: letzter König von Troja, Gemahl der Hekabe, Vater von 50 Söhnen (u.a. Hektor und Paris) und mehreren Töchtern (u.a. Kassandra). Als Greis erlebte er den Trojan. Krieg. Nachdem Hektor von Achill getötet worden war, bewog P. diesen, den Leichnam herauszugeben. Bei der Eroberung Trojas wurde er von Neoptolemos am Zeusaltar des Palastes erschlagen. Diese Tötung und seine Begegnung mit Achill wurden seit archaischer Zeit oft dargestellt (Amphora des LYDOS, 6. Jh. v. Chr., Berlin-West, Staatl. Museen; Skyphos des BRYGOSMALERS, 5. Jh. v. Chr., Wien, Kunsthistor. Mus.).

Priapus, grch. **Priapos,** Fruchtbarkeitsgott kleinasiat. Herkunft, der im Hellespont, bes. in Lampsakos, heimisch war und dessen Kult sich seit dem 5. Jh. v. Chr. über die grch. und bald auch die röm. Welt verbreitete. Im grch. Mythos war er Sohn des Dionysos und der Aphrodite. Er wurde mit übergroßem Penis und oft mit Früchten im aufgehobenen Schurz seines meist ländl. oder oriental. Gewandes dargestellt. Seine v.a. in Gärten errichteten, meist hölzernen, einfach gearbeiteten Statuen ähnelten primitiven Hermen; sie wurden häufig mit Aufschriften (Priapea) versehen. Als Fruchtbarkeits- und Reichtumsspender und – von Eroten umspielt – als Gott der körperl. Liebe erschien er später oft auf Wandbildern (Pompeji).

Příbram [prʃ'i:bram], Stadt im Mittelböhm. Kr., ČSSR, 36400 Ew., ehem. königl. Bergbaustadt (Silber, Blei). Auf dem Hauptplatz die Jakobskirche aus dem 13. Jh., um 1560 und 1795 umgestaltet. Das erzbischöfl. Schloß (14. Jh.) wurde im 18./19. Jh. stark verändert. Oberhalb von P. auf dem hl. Berg die Wallfahrtskirche aus dem 14. Jh. (zw. 1658–75 fast neu errichtet).

Prieche, Baukunst: →Nonnenchor.

Prien a. Chiemsee, Markt im Kr. Rosenheim, Oberbayern, 8600 Ew.; urspr. got. Pfarrkirche (1472), 1735–40 umgebaut und von J. B. ZIMMERMANN mit Stuck und Fresken (›Seeschlacht von Lepanto‹) ausgestattet.

Priene, antike Stadt an der kleinasiat. W-Küste nördlich von Milet, einst am Latmischen Meerbusen, später durch Schwemmland des Mäander vom Meer getrennt. P., urspr. eine ionische Gründung, wurde um die Mitte des 4. Jh. v. Chr. auf 4 Terrassen über der Mäanderebene neu gegr., überragt von der Akropolis, von einer

Priene: Theater

Mauer umschlossen. Die fast völlig ausgegrabene Stadt gibt eine Vorstellung von einer hellenist. Landstadt, angelegt in rechtwinkligem Straßennetz mit vielen Privathäusern und öffentl. Gebäuden: Agora, Buleuterion, Prytaneion, 2 Gymnasien, ein Theater, Stadion, Thermen und mehrere Tempel; wiederaufgerichtet wurden die Frontsäulen des Tempels der Stadtgöttin Athene.

Führer durch die Ruinen von Milet-Didyma-P., hg. v. J. KLEIN (1980).

Prilep, Stadt in Makedonien, Jugoslawien, 63600 Ew. In der Altstadt kleine Kirchen im byzantin. Stil, u.a. die Nikolauskirche mit reichem bauplast. Schmuck (12. Jh.); Demetriuskirche (2. H. 13. Jh.; später umgebaut; Seitenschiffe und Narthex 14. Jh.) mit großer zwölfeckiger, durch Blendnischen gegliederter Kuppel und Fresken von etwa 1290 und 1380. Bei P. auf einem Berg Ruinen der byzantin. Marko-Burg, unterhalb das Erzengelkloster (14. Jh.) mit Kirche.

Prima|malerei, Maltechnik, bei der das Bild in einem Farbauftrag ›naß in naß‹ ohne Untermalung oder Lasuren fertiggestellt wird. Die Farbbrechung wird durch Mischen auf der Palette oder auf dem Bild selbst erreicht.

Primaporta, Ort (nördlich von Rom). In der Villa ›ad gallinas albas‹ der Kaiserin LIVIA wurde eine Marmorstatue des Kaisers AUGUSTUS (2,04 m Höhe, heute in den Vatikan. Museen) gefunden, vermutlich eine nach dem Tod des Kaisers (14 n. Chr.) angefertigte Kopie eines zw. 20 und 17 v. Chr. entstandenen Originals aus Metall (Gold?). Der Kaiser trägt einen Panzer mit Reliefs, die die Rückgabe der an die Parther verlorengegangenen röm. Feldzeichen darstellen, umrahmt von Göttern und Personifikationen der unterworfenen Gebiete. Die Statue, eine der bedeutendsten Augustusdarstellungen, hat zwar in der Haltung klassische griechische Skulpturen (Doryphoros des POLYKLET) zum Vorbild, ist aber in ihrer Durchführung als bekleidete Statue und dem allegorisch-politisch-historischen Themenkreis der Panzerreliefs ein typisch römisches Werk. (BILD römische Kunst)

Primaticcio [primat'ittʃo], Francesco, ital. Maler, Dekorateur, Baumeister, *Bologna 30. 4. 1504, †Paris 1570, Gehilfe des GIULIO ROMANO bei der Ausmalung des Palazzo del Tè in Mantua, 1532 von FRANZ I. nach Fontainebleau berufen; wurde später Erster Hofmaler, auch Oberaufseher über die königl. Bauten. Neben ROSSO FIORENTINO war P. der Führer der Schule von Fontainebleau.

HW: Ausschmückung des Schlosses von Fontainebleau; von P.s Stuckarbeiten und Fresken nur wenig erhalten (Galerie Heinrichs II.), ebenso von seinen Staffeleibildern (Selbstbildnis; Florenz, Uffizien); Handzeichnungen (Paris, Louvre; Wien, Albertina).

Primatụra [ital.], Maltechnik: →Imprimitur.

Primitive Kunst, die Kunst der prähistor. Jägervölker, die heute meist als paläolith. und mesolith. Kunst bezeichnet wird. Die in den englischsprachigen Ländern auch für die Kunst der →Naturvölker übliche Bez. P. K. (›primitive art‹) wird im dt. Sprachraum kaum verwendet.

Primitivismus, auch **Neoprimitivismus,** die russ. Form des Expressionismus nach dem Vorbild der frz. Fauves und der dt. Expressionisten. Wie diese nahmen die russ. Künstler Anregungen der exot., v. a. der afrikan. Kunst in ihr Schaffen auf, verarbeiteten aber auch Themen und Bereiche der russ. Volkskunst und Folklore. Hauptvertreter waren NATALJA GONTSCHAROWA und M. LARIONOW.

Princes Gate Collection [pr'ɪnsɪz geɪt kəl'ekʃn, n. dem Wohnort A. v. Seilerns], Privatsamml. v. a. alter Meister (u. a. P. P. RUBENS, G. B. TIEPOLO) in London, die der Wiener Kunsthistoriker und Sammler Graf A. v. SEILERN (*1901?, †1978) dem Courtauld Institute in London vermacht hat.

Prịnias, Ort in Mittelkreta, südlich von Heraklion, in dessen Nähe Reste zweier früharchaischer Tempel des 7. Jh. v. Chr. freigelegt wurden. Von einem der Tempel wurden Fragmente eines Reiterfrieses und Sitzfiguren im dädal. Stil gefunden.

Prinz mit der Federkrone, bemaltes Stuckrelief (15. Jh. v. Chr.) aus dem Palast von Knossos (Kreta), aus Fragmenten zusammengesetzt und ergänzt. Der überlebensgroße schreitende Jüngling mit minoischem Schurz trug ein Diadem mit stilisierten Lilien und 3 langen Federn. Nach neuester Interpretation gehört der zu einem ›Prinzen‹ ergänzte Oberkörper wahrscheinlich zu einem Boxer, die Federkrone zu einer anderen, weibl. Figur.

Prịthivi [Skt.], →Bhudevi.

Prizren [pr'izrɛn], Stadt in Kosovo, Serbien, Jugoslawien, 41 700 Ew. Das Stadtbild ist von kontrastreichem, altem Hausbestand, Handwerkerläden, alten Kirchen und Moscheen geprägt. Erh. ist u. a. die Muttergottes-Kirche, eine auf älteren Fundamenten im 13. Jh. erbaute, 1306/07 erneuerte dreischiffige Basilika mit 5 Kuppeln, fünfseitiger Altarapsis, reich verzierten Außenwänden. Die in der Zeit der türk. Herrschaft übertünchten Fresken wurden nach 1945 freigelegt. Ein einschiffiger Kuppelbau ist die Erlöserkirche (14. Jh.). Von den türk. Bauten ist die Sinan-Pascha-Moschee (1615 voll.) am bedeutendsten. Für die Mauern wurden Steine der Erzengelkirche (im 14. Jh. erbaut; jetzt Ruine) verwendet.

Prjanischnikow, Illarion Michajlowitsch, russ. Maler, *Timaschowo (Gouv. Kaluga) 1. 4. 1840, †Moskau 24. 3. 1894, Mitgl. der Peredwischniki, Mitbegründer der realist. Genremalerei in Rußland.

Probedruck, Graphik: Abdruck zur Überprüfung von Druckfarbe und Korrekturen an der bildl. Darstellung unmittelbar vor Festlegung des endgültigen Zustands einer Druckplatte. Solche frühen, vom Künstler meist in nur einem Exemplar abgezogenen P. sind von Sammlern begehrt, da sie seltener als die →Zustandsdrucke sind und wie die nachfolgenden →Épreuves d'artiste einen Eindruck vom Werkprozeß vermitteln.

Probota, befestigtes Kloster in der Gem. Dolhasca, Kr. Suceava, Rumänien; gestiftet 1530; die Kirche wurde nach dem Vorbild von Neamţ als Grablege errichtet. Sie gehört innerhalb der Gruppe der →Moldauklöster zu den frühen Beispielen der außen vollständig mit Malereien überzogenen Kirchen (1532).

Procaccini [prokattʃ'i:ni], **1)** Camillo, ital. Maler, Bruder von 2), *Bologna wahrscheinlich zw. 1551 und 1555, †Mailand 21. 8. 1629. Ausgehend von CORREGGIO und PARMIGIANINO entwickelte er eine koloristisch ausdrucksstarke, manierist. Malweise, die für die frühbarocke Malerei seiner Wirkungsstätten Bologna und v. a. Mailand bedeutsam wurde.

2) Giulio Cesare, ital. Maler, Bruder von 1), *Bologna 30. 5. 1574, †Mailand 14. 11. 1625, gehörte neben G. B. CRESPI und P. F. MORAZZONE seit etwa 1590 zu den 3 Hauptmeistern des Frühbarock in Mailand. Der zunächst auf manierist. Voraussetzungen basierende Figurenstil seiner die Bildfläche dekorativ füllenden Kompositionen ist seit seiner Reise nach Genua (1618) stark durch die Kunst von P. P. RUBENS beeinflußt.

Process Art [pr'əʊses ɑ:t, engl.], →Prozeßkunst.

profan [lat. ›vor dem hl. Bezirk liegend‹], weltlich, im Ggs. zu sakral. **Profanarchitektur, Profanbau,** Gebäude ohne kult. Bestimmung. Die Bez. Profanarchitektur wird zur Abgrenzung v. a. in den Kulturen verwendet, die überwiegend sakrale Bauten hinterlassen haben. Einen ersten Höhepunkt erreichte die Profanarchitektur in der röm. Antike.

⇒ Burg · Forum · Haus · Palast · Pfalz · Rathaus · Theater · Thermen

Profil [ital.-frz.], **1)** Baukunst: die Umrißlinie eines Schnittes durch einen Baukörper (Haus, Brücke, Damm), einen Wasserlauf u. a.; in der Architektur Vorsprünge, Hohlkehlen, Wülste, Stäbe u. ä. an einem Baukörper oder Möbel. **Profilierung,** Gesamtheit mehrerer Profile, z. B. am →Gesims.

2) bildende Kunst: die Darstellung des von der Seite gesehenen menschl. Kopfes. Man unterscheidet: **Ganz-, Dreiviertel-** und **Halb-P.** Von **verlorenem P.** spricht man, wenn sich der Kopf einer Figur nicht mehr in P.-Stellung befindet, sondern mehr dem Bildhintergrund zuwendet. Zu bestimmten Zeiten wurde in der Malerei wie im Relief das strenge P. bevorzugt, weil sich in dieser Stellung der Kopf ohne perspektiv. Verkürzungen am besten in die Fläche einordnet (z. B. in der ägypt. Kunst). Aber auch die Frührenaissance bevorzugte häufig die strenge P.-Darstellung.

Prokof, Prokop, Ferdinand Maximilian, →Brokoff.

Prokrustes, grch. Mythos: ein Riese und Wegelagerer, der alle, die ihm in die Hände fielen, auf sein Bett legte und zu Tode quälte: waren seine Opfer zu kurz, reckte er sie, waren sie zu lang, verkürzte er sie gewaltsam. Er wurde von Theseus mit dem Hammer getötet. Die Tötung des P. wurde v. a. im Zusammenhang mit Darstellungen der Abenteuer des Theseus Gegenstand der antiken Kunst (Vasenmalerei, Metopen des Schatzhauses der Athener in Delphi und des Theseions in Athen).

Proletkult, Abk. für russ. **Prolet**arskaja **kult**ura, sowjetruss. Bewegung (ab 1917), die nach den Theorien von A. BOGDANOW-MALINOWSKIJ u. a. unter Ausschaltung der traditionellen Kultur eine proletar. Massenkultur entwickeln wollte. Die bildenden Künstler standen meist dem Konstruktivismus nahe. Der P. geriet 1921 i. Ggs. zu LENIN und zum Führungsanspruch der Kommunist. Partei und wurde 1932 aufgelöst.

H. GASSNER u. E. GILLEN: Zw. Revolutionskunst u. Sozialist. Realismus (1979).

Prome [prəʊm, engl.], birman. **Pyè,** Stadt am unteren Irrawaddy, Birma, 148 000 Ew. Südlich von P. die Ruinen von →Shri Kshetra.

Prometheus, grch. Mythos: ein Titanensohn, Bruder von Atlas, Epimetheus und Menoitios. Er raubte das Feuer aus dem Olymp, das Zeus den Menschen vorenthielt, und brachte es ihnen; er galt als deren Schöpfer und Beschirmer und brachte ihnen die Kultur. Zeus strafte ihn, indem er den Menschen alle Übel aus der Büchse der Pandora sandte und ihn selbst zur ewigen Qual an einen Felsen im Kaukasus schmiedete. Ein Adler hackte ihm täglich die immer wieder nachwachsende Leber aus. Erlöst wurde er von Herakles. P. stand Athene nahe. – Bereits im 7. Jh. v. Chr. wurden die Bestrafung durch den Adler des Zeus (Elfenbeinrelief aus Sparta, Athen, Nat.-Mus.) und die Befreiung (Krater des Nettosmalers, um 600 v. Chr., Olympia, Mus.) dargestellt, seitdem häufig auf grch. Vasen und Reliefs. Als Feuerbringer läßt sich P. zunehmend seit dem 5. Jh. v. Chr. bis in röm. Zeit nachweisen. Wie er den Menschen erschafft, erscheint oft auf röm. Sarkophagen. Den neuzeitl. Künstlern (TIZIAN, A. CARRACCI, P. P. RUBENS) und v. a. auch den modernen (J. LIPCHITZ, G.

MARCKS, O. KOKOSCHKA, O. ZADKINE) war P. Sinnbild des kreativen, sich gegen Gewaltherrschaft aufbäumenden, autarken Menschen.

Pronaon [grch.] *das,* **Pronaos** *der,* im antiken Tempel die Vorhalle der Cella, nach vorn mit 2 Säulen zw. Anten geöffnet oder als →Prostylos ausgebildet; Gegenstück des P. ist der →Opisthodomos.

Prophet [grch.], der Verkünder und Deuter einer Gottesbotschaft, v.a. im A. T. – In der frühchristl. Kunst erscheinen die P. nur vereinzelt (Codex Rossanensis; Baptisterium der Orthodoxen in Ravenna, 449/52), in voller Anzahl erst im MA., wobei oft die 4 großen P. (→Daniel, →Ezechiel, →Jeremia, →Jesaja) den 4 →Evangelisten, die 12 kleinen (darunter →Jona) den 12 Aposteln entsprechen. Die in vielen Abwandlungen begegnenden Zusammenstellungen sind Zeugnis der ›Concordia veteris et novi Testamenti‹ (lat. ›Übereinstimmung des A. T. und des N. T.‹); monumental sind sie in der Plastik des 12.–13. Jh. (Bamberger Chorschranken), beziehungsreich in der →Biblia pauperum. Die geistige Übereinstimmung konnte sehr körperlich ausgedrückt werden: die Apostel sitzen oder stehen auf den P. (Merseburger Taufbecken, Glasfenster der Südrose von Chartres, Fürstenportal am Dom zu Bamberg). – Zu den P. traten dann die Sibyllen (G. PISANO). Eindrucksvoll haben später DONATELLO und MICHELANGELO prophet. Wesen gestaltet. – Das Hoch-MA. unterschied die einzelnen P. nur wenig. Attribute sind selten (Säge des Jesaja). Allg. Kennzeichen der P. waren langes Gewand, Bart (nicht durchgehend), Schriftrolle oder Buch, im Spät-MA. meist ein (jüd.) Hut.

Proplasmus [grch.], Maltechnik: grüne Untermalungsfarbe für Inkarnate (→Farbmischungen, →Verdaccio).

Proportion [lat.], Verhältnis von Maßen in der Architektur, Malerei und Bildhauerkunst zueinander (→Modul, →Goldener Schnitt, →Kanon, →Symmetrie).

Propyläen, Torbau der Athener Akropolis, von MNESIKLES 437–432 v.Chr. erbaut. Die P. sind eine Kombination versch. aneinandergefügter Raum- und Bautypen: Fronthalle, dreistufiger Saal, Torwand mit 5 Türen, weitere Halle mit sechssäuliger Front sowie Flügelbauten, die zus. mit der Fronthalle einen Hof umschließen. Gegenüber den bisher in der grch. Architektur geschaffenen Einzelbauten stellt ein solcher Baukomplex wie die P. eine Neuschöpfung dar, dessen Konzeption Vorbild für weitere repräsentative Anlagen in hellenist. und röm. Zeit und auch in der Neuzeit wurde, z. B. die P. in München von L. v. KLENZE, 1846–60. (→Propylon)

Propylon [grch. ›vordere Toranlage‹] *das,* im Altertum der monumentale Torbau zu Heiligtümern, Palästen und öffentl. Gebäuden. Schon in kretisch-myken. Anlagen (Knossos) und in Troja repräsentativ gestaltet. Ihr Gebälk wurde auf der Stirnseite von 1 oder 2 Säulen oder Pfeilern getragen. Mit einer dreifachen Unterteilung in der Mitte ging das P. in die grch. Architektur ein, dessen vollendetste Schöpfung die →Propyläen der Akropolis in Athen wurden.

Proskenion [grch.], Spielfläche im antiken Theater.

Proskynetarion [grch. proskynein ›fußfällig verehren‹] *das,* orth. Kirche: viereckiger Pulttisch, meist mit baldachinartigem Aufbau, auf dem die Festtagsikone oder die Ikone des Tagesheiligen aufgestellt wird.

Prospekt, die wirklichkeitsgetreue Darstellung eines Gegenstandes von einem Standpunkt aus; hierbei kann es sich um eine Landschaft oder auch um eine Stadtansicht (Vedute) handeln. Bei Bauzeichnungen werden die Gebäudeseiten frontal in verkleinertem Maßstab entweder im Aufriß oder, wenn 2 oder mehrere Gebäudefronten gleichzeitig dargestellt werden sollen, als perspektiv. Schaubild gezeichnet.

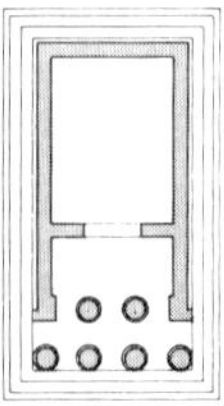

Prostylos

Proßnitz, tschech. **Prostějov** [pr'ɔstjɛjɔf], Stadt im Südmähr. Kr., ČSSR, 48 500 Ew. Das Schloß, auf Fundamenten einer got. Burg 1568–72 im Renaissancestil erbaut, wurde später mehrmals umgestaltet. Im Renaissance-Rathaus (1520–38) ist heute ein Mus. mit Folkloresamml. Die ehem. got. Hl.-Kreuz-Kirche wurde im Barockstil umgebaut.

Prostylos [grch.] *der,* kleinere grch. Tempelbauten ohne Säulenumgang, mit nur 4 oder 6, selten 8 Säulen vor der Eingangsfront.

Prothesis, 1) grch. Antike: Aufbahrung des Toten im Hause; häufige Darstellung auf Vasen seit der geometr. Epoche.

2) →Pastophorien.

protodorische Säule, ägypt. Säulenform mit vielkantig gebrochenem Schaft (8, 16 oder mehr Kanneluren), auf runder Basis, ohne Echinus. Ein geschichtl. Zusammenhang mit der dorischen Säulenform ist nicht nachzuweisen.

Protokorinthische Vasen, Tongefäße meist kleineren Ausmaßes des 7. Jh. v. Chr. aus Korinth. Versch. Stilphasen der Bemalung zeigen die Abkehr vom geometr. Stil und, unter oriental. Einfluß, die Verbreitung der archaisch-schwarzfigurigen Vasenmalerei, die in den →Korinthischen Vasen weiterentwickelt wurde.

Protome [grch. ›Tiergesicht‹], Oberteile von menschl. oder tier. Körpern, als Figurenschmuck an Gefäßen, Geräten und auch am Bau angebracht; zuerst im Alten Orient verwendet, seit dem 8. Jh. v. Chr. in Griechenland und Italien an Vasen, Metallgefäßen, bes. Kesseln (mit Greifen-P.) vorkommend; als Weihgeschenk waren Kopf-P. weibl. Gottheiten aus Terrakotta weit verbreitet. In der achaimenid. Kunst (BILD) sind P. Teil des Säulenkapitells: Zwei mit den Rücken zusammenstoßende (adossierte) Tiervorderteile mit angewinkelten Beinen bilden mit ihren hochragenden Hälsen die Halterung für einen Dachbalken. Aus Persepolis und Susa sind Stier-, Löwen- und Greifen-P. bekannt. Ein Fortleben der P. ist in der buddhist. Kunst Indiens und als Wandsockel in der röm. Kunst Kleinasiens (Ephesos) nachzuweisen.

Protorenaissance [-rənɛs'ãs], übergreifende Bez. für versch. Formen der Antikenrezeption in der Kunst des MA. vor der Renaissance, z. B. die Übernahme antiker Bauformen und Motive in der Baukunst Italiens, bes. seit dem 11. Jh. in der Toskana (z. B. Florenz, San Miniato al Monte oder das Baptisterium ebd.). Starke antikisierende Tendenzen weist die südital. Skulptur unter FRIEDRICH II. (1212–50) auf (Tor in Capua, 1234 bis 1239), wobei ein bewußtes Wiederaufgreifen des röm. Reichs- und Machtgedankens eine Rolle spielt. Von P. spricht die kunstgeschichtl. Forschung u. a. im Zusammenhang mit Bauten der Provence (→Provenzalische Bauschule) und der sich an röm. Sarkophagdarstellungen anlehnenden Kunst des N. PISANO. Der Begriff der P. wurde von dem Kunsthistoriker J. BURCKHARDT geprägt.

E. PANOFSKY: Renaissance and Renascenses in Western art (Princeton, New Jersey, ²1965); S. K. SCHER: The Renaissance of the 12th Century (1971).

Prototyp(us) [grch.] *der,* erstes Exemplar einer Serie, im Unterschied zum Archetypus (Urbild, Original) der Anfang einer seriellen Produktion. Im Zeitalter der Industrialisierung wichtiger Begriff in den angewandten Künsten (Architektur, Design; →Typologie).

Provenienz [lat.], Bez. für die Herkunft eines Kunstwerks. Das Zurückverfolgen der P. spielt für die Kunstwissenschaft und für den Kunsthandel eine bed. Rolle. Ist von der Entstehung des Kunstwerks die Folge der P. urkundlich gesichert, ist es ein Echtheitsmerkmal.

Prouvé [pruv'e], Jean, frz. Architekt und Designer, *Nancy 8. 4. 1901, †Nancy 23. 3. 1984, wandte bereits 1934 das System des →Curtain Wall an, v. a. in Leichtbaukonstruktionen aus Stahlrohren für Bürohäuser, entwickelte bahnbrechende Lösungen in der Präfabrikation (Fertighaus-Siedlung, Meudon 1949/50).

Schrift: Architektur aus der Fabrik (1971).

Provenzalische Bauschule, Stilrichtung der roman. Baukunst in der Provence im 12. Jh., v. a. um Arles und Avignon. Es entstanden Kirchenbauten von schwerer, geschlossener Formensprache in sorgfältiger, wohl auf antiken Traditionen (die Provence wurde von den Römern seit 125 v. Chr. erobert) beruhender Quadertechnik. Es herrschten dabei der Typ der Saalkirche (Kathedrale in Avignon, Abteikirche Montmajour) oder der dreischiffigen Basilika (Kathedralen St. Trophime in Arles und in Vaison-la-Romaine) vor, alle mit Tonnengewölben in dunklen, steilen Innenräumen. Antikisierende kannelierte Pfeiler besitzt der Kreuzgang von Montmajour. Bes. werden antike Vorbilder an den schmuckreichen W-Fassaden von St. Trophime in Arles und St. Gilles aufgegriffen, die wie eine Umsetzung von antikem Portikus und Triumphbogen in roman. Architektur erscheinen. Auch die Portalfiguren wirken der spätröm. Sarkophagplastik nachgebildet. Auf Grund dieser deutl. Anlehnung an antike Vorbilder wurde die Bez. südfrz. →Protorenaissance eingeführt.

provinzialrömische Kunst, die Kunst in den röm. Provinzen; sie war ein Spiegelbild unterschiedl. Kultur-

provinzialrömische Kunst: Satyr und Mänade, Dionysosmosaik, Köln; 3. Jh. n. Chr. (Köln, Römisch-Germanisches Museum)

und Traditionsstufen. Das röm. Imperium war keine kulturelle Einheit, denn einheim. Formen und Denkweisen lebten in den romanisierten Provinzen des W und N sowie in den hellenisierten Ländern des O und SO weiter. Der Beginn der p. K. setzte jeweils mit der Okkupation oder der Übernahme neuer Gebiete ein (in Hellas 146 v. Chr., in Ägypten 30 v. Chr., am Rhein 20/15 v. Chr.); ihre Besonderheit drückt sich v. a. in der Plastik (Metall, Stein, Ton), im Relief, im Kunsthandwerk (Keramik, Gläser, Schmuck) sowie in Malerei und Mosaik aus, während die Architektur in den Provinzen mehr einen ›reichsrömischen‹ Stil vertrat (→römische Kunst).

Die p. K. wird von den Komponenten Romanisierung, Hellenisierung, der lokalen Tradition und der Sozialstruktur der jeweiligen Bevölkerung bestimmt. Daher erklärt sich die Vielfalt ihrer Stiläußerungen, die von klassisch oder hellenistisch geprägten Werken bis zu neuen Formen der Expressivität reicht. Neben ungeschickt und grob wirkenden Kunstwerken, z. B. in N-Britannien oder Phrygien (typ. Rückzugsgebiete) stehen – als bewußtes Stilmittel angewandt – hierat. Strenge palmyren. und ägypt. Reliefs, hellenistisch geprägte Plastiken aus Alexandria und der syr. Küstenebene sowie frisch und naiv gestaltete rhein. und ostgall. Reliefs.

Das Rheinland war ein Muster für Kulturverpflanzung, wobei bes. die durch das Militär vermittelte Sepulkralkunst der einfachen Leute Oberitaliens als Vorbild diente; daneben gab es den direkten Import der senatorisch-kaiserl. Propagandakunst (Marmorporträt des Gaius Caesar, Mainz). Frühe Bildhauerschulen entstanden in Mainz und Köln, in denen Künstler aus Oberitalien wirkten (Grabstein des Centurio Caelius, bei Xanten, 9/10 n. Chr.). Gegen Mitte des 1. Jh. n. Chr. fanden sich auch zivile Auftraggeber (Grabstein des Rheinschiffers Blussus und seiner Familie, Mainz).

provinzialrömische Kunst: Flasche mit Orpheus-Motiv, Terra sigillata; Tunesien, 3./4. Jh. n. Chr. (Mainz, Römisch-Germanisches Zentralmuseum)

Bald wurden eigenständige Kunstformen gefunden wie die Grabsteine mit Reiterbildnissen und Reiterkampfszenen (bes. von Mainzer Künstlern gearbeitet) und ab etwa 70 n. Chr. die Totenmahlreliefs. Große Turmgrabmäler entstanden nach italischen Vorbildern (Sarsina oder Aquileia) in Mainz, Köln, Koblenz, Arlon u. a. Zu den Denkmälern, in denen die Verschmelzung einheim. (kelt. und german.) Götter mit graeco-röm. Vorbildern (›Interpretatio romana‹) zum Ausdruck kommt, gehören v. a. die Jupitersäulen: der kelt. Himmelsgott Tarager über einen Unterweltsgiganten dargestellt; der Mainzer Jupitersäule (60 n. Chr.) folgten viele weitere Jupitersäulen und -pfeiler in Dtl., Frankreich, Belgien, Luxemburg und den Niederlanden.

Einen starken Aufschwung nahm die relig. Kunst mit der allgemeinen Reichskrise im späten 2. Jh. n. Chr. (Pest, Germanen- und Perserkriege); es entstanden v. a. im Rheinland die typ. →Matronenreliefs; stark verehrt wurden die Heilgötter (Apollo Grannus, Sirona) und Schutzgottheiten (Epona, Herkules), wobei daneben eine Vielzahl lokaler kelt. Gottheiten weiterlebte (v. a. auf Weihreliefs und als Votivplastiken). Die intensive Religiosität der Kelten ist nur mit der Kleinasiens und des Orients vergleichbar. Mysterien-(Erlösungs-)religionen (Isis, Sarapis, Mithras) gelangten aus Ägypten, Iran und Anatolien, der Himmelsgott Jupiter Dolichenus aus Syrien und schließlich das Christentum aus Palästina in das Rheinland und fanden ihren Niederschlag v. a. in einer Vielzahl von Votivplastiken und -reliefs.

Ein sehr hohes Niveau erreichten die Mosaikkunst (bes. in Köln und Trier) und das Kunsthandwerk (Keramik, Gläser, Metallgefäße, Metallplastiken, Schmuck).

Gallien. Trier, im späten 2. Jh. Provinzhauptstadt der Gallia Belgica, wurde im 4. Jh. Kaiserresidenz und bed. Kulturzentrum: Reste von Trierer Grabmonumenten wurden in großer Zahl in Neumagen an der Mosel in ein spätantikes Kastell verbaut; die Reliefs dieser Grabkunst geben v. a. Szenen des tägl. Lebens (Pachtzinsrelief, Weinschiff, Tuchhändlerszenen auf der Igeler Säule) wieder. Glanzvolle Architektur entstand in

provinzialrömische Kunst: Relief von einem Grabmal mit Toilettenszene, gefunden in Neumagen-Dhron (Trier, Rhein. Landesmuseum)

provinzialrömische Kunst: LINKS Grabrelief des Nardos Chalbos mit grch. Inschrift; Kalkstein, Syrien, 2. Jh. n. Chr.
RECHTS Grabrelief des Aurelios Trophismos und seiner Familie; Kalkstein, Phrygien, 250 n. Chr. (beide Reliefs Mainz, Römisch-Germanisches Zentralmuseum)

Trier: Porta Nigra (BILD), Barbarathermen, Kaiserthermen, Palastaula Konstantins. Die Produktion von Keramik- und Glaswaren war umfangreich.

Eine Sonderstellung in Gallien genoß die Prov. Gallia Narbonensis (die heutige Provence und die westlich anschließenden Gebiete), die seit dem 2. Jh. v. Chr. und v. a. seit AUGUSTUS romanisiert wurde, wovon bes. die Bauten nach stadtröm. Muster zeugen (Arles, Nîmes, Orange, Vienne). Es entstanden maler. Reliefs nach hellenist. Vorbildern (Juliergrabmal, spätes 1. Jh. v. Chr., St. Rémy, Tiberiusbogen in Orange, 21–27 n. Chr.). In ganz Gallien gab es viele gallo-röm. Mischformen und Eigenarten, so in der Architektur den Umgangstempel (Zentralbau mit vierseitigem Portikus, z. B. in Autun), in der Bildkunst die Darstellung lokaler Gottheiten (Hirschgott Cerunnos, Relief Reims) und die Verwendung stilisierter Formen (Gladiator und Löwe, Chalon-sur-Saône). Protoromanische Tendenzen sind u. a. am Grabrelief des Mansuetus in St. Ambroix (Aquitanien) abzulesen.

In Britannien gab es eine stark vom Militär bestimmte p. K., die sich, um die Mitte des 1. Jh. n. Chr. über das Rheinland vermittelt, in Britannien entwickelte (Grabrelief des Centurio Favonius, Colchester). Der handwerkl. Standard der Plastik war niedriger als in Germanien und Gallien. Die Kunst im S und Zentrum Britanniens (Badeanlagen von Bath; Landhäuser z. T. mit reichem Mosaikschmuck) erreichte ein höheres Niveau als im N (bes. im Bereich des Hadrians- und Antoninuswalls). Qualitätvolle Arbeiten wurden von militär. Kunsthandwerkern in Metall (Helme, Paradewaffen, verzierte Schilde, Schwerter) hergestellt.

In Spanien lebten keine nennenswerten iber. Traditionen fort. Erfolgreiche, radikale Romanisierung machte Spanien seit augusteischer Zeit zum Spiegelbild Italiens. Kennzeichnend ist eine starke Urbanisierung mit reicher Sakral- und Profanarchitektur (Aquädukte in Segovia und Tarragona, Theater in Mérida). Auch die Votivkunst zeigte den Stil Italiens. Nur in der Grabkunst, weniger bed. als in Germanien und Gallien, setzten sich einige einheim. Kunstrichtungen durch (z. B. Grabstelen aus der Gegend um Burgos mit ornamentalem Dekor in Kerbschnittechnik).

In N-Afrika fand ein komplizierter Romanisierungsvorgang statt, der seinen Höhepunkt erst im 2. Jh. n. Chr. erreichte. Kennzeichnend war auch hier eine starke Urbanisierung. Bes. unter SEPTIMIUS SEVERUS (um 200) wurde die Kunst gefördert, v. a. in Leptis Magna, hier unter Mitwirkung kleinasiat. Künstler (Bildhauer von Aphrodisias). Die einheim. Skulptur von uneinheitl. Qualität stand stark in phönikisch-pun. Tradition; so wurden auf Votivreliefs aus Tunesien und O-Algerien phönikisch-punische Götter wie Baal-Hammon-Saturnus, Tanit-Iuno, Caelestis-Venus dargestellt. Große Qualitätskontraste bestanden zw. der lokalen Kunst und dem stark hellenistisch betonten Dekor der offiziellen Bauten (Foren, Tempel, Theater usw.). Einen etwas uniformen Eindruck machen die zahlreichen Mosaiken und rottonigen Keramiken mit reichem Reliefdekor.

Für Ägypten brachte die röm. Okkupation 30 v. Chr. keinen kulturellen Einschnitt. Der Hellenismus lebte weiter (bes. in Alexandria), und auch die einheim. Tradition blieb bestehen. Es fand keine Romanisierung statt. Die Kaiser sahen sich als Nachfolger der Pharaonen (Statue des Caracalla als Pharao, Kairo, Ägypt. Mus.) und der Ptolemäer an (Herrscherporträts in hellenist. Stil); graeco-ägypt. Mischstil zeigt sich in einigen lokalen Grabreliefs, z. B. von Kom-Abu-Billu (Unterägypten). Charakteristisch sind Mumienmasken und gemalte →Mumienporträts im Stil des Hellenismus. Einen eigenen Stil vertrat die christl. Lokalkunst (→koptische Kunst).

Auch im Vorderen Orient fand im kulturellen Bereich keine Romanisierung statt; sie beschränkte sich auf den militär. Bereich. Aramäer und Iranier waren hellenisiert. In Syrien vollzog sich eine starke Urbanisierung in altorientalisch-hellenist. Tradition. Die blühende Kunst der Küstenzone dokumentierte sich v. a. in Antiochia, Apameia und Tyros. Daneben gab es lokale Phänomene wie die nordsyr. Büstengrabsteine (Grabstein des Nardos Chalbos, 2. Jh. n. Chr.). In Palmyra entstand eine parthisch-hellenist. Mischkultur, die nach O ins parthische Mesopotamien ausstrahlte (Hatra). In O-Anatolien (Kommagene) war es eine irano-hellenist. Mischkultur mit großen Zeremonialanlagen und Kolossalplastiken (Nemrut Dağ).

In Griechenland und Kleinasien, den Kernländern des Hellenismus, war die Formensprache röm. Architektur und Plastik klassizistisch oder hellenistisch geprägt; reiche Stadtarchitektur (Athen, Ephesos), v. a. aufwendig dekorierte Bühnengebäude der Theater (Hierapolis, Perge) und eine Fülle plast. Werke: Reliefsarkophage, Grabreliefs, Kampfreliefs (Parthermonu-

provinzialrömische Kunst: Kopf des Hercules, aus einer Thermenanlage in Olivenza, Prov. Badajoz, Spanien (Madrid, Privatsamml.)

ment, Ephesos-Mus., Wien) sowie Kopien und Umbildungen älterer Werke (Bildhauerschule von Aphrodisias). Im 3. und 4. Jh. wurden bes. durch das Wirken des GALERIUS in Thessalonike sowie KONSTANTINS D. GR. und des THEODOSIUS in Konstantinopel auf allen Gebieten der Kunst die Grundlagen für die spätere byzantin. Kunst gelegt.

Balkan, Donauländer. Abgesehen vom griechisch geprägten Thrakien (→thrakische Kunst) war dieses Gebiet ein lateinisch orientierter Sprach- und Kulturraum mit unterschiedl. Kulturstufen. Die Kunst in Dakien (Rumänien), Noricum (Österreich), Dalmatien (Jugoslawien) und Pannonien (Ungarn) ist von Italien abhängig. Eigenständige Leistungen stellen die Grabaltäre mit Porträtmedaillons dar (Dakien, Virunum in Noricum). In der großen offiziellen Kunst, z. B. Reliefs am Siegesdenkmal für Kaiser Trajan in →Adamclisi, entstanden durch Ausführung von Handwerkern aus der Provinz eigenwillige Formen.

H. SCHOPPA: Die Kunst der Römerzeit in Gallien, Germanien u. Britannien (1957); Corpus Signorum Imperii Romani (Skulpturencorpus; 1967 ff., bisher 20 Bde.); D. SCHLUMBERGER: Der hellenisierte Orient (1969); R. BIANCHI BANDINELLI: Rom, das Ende der Antike (a. d. Ital., 1971)

Provost, Jan, niederländ. Maler, *Mons um 1465, †Brügge 1529, ließ sich 1494 ebd. nieder, war Gastgeber A. DÜRERS auf dessen Reise in die Niederlande (1520/21). Sein Werk ist in vielem noch der Spätgotik verpflichtet.

HW: Jüngstes Gericht (1524–26, Brügge, Groeninge-Mus.).

Prozeßkunst, engl. **Process Art** [pr'əuses a:t], Kunstrichtung seit den 60er Jahren des 20. Jh., oft als Sammelbegriff für Tendenzen verwendet, die nicht auf das fertige Werk, sondern auf den Prozeß seiner Entstehung zielen. Urspr. wurden dazu ebenso körperl. Aktionen (F. E. WALTHER) wie Environments oder Objekte gerechnet, die noch Veränderungen durchlaufen (Biokinetik). I. e. S. steht P. für Plastiken, bei denen der Herstellungsprozeß als wesentl. ästhet. Information im Ergebnis ablesbar bleibt (EVA HESSE, R. MORRIS, B. NAUMAN, R. SERRA, U. RÜCKRIEM). Die P. wird v. a. über Film und Videoband dokumentiert.

Pierre-Paul Prud'hon: Mädchenakt; Kreidezeichnung (Paris, Samml. Eugène Laporte)

Prud'hon [pryd'ɔ̃], Pierre-Paul, frz. Maler, *Cluny 4. 4. 1758, †Paris 16. 2. 1823, ging 1784 als Stipendiat nach Rom, wo er sich an RAFFAEL, LEONARDO DA VINCI, CORREGGIO und A. CANOVA schulte. 1789 kehrte er nach Paris zurück. P. überwand die Härte der klassizist. Formen eines J. L. DAVID durch ein weiches Helldunkel, das an Correggio erinnert. Er verschmolz so die künstler. Haupttendenzen seiner Zeit zu einem unverwechselbar persönl. Stil von rokokohafter Anmut, klassizist. Ernst und Monumentalität sowie romant. Beseeltheit. V. a. seine zahlreichen Porträts (Kaiserin Joséphine, 1805; Kaiserin Marie-Louise, 1811; Madame Jarre, 1819–22; alle Louvre) sind von lyrisch-melancholisch gestimmter Vornehmheit. Meisterhaft sind auch seine meist in Kreide ausgeführten Zeichnungen. Mit seinen dekorativen und kunsthandwerkl. Entwürfen hat P. das Empire nachhaltig beeinflußt.

WW: Mme. Anthony mit ihren Kindern (1796; Lyon, Mus.); Weisheit und Wahrheit zur Erde niedersteigend (1797; Louvre); Gerechtigkeit und Rache, das Verbrechen verfolgend (1808, ebd.); Psyche von den Winden entführt (1808, ebd.); Zephir sich über dem Wasser schaukelnd (1814, ebd.). – Illustrationen zu Daphnis und Chloe, Paul und Virginie u. a.

Prüfening, Kloster, →Regensburg.

Prugiasco [prudʒ'asko], Gem. im schweizer. Kt. Tessin. Die Pfarrkirche (11.–13. Jh.) ist ein hervorragendes Beispiel lombard. Romanik in der Schweiz; bed. Fresken: romanisch an der W-Wand des nördl. Schiffes (2. H. 11. Jh.), spätgotisch in der Apsis (15. Jh.).

Prüm, Stadt in der westl. Eifel, Rheinl.-Pf., 5200 Ew., mit ehem. Benediktiner-Reichsabtei (721 gegr.). Die barocke Kirche wurde 1721–30 als Pfeilerbasilika in nachgot. Formen mit gut gegliederter, monumentaler Doppelturmfront errichtet; Hochaltar (1727–36) aus der Kreuznacher Karmelitenkirche. Am schloßartigen Klosterkomplex (1735 nach Plänen von G. SEITZ beg., von dessen Sohn J. SEITZ weitergeführt) war auch B. NEUMANN beteiligt; prachtvoll der Mittelrisalit des N-Flügels. Im Ortsteil **Niederprüm** ehem. adeliges Benediktinerinnenkloster (1190 gegr.) mit 1677 gew. Kirche.

Prunner, Brunner, Johann Michael, österr. Baumeister, *Linz 4. 9. 1669, †ebd. 26. 4. 1739, baute 1714 bis 1717 (Rohbau) die Dreifaltigkeitskirche in Stadl-Paura bei Lambach (1714–30), die Klosterkirche Spital am Pyhrn, die ehem. Deutschordenskirche in Linz nach einem Entwurf von J. L. v. HILDEBRANDT (1718–25) und das Schloß Lamberg in Steyr (nach 1731). Sein Werk zeigt den Einfluß von J. B. FISCHER VON ERLACH, J. L. v. Hildebrandt und J. PRANDTAUER.

Pruntrut, schweizer. Stadt, →Porrentruy.

Prytaneion [grch.], lat. **Prytaneum,** in der grch. Antike Gebäude der obersten Beamten (Prytanen) einer Stadt oder eines Heiligtums; das P. entsprach in der Anlage vornehmen Wohnhäusern mit mehreren, um einen Peristylhof angeordneten Räumen.

Przemyśl [pʃ'ɛmisjl], Hauptstadt der Wwschaft P., SO-Polen, am San, 59000 Ew. Im frühen MA. Burg an der Handelsstraße zw. Kiew und Krakau. 1340 eroberte Kasimir d. Gr. P. und baute die Burg zum Königsschloß aus (1612–30 und im 18./19. Jh. umgebaut). Der Dom, urspr. gotisch (1460–1571), wurde 1724–49 zu einer barocken Halle umgebaut; Franziskanerkloster (1235 gegr.) mit Spätbarockkirche (1754–77), einer Basilika mit Emporen und zweitürmiger Fassade; Jesuitenkloster (1687–1720; heute Diözesan-Mus.), Kirche (1622 bis 1679 gebaut, 1762–72 umgebaut); reformiertes Franziskanerkloster (1627 gegr.) mit Barockkirche (1637–45; später umgebaut); Karmeliterkloster mit Kirche (1627–30 gegr.); Benediktinerinnenkloster und Barockkirche (1768–77), Glockenturm (1775–77; nach 1864 und 1925 umgebaut); Bürgerhäuser mit Laubengängen (16.–17. Jh.).

Przeworsk [pʃ'ɛvɔrsk], Stadt in der Wwschaft Przemyśl, SO-Polen, 12000 Ew., mit z. T. erhaltenen Backsteinmauern (16. Jh.); Zisterzienserkloster (1476 gegr., nach 1512 gebaut) mit Kirche, einer spätgot. Halle aus dem 15. Jh. (Turm 16. Jh., Giebel 17. Jh., Fassade 1902); klassizist. Schloß von 1823; Landschaftspark (19. Jh.) mit Orangerie (um 1820).

Psalter, im MA. das private Gebetbuch, das außer den Psalmen i. d. R. eine Reihe liturg. Texte enthielt. Im →Utrecht-Psalter war jedem Psalm eine Zeichnung vorangestellt, spätere P. hatten meist nur Initialen am Anfang jeder Psalmgruppe. Umfangreiche Bilderzyklen hatten der →Ingeborg-Psalter, der →Landgrafen-Psalter u. a.

Pseira, Insel im Mirabello-Golf, NO-Kreta, mit einer Hafensiedlung der minoischen Kultur. Blütezeit im 16. Jh. v. Chr., Zerstörung um 1450 v. Chr.; Funde (Stuckrelief, Stein- und Tongefäße) im Mus. von Heraklion.

Pseudobasilika, Staffelhalle, Kirche, deren Mittelschiff erhöht ist, im Obergaden ohne Fenster.

Pseudodipteros, antiker grch. Tempel vom Typ des →Dipteros, aber ohne inneren Säulenumgang.

Pseudoperipteros, Tempeltyp v. a. der röm. Baukunst. Statt der freistehenden, ringsum laufenden Säulen des Peripteros wurden Halbsäulen oder Pfeiler 3 Seiten der Cellawände vorgeblendet, nur die Frontseite hat Vollsäulen im Pronaon.

Psiax, attischer Vasenmaler am Übergang von der schwarz- zur rotfigurigen Malweise, um 520–500 v. Chr. tätig; er bemalte vorwiegend kleinere Gefäße mit feingliedrigen Figuren, gelegentlich in beiden Techniken an demselben Gefäß.

Pskow, dt. **Pleskau,** Gebietshauptstadt im W der Russ. SFSR, oberhalb der Welikaja-Mündung in den Pskower See, 177 000 Ew. P., als Festung an der W Grenze des Kiewer Reiches gegr. (für 903 erstmals erwähnt), entwickelte sich rasch zu einem bed. Handelszentrum. Vom einstigen Reichtum der mittelalterl Stadt zeugen der Kreml (12.–16. Jh.) mit der mächtigen Dreifaltigkeitskathedrale (urspr. 12. Jh., Neubau 168 bis 1699), die Kathedrale Johannes' des Täufers im Johannes-Kloster (um 1240), die Kathedrale des Miroschskij-Klosters (1156 voll.; Fresken aus dem 12. Jh.), die Kathedrale des Iwanowskij-Klosters (124 voll.; Dreikuppelkirche) und die Kathedrale des Snetogorsk-Klosters (1310; Fresken von 1313) sowie einige Bürgerhäuser aus dem 16. und 17. Jh. und der Pogankin-Palast (1645 voll.). Für den eigenständigen Pskowe Baustil, der Formen aus Nowgorod und Wladimir vereinfachte, war die kubusförmige Vierpfeilerkirche mit nur einer Kuppel typisch.

Psyche [grch. ›Hauch‹], nach altgrch. Anschauung die Personifizierung der menschl. Seele, die die Griechen meist als Mädchen mit Schmetterlings- oder Vogelflügeln darstellten. Sie erscheint auch ungeflügelt und häufig mit ihrem Geliebten Eros, v. a. in der röm Kunst (Marmorgruppe, röm. Kopie einer hellenist. Plastik, Rom, Kapitolin. Museen) und dann wieder in der Neuzeit (RAFFAEL, GIULIO ROMANO, P. P. RUBENS, A VAN DYCK, B. THORVALDSEN, A. CANOVA, M. KLINGER)

Psychedelische Kunst, engl. **Psychedelic Art** [saɪkəd'elɪk ɑ:t], Bez. für Tendenzen in der Kunst seit etwa 1964, die auf bewußtseinserweiternde Wirkungen gerichtet waren und teils unter dem Einfluß von Drogen Erlebnisräume und halluzinator. Zustände in einer nicht mehr rational erfahrbaren Weise bildnerisch darstellten. Hauptvertreter der P. K. stammen v. a. aus anglo-amerikan. Ländern: R. WATTS, I. ABRAMS, R. YASUDA, A. ATWELL, B. CONNER, J. IKEWADA.

R. P. HARTMANN: Malerei aus Bereichen des Unbewußten (1974).

Psychedelische Kunst: Cosmic orchid von Isaac Abrams, 1967 (Zürich, Sammlung Bruno Bischofsberger)

Psykter [grch.], antikes bauchiges Gefäß auf hohem zylindr. Fuß; das zum Kühlhalten von Wein bestimmte Gefäß wurde in einen Krater gestellt. (BILD Vasen)

Pszczyna [pʃtʃ'ina], poln. Name der Stadt →Pleß.

Ptah, ägypt. Ortsgottheit von Memphis, im Neuen Reich der universale Schöpfergott und Bildner der Welt, der diese durch sein schaffendes Wort und das Werk seiner Hände ins Leben ruft; damit zugleich Berufsgott der Handwerker und Künstler; von den Griechen dem Hephaistos gleichgesetzt. Dargestellt wurde er menschengestaltig mit eng anliegender Kappe.

Ptah

Pteroma, Pteron [grch.] *das,* meist mit Steinplatten belegter Säulenumgang des grch. Tempels.

Ptolemäer, die makedon. Dynastie, die seit ALEXANDER D. GR. Ägypten beherrschte (323–30 v. Chr.). Die P. fühlten sich als Nachfolger der Pharaonen, respektierten deren kulturelles Erbe und errichteten wie diese große Tempelanlagen (Edfu, Dendera, Kom Ombo, Philae) im Stil des Neuen Reiches; nur im Architekturdetail und in den Reliefdarstellungen lassen sich hellenist. Einflüsse feststellen. Hauptstadt des Landes war Alexandria, dessen kulturelle Bedeutung in die gesamte antike Welt ausstrahlte.

Ptuj, dt. **Pettau,** Stadt in Slowenien, Jugoslawien, rd. 10 000 Ew. Neben Resten röm. Bauten u. a. die Kirche St. Georg, ein frühroman. Bau, im 13. Jh. zu einer dreischiffigen Basilika umgebaut, im 15. Jh. durch Kreuzgewölbe überdacht, barocke Seitenkapellen, got. Chorgestühl. Im ehem. Dominikanerkloster (Fresken, Kreuzgang) ist heute ein Mus.; Minoritenkirche mit Barockfassade und got. Chor.

Pucará, archäolog. Fundort im Hochland von S-Peru, 50 km nordwestlich des Titicacasees. Die Funde (v. a. Steinskulpturen und Keramik) zeigen einen mit Tiahuanaco verwandten Stil (um 200 v. Chr. bis 200 n. Chr.). Öffentl. Bauten und Wohnhäuser waren aus Adobe auf Steinfundamenten errichtet. Eine hufeisenförmige, tempelartige Anlage ist aus Steinmauerwerk. Die Keramik ist rot und schwarz bemalt, die Gefäßwände zeigen häufig plast. Kopfdarstellungen.

Pucelle [pys'ɛl], Jean (Jehan), frz. Buchmaler aus Nordfrankreich(?), dessen Werkstatt im 2. Viertel des 14. Jh. in Paris nachweisbar ist. P. überwand die strenge Flächengebundenheit, indem er, wohl unter ital. Einfluß, körperhafte Gestaltung erstrebte. Die Ränder der Buchseiten schmückte er mit realist. Drolerien.

HW: Brevier von Belleville, von 1343; Bibel des R. de Billyng (beide Paris, Nat.-Bibl.); Stundenbuch der Jeanne d'Évreux (New York, Metropolitan Mus.).

Puchsbaum, Puchspaum, Hanns, Baumeister, *zw. 1390 und 1400, †1454/55, 1417–21 in Ulm nachweisbar (Entwürfe für Vor- und Turmhalle des Münsters), seit 1443 Neubau der Pfarrkirche in Steyr nach eigenen Plänen, um 1446 leitender Baumeister am Stephansdom in Wien. Seine Bedeutung ebd. ist mit der von A. PILGRAM vergleichbar.

HW: Stephansdom in Wien: Vorhalle vor dem Singertor (1440 bis 1450), Nord-Turm (1450 ff.), Barbara-Kapelle (1476 voll.), ›Friedrichsgiebel‹.

Pudergold, Maltechnik: Echtgoldbronze für Goldmalerei, hergestellt aus zerriebenem Blattgold.

Puebla, Hauptstadt des Staates P., Mexiko, etwa 2150 m ü. M., in einem von hohen Bergen umgebenen Hochtal, 710 800 Ew. Die Innenstadt des 1531 gegr. P. hat z. T. ihren kolonialzeitl. Charakter bewahrt mit Hausfassaden aus roten Ziegeln und bunten Azulejos, die nach span. Vorbild bereits seit Mitte des 16. Jh. in P. hergestellt wurden. Älteste Kirche der Stadt ist S. Francisco (1551, gotisch; Fassade mit Azulejos verkleidet, Portal im Platereskenstil); der Innenraum ist mit Fresken (profane Motive, 16. Jh.) geschmückt. Die Kathedrale (1575–1649) ist eine dreischiffige, in acht Joche aufgegliederte Basilika, Nischenkapellen parallel zu den äußeren Schiffen und ein Kreuzschiff mit Kuppel über der Vierung (mit Azulejos gedeckt); die Hauptfassade ist barock mit churrigueresken Portalen (1664 bis 1690); der klassizist. Hochaltar stammt von M. TOLSÁ; holzgeschnitztes Chorgestühl (1719–22). Zur Kirche S. Domingo (1611 gew.) gehört die Rosenkranzkapelle (Capilla del Rosario, 1690), ein HW des mexikan. Barock, von indian. Künstlern mit vergoldeter Stuck- oder Schnitzornamentik überreich ausgestaltet (BILD lateinamerikanische Kunst). Die Kuppel der Jesuitenkirche La Compañia (1767 gew., mit churrigueresker Fassade) ist mit weiß-blauen Azulejos gedeckt. Von den Profanbauten ist die Casa del Alfeñique (18. Jh.) eines der besten Beispiele für den Poblano-Stil (heute Mus.). Weitere Mus.: im ehem. Kloster S. Mónica: sakrale Kunst, im ehem. Kloster S. Rosa: Volkskunst.

Pueblo-Indianer [n. ihren Wohnanlagen: pueblo, span. ›Dorf‹], Gruppe kulturverwandter Indianer im SW der USA (NO-Arizona, New Mexico), Nachkommen der Träger der prähistor. Anasazi-Kultur (→Chaco Canyon National Monument). Zu den heute etwa 30000 P.-I., die unterschiedl. Sprachgruppen angehören, zählen auch die →Hopi und die →Zuni. Die P.-I. haben in großem Umfang ihre traditionelle Kultur mit den alten Wert- und Glaubensvorstellungen bewahrt. Die wichtigste Kunstform der P.-I., die Malerei, findet sich schon in prähistor. Zeit: Fresken (in den Kivas), Keramikdekor, neuerdings auch bemalte Tücher, Aquarelle u. a. Alte, kunstvolle Handwerkstradition hat sich erhalten oder wurde wieder belebt, v. a. die schon in prähistor. Zeit hochentwickelte Töpferei (ohne Töpferscheibe) mit einer Vielfalt von Formen und Mustern, ferner Weberei und Korbflechterei; die Zuni sind bes. geschickte Silberschmiede.

Die größte Gruppe der P.-I. lebt im Gebiet des oberen Rio Grande in ›Pueblos‹. Diese Wohnanlagen gehören zu den eindrucksvollsten architekton. Leistungen der nordamerikan. Indianer. Die mehrstöckig zusammenhängenden, terrassenartig angelegten Wohneinheiten waren früher nur über Leitern durch Öffnungen im flachen Dach zu betreten. Sie wurden aus mit Lehm verbundenen Steinen oder luftgetrockneten Ziegeln (Adobe) errichtet. Zu jedem Pueblo gehörte eine (oder mehrere) →Kiva. Das größte der heute noch bewohnten Pueblos ist **Taos,** das kurz nach dem Eindringen der Spanier (1540) errichtet wurde. Es ist (bis auf

Pueblo-Indianer: Kiva-Malerei der Anasazi-Tradition; Darstellung einer Wildkatze sowie von Pfeil und Bogen auf einem Schild, Awatovi, Arizona

eingefügte Treppen, Fenster und Türen) fast unverändert erhalten.

Puẹnte la Reina [-r'ɛjna], im MA. bed. Pilgerstation auf dem Weg nach Santiago de Compostela, rd. 20 km südwestlich der span. Stadt Pamplona am Río Agra (fünfbogige Pilgerbrücke, 11. Jh.) gelegen; ehem. Templerkirche (urspr. 11. Jh.; im Inneren Holzkruzifix, um 1400); Kirche Santiago (urspr. 12. Jh.) mit reich skulptiertem roman. Archivoltenportal (12. Jh.).

Pu|ertomarịn, rd. 30 km südlich der span. Stadt Lugo gelegener Ort. Wegen der Anlage eines Stausees wurde P., im MA. Pilgerstation auf dem Weg nach Santiago de Compostela, verlassen und in der Nähe des urspr. Standorts mit seinen Kunstdenkmälern wiederaufgebaut, u. a. Wehrkirche S. Juan (12. Jh.), Kapelle S. Pedro (roman. Portal, 12. Jh.) und Pilgerherbergen.

Puget [pyʒ'ɛ], Pierre, frz. Bildhauer, Maler, Baumeister, *Marseille 16. 10. 1622, †Château-Follet bei Marseille 2. 12. 1694, begann in Marseille als Galionsfigurenschnitzer, bildete sich dann 1640–43, 1661–68 und 1670 in Italien, wo er die entscheidenden Eindrükke vom Barock (G. L. BERNINI, PIETRO DA CORTONA, CARAVAGGIO) empfing. In seinen spannungsgeladenen

Pierre Puget: Milon von Kroton; 1682 vollendet (Paris, Louvre)

Skulpturen suchte er, i. Ggs. zur klass. Richtung der Kunst des Louis-quatorze, den unmittelbaren Eindruck des Lebendigen festzuhalten, das er in ungestümer Bewegung auf Grund von scharfer Naturbeobachtung und Studien an hellenist. Plastiken und MICHELANGELO (›Gallischer Herkules‹, um 1660, Paris, Louvre) gestaltete. Das gleiche leidenschaftlich-ungestüme Temperament zeigen auch seine wenig bekannten Bilder und Zeichnungen.

WW: 2 Karyatiden am Rathausportal in Toulon (1655–57); Milon von Kroton (voll. 1682; Louvre); Perseus befreit Andromeda (1684; ebd.); Reiterstandbild Alexanders d. Gr. (um 1688; Versailles); Alexander und Diogenes (Relief, 1692; Louvre).

K. HERDING: P. P., Das bildner. Werk (1970).

Pugin [pj'u:dʒɪn], engl. Baumeisterfamilie aus Frankreich.

1) Augustus Charles, Architekturzeichner, Vater von 2), *in der Normandie 1762(69?), †London 19. 12. 1832, gab bebilderte Sammelwerke über got. Baukunst heraus.

2) Augustus Welby Northmore, engl. Baumeister, Kupferstecher, Architekturschriftst., Sohn von 1), *London 1. 3. 1812, †Ramsgate 14. 9. 1852; baute kath. Kirchen, Schulen u. a. im neugot. Stil. In seinen Schriften verband er christlich-romant. Vorstellungen mit rationalist. und funktionalist. Argumenten, die die Architekturentwicklung bis in die Moderne beeinflußten. – Sein Sohn Edward Welby (*1834, †1875) baute Kirchen in England, Irland, Belgien und Amerika.

Pula, ital. **Pola,** Stadt im S der Halbinsel Istrien, Jugoslawien, 56 000 Ew., mit Bauten aus röm. Zeit: u. a. das dreistöckige Amphitheater in Ellipsenform (30–14 v. Chr.; im 1. Jh. n. Chr. voll.) und 3 Tore. Die Basilika aus dem 6. Jh. wurde an der Stelle eines röm. Bades gebaut (mehrmals umgebaut); got. Franziskanerkloster.

Puławy, Stadt in der Wwschaft Lublin, Polen, an der Weichsel, 43 000 Ew. Im 17. Jh. Residenz der Adelsfamilien Lubomirski und Sieniawski, seit 1731 der Czartoryski. Das Schloß, 1676–79 nach einem Entwurf von T. VAN GAMEREN erbaut, wurde 1722–36 verändert und um 1800 (P. AIGNER) umgebaut; Landschaftspark (1798–1806) mit zahlreichen Gartenpavillons, u. a. Sibyllentempel (1798–1801), Marinka-Palast (1790–94). Außerhalb des Gartens die Pfarrkirche (ehem. Kapelle der Czartoryski), dem röm. Pantheon nachgebildeter Zentralbau (1800–03 von P. Aigner).

Pulguksa, buddhist. Tempel in →Kyŏngju (Korea).

Pulkau, Marktgem. im Bez. Hollabrunn, NÖ; die Pfarrkirche St. Michael (im Kern 12. Jh., gotisch erweitert) ist eine dreischiffige Pfeilerbasilika, daneben spätromanisch-frühgot. Karner (13. Jh.); in der spätgot. Heiligblutkirche (14./15. Jh.) Schnitzaltar (um 1515 bis 1525) mit Tafeln des MEISTERS VON PULKAU (→Meister der Historia), ein HW der Donauschule.

Pulsnitz, Stadt nordöstlich von Dresden, Dt. Dem. Rep., 6800 Ew.; in der spätgot. Nikolaikirche (16. Jh., 1742–45 nach Brand wiederaufgebaut) großer Empire-

Altar mit Säulenaufbau aus Ton; Renaissance-Rathaus (1555); Altes (um 1600) und Neues Schloß (1718).

Pułtusk, Stadt in der Wwschaft Ciechanów, Polen, am Narew, 14000 Ew., hat z. T. erhaltene Befestigungsanlagen von 1508/09; spätgot. Kollegiatskirche (vor 1443; im 16. Jh. ausgebaut) und Grabkapelle aus der Spätrenaissance mit Wandmalereien und Grabdenkmal (1561). Neben der Kirche ein Glockenturm (1507; 1783–1803 verändert). Das urspr. got. Bischofsschloß wurde im 16.–18. Jh. umgebaut.

Punch [pʌntʃ], Titel satir. Zeitschriften, bes. das brit. Wochenblatt P., gegr. 1841 von H. Mayhew in London, geleitet von M. Lemon. Frühe Zeichner waren J. Leech, G. L. Du Maurier und J. Tenniel. Es erscheint seither unter Mitarbeit bed. zeitgenöss. Publizisten, Zeichner und Karikaturisten. In München erschien 1848–71 und 1875 der ›Münchner Punsch‹, in Wien 1849–51 der ›P.‹.

Punch'ŏng-Keramik [korean. ›Puder-Grün‹], Keramik aus versch. Manufakturen S-Koreas vom Ende der Koryo-Dynastie bis zum Anfang der Yi-Dynastie (höchste Qualität im frühen 15. Jh.). Es gibt 5 versch. Typen: 1. mit eingestempeltem Dekor, v. a. Blütendekor (15. Jh.); 2. mit eingraviertem und farbigem Schlikkerton, der die ganze Oberfläche bedeckt (15. Jh.); 3. mit aufgebürsteter oder getauchter Engobe unter der Glasur (15.–16. Jh.); 4. mit Pflanzen- oder Fischdekor in Sgraffito-Technik (15.–16. Jh.); 5. mit dem Pinsel frei gemaltem Dekor unter der Glasur (15.–16. Jh.).

Punisches Wachs, Maltechnik: Wachsseife für den Überzug antiker Fresken und Marmorskulpturen (→Ganosis), hergestellt durch Kochen von Bienenwachs in Meerwasser unter Zugabe von Soda. Emulgiert mit Wasser war P. W. auch als Bindemittel verwendbar (→Enkaustik).

Punktieren, Bildhauerkunst: Übertragen von Meßpunkten von einem Modell auf einen noch zu gestaltenden Holz- oder Steinblock durch einen Lotrahmen oder ein Punktiergerät. Durch das P. werden v. a. die Höhen, z. B. Faltenstege, festgelegt.

Punktier-Manier, der Radierung verwandte graph. Technik des Tiefdrucks, bei der mit verschiedenen Instrumenten (→Mattoir und →Roulette) feine Punkte in mehr oder weniger dichten Abständen in die mit dem Ätzgrund bedeckte Metallplatte gearbeitet werden zur Wiedergabe von weichen, fließenden Übergängen, Schattierungen und Tonabstufungen im Abdruck. Die Punkte wirken regelmäßiger als die ohne Ätzgrund direkt in die Platte gearbeiteten Einstiche beim Punkt- und Punzenstich. Seit dem 17. Jh. meist als ergänzende Technik zur Radierung angewendet, erlebte die P.-M. im 18. Jh. ihre Blüte, als sie u. a. zur Steigerung der Wirkung der →Kreide-Manier ergänzend eingesetzt wurde. Hauptmeister der P.-M. war F. →Bartolozzi.

Punktstich, graph. Tiefdruckverfahren im Bereich des Kupferstichs. Mit dem →Grabstichel werden punktförmige Einstiche in die Kupferplatte gearbeitet zur Erzeugung von fließenden Übergängen und Schattierungen im Abdruck. Im Unterschied zum Ätzverfahren der →Punktier-Manier wird in die Platte direkt (›trocken‹) gearbeitet. Der P. kam Ende des 15./Anf. des 16. Jh. zus. mit dem →Punzenstich als ergänzende Technik zum Kupferstich auf.

Puntadeva, Candi P. [tç-], einer der 5 shivait. Tempel der Arjuna-Gruppe auf dem Dieng-Plateau in Zentraljava aus dem 8. Jh. (KARTE indonesische Kunst).

Punu, Untergruppe der →Tsogho im südwestl. Gabun. Die P. gelten neben den Lumbo als beste Schnitzer der ›weißen Masken des Ogowe‹. Diese Masken (›Mukudji‹; Inkarnation der Geister der Toten, die wiederkommen, um die Lebenden zu besuchen und die Palaver in den Dörfern zu regeln) haben asiatisch anmutende Gesichtszüge; alle Formelemente sind jedoch rein afrikanisch und lassen sich in das Zentrum des Landes (Chaillu-Gebirge) verfolgen. Die Figuren der P., weit seltener als Masken, zeigen in ihrem Ausdruck ebenfalls einen ästhetisierenden Naturalismus.

Punzen [ital. punonze ›(Loch)stempel‹], mit dem Hammer anzuschlagende Stahlstäbe von etwa 10 cm Länge zum Treiben (Ziselieren) von Reliefs in Metall, auch in Leder. Die P.-Köpfe werden nach Bedarf zugefeilt. **Schrot-P.** dienen zum Ziehen von Linien, **Modellier-P.** zum Treiben des Metalls, **Setz-P.** zum Planieren getriebener Flächen. Auch das →Beschauzeichen in Edelmetallen wird mit einem P. geschlagen **(Punzierstempel).**

Über die Verwendung von P. in der Graphik →Schrotschnitt, →Punzenstich.

Punzenstich, graph. Tiefdruckverfahren im Bereich des Kupferstichs. Mit Hilfe von Punzen und Hammer werden, wie beim →Schrotschnitt, punktförmige Vertiefungen direkt in die Kupferplatte eingeschlagen, um, ebenso wie beim →Punktstich, weiche, fließende Übergänge und Schattierungen im Abdruck wiederzugeben. Die gleichmäßig runden Einschläge der Punzen rufen eine ornamentale Wirkung hervor, so daß die Ende 15./Anf. 16. Jh. aufkommende Technik des P. meist zur Füllung von Leerflächen auf Kupferstichen mit Mustern (Sternchen u. ä.) verwendet wurde.

Punzieren, Einschlagen von Mustern mit versch. geformten Stahlstiften **(Punzen)** in Metall, Leder, Holz und Grundierungen, z. B. Fassungen und Tafelbilder.

Pura Besakih, wichtigstes Heiligtum auf Bali, auch ›Muttertempel‹ genannt, am SW-Hang des Vulkans Gunung Agung (KARTE indonesische Kunst). Mit Wächterfiguren flankierte Freitreppen führen durch das Candi Bentar zu dem auf 4 Terrassen übereinanderliegenden, von einer Mauer umgebenen Heiligtum aus dem 14. Jh. Der schwarze nördl. Tempel ist dem Gott Shiva geweiht, der weiße mittlere Vishnu und der rote südl. Brahma. Die Anlage diente seit dem 15. Jh. u. a. der Dynastie von Klungkung als Grabanlage (Meru) für die Ahnen. Die einzelnen Bauwerke mußten wegen der Vergänglichkeit des Materials und eines Vulkanausbruchs (1963) mehrfach restauriert werden.

Puranas [Skt.], die kanonischen Sanskrittexte des Hinduismus, die neben Götterlegenden und Liturgien ikonograph. Anweisungen zur Herstellung von Bildwerken enthalten. Sie reichen bis in die frühhinduist. Zeit zurück und wurden in ihren Hauptteilen in der 2. H. des 1. Jahrtsd. zusammengestellt.

Pürgg, Dorf im Bez. Liezen, Obersteiermark, Österreich; romanisch-got. Pfarrkirche (1. Weihe angeblich 1130) mit Fresken (um 1300) im Läuthaus und got. Plastik (u. a. Pietà, 14. Jh.); roman. Johanneskapelle (Ende 12. Jh.) mit hochbedeutenden Fresken aus der Entstehungszeit, die das gesamte Innere bedecken.

Pürglitz, tschech. **Křivoklát** [krʃ'ivɔkla:t], Burgsiedlung in Mittelböhmen, ČSSR, südwestlich von Kladno. Die spätroman. Burg wurde 1253–78 erbaut, als königl. Landresidenz im 15. Jh. umgebaut und 1850 restauriert (heute Mus.); in der got. Kapelle bed. Skulpturen (figürlich und Architekturplastik); Altarschrein von 1490.

Puri, Küstenstadt in Orissa, SO-Indien, eines der bed. Pilgerzentren des Krishnakultes, der hier als Jagannatha mit seinem Bruder Baladeva und seiner Schwester Subhadra, dargestellt in einem rohen Holzbildwerk, in jährl. Wagenprozessionen verehrt wird. Der Haupttempel im Nagara-Stil Orissas entstand um 1100 innerhalb eines umwallten Kultbezirks, der gemäß einem Mandala das Zentrum des den Stadtplan beherrschenden Systems von Nebentempeln bildet.

Purifizierung, Reinigung; bei der Denkmalpflege und der Restaurierung die Entfernung späterer Zutaten (An- oder Umbauten, Ausstattungsstücke) an oder in sakralen oder profanen Bau- und Kunstdenkmälern auf Grund gewandelter ästhet. oder ideolog. Anschauungen, z. B. Entfernung barocker, nicht als stilgerecht empfundener Ausstattungsstücke in ma. Kirchen (Bamberger Dom) oder histor. Bestandteile auf Grund

Puri: Wallfahrtstempel Jaganath

liturg. Forderungen (Trier, Liebfrauenkirche). – Die P. wird von der zeitgenöss. Denkmalpflege abgelehnt.

Purismus [frz. pur ›rein‹], Stilrichtung der Malerei, die 1918 mit dem Manifest ›Après le cubisme‹ von A. OZENFANT und J. JEANNERET (= Le Corbusier) begründet wurde und bis 1925 (letzte Nummer der purist. Ztschr. ›L'Esprit Nouveau‹) dauerte. Die Puristen wollten den variantenreich gewordenen Kubismus wieder zu seinen Ursprüngen zurückführen und strebten eine auf geometr. Ordnungen und rationalen Normen beruhende ›funktionale‹ Malerei an, deren ästhet. Sinnbild die Maschine war. Diese Malerei sollte einen fest umrissenen Platz in Städtebau und Industrieproduktion erh.

Purna ghata [Skt.], ind. Bildmotiv eines von Pflanzen überquellenden Gefäßes (Kumbha) als Symbol der Fruchtbarkeit und des Reichtums, häufig an Säulenbasen und als Ausgangspunkt von Rankenwerk, auch als Thronsitz der Gajalakshmi im Relief (Bharhut, 2. Jh. v. Chr.).

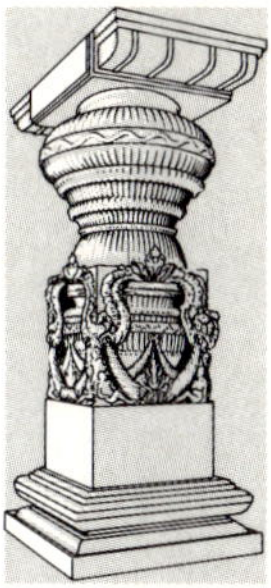

Purna ghata

Purpur [von grch. porphyra], Maltechnik: violetter Farbstoff aus der Purpurschnecke zum Färben von Textilien und Pergament.

Purrmann, Hans, Maler, *Speyer 10. 4. 1880, †Basel 17. 4. 1966, studierte in Karlsruhe und München (u. a. bei F. v. STUCK), ging 1906 nach Paris, wo er im Kreis um das Café du Dôme als Schüler und Freund von H. MATISSE seinen eigenen Stil fand; lebte 1916–35 abwechselnd in Berlin und Langenargen (Bad.-Württ.; viele seiner Werke im Mus.), bis 1943 in Florenz (Leiter der Villa Romana), dann in der Schweiz. Er gelangte in seinen Stilleben und meist südl., lichterfüllten Landschaften zu formaler und farbl. Ausgeglichenheit; auch graph. Arbeiten.

H. P., Ausst.-Kat., Berlin-Ost (1982).

Puschkin [n. dem russ. Dichter A. Puschkin, *1799, †1837], bis 1918 **Zarskoje Selo** [›Zarendorf‹], 1918–37 **Detskoje Selo** [›Kinderdorf‹], Stadt im Gebiet Leningrad, Russ. SFSR, 89000 Ew. Innerhalb eines etwa 600 ha großen Parks liegt das für die Frau Peters d. Gr., Katharina, gebaute Große Palais (›Katharinenpalais‹; kleinerer Bau 1718–23, 1743–48 umgebaut, 1752–57 von B. F. RASTRELLI entscheidend vergrößert); 1755–60 wurde das Bernsteinzimmer (Jantarnaja komnata; →Bernstein) eingebaut, ein Geschenk (1717) Friedrich Wilhelms I. an den russ. Zaren Peter d. Gr.; im SW-Flügel die ›Cameron-Galerie‹, eine 1783–96 von C. CAMERON erbaute offene Loggia in klassizist. Stil mit Treppe zum See. 1811 wurde im Schloßbereich das Lyzeum (1789–91, 1811 von W. P. STASSOW umgebaut) eröffnet, das Puschkin 1811–17 besuchte. Im N des Parks entstand 1792–96 das klassizist. Alexander-Palais von G. QUARENGHI. Über den Park verteilt sind zahlreiche kleinere Bauten (Eremitage-Pavillon, 1743–54, Rastrelli; neugot. Admiralität, 1773–77), Denkmäler, Tempel, Grotten, Skulpturen, Brücken u. ä. Nach starker Zerstörung im 2. Weltkrieg wurde die Anlage wiederhergestellt.

Puschlav, schweizer. Stadt, →Poschiavo.

Pusŏksa, korean. Tempel in der Prov. N-Kyŏngsang; geht mit seinem Gründungsjahr 676 auf das Kgr. Silla zurück (KARTE koreanische Kunst). Aus dieser Zeit sind nur noch die Steinlaterne, die dreistöckige Steinpagode, der Steinpfeiler für die buddhist. Fahne und das Fundament der Haupthalle erh. Die heutige Haupthalle, 5 Interkolumnien breit und 3 Interkolumnien tief, wurde im 12./13. Jh. aus Holz errichtet und ist der älteste Holzbau Koreas. Hier befindet sich eine vergoldete Tonplastik des Amitabha (2,78 m hoch) aus dem späten 14. Jh. In der Gründerhalle Chosadang (1377) sind Wandmalereien erhalten.

Püsterich, dickbäuchige Metallfigur, häufig in Form eines hockenden Knaben, bekannt seit dem 13. Jh. Mit Wasser gefüllt und erhitzt, stößt der P. durch Öffnungen an Mund und Bauch Dampfstrahlen aus. Bekannt ist der P. von Sondershausen (Kunstkammer), entstanden wohl um 1250.

Putbus, Stadt im S der Insel Rügen, Dt. Dem. Rep., 6100 Ew.; seltenes Beispiel einer im urspr. Zustand erh. planmäßigen Stadtanlage (1808–45) mit stilistisch einheitl. Bebauung. Klassizist. Theater (1819–21); Schloßkirche, 1844–46 als Kurhaus erbaut, Umbau zur Kirche 1891/92; ausgedehnter Schloßpark mit Marstall, Orangerie, Affenhaus, Fasanenhaus u.a. Das Schloß (16. Jh., 1830 umgebaut) wurde 1960 abgetragen.

Putna, Kloster im Kr. Suceava, Rumänien; 1466 von Stefan d. Gr. gegr. (Befestigung 1481 voll.); im 17. Jh. verfallen, 1662 wieder aufgebaut; im 18. Jh. zerstört, 1902 grundlegend restauriert. Die als fürstl. Grabbau errichtete Kirche war eine der größten und wichtigsten in der Gruppe der →Moldauklöster. Die Wandmalereien im Innern sind verloren; erh. ist das Marmorgrabmal Stefans d. Gr. Den urspr. Zustand des 15. Jh. zeigt nur der Schatzkammerturm (heute Mus. mit kostbaren Geweben, Stickereien, Gold- und Silberschmiedearbeiten, Hss. u. a.).

Putto: Andrea del Verrocchio, P. mit Delphin; Brunnenfigur im Hof des Palazzo Vecchio in Florenz; um 1465–68

Putto [ital. ›Kind‹, ›Knabe‹] *der, Mz.* **Putten,** bildende Kunst: kleine Knaben mit oder ohne Flügel, meist nackt oder leicht bekleidet, die – wohl angeregt durch Bilder von antiken Eroten – zum erstenmal in der Frührenaissance neben den in der Gotik oft dargestellten Kinderengeln erscheinen. (→Engel)

Putz, Mörtelbewurf auf Mauerwerk. Geglättet dient P. als Malgrund für Fresko und Seccomalerei; für Sgraffito wird er in mehreren verschiedenfarbigen Lagen aufgetragen. Meist wird P. zweischichtig, seltener in einer Lage angeworfen.

Putz, Leo, Maler, *Meran 18. 6. 1869, †ebd. 21. 7. 1940, war Mitarbeiter der Ztschr. ›Jugend‹ und Mitgl. der ›Scholle‹. P. malte v.a. Porträts, Akte und Szenen im Freien, in denen er die flächig-ornamentalen Kompositionen durch Farblichter auflockerte.

HW: Picknick I (1904; München, Neue Pinakothek); Frau Putz im Garten (1907; ebd.).

L. P. 1869–1940, Ausst.-Kat., München (1981).

Puuc-Stil [pu'uk-], Architekturstil der Maya-Kultur in NW-Yucatán, Mexiko, im Gebiet der niedrigen Puuc-Hügelkette. Die untere Hälfte der Gebäudefassade ist meist aus glattem Kalksteinmauerwerk und vom oberen Teil durch ein Gesims getrennt. Charakteristisch für den auf die obere Hälfte beschränkten Baudekor ist ein Fries aus Steinmosaik mit sich ständig wiederholenden Mustern und Motiven (häufig die Maske des Regengottes Chac). Bes. ausgeprägt ist der P.-S. in den Bauwerken von Kabah (BILD), Labná (BILD), Sayil und Uxmal (BILD).

H. E. D. POLLOCK: The Puuc (Cambridge, Massachusetts, 1980).

Puvis de Chavannes [pyv'is dəʃav'an], Pierre, frz. Maler, *Lyon 14. 12. 1824, †Paris 24. 10. 1898. P. schuf für Fest- und Repräsentationsräume sorgfältig gemalte, oft allegor. Wandbilder, die nicht Fresken, sondern nachträglich auf die Wand gebrachte Ölbilder sind und mit denen er einen eigenen Monumentalstil geschaffen hat. Der feierl. Rhythmus seiner Kompositionen, die gemessene Haltung der schönen, edlen Gestalten in einer idealen Welt und die zarte, sich auf wenige Töne beschränkende Farbgebung strahlen hoheitsvolle Ruhe aus. Von der zeitgenöss. Salon- und Historienmalerei und dem spontan gestaltenden Impressionismus seiner Zeit weit entfernt, führte P. de C. zum frz. Neoklassizismus und Symbolismus (BILD).

HW (Wandbilderzyklen auf Leinwand): in Amiens, Mus. (1861 bis 1865; 1880–85); Marseille, Mus. (1869); Poitiers, Rathaus (1873 bis 1875); Paris, Sorbonne (1887–89); Rouen, Mus. (1890–92); Paris, Hôtel de Ville (1891–93) und Panthéon (1897–98); Boston, Public Library (1894–98).
P. de C., Ausst.-Kat., Paris (1976).

Puy [pɥi], Jean, frz. Maler, *Roanne (Loire) 7. 11. 1879, †ebd. 6. 3. 1960, stand den Fauves, bes. H. MATISSE, nahe. Seine Landschaften, Akte und Porträts sind jedoch nach einem kühnen Frühwerk um 1902/03 farblich zurückhaltender und weniger abstrahiert.

Puyŏ, korean. Stadt in der Prov. Süd-Ch'ungch'ŏng (KARTE koreanische Kunst), war 538–660 Hauptstadt des Königreiches Paekche. Aus dieser Zeit sind erh. die fünfstöckige Steinpagode des Chŏngrimsa-Tempels (auch Paekche-tap genannt), der Koransa-Tempel und der Sabiru-Pavillon auf der Songwŏl-Terrasse. Das P.-Nat.-Mus. birgt Plastiken, Architekturfragmente und Keramik der Paekche-Dynastie.

Pylon [grch. ›Portal‹] *der,* gewaltige Toranlage vor ägypt. Tempeln; zw. 2 turmartigen, rechteckigen Gebäuden lag das eigtl. Eingangstor. Vertiefungen an der Vorderfront dienten als Flaggenmaste. Die Wände waren mit Reliefs geschmückt. Seit dem Neuen Reich wurde der P. immer monumentaler ausgestaltet; der 1. P. des Karnak-Tempels ist mit seinen Türmen 113 m breit. (BILD Karnak)

Pylos, in den Epen HOMERS Name von zwei oder drei Örtlichkeiten an der W-Küste der Peloponnes, südlich des Flusses Peneios, darunter der Platz des Palastes des Nestor. Dieser ist offenbar identisch mit dem 1939 gefundenen, 1952–65 freigelegten myken. Palast auf der Höhe von Epano-Englianos unterhalb von Chora (dort Mus. mit Kleinfunden). Der auf einem älteren, einst befestigten Wohnhügel um 1300 v. Chr. errichtete Palast war eine bes. großzügige und künstlerisch reich ausgestaltete myken. Anlage. Das im Zentrum gelegene zweistöckige Megaron hatte im Thronraum mit stuckiertem Rundherd, stuckierten Holzsäulen und dem Thron Boden-, Wand- und Deckenmalereien. Von den Wandfresken haben sich Teile erhalten: ein Leierspieler, Tiere, Greifen, Ornamente. In das Megaron, das von zweistöckigen Wohnräumen und Magazinen umgeben war, gelangte man durch ein Propylon und über einen kleinen Hof. Durch ein Großfeuer (vor 1200 v. Chr.) ging der Palast noch vor dem Ende der myken. Epoche zugrunde; die Stätte blieb unbesiedelt. Die in der Umgebung gefundenen Kuppelgräber sind älter als der erwähnte Palast.

The Palace of Nestor at P. in Western Messenia, hg. v. C. W. BLEGEN u. M. RAWSON, 2 Bde. (Princeton, New Jersey, 1966–73).

Pynacker, Pijnacker [p'ɛjnakər], Adam, holländ. Maler, getauft Pijnacker bei Delft 13. 2. 1622, begraben ebd. 28. 3. 1673, malte, von J. BOTH und J. ASSELYN beeinflußt, ital. Landschaften mit Staffage und Flußlandschaften mit warmer Lichtstimmung.

Pynas, Pijnas [p'ɛjnas], Jan, holländ. Maler, *Haarlem 1583 oder 1584, begraben Amsterdam 27. 12. 1631, gehörte um 1605 mit seinem Bruder Jacob und P. LASTMAN in Rom zum Kreis um A. ELSHEIMER; malte relig. Bilder in einfacher, unheroischer Erzählweise, die REMBRANDT beeinflußten, zu dessen bedeutendsten Vorläufern (Prärembrandtisten) P. neben Lastman gehört.

Pyŏngyang, Hauptstadt von Nord-Korea, 1,5 Mio. Ew., am Unterlauf des Flusses Taedong. Das heutige Stadtbild ist bestimmt von Handel und Industrie. Im Korea-Krieg (1950–53) erlitt die von einer Mauer umgebene Stadt starke Zerstörungen durch Luftangriffe. An die histor. Bedeutung von P., der Hauptstadt des Kgr. Koguryo (→koreanische Kunst), erinnern die am Berg Taesong gelegenen Gräber der Herrscher von Koguryo mit ihren guterhaltenen Wandmalereien. P. war Ort der frühgeschichtl. Festung Wanggom, des Mittelpunkts des Wi-Man-Reiches, das 108 v. Chr. von den Han-Chinesen annektiert wurde. 8 km von P. entfernt wurden ein Amtsgebäude der Han-Dynastie und zahlreiche Funde der Han-Zeit ausgegraben (Tonziegel, Lackarbeiten).

Pyramide, grch. Bez. für die monumentalen altägypt. Königsgräber mit quadrat. Grundfläche und dreieckigen, spitz zulaufenden Seiten mit einem Neigungswinkel von etwa 52°. Dieser Grabtyp wurde vorwiegend von den Pharaonen vom frühen Alten Reich bis zum Beginn des Neuen Reiches (etwa 2550–1550 v. Chr.) auf der W-Seite des Nils, am Rand der Wüste (Reich der Toten) errichtet; Vorläufer war die Stufenpyramide des Königs DJOSER bei Sakkara, die noch nicht den quadrat. Grundriß hat und aus 6 aufeinandergetürmten Mastabas besteht (als Bild des Urhügels, auf dem der Schöpfergott die Welt erschafft). Diese Form haben auch die übrigen P. der 3. Dynastie; erst König SNOFRU erbaute um 2550 v. Chr. die erste eigtl. P. (›Rote P.‹ von Dahschur). Mit den großen P. seiner Nachfolger CHEOPS, CHEPHREN und MYKERINOS bei Giseh (BILD) wurde die definitive Form der königl. Grabanlage erreicht: Auf ihrer Ostseite lagen Taltempel und Totentempel, durch einen Aufweg miteinander verbunden; als sakraler Mittelpunkt dienten sie dem Totenkult des Königs; eine kleine Nebenpyramide setzte die alte Tradition des Doppelgrabes fort, weitere Nebenpyramiden waren für die Königinnen bestimmt; Schiffe zur Fortbewegung im Jenseits wurden getrennt beigesetzt. Die größte P. ist (mit 146 m Höhe, 233 m Kantenlänge und 2,3 Mio. verbauten Blöcken) die des Cheops. Dekoriert wurden nur die Kulträume von Tal- und Totentempel, erst seit UNAS (um 2350 v. Chr.) beschriftete man die unterird. Kammern der P. mit relig. Texten. Der Zugang zur P. lag im Norden, von dort führte ein gerader Gang zur Grabkammer und ihren Nebenräumen. SESOSTRIS II. änderte um 1890 v. Chr. diesen Grundplan: Von nun an war der Zugang beliebig, und man erreichte die Sargkammer erst durch ein kompliziertes, vielfach gewundenes System von Gängen (Spiegelung eines neuen Jenseitsbildes).

Als die Könige des Neuen Reiches zum Felsgrab übergingen, wurde die Form der P. für private Grabanlagen frei. Die nubischen Könige der 25. Dynastie und ihre Nachfolger griffen die P.-Form für ihre Gräber wieder auf (P. von Napata und Meroë seit dem 7. Jh. v. Chr.), später die Ptolemäer, durch welche die P.-Form auch auf Grabbauten in der übrigen Mittelmeerwelt ausstrahlte (Cestius-P. in Rom). Über die Konstruktion der P. ist noch sehr wenig bekannt.

Die P. Mesoamerikas (der Maya, Azteken u. a.) sind durchweg in stufenförmigen Absätzen ausgeführt und mit einer Plattform für das Heiligtum (Tempel) auf der abgestumpften Spitze versehen. Urspr. waren es künstl. Hügel, die zunächst nur durch lose Steinpackungen, später durch einen gemauerten Steinmantel oder durch einen Stuckmantel zusammengehalten wurden. Vielfach sind die P. in bestimmten Zeitabständen von neuem ummantelt und überbaut worden. Die P. von →Cholula erreichte nach 4 Überbauungen schließlich eine Fläche von rd. 16 ha und eine Höhe von rd. 60 m.

Neuere Forschungen haben ergeben, daß P. in Mesoamerika auch über Gräbern errichtet worden sind, z. B. über dem ›Grab des Hohen Priesters‹ in Chichén Itzá; die Pyramide des Inschriften-Tempels von Palenque birgt das Grab des Königs Pacal. (BILDER Chichén Itzá, El Tajín, Teotihuacán, Tikal)

Als erhöhte Tempelplattformen dienten auch die P. in den Andinen Hochkulturen, die jedoch zum größten Teil aus massiv geschichteten Lehmziegeln errichtet sind wie die →Huaca del Sol der Moche-Kultur.

J. E. S. EDWARDS: Die ägypt. P. (a. d. Engl., 1967); J. BRINKS: Die Entwicklung der königlichen Grabanlagen des Alten Reiches (1979).

Pyrgi, Hafenstadt des etrusk. Caere (Cerveteri) mit einem in der Antike berühmten Heiligtum. Ausgegraben wurden 2 Tempel mit reicher Terrakottaplastik (um 500 und 460 v. Chr.). →etruskische Kunst

Pyrgos, spätminoische Siedlung auf Kreta, →Myrtos.

Pyritz, poln. **Pyrzyce** [piʒ'itsɛ], Stadt in der poln. Wwschaft Szczecin (Stettin), 11 000 Ew. Trotz starker Zerstörungen im 2. Weltkrieg blieb die Stadtmauer (13.–16. Jh.) mit Türmen und Toren größtenteils erhalten. Die Pfarrkirche, eine spätgot. Basilika (15./16. Jh.) mit Säulengang, wurde 1945 z. T. zerstört.

Pyrmont, Bad P., Stadt im Weserbergland, Ndsachs., 22 000 Ew.; planvolle Anlage seit 1668 (Gründung des Bades). Barockschloß der Fürsten von Waldeck (1706–10), die Fortifikationen noch vom Renaissance-Vorgängerbau (1526–62); Kommandantenhaus, Kavalierhäuser und der Mittelrisalit des Schlosses von J. L. ROTHWEIL (1721–27). Im Hotel Fürstenhof (1777) vorzügl. Mobiliar (Empire bis Jugendstil).

Pyrrhos, →Neoptolemos.

Pyrzyce [piʒ'itsɛ], poln. Name für →Pyritz.

Pythagoras, Bildhauer aus Samos, vermutlich Anf. 5. Jh. v. Chr. nach Rhegion (Reggio Calabria) in Unteritalien ausgewandert. Literarisch überliefert sind von ihm v. a. Statuen in Heiligtümern dieses Gebietes sowie Siegerstatuen in Olympia und Delphi; keine von ihnen ist eindeutig in Kopien nachgewiesen.

Pytheos, grch. Architekt des 4. Jh. v. Chr.; ihm wird, zus. mit SATYROS, die Erbauung des Mausoleums von Halikarnassos (370–350 v. Chr.) und des Athene-Tempels von Priene (350–330 v. Chr.) zugeschrieben.

Pyxis [grch. ›Büchse‹], kleine runde Dose aus Ton mit Deckel zur Aufbewahrung von Kosmetika und Schmuck, in der grch. Antike seit geometr. Zeit. Aus Holz, Metall oder Elfenbein diente die P. im MA. zur Aufbewahrung von Reliquien, später auch von Hostien. (BILD Vasen)

Q

Qianxian [tʃianhsjian], Stadt in China, →Ch'ienhsien.

Qingdao [tʃ-], Stadt in China, →Tsingtau.

Quader [aus lat. quadrus ›viereckig‹] *der* und *die,* Baukunst: Natur- oder Kunststeine von prismat. Form, mit bruchrauhen oder bearbeiteten Ansichtsflächen.

quadratisches System, →gebundenes System.

Quadraturmalerei, illusionist. Wand- und Deckenmalerei, die die Raumgrenzen durch Scheinarchitekturen optisch erweitert. Dazu werden perspektivisch konstruierte Entwürfe mittels Quadrierung proportional vergrößert auf Wand oder Decke übertragen, so daß von einem bestimmten Betrachterstandpunkt aus eine vollkommene Raumillusion entsteht. A. MANTEGNA hat die Q. entwickelt (Eremitani-Kirche, Padua, 1448 bis 1457), die zunächst hauptsächlich auf Italien beschränkt blieb (CORREGGIO, B. PERUZZI, PIETRO DA CORTONA, A. POZZO) und sich im deutschsprachigen Gebiet

Quadriga: Detail vom Triumphbogen des Titus, Rom; nach 81 n. Chr.

erst im 18. Jh. in der Deckenmalerei (P. TROGER, C. D. ASAM) und als Bühnenbild findet. Vorläufer der Q. in röm. und pompejan. Wandmalereien.

Quadrifrons [lat.], eine Form des röm. Triumphbogens mit 4 Fronten und 4 Toren, meist auf quadrat. Grundriß (›Janus Quadrifrons‹, Anf. 4. Jh. n. Chr., Rom, Forum Boarium).

Quadriga [lat.] *die, Mz.* **Quadrigen,** Viergespann. Im alten Orient wurde der mit 4 Pferden bespannte Wagen im Kampf und zur Jagd benutzt, bei den Griechen zu Wettrennen (seit 680 v. Chr. in Olympia); in der Darstellung ist die Q. auch Zeichen der überragenden Stellung von Göttern und Heroen. Die Römer kannten die Q. als Wagen des Triumphators und als Rennwagen im Circus. – Bes. im Klassizismus finden sich Q. als Bekrönung von Toren, so die (von der Siegesgöttin gelenkte) Q. auf dem Brandenburger Tor in Berlin – vermutlich nach einem Motiv des antiken Mausoleums in Halikarnass.

Quaglio [kuˈaʎo], Künstlerfamilie aus Laino beim Comer See, seit Ende des 18. Jh. in München ansässig. Lorenzo (*Laino 25. 5. 1730, †München 7. 5. 1804) baute seit 1775 das Theater in Mannheim, kam 1778 mit Kurfürst KARL THEODOR nach München und schuf 1781 hier die Dekoration zur Uraufführung von Mozarts Oper ›Idomeneo‹; 1783–91 baute er das Rathaus in Lauingen. Sein Neffe Julius (*Laino 1764, †München 17. 1. 1801) leitete u. a. 1798 die Innenausstattung des Hoftheaters in Dessau. – Domenico (*München 1. 1. 1787, †Hohenschwangau 9. 4. 1837), Sohn des Theatermalers Josef (*1747, †1828), leitete seit 1833 den Ausbau der Burgruine Hohenschwangau. Er war einer der besten Architekturmaler der dt. Romantik. Seine Münchner Veduten geben Aufschluß über das Stadtbild Münchens um 1820. – Von seinen Brüdern schufen Michel Angelo (*München 13. 8. 1778, †ebd. 2. 4. 1815) und der Hoftheatermaler Simon (*München 23. 10. 1795, †ebd. 8. 3. 1878) Landschaften und Architekturbilder, auch Lithographien (got. Bauten); Lorenz (*München 19. 12. 1793, †ebd. 15. 3. 1869) schuf als Lithograph u.a. Reproduktionen der Gemälde der Münchner Pinakothek. In den 20er Jahren wandte er sich der Genremalerei zu; um die Mitte des Jh. gehörte er in München zu den Hauptvertretern dieser Gattung. – Angelo (*München 13. 12. 1829, †ebd. 5. 1. 1890), Sohn von Simon, schuf v.a. Dekorationen für die Uraufführungen von Musikdramen R. WAGNERS in München. – Sein Sohn Eugen (*München 3. 4. 1857, †Berlin 25. 9. 1942) unterstützte als Theatermaler in Berlin den verist. Stil der Meininger Schule.

BRIGITTE TROST: D. Q., Monographie und Werkverzeichnis (1973); P. E. RATTELMÜLLER: Lorenz Q. (1978).

Quarẹnghi, Kwarẹngi, Giacomo, ital.-russ. Baumeister, *Valle Imagna (bei Bergamo) 20. oder 21. 9. 1744, † St. Petersburg 18. 2. 1817, lernte zunächst Malerei bei A. R. MENGS und stand als Architekt (seit 1761) in der Nachfolge von A. PALLADIO. Q. trat 1779 in den Dienst KATHARINAS II. und begründete von St. Petersburg aus den Klassizismus in der russ. Architektur. Charakteristisch für seine Werke sind blockhaft-monumentale Erscheinung und sparsame Verwendung von schmückenden Details.

HW (in St. Petersburg): Eremitage-Theater am Winterpalais (1783–87); Akad. der Wiss. (1783–89); Staatsbank (1783–90); Palais Saltykow (1784–88); Smolnyj Institut (1806–08). – Engl. Palais in Peterhof (1781–94); Alexander-Palais in Zarskoje Selo (1792–96).

Quarton [kart'ɔ̃], **Charton, Charonton** [ʃarɔ̃t'ɔ̃], Enguerrand, frz. Maler, *in der Diözese Laon um 1410, nachweisbar 1444 in Aix-en-Provence, 1446 in Arles, 1447–61 in Avignon, ein Hauptmeister der frz. Malerei der Spätgotik, neben N. FROMENT Hauptvertreter der Schule von →Avignon.

HW: urkundlich gesichert sind: Schutzmantel-Madonna mit den beiden Johannes (Auftrag 1452; Chantilly, Mus. Condé); Marienkrönung über Landschaft mit Szenen des Jüngsten Gerichts (1453/54; Villeneuve-lès-Avignon, Hospiz).

Quarz-Fritte-Keramik, in der islam. Kunst seit dem 11. Jh. gefertigte Feinkeramik aus einem künstlich gemischten Scherben, überwiegend Quarz (bis zu 90 %), wenig weißem Ton und Glaspulver; Produktionsstätten in Iran und Syrien (11.–13. Jh.).

Quast, Pieter, holländ. Maler, *Amsterdam um 1605/06, †ebd. Mai 1647, malte und radierte, von A. BROUWER beeinflußt, groteske Bauern-, Soldaten- und Theaterszenen.

Quattrocẹnto [-tʃ-, ital. ›vierhundert‹, Abk. für 1400], ital. Bez. für das 15. Jh.; i. e. S. als Stilbegriff der Kunstgeschichte Bez. für die Epoche der ital. Frührenaissance in Abgrenzung gegenüber dem →Cinquecento, der Hochrenaissance. Zentrum der Kunst war Florenz, wo F. BRUNELLESCHI die an die Antike anknüpfende Baukunst der Neuzeit begründete, die von MICHELOZZO weiterentwickelt wurde. Führender Architekturtheoretiker war L. B. ALBERTI. Die herausragenden Künstler in der Plastik waren L. GHIBERTI, DONATELLO und A. DEL VERROCCHIO; in der Malerei setzte die Frührenaissance mit MASACCIO ein.

Quebec [engl. kwɪb'ek], frz. **Québec** [keb'ɛk],

Hauptstadt der Prov. Q., O-Kanada, auf einem Felsen am St.-Lorenz-Strom, 177 100 Ew. (mit Vororten 542 200 Ew.), 1608 von S. CHAMPLAIN gegr. In der Unterstadt war das Handelszentrum, in der Oberstadt waren Verwaltung und Verteidigung (Festungsanlagen kurz nach der Gründung beg., überwiegend 1823–32) konzentriert. Das Stadtbild wird beherrscht vom Hotel Château Frontenac (roter Backsteinbau, 1895). Die kleine Steinkirche Notre-Dame des Victoires (1688) enthält u. a. Gemälde von P. P. RUBENS und kostbare Schnitzereien. Die Anglikan. Kathedrale (die erste anglikan. Kirche außerhalb Großbritanniens) wurde 1904 nach dem Vorbild von St. Martin's-in-the-Fields, London, erbaut.

Quedlinburg, Stadt im Bez. Halle, Dt. Dem. Rep., an der Bode, 29 400 Ew.; hervorgegangen aus einem 936 von OTTO I. gegr. Stift. Die Stadt wird überragt vom Schloß (16.–17. Jh., Mus. mit Kunstsamml.) und der Kirche des ehem. Frauenstifts, einer roman. Basilika (1129 gew.) mit hervorragender Bauornamentik, am got. Chor reiches Portal (um 1320), in der Krypta roman. Gewölbefresken und die Gräber von König HEINRICH I. und seiner Gemahlin MATHILDE. In der Altstadt 3 got. Hallenkirchen: Ägidien-, Benediktus- und Nikolauskirche. Renaissance-Rathaus (1613–15) mit reichem Portal, davor Roland (1427); zahlreiche Fachwerkhäuser (16.–17. Jh.). Außerhalb der Altstadt roman. Wigbertikirche mit im Kern karoling. Krypta (9. Jh., nach 961 umgebaut), älteste Umgangskrypta Sachsens.

Queen Anne Style [kwi:n 'æn staıl], **Queen Anne Revival** [-rıv'aıvl], Stilphasen der engl. Architektur im frühen 18. Jh. (nach Königin ANNA, †1714); im späten 19. Jh. für Möbel und Kunsthandwerk wiederaufgegriffen. Die führenden Architekten waren C. WREN und J. VANBRUGH.

Queen Elizabeth Style [kwi:n ıl'ızəbəθ staıl], **Elizabethan Style** [ılızəb'i:θn-], der in England z. Z. der Königin ELISABETH I. (†1603) im Profanbau vorherrschende Stil, in dem sich spätgot. Formen mit Elementen der Renaissance verbinden.

Queensware [kw'i:nzweə, engl.], →Creamware.

Quellenschriften. Über die Q. zur Maltechnik, →Malerhandbuch.

Quellinus [-nys], eigtl. **Quellien** [kw'eli:n], fläm. Künstlerfamilie: Artus d. Ä., Bildhauer (getauft Antwerpen 30. 8. 1609, †ebd. 23. 8. 1668), wurde in Rom von F. DUQUESNOY und G. L. BERNINI beeinflußt. Als Hauptmeister der fläm. Barockskulptur schuf er Marmorfiguren voll sinnlich üppigen Lebens. Er arbeitete für fläm. Kirchen, schuf mit seinen Schülern 1648–55 die plast. Ausstattung für das Amsterdamer Rathaus (heute Königl. Palast), auch Porträtbüsten. Sein Neffe und Schüler Artus d. J. (getauft Sint-Truiden 20. 11. 1625, †Antwerpen 22. 11. 1700), Bildhauer, war ebenfalls in Italien, arbeitete mit seinem Onkel am Amsterdamer Rathaus und schuf später v. a. Kanzeln und Grabmäler für fläm. Kirchen. Der Vetter von Artus d.

Quellinus: LINKS Artus Q. d. Ä.: Simson und Delila; Mitte des 17. Jh. (Berlin-West, Staatl. Museen). RECHTS Artus Q. d. J.: Gottvater vom Lettner in St. Salvator in Brügge; 1682

Ä., Erasmus (*Antwerpen 19. 11. 1607, †ebd. 7. 11. 1678), Maler, arbeitete als Meister in der Werkstatt von P. P. RUBENS; schuf Festdekorationen, histor. und relig. Bilder.

Queluz [kɛl'uʃ], prächtiges Rokokoschloß (1747 ff. erbaut) in einem nordwestl. Vorort von Lissabon, ehem. königl. Sommerpalast mit gut erhaltener Innenausstattung (Azulejos, Deckengemälde, Möbel u. a.); Gartenanlagen mit Statuen, Grotten, Wasserspielen und Bassins, die mit Azulejos geschmückt sind.

Quercia [kw'ɛrtʃa], Jacopo della, ital. Bildhauer, Holzschnitzer, Bronzegießer, *bei Siena vermutlich 1374, †Siena 20. 10. 1438. In der einzigartigen Verschmelzung von spätgot. Linienstil mit an der Antike geschulter Durchbildung des menschl. Körpers ist Q. neben den Florentiner Zeitgenossen L. GHIBERTI, DONATELLO u. a. der bedeutendste ital. Bildhauer des frü-

Jacopo della Quercia: Vertreibung aus dem Paradies; Marmorrelief am Hauptportal von S. Petronio, Bologna; 1425–38

hen 15. Jh. Sein Spätwerk, der Portalschmuck für S. Petronio in Bologna (1425–38, v. a. Thronende Madonna mit Heiligen, Reliefs mit Darstellungen des N. T. und der Genesis), wirkte durch die Freistellung der Figur von allem Beiwerk und die prägnante Rhythmisierung der Körper nachhaltig auf MICHELANGELO.

WW: Grabmal der Ilaria del Carretto (†1405, Marmor, Lucca, Dom); Sitzende Madonna mit Kind (1408, Marmor, Ferrara, Dommus.); Fonte Gaia, Brunnen auf dem Rathausplatz in Siena (1408 bis 1419, Marmor, Originale in der Loggia des Palazzo Pubblico); Taufbrunnen des Dombaptisteriums S. Giovanni in Siena (Entwurf seit 1417; Ausführung ab 1419 unter Beteiligung von DONATELLO und L. GHIBERTI).

C. SEYMOUR: J. d. Q. (London 1973); J. d. Q. fra Gotico e Rinascimento, Ausst.-Kat., Siena (1975).

Querẹtaro [ke-], Hauptstadt des Staates Q., Mexiko, im zentralen Hochland, 1865 m ü. M., 160000 Ew.; schönes kolonialzeitl. Stadtbild mit heute noch genutztem, fast 9 km langem Aquädukt (74 Bogen, bis 29 m hoch; 1726–1738 erbaut). Das Kloster S. Francisco (mit Kirche; 1683 umgebaut) mit Fassaden-Relief (16. Jh.) ist heute Mus. Die Kirche S. Clara hat reich geschnitzte polychrome churriguereske Retabel (2. H. 18. Jh.). Die Klosterkirche S. Rosa (18. Jh.), von F. E. TRESGUERRAS umgebaut, zeigt Wandmalereien und reich ornamentierten Turm. Das ehem. Kloster S. Augustín (18. Jh.) mit Kirche und schönem Kreuzgang ist heute Regierungspalast.

Querfurt, Stadt im Bez. Halle, Dt. Dem. Rep., 8300 Ew.; weitläufige Burganlage (12.–13. Jh., Veränderungen 16.–19. Jh.) mit roman. Kapelle, darin die Tumba Gebhards von Q. (†1383) mit Figur auf dem Deckel, ein hervorragendes Beispiel des Parlerstils in diesem Gebiet. Rathaus der Spätrenaissance (wohl 2. H. 17. Jh.).

Querfurt, August, Maler, *Wolfenbüttel 1696, †Wien 1761, ebd. seit 1743 tätig, Schüler von G. P. RUGENDAS in Augsburg. Q. malte Schlachtenbilder im Stil seines Lehrers und Landschaften mit Reiterstaffage unter Einfluß von P. WOUWERMAN.

Quergurt, Baukunst: der Gurtbogen des Gewölbes, z. B. einer Basilika, der die Pfeiler oder Säulen in der Querrichtung verbindet und damit die Joche innerhalb eines Schiffes voneinander trennt.

Querrolle, älteste chines. Bildform, entwickelte sich etwa seit der 2. H. der Zeit der Sechs Dynastien (221 bis 589) aus der alten chines. Buchform, der Papier- oder Seidenrolle, die mit dem Pinsel in vertikalen Zeilen von rechts nach links beschrieben und je nach Bedarf mit Illustrationen versehen wurde. Da man zum Malen wie zum Schreiben das gleiche Instrument, einen elast. Haarpinsel, verwendete, ist der Übergang vom illustrierten Manuskript zur Bildrolle nicht sehr groß gewesen. Die Bildrolle im Querformat wird wie ein Text von rechts nach links entrollt und gelesen, wobei der Betrachter jeweils nur einen Ausschnitt von 70 bis 100 cm vor sich hat. Das Format der Q. forderte eine fließende, bruchlose Kompositionsweise, die das Thema durch die ganze Rolle hindurch fortlaufend entwickelte. Wie die →Hängerolle wurde auch die Q. kunstvoll montiert und mit Aufschriften und Kolophonen versehen und nur zu besonderen Anlässen ihrem Aufbewahrungskasten entnommen. (BILD Wen Cheng-Ming)

In Japan sind die frühesten Beispiele Sutrenrollen, die seit dem 8. Jh. illustriert werden. Mit der Entstehung des höf. Romans im 10./11. Jh. wurde die Q. (japan. Makimono oder Emaki) als Bildform in die profane Malerei (→Yamato-e) übernommen. In den frühesten Formen sind einzelne Illustrationen in den Text eingeblendet (Monogatari-e); im späteren Typ setzt sich die Erzählung in filmartiger, ununterbrochener Szenenfolge fort. Als typ. Form des japan. Historienbildes haben sie im 13. Jh. Kriegsromane, Biographien und Legenden zum Thema. Szenenwechsel und verstrichene Zeit sind durch Nebel- oder Wolkenstreifen (Kasumi) und schräg verlaufende Wände dargestellt, durch Weglassen der Haus- oder Zimmerdecke wird der Betrachter in die Vogelperspektive versetzt. Berühmteste Beispiele: Genji-Monogatari-Emaki (1. H. 12. Jh.); Bandainagon-Emaki (Geschichte eines ehrgeizigen Höflings, in 3 Rollen, um 1150); Kitano-Tenjin-Engi (Schrein-Entstehungsgeschichte, 1219); Heiji-Monogatari-Emaki (Kriegsgeschichte, 13. Jh.).

Querschiff, Querhaus, Transeptum, in der →Basilika ein dem Langhaus im O oder W quer vorgelagerter oder dieses durchkreuzender Raum. Die Durchdringung von Q. und Langhaus ist die Vierung.

Quetzalcoatl [k'ɛtsalk'oatl], Göttergestalt Mesoamerikas, bereits in Teotihuacán belegt, von den Azteken und Maya verehrt, gleichzeitig ein historisch-myth. Priesterkönig aus Tula. Dem Namen (aztekisch ›mit Federn des Quetzalvogels geschmückte Schlange‹, bei den Maya ›Kukulkan‹ oder ›Cucumatz‹ mit gleicher Wortbedeutung) entspricht die bildl. Darstellung einer mit Federn geschmückten Schlange.

J. L. PORTILLO u. a.: Q. (a. d. Span., 1982).

Qufu [tʃ'yfu], Stadt in China, →Ch'üfu.

Quidor [kw'ɪdə], John, amerikan. Maler, *Tappan (New York) 26. 1. 1801, †Jersey City (New Jersey) 13. 12. 1881, illustrierte v. a. Erzählungen von J. F. COOPER und W. IRVING. Seine Darstellungen reichen vom Skurrilen bis zum Burlesken.

Quillwork [kw'ɪlwə:k, engl.], Verzierung (Stickerei, Applikation) mit gefärbten Stachelschweinborsten. Nordamerikan. Indianer schmückten damit Taschen, Kleidungsstücke, Pferdegeschirr u. a. aus Stoffen, Leder oder Birkenrinde.

Quilt [engl.], gesteppte, mit Applikationen geschmückte Bettüberdecke. In der aus England kommenden Technik wurden von amerikan. Siedlerfrauen im 18. Jh. aus meist geometrisch geschnittenen Stoffresten kunstvolle Decken gearbeitet. (BILD S. 119)

Quimbaya [kimb'aja], präkolumb. Völkerschaft im westl. Kolumbien (mittleres Cauca-Tal), nach der ein Regionalstil der Goldverarbeitung (400–700) benannt ist. Als Material wurde häufig →Tumbaga verwendet (meist gegossen). Hergestellt wurden Masken, Brustplatten, Kronen, Helme und flaschenförmige Gefäße

Quilt: ›Sunshine and Shadow‹, Patchwork der Amish, Pennsylvania; etwa 1900–1920 (Genf, Musée d'Art et d'Histoire)

(ohne zusätzl. Dekorationen) von ausgewogenen Proportionen und hochpolierter Oberfläche. Charakteristisch sind Hohlfiguren (im Wachsausschmelzverfahren hergestellt), die schmale Lidspalten haben wie Schlafende oder Tote.

Quimper [kɛ̃p'ɛːr], Hauptstadt des frz. Dép. Finistère, am Odet, Bretagne, 60 500 Ew. Mittelpunkt der in ihrer Ursprünglichkeit erhaltenen Altstadt ist die got. Kathedrale (13.–16. Jh.) mit reicher Innenausstattung (Grabdenkmäler und v. a. Zyklus bemalter Glasfenster des 15. Jh.). Mus. des Beaux-Arts im Hôtel de Ville mit reicher Gemäldesamml.; im ehem. bischöfl. Palast (16./17. Jh.) Breton. Volkskundemus. (u. a. Fayencen aus Q.).

Quimperlé [kɛ̃pɛrl'e], kleine Stadt im frz. Dép. Finistère, Bretagne, südöstlich von Quimper; in der altertüml. Unterstadt die ehem. Abteikirche Ste. Croix (urspr. 11. Jh., im 17. und 19. Jh. umgestaltet nach dem Vorbild der Grabeskirche in Jerusalem) mit roman. Apsis und Krypta (beide mit prächtigen Kapitellen).

Quintanilla de las Viñas [kintan'iʎa ðe las β'iɲas], Ort rd. 35 km südöstlich der span. Stadt Burgos, mit der westgot. Kirche S. María (7. Jh., Apsis und ein Teil des Querhauses erh.); der Haupttorbogen sowie die Innen- und Außenwände sind mit reicher Bauplastik überzogen (Flachreliefs mit Pflanzen- und Tiermotiven, Kapitelle mit abstrahierten Christus-Darstellungen).

Quiriguá [kiriɣu'a], Zeremonialzentrum der Maya-Kultur in SO-Guatemala, am Río Motagua (Blütezeit um 700–800). Charakterist. Skulpturen sind die aus riesigen Sandsteinblöcken gehauenen tier. Fabelwesen (›Zoomorphe‹), die ebenso wie die (bis 10 m hohen) Stelen Hieroglypheninschriften zeigen. (BILD S. 120)

Quirinal, lat. **Collis Quirinalis**, ital. **Quirinale**, nördlichster der 7 Hügel Roms; an der Piazza del Quirinale röm. Obelisk aus den Konstantinsthermen, der Palazzo della Consulta (1732–34 von F. FUGA als päpstl. Gericht erbaut; heute Sitz des ital. Verfassungsgerichtshofes) und der Palazzo del Quirinale (1574 beg., um 1740 voll.; unter Mitwirkung von F. PONZIO, D. FONTANA, C. MADERNO, G. L. BERNINI, F. FUGA), urspr. Som-

Quiriguá: zoomorphe Sandsteinskulptur

merresidenz der Päpste, seit 1870 Residenz der Könige von Italien, seit 1947 Sitz des Staatspräs.; im Inneren Rokokodekorationen und Fresken, u.a. von MELOZZO DA FORLÌ (um 1480, urspr. für die Apsis von SS. Apostoli); Gartenanlage nach Entwürfen Madernos.

Quirinus, legendärer röm. Heiliger und Märtyrer, als Volkstribun angeblich von Papst ALEXANDER I. getauft; seine Reliquien seit 1050 in Neuss; dargestellt als röm. Krieger, seit der Spätgotik als Ritter in Rüstung (Fresko in St. Goar, Pfarrkirche, um 1475). In seinen Attributen (Banner und Lanze, Schild mit 9 Kugeln) unterscheidet er sich z.T. nicht von einem anderen Q., dessen Reliquien um 760 nach Tegernsee übertragen wurden. Dessen individuelle Attribute sind jedoch noch Krone, Reichsapfel und Zepter (Meister der Tegernseer Tabula Magna, um 1440).

Quito [k'ito], Hauptstadt von Ecuador, 2850 m ü. M. in einem Hochbecken, 843 000 Ew. Die älteste Hauptstadt Südamerikas (1534 gegr.) hat trotz vieler Erdbebenschäden ihr kolonialzeitl. Gepräge bewahrt. Ältestes Bauwerk ist das Kloster S. Francisco (gegr. 1535); es war im 18. Jh. Sitz einer bed. Maler- und Bildhauerschule; heute Mus. für Sakralkunst; im schönen Kreuzgang Gemäldegal.; die Klosterkirche, ein HW der Spätrenaissance in Südamerika (Fassade), zeigt im Innern kunstvolle Schnitzereien, Stuckarbeiten, Holzdecke im Mudéjar-Stil; benachbart ist die Capilla de Catuña (Altäre und Kanzel reich geschnitzt). Die Kathedrale (1572 gew., spätere Umbauten) ist eine dreischiffige Basilika (Altäre, Gemälde); angebaut ist die Kirche El Sagrario mit zweistöckiger, von Säulen gegliederter Barockfassade. Die einschiffige Jesuitenkirche (La Compañía, 1605–1765) ist ein HW der lateinamerikan. Kolonialarchitektur mit schöner Barockfassade, reichdekoriertem Tonnengewölbe (Stukkaturen im Mudéjar-Stil), vielen vergoldeten Schnitzereien und Stukkaturen mit indian. Ornamentik. Das Kloster La Merced (gegr. 1534) hat zweigeschossigen Kreuzgang und schönen Brunnen im Atrium; die Klosterkirche (1700–34) zeigt v.a. in der barocken, goldüberzogenen Innendekoration starken indian. Einfluß. Im Refektorium des Klosters S. Domingo (17. Jh.) Stuckdecke im Mudéjar-Stil; in der einschiffigen Klosterkirche (1581–1650) die

Quito: San Francisco, gegr. 1535

prächtig ausgestaltete Capilla del Rosario, ein HW des Rokoko, Altäre und Decken mit vergoldeten Schnitzereien. Kloster S. Agustín (Gemälde, Kreuzgang um 1640, mit Kassettendecken). Nat.-Mus. für Kolonialkunst; archäolog. Mus. und Kunstgal. in der Zentralbank (Banco Central).

Qumrạn, Kumrạn, Ort am NW-Ende des Toten Meeres mit Überresten einer 68 n. Chr. zerstörten klosterähnl. Siedlung einer jüd. relig. Gemeinschaft. – In den Höhlen von Q. wurden bed. Hss. von Büchern des A. T. gefunden (2. Jh. v. Chr.–1. Jh. n. Chr.).

Quọdlibet [lat. ›was beliebt‹], →Trompe l'œil.

R

Raab, ungar. **Győr** [djø: r], ungar. Stadt westlich von Budapest, 126 400 Ew. R. war im 1.–4. Jh. röm. Siedlung **(Arrabọna),** dann awar. Festung; 896 von den Ungarn erobert. Der Dom (Bischofskirche), um 1100 erstmals erwähnt, wurde mehrfach erweitert und umgebaut, zuletzt 1639–45. Der dreischiffige, durch got. Pfeiler gegliederte Kirchenraum ist durch ein barockes Tonnengewölbe gedeckt. Auch die Ausstattung ist barock (17.–18. Jh.; Hochaltarbild und Fresken von F. A. MAULBERTSCH), die Fassade klassizistisch (1823). In der im S angebauten St. Ladislauskapelle (14. Jh.) Kopfreliquiar des Hl. Ladislaus (Anf. 15. Jh.), ein Meisterwerk ungar. Goldschmiedekunst. In der Ignatiuskirche (17. Jh., von Jesuiten erbaut, Mittelschiff 1738 barock ausgestaltet) Deckengemälde von P. TROGER; Karmeliterkirche (1721–25), Kuppelkirche über ellipt. Grundriß, mit Altarbildern von M. ALTOMONTE. Um den Dom Bürgerhäuser im Barock-, Zopf- und klassizist. Stil.

Raabs an der Thaya, Stadt in NÖ, 4200 Ew.; spätroman. Pfarrkirche (13. Jh.), im 15. Jh. mit Kreuzrippengewölben und 3 Chören umgebaut, bemerkenswert einheitliche frühklassizist. Ausstattung (nach 1774); Schloß Raabs, urspr. 11. Jh., heutiges Aussehen im wesentlichen durch Umbauten des 16. Jh.

Rab, Hauptort der gleichnamigen Insel, Jugoslawien, 1500 Ew. – Ehem. Dom im dalmatisch-roman. Stil (1177 gew.), ein dreischiffiger Bau mit halbrunden Apsiden, flacher Decke, Glockenturm mit roman. Fenstern (Chorgestühl 15. Jh., Pietà 1514); Renaissance-Andreaskirche mit barockem Altar; Dominikanerkloster; roman. Glockenturm (1181); Fürstenpalast (Knezer Dvor) aus dem 13. Jh. (im got., später Renaissance-Stil umgebaut) und Nimira-Palast (um 1400).

Rabạt, Ar-Ribạt, Hauptstadt und eine der 4 ›Königsstädte‹ Marokkos, am Atlantik, 597 000 Ew., um 1190 von den Almohaden gegr.; städtebaul. Blüte unter den Meriniden (13./14. Jh.) und Saditen (seit dem 17. Jh.). Die maler. Medina ist von einer gezinnten Almohaden-Mauer aus Bruchstein umgeben (1197 voll., 8 bis 10 m hoch) mit vielen Türmen und 5 Toren, v. a. das basteibestückte Schmucktor Bab er-Rouah mit Arabeskenrelief, Festonflechtwerk und Kufi-Schriftband. Das monumentale Schmucktor der Kasba (um 1191) aus okkerfarbenem Haustein mit gekielten Hufeisenbögen, Flechtbandwerk, Blütenarabesken und Kufi-Schriftbändern gilt als prächtigstes Beispiel almohad. Festungsbaukunst. Innerhalb der Kasba die Kasba-Moschee (1150 gegr., 1757–97 umgebaut) mit Minarett (Blendarkadendekor). In der Medina der Merinidenbrunnen (14. Jh., 3 Spitzbogenarkaden) und, in der ehem. Sultansresidenz (1672–94), das Mus. für islam. Kunst. Südöstlich der Medina die mächtige Ruine der unvollendeten Hasan-Moschee (um 1191 beg., zweitgrößte der islam. Welt). Ihr wuchtiges Minarett in Großquaderwerk, der ›Hasan-Turm‹, hat allseitig unterschiedl. vielbogige Mehrfachblendarkaden von techn. Perfektion und im Oberteil tiefeingeschnittenes Rautengitterwerk. Östlich des Zaer-Tors die ummauerte Meriniden-Nekropole Chella (1310–39 an der Stelle der röm. Stadt **Sala Colonia** erbaut) mit monumentalem Eingangstor (gekielter Hufeisenbogen, 2 achteckige

Rabat: Hasan-Turm

Basteien mit Mukarnasauskragungen in den Oberteilen), 2 Mausoleen, Moschee (Fayencemosaiken, Minarett mit Fliesendekor). R. hat ein bed. Archäolog. Mus.

Rabenden, Teil der Gem. Altenmarkt a.d. Alz im Kr. Traunstein, Oberbayern. Die spätgot. Jakobskirche (1458 gew.) birgt einen ausgezeichneten Schnitzaltar (um 1510) des nach ihm benannten Meisters von R., der dem Salzburger Umkreis zuzurechnen ist.

Rabinowitch, David, kanad. Bildhauer, *Toronto 6. 3. 1943, lebt seit 1972 in New York; konstruiert seit 1969 kompliziert errechnete Bodenskulpturen aus mehreckig geformten, zu einem unregelmäßigen Gesamtumriß zusammengefügten Platten. Seit 1975 auch ›Wandzeichnungen‹ in Gips.

D. R., Ausst.-Kat., Krefeld (1978).

Rabula-Evangeliar, illuminierte Hs. auf Pergament mit syr. Text, der 586 n. Chr. von einem Schreiber Rabula in einem nordmesopotam. Kloster vollendet wurde. Die 8 ganzseitigen Miniaturen und eine Reihe von Kanontafeln mit Porträts und neutestamentl. Szenen stammen von mehreren, anonymen Illustratoren (Florenz, Bibl. Laurenziana). Die Komposition der ganzseitigen Miniaturen (Kreuzigung, Himmelfahrt, Pfingsten u.a.) deutet auf Vorbilder der Monumentalmalerei.

Racibórz [ratsj'ibuʃ], poln. Name für →Ratibor.

Rădăuți [rədə'utsj], Stadt im Kr. Suceava, Rumänien, 24200 Ew. Der Steinbau der Nikolauskirche gilt als ältestes Baudenkmal der nördl. Moldau; er soll unter Fürst Bogdan I. um 1360 errichtet worden sein, die Vorhalle entstammt späterer Zeit. Im Innern die von Stefan dem Großen gestifteten Grabmäler der ersten Fürsten der Moldau.

Räderscheidt, Anton, Maler, *Köln 11. 10. 1892, †ebd. 8. 3. 1973, studierte in Düsseldorf, war in den 1920er Jahren einer der führenden Maler der Neuen Sachlichkeit in Köln, war 1934–49 in der Emigration, seitdem wieder in Köln. R. kam nach 1920 unter dem Einfluß der ›Valori Plastici‹ zu einem kühl verfremdenden Realismus, der um das schweigende Nebeneinander von Mann und Frau als Ausdruck der Großstadteinsamkeit kreist. Nach dem 2. Weltkrieg näherte sich R. zeitweise der abstrakten Malerei.

H. Richter: A. R. (1972).

Radfenster, kreisförmiges Fenster.

Radierung [lat. radere ›kratzen‹, ›schaben‹], auf der →Ätzung beruhende weiterführende Technik des →Kupferstichs. Der Druckträger (Kupfer- oder Zinkplatte) wird mit einem säurefesten Ätzgrund beschichtet. Darauf zeichnet der Künstler mit der Radiernadel die Darstellung, wobei er zugleich den Metallgrund freilegt. Die Platte wird einem Bad mit Salpetersäure (Scheidewasser) oder Eisenchlorid ausgesetzt. Die Säure ätzt das durch die Zeichnung freigelegte Metall und vertieft diese in der Platte. Im weiteren Verlauf der Arbeit können nach und nach einzelne Partien erneut abgedeckt und dem Zugriff der Säure entzogen werden,

Radierung: Ausschnitt in Originalgröße aus Rembrandts Radierung ›Die große Löwenjagd‹

Radierung: Rembrandt, ›Die große Löwenjagd‹, 1641

wodurch zugleich die freibleibenden tiefer geätzt werden. Aus dem Bemühen, die maler. Wirkungen zu bereichern, entstand die einen punktartigen Flächenton erzeugende Technik der →Aquatinta. Bei der →Kreide-Manier wird die feinkörnige Wirkung einer Kreidezeichnung erzeugt. Außerdem ist es möglich, die R. mit der →kalten Nadel weiter zu behandeln **(Kaltnadel-R.).** Von experimentierfreudigen Künstlern wurde die R. mit vielen techn. Veränderungen weiterentwickelt (u. a. →Vernis mou, →Glasklischee).

Geschichte. Die R. begann mit der Einätzung, v. a. der Plattner, die auf diese Weise Harnische und Waffen verzierten. D. HOPFER aus Augsburg machte als erster von solchen Ornamenten Abdrucke. Sein vor 1507 entstandenes Porträt des Kunz von der Rosen ist wohl die früheste dt. R. Auch von A. DÜRER gibt es zw. 1515 und 1518 gleiche Versuche, aber trotz allen Bemühens um einwandfreie Ergebnisse fielen auf die Dauer gesehen die Abzüge wegen zunehmender Fleckigkeit und Unschärfe nicht zu seiner Zufriedenheit aus. Ob A. ALTDORFER Eisen oder Kupfer für die Druckform benutzte, ist unsicher, zweifellos arbeiteten die Niederländer (LUCAS VAN LEYDEN) von Anfang an in Kupferplatten, wie auch die Italiener (PARMIGIANINO). Gelegentlich wurden Kupferstich und R. kombiniert (P. BRUEGEL D. Ä.). Die zunehmende techn. Verfeinerung und die Inanspruchnahme durch große Künstler hängt mit veränderten Stilvorstellungen zusammen, die in der Malerei des 17. Jh. ihren Höhepunkt fanden. Die R. kam der spontanen künstler. Aussage entgegen, v. a. des Barock mit seiner Vorliebe für Hell-Dunkel-Wirkungen und bot die Möglichkeit zum Experiment, zum mehrfachen Überarbeiten der Kupfer- oder Zinkplatte unter Benutzung versch. Werkverfahren und Zeicheninstrumente.

Radierung: OBEN F. de Goya: Aus der Folge ›Proverbios‹ (Radierung mit Aquatinta); LINKS P. Picasso: Das bescheidene Mahl, 1904

Während in Frankreich inhaltlich aufeinander bezogene Folgen entstanden (J. CALLOT), fand in den südl. Niederlanden, in der Werkstatt von P. P. RUBENS, die R. als großformatige Buchillustration Verwendung. In den nördl. Niederlanden schufen H. SEGHERS und v. a. REMBRANDT Einzelblätter von höchster Vollendung. Im 18. Jh. blieb die R. die meistbenutzte vervielfältigende Technik, aber sie stand fast völlig im Dienst der kostbar aufgemachten Reproduktion anderer Kunstwerke.

Von den bed. Künstlern haben Spezialisten wie A. WATERLOO, G. B. PIRANESI, CANALETTO und die TIEPOLOS die R. benutzt. Obwohl sie abgenutzt schien, brachte F. DE GOYA sie abermals zu einer unerwarteten Vollendung (Kopien nach Velázquez, 1781; Caprichos, 1795 bis 1798). Eine Sonderform im 18. Jh. bildet die in England entstehende Sittenschilderung (W. Hogarth), aus der sich die Karikatur entwickelte (J. Gillray, T. Rowlandson). In Dtl. hat D. Chodowiecki ein vielseitiges Radierwerk vorgelegt. Die R. gelangte in Frankreich seit den 40er Jahren des 19. Jh. zu erneutem Ansehen. R. Bresdin, T. Chassériau und C. Meryon hatten ihren Werkbestand bereits abgeschlossen, als 1862 A. Cadart die ›Société des Aquafortistes‹ gründete und zahlreiche Künstler zu interessieren begann: C. Corot, J.-F. Millet, T. Rousseau, F. Daubigny, F. Bracquemont, É. Manet, E. Degas, M. N. Whistler, A. Renoir, A. Rodin. Inzwischen war es gelungen, durch Verstählung der Kupferplatten die Auflage der Drucke zu erhöhen, die bisher bei Kupferstichen und R. bei etwa 50 Exemplaren lag.

F. S. Haden begann seine Abzüge als erster handschriftlich zu signieren. Haden vollzog damit einen Schritt auf dem Weg, der seit dem Ende des 16. Jh. verfolgbar ist, als zuerst auf R. die Namen von Künstler, Stecher und Verleger mitgedruckt wurden (→Adresse).

In Frankreich endete die Blütezeit der R. im 19. Jh. um 1890 mit F. Rops und O. Redon. Der Belgier J. Ensor und der Norweger E. Munch leiteten als Anreger in das 20. Jh. über, zu dessen Beginn P. Picasso wichtige Beiträge schuf. Sonderleistungen bilden die Werke von A. Dunoyer de Segonzac, M. Chagall, im Bereich der Farbradierung von G. Braque und J. Miró.

In Dtl. steht im 19. Jh. den wenigen Blättern A. v. Menzels kaum Gleichwertiges zur Seite. W. Leibl und K. Stauffer-Bern, dann M. Liebermann bereicherten die realist. Tradition, M. Klinger vertrat als wichtigster Exponent den Symbolismus, daraus erwuchs das Werk von Käthe Kollwitz. In Berlin wurde H. Struck die bedeutendste Autorität. Ihm verdankt außer L. Corinth, M. Liebermann und M. Slevogt auch M. Chagall entscheidende Hinweise. Ensor und Munch waren die Wegbereiter des Expressionismus. E. Nolde vermittelte die R. an die Künstler der ›Brücke‹. Das überragende Radierwerk schuf dann M. Beckmann. Im Bereich der ›Neuen Sachlichkeit‹ dominierte O. Dix, aus Erfahrungen mit dem Surrealismus entstanden die R. von E. Schlotter. (Bilder J. Callot, D. Chodowiecki, Käthe Kollwitz, C. Meryon, G. B. Piranesi, P. Picasso)

F. Hollenberg: R. (1970); M. Terapon: Die R. (Genf F. Hollenberg: R. (1970); M. Terapon: Die R. (Genf 1975); W. Koschatzky u. K. Sotriffer: Mit Nadel und Säure, 500 Jahre Kunst der R. (1982).

Radiokarbonmethode, Verfahren zur Altersbestimmung organ. Gegenstände (Holz, Knochen u. a.) der Vorgeschichte durch Ermittlung ihres Gehalts an radioaktivem Kohlenstoff (^{14}C). Dieser wird ständig durch die kosm. Ultrastrahlung aus dem Stickstoff der Luft erzeugt und gelangt von dort in Pflanzen und Tiere. In den Organismen verringert er sich im Laufe der Zeit gesetzmäßig (Halbwertszeit: 5730 ± 40 Jahre) durch radioaktiven Zerfall.

Radl, Anton, Maler, Kupferstecher, *Wien 15. 4. 1774, †Frankfurt am Main 4. 3. 1852, ebd. seit 1794 Schüler von J. G. Prestel im Kupferstechen, Radieren und Gouachemalen. Als Landschaftsmaler (v. a. Taunus-Motive) Autodidakt, bildete er sich v. a. an J. I. VAN RUISDAEL und der Beobachtung der Natur.

Radolfzell am Bodensee, Stadt in Bad.-Württ., 23 400 Ew.; gehörte 1454–1806 zu Österreich. Das spätgot. Liebfrauenmünster (1436–66) ist eine Pfeilerbasilika mit barockem Stichkappengewölbe von 1713; Rosenkranzaltar aus der Zürn-Werkstatt (1632). Ritterschaftshaus und Österr. Schlößchen (1626).

Radom, Hauptstadt der Wwschaft R., Polen, 184 000 Ew., eine frühmittelalterl. Wehrsiedlung mit spätgot. Zisterzienserkloster (15.–16. Jh.) und Kirche (1911–12 ausgebaut), in der sich eine spätgot. Figurengruppe Kreuzigung Christi (15. Jh.) befindet; Pfarrkirche, von König Kasimir d. Großen um 1360 gegr., mit spätgot. Glockenturm und Rosenkranzkapelle aus dem 15./16. Jh. (1908–09 neugotisch umgebaut); spätbarockes Piaristenkloster (1737–56, von A. SOLARI), die Kirche wurde ganz umgebaut; Rathaus mit Hauptwache (1847–48 von H. MARCONI).

Radziwill, Franz, Maler, *Strohausen (Wesermarsch) 6. 2. 1895, †Varel-Dangast 12. 8. 1983. Sein Frühwerk (1919–22) bildet eine naive Form des dt. Expressionismus, seit 1923/24 malte er i. S. einer magisch-surrealen Variante der Neuen Sachlichkeit Szenen scharf beobachteter Wirklichkeit, die ihm als Kulisse für seine Visionen diente (›Verlorene Erde‹, 1939, Frankfurt am Main, Privatsamml.).

F. R. Das Gesamtwerk, Ausst.-Kat., Berlin-West (1981).

Radzyń Chełmiński [r'adziĩ xɛłm'iĩski], Stadt in der Wwschaft Toruń (Thorn), Polen, 1500 Ew., mit Spuren einer Wehrsiedlung aus dem 6. Jh., gehörte 1231–1466 dem Kreuzritterorden. Aus dieser Zeit die z. T. zerstörte Ordensburg (1481 umgebaut), ein quadrat. Backsteinbau mit Schmuckfassade und großer Vorburg; spätgot. Pfarrkirche (14. Jh., 1587–1600 umgebaut) mit Gemälden von B. STROBEL und manierist. (1587) Kapelle; Friedhofskapelle (1285 gegr., 14./15. Jh. und 1851 umgebaut).

Radzyń Podlaski [r 'adzijm pɔdl'aski], Stadt in der Wwschaft Biała Podlaska, Ostpolen, 11 000 Ew.; barockes Schloß, eine Dreiflügelanlage (1686 gebaut, z. T. 1750–58 umgebaut) mit Schmuckfassaden und Rokokoskulpturen. Das 1944 ausgebrannte Innere wurde wiederhergestellt. Am Schloß ein Barockgarten (18. Jh.) und Orangerie (1750–58); Pfarrkirche aus der Spätrenaissance (1641).

Raeburn [r'eıbə:n], Sir (1822) Henry, schott. Maler, *Stockbridge bei Edinburgh 4. 3. 1756, †Edinburgh 8. 7. 1823, studierte 1785 in Italien; seit 1815 Mitgl. der Royal Academy in London. Er malte bes. Porträts der schott. Gesellschaft in breit und tonig gehaltener Manier (›Sir John und Lady Clerk‹, um 1790; Blessington/Irland, Samml. Sir A. Beit).

Raesfeld [r'a:s-], Gem. im Kr. Borken, NRW, 7400 Ew., mit dem imposantesten Wasserschloß des 17. Jh. in Westfalen, im wesentlichen 1643–58 im Renaissancestil erbaut; markanter Turm; Schloßkapelle mit wirkungsvoller Doppelturmfassade (1658).

Raffa|el, Rapha|el, eigtl. Raffaello **Santi (Sanzio),** ital. Maler, Architekt, *Urbino vermutlich 6. 4. 1483, †Rom 6. 4. 1520, war Gehilfe seines Vaters GIOVANNI SANTI (†1494), dann Schüler PERUGINOS, ging 1504 nach Florenz, seit 1508 in Rom, seit 1515 Bauleiter der Peterskirche und Konservator der antiken Denkmäler Roms. Er ist im Pantheon beigesetzt.

Werke. R. hat die künstler. Idealvorstellungen der Renaissance am vollkommensten verwirklicht. Sein Werk enthält darüber hinaus Ansätze zur Formensprache des Manierismus sowie Wurzeln des Barock. Das Raffael-Bild des 19. und 20. Jh. ist z. T. bestimmt durch die Idealisierung der Nazarener und Präraffaeliten.

Die Altarbilder, Madonnen und kleinen Historienbilder der Frühzeit sind noch weitgehend abhängig von Perugino. Schon in der Vermählung Mariä (1504; Mailand, Brera) ist die für R. kennzeichnende Kreisform als Mittel des rhythmisch bewegten, geschlossenen Bildaufbaus verwendet. Die Florentiner Jahre brachten die Begegnung mit der Kunst LEONARDO DA VINCIS, MICHELANGELOS, A. DEL SARTOS und FRA BARTOLOMEOS, deren Einflüsse er in souveräner Weise in seinen eigenen Stil integrierte.

Rom bot R. seine größten Aufgaben. In den →Stanzen des Vatikans gab er der Wandmalerei in vollkom-

Raffael: ›Sixtinische Madonna‹; um 1513/14 (Dresden, Gemäldegalerie, Sixtina-Saal)

Raffael: Gartenhalle der Villa Madama in Rom; beg. um 1516

mener Übereinstimmung von Thema und Form neue Lösungen. Die zuerst noch feingliedrig gefügten, vielseitig bewegten Fresken steigern den Reichtum der Motive, die Schlagkraft der Kontraste, die Gewalt des Affekts und stoßen in den Tiefenraum vor. In den Kartons zu Wandteppichen der Sixtin. Kapelle (1515/16) verdichtet sich die Erzählung mit wenigen Figuren zur Typik von Grundformeln, die für die Historienmalerei der Folgezeit verbindlich wurde. In den Deckenfresken der Villa →Farnesina bot R. einen neuen Zugang zur Darstellung antiker Sage und Mythologie (1514). Die Einheit von Bauwerk und Bild kam in der von R. geschaffenen Chigi-Kapelle mit Kuppelmosaik in S. Maria del Popolo (1515) zu glücklichster Wirkung.

Das Streben nach einer gültigen Großform bestimmt auch die Tafelbilder der röm. Zeit. Schöpfungen wie die ›Sixtinische Madonna‹ (um 1513/14; Dresden, Gemäldegal., Sixtina-Saal) haben klassisch-vorbildhafte Bedeutung erlangt. In der ›Verklärung Christi‹ (um 1510–20; Vatikan. Pinakothek) wird das Altarbild zur dramat. Historie. In ähnlich normativem Sinn behandelte R. das Porträt (Donna Velata, um 1512/13, Florenz, Palazzo Pitti; Graf Castiglione, um 1514/15, Louvre). Das Individuelle wird zum Typischen und Gültigen erhoben. Für das Gruppenbild wurde ›Leo X. mit den Kardinälen Giulio de' Medici und Luigi de' Rossi‹ (um 1518, Florenz, Uffizien) wegweisend.

In seinen letzten Jahren war R. so überlastet, daß seine Werkstatt viele der Aufträge übernahm (Loggien im Vatikan). Ein reicher Bestand von Handzeichnungen läßt die Entstehung seiner Werke, auch für die Architektur, verfolgen. Verlorene Originale sind in Stichen von M. RAIMONDI u.a. überliefert. (BILDER Groteske, Renaissance)

WW: Tafelbilder: Um 1500: Engelskopf (Brescia, Pinakothek, Fragment von einem Altarbild, ehem. in Città di Castello; 2 andere Fragmente Neapel, Gal. Nazionale di Capodimonte); Drei Grazien (Chantilly, Mus. Condé); Madonna Diotalevi und Solly (Berlin-West, Staatl. Museen); Madonna Conestabile (Leningrad, Eremitage). 1502–03: Marienkrönung (Vatikan). Um 1505: Madonna Terranuova (Berlin-West, Staatl. Museen); Madonna del Granduca (Florenz, Palazzo Pitti); Madonna Tempi (München, Alte Pinakothek); Madonna im Grünen (Wien, Kunsthistor. Mus.); Angelo und Maddalena Doni (Florenz, Palazzo Pitti). 1506/07: Madonna mit Kind und Johannes (›Belle Jardinière‹, Louvre); Grablegung Christi (Rom, Gal. Borghese). Um 1507: Hl. Katharina (London, Nat. Gal.); Madonna Colonna (Berlin-West, Staatl. Museen). Um 1508: Madonna del Baldacchino (Florenz, Palazzo Pitti). 1510/11: Kardinal (Madrid, Prado); Madonna Alba (Washington, Nat. Gal. of Art); Julius II. (Original in Nat. Gal., London, Kopie von TIZIAN, Florenz, Uffizien); Madonna di Foligno (Vatikan). Um 1513: Madonna mit dem Fisch (Madrid, Prado). Um 1514/15: Jüngling (Krakau, Mus.); Hl. Cäcilie (Bologna, Pinakothek); Madonna della Sedia (Florenz, Palazzo Pitti). 1515/16: Madonna della Tenda (München, Alte Pinakothek); Navagero und Beazzano (Rom, Gal. Doria Pamphili). 1517: Kreuztragung (Madrid, Prado).

Fresken: Um 1505–07: Trinität (S. Severo, Perugia). 1508–17: Ausschmückung der Stanzen im Vatikan. 1514: Propheten und Sibyllen, in S. Maria della Pace, Rom, und Galatea von Nymphen umgeben in der Villa Farnesina, Rom. Um 1518: Deckenbilder des Gartensaals mit der Geschichte von Amor und Psyche (Entwurf), ebd.

Bauwerke: Rom: S. Eligio degli Orefici (R. zugeschriebener Zentralbau; beg. um 1509); Villa Madama (beg. um 1516); Palazzo Vidoni (verändert); Palazzo Branconio dell'Aquila und Palast Raffaels (zerstört). Florenz: Palazzo Pandolfini (beg. um 1516). – Langhaus-Entwurf zu St. Peter, Rom.

R.s Zeichnungen, hg. v. O. FISCHEL (1913–42); ders.: R., 2 Bde. (1962); T. HETZER: Gedanken um R.s Form (²1957); L. DUSSLER: R. Krit. Verzeichnis der Gemälde, Wandbilder und Bildteppiche (1966); J. POPE-HENNESSY: R. (New York 1970); M. WUNDRAM: R. (1977); B. SANTI: R. (1979); W. KELBER: R. v. Urbino, Leben und Werk (Neuausg. 1979); F. ANTAL: R. zw. Klassizismus und Manierismus (a. d. Engl., 1980); E. KNAB u. a.: R. Die Zeichnungen (1982).

Ausst.-Kataloge zum 500. Geburtstag R.s 1983, Rom, Florenz, Wien, München, Paris, London u. a.

Raffaëlli [rafaɛl'i], Jean-François, frz. Maler, *Paris 20. 4. 1845, †ebd. 29. 2. 1924, malte, beeinflußt von den Impressionisten, mit hellen, duftigen Farben v. a. Stadtbilder und Volksszenen aus Paris, schuf später auch farbige Radierungen.

Raffet [raf'ɛ], Denis Auguste Marie, frz. Maler, Graphiker, *Paris 2. 3. 1804, †Genua 16. 2. 1860, Schüler von N. T. CHARLET und A.-J. GROS, schilderte Feldzüge, z. B. Napoleons I., in rd. 700 Lithographien, Holzschnitten und Gemälden, die sachgetreu Größe und Elend des Krieges darstellen.

Ragamala [ind. ›Girlande der Stimmungsfärbungen‹], in der ind. Malerei eine Sequenz von mindestens 36 Bildern, die sich aus 6 Ragas und 30 oder mehr Raginis zusammensetzt, wobei jedem Raga 5 oder 6 Raginis zugeordnet sind. **Raga** (dt. ›Färbung‹) meint die Färbung einer psych. Stimmung, die durch Musizierende, Gedichte, Bilder oder Kombinationen von Gedichten und Bildern dargestellt wird. Eine **Ragini** ist eine weiblich gedachte Form eines Raga. Die R.-Hss. sind in glühend reinen Farben gemalt.

ANNA L. DAHMEN-DALLAPICCOLA: R.-Miniaturen von 1475–1700 (1975).

Ragusa, ital. Name von →Dubrovnik, Jugoslawien.

Rahle, hölzernes Faltpult in Ländern des Islam, bes. zum Lesen des Korans. Die erhaltenen R. sind mit üppiger Arabeskenschnitzerei, Bemalung oder mit Elfenbein- und Perlmutterintarsien geschmückt; Stein-R. des 15. Jh. in monumentaler Größe in Samarkand (Moschee Bibi-Chanym).

Rähm *der,* bei Sparren- und Kehlbalkendächern die waagerechten Rahmenhölzer, die mit Stielen und Kopfbändern die Längsaussteifung des Dachtragwerks gewährleisten.

Rahmen, **1)** Baukunst: Rohbauskelett, bes. des Stahlbetonbaus. Ggs.: →Fachwerk. **2)** Holzbau: Konstruktionselement, meist viereckig und oft mit Zapfen verbunden (z. B. Fenster, Türen). **3)** Gemälde-R., →Bilderrahmen.

Raigern, Rajhrad, Gem. im Südmähr. Kr., ČSSR, südlich von Brünn. An der Stelle einer slaw. Burgstätte wurde im 11. Jh. ein Benediktinerkloster gegr. Die Klosterkirche wurde 1722–31 von G. SANTINI barockisiert.

Raimondi, Marcantonio, ital. Kupferstecher *bei Bologna um 1480, †ebd. gegen 1530/34, Schüler von F. FRANCIA, bildete sich u. a. nach den graph. Werken A. DÜRERS, von denen er viele in Kupferstichen kopierte. Zw. 1510 und 1527 arbeitete er in Rom v. a. nach Zeichnungen RAFFAELS.

Rainaldi, Carlo, ital. Baumeister, *Rom 4. 5. 1611, †ebd. 8. 2. 1691, Sohn und Schüler von Girolamo R. (*Rom 1570, †ebd. 1665), bereicherte den röm. Hochbarock durch die auf Oberitalien zurückgehende gehäufte Anwendung der Freisäule in reicher maler. Staffelung. Das Innere seines HW S. Maria in Campitelli (um 1663–67) in Rom ist auf kontrastreiches Kulissenspiel berechnet; wirkungsvolle städtebaul. Richtpunkte bilden das Kirchenpaar S. Maria in Monte Santo und S. Maria dei Miracoli (beide 1662 ff., von anderen voll.) auf der Piazza del Popolo und die Chorfassade mit Freitreppe von S. Maria Maggiore (um 1670 ff.); schuf auch Grabmäler (u. a. Papst KLEMENS IX., 1671, S. Maria Maggiore), Altäre, Bühnen- und Festdekorationen.

Rainer, **1)** Arnulf, österr. Maler, Zeichner, *Baden (bei Wien) 8. 12. 1929; nach Anfängen im Stil des Abstrakten Expressionismus schuf er in den 1950er Jahren Übermalungen eigener und fremder Bilder, seit 1958 (z. T. unter Drogeneinfluß) Überzeichnungen von gestisch und mimisch extremen Selbstporträts (Photographien), seit 1965 der ›Charakterköpfe‹ von F. X. MESSERSCHMIDT u. a.

2) Roland, österr. Architekt, Stadtplaner, *Klagenfurt 1. 5. 1910, baute Stadthallen in Wien (1958), Bremen (1964) und Ludwigshafen (1965); Siedlungsbauten in Wien-Mauerberg und Linz-Puchenau.

Schriften: Kriterien der wohnl. Stadt (1978); Bauen und Architektur (1980).

Raitenhaslach, Teil der Stadt Burghausen im Kr. Altötting, Oberbayern, mit ehem. Zisterzienserabtei (1143 gegr., seit 1146 in R.). Der roman. Kernbau (1186 gew.) der Klosterkirche blieb im barocken Umbau zum Wandpfeilersaal (1694–98) erh.; prunkvolle Umgestaltung im Frührokokostil 1737–43 durch J. B. ZIMMERMANN (Stuck), JOHANN ZICK (Fresken) und J. M. ROTTMAYR (Altarblätter). In den weitläufigen barocken Abteigebäuden mehrere reich dekorierte Räume. Im nahegelegenen **Marienberg** eine ehem. Pfarrkirche der Abtei (1760–64) mit prächtiger Innenausstattung in spätem Rokoko.

Raj, Rai, Ray, Rey, südl. Vorort von Teheran, Iran, das antike **Rhaga** der Mederzeit. Die Anlagen der Sassanidenzeit wurden 637 durch die Araber zerstört. Die Stadt, seit 1040 seldschukisch, wurde 1220 von den Mongolen zerstört; erhalten blieb der Grabturm Nakareh Chaneh (›Haus des Tambours‹, 1139), ein runder Ziegelbau, durch dreieckige Vorlagen sternförmig gestaltet; sein Kegeldach fehlt heute. Das Heiligtum Hazrat Abdul Azim, Grabmoschee Husains, Sohn des 8. Imams Ali Reza (9. Jh.), erhielt im 19. Jh. seine heutige Form mit hoher Trommel, starker Rundung der Kuppel und schönen Mosaiken.

Rajalilasana [Skt.], bequeme Sitzhaltung ind. Götter- und Herrscherfiguren (BILD Asana).

Rajgir, Rajagriha [-dʒ-], Ort in Bihar, NO-Indien, ehem. Hauptstadt des Königreichs Magadha z. Z. des Buddha und Sitz des 1. buddhist. Konzils, mit Resten des 40 km langen kyklop. Steinwalls sowie von Kloster- und Stupabauten seit der Mauryazeit. Der runde Ziegeltempel Maniyar Math mit Stuckfiguren des 5. Jh. belegt die Verbindung des Hinduismus mit Schlangenkulten (→Naga).

Rajhrad, Stadt in der ČSSR, →Raigern.

Rajput-Malerei [radʒp'ut-], nordind. Malerei des 16. Jh., benannt nach den Mitgl. von Königsgeschlechtern (Rajput = König), die N-Indien gegen Invasionen islam. Eroberer verteidigten und gegen die Moguln kämpften, bis sie teilweise unterworfen oder integriert waren. Sie löste weitgehend die jinist. Miniaturmalerei ab, bis sie Ende des 16. Jh. von der Mogul-Malerei absorbiert oder stark beeinflußt wurde. Die kunstfeindl. Haltung des AURANGZEB trieb viele in den Mogulateliers beschäftigte Maler an die von Hindus regierten Provinzhöfe, wo sie ihre Arbeit nach dem Geschmack des dortigen Herrschers oder Auftraggebers fortsetzen konnten. Dies führte zur Entstehung zahlreicher Malschulen. Da die Maler an den hinduist. Höfen nie oder nur selten als Person in Erscheinung traten, werden die Malstile lokalen Zuordnungen unterworfen. 3 Hauptstile sind grob unterscheidbar: 1. Rajasthani, der Stil Rajasthans, 2. Pahari, der Stil im westl. Himalaya, dem heutigen Himachal Pradesh mit angrenzenden Distrikten und 3. ein zentralind. Stil im ehem. Malwa, was etwa dem heutigen südl. Madhya Pradesh entspricht. Der rajasthan. Stil zerfällt in viele, nach Entstehungsorten oder -landschaften benannte Unterstile wie etwa Bundi, Kishangarh, Bikaner, Jaipur, Mewar und Marwar. Da in den vielen Kleinstaaten des Pahari-Gebietes jeder Herrscher die Entwicklung eines eigenen Stils zu fördern schien, entstanden u. a. die Malschulen von Basohli, Kulu, Bilaspur, Garwhal, Guler, Jodhpur und Kangra. Die meisten dieser Orte bergen noch alte Wandmalereien. Die R.-M. des 16. und frühen 17. Jh. bestechen durch reine, leuchtende Farben. Illustriert wurden v. a. das 10. Buch des Bhagavata Purana, das Ramayana, das Gedicht Gita Govinda, Ragamalas, Barahmasas und versch. literar. Abhandlungen, die den Liebhaber und die Geliebte in verschiedenste Situationen zueinander setzen. (BILDER indische Kunst)

A. L. DAHMEN-DALLAPICCOLA: Indische Miniaturen-Malerei der Rajput-Staaten (1976).

Rajshahi [radʒʃ'ahi], Provinzstadt in Bangladesh mit Univ. und bed. Samml. von Skulpturen der Pala- und Sena-Kunst (Varendra Research Society Mus.).

Rakka, Raqqa, Hauptstadt der syr. Prov. R., 37 200 Ew. – R. wurde im 8. Jh. vom Kalifen MANSUR als hufeisenförmige Stadt mit Ziegelummauerung, halbrunden Türmen und Toren angelegt (Teile erh., im Inneren Reste einer Moschee, von Palast- und Wohnbauten). R. war Lieblingssitz von HARUN AR-RASCHID; im 12. Jh. Mittelpunkt einer bed. Keramikproduktion in Lüster- und Unterglasurtechnik **(R.-Ware).**

Rakonitz, tschech. **Rakovnik,** Stadt im Mittelböhm. Kr., ČSSR, 14200 Ew., westlich von Prag; 2 Stadttore (Hohes Tor, 1519–24; Prager Tor, 1516) und die ehem. Zisterzienserkirche St. Bartholomäus aus dem 14. Jh., mit einer Sandsteinkanzel von M. REJSEK (1504) und Wandmalereien (um 1395); Rathaus (1555 bis 1580).

Rakshasa [-ʃ-, Skt.], ind. Dämonen mit fratzenhaften Zügen. Widerpart der Götter. König der R. ist →Ravana. An indones. Tempeln finden sich R. als Steinplastiken zu beiden Seiten der Tore; auch als Krisgriffe.

Raku-yaki, japan. Keramik, benannt nach dem Ehrennamen Raku des vermutlich korean. Töpfers CHOJIRO (†1592). R.-y. wird seit 14 Generationen in Kioto ohne Töpferscheibe aus porösem Scherben handgefertigt. Ihre unregelmäßige Form mit hellen, später dunklen Bleiglasuren (Rot oder Schwarz) drückt die Ästhetik der Teezeremonie und den Geist des Zen beispielhaft aus.

Rama, Ramachandra [-tʃ-, Skt.], göttl. Held des ind. Epos Ramayana, dargestellt als asket. Waldbewohner in Begleitung seines Bruders Lakshmana und seiner Gattin Sita, später auch mit →Hanuman. Als 7. Verkörperung Vishnus wird R. in der Reihe der 10 Avataras mit Pfeil und Bogen abgebildet.

Ramayana, ind. Epos über das Leben des vergöttlichten Königssohns Rama, sein Exil, die Befreiung seiner geraubten Gattin Sita mit Hilfe des Affenhelden Hanuman und seine Inthronisierung in der Vaterstadt Ayodhya. Motive des Epos wurden seit der Gupta-Zeit in Tempelreliefs dargestellt, im 8. Jh. an Pfeilerfriesen in Pattadakal und als Szenenfolge in übereinandergesetzten Friesfeldern am Kailasa-Tempel in Elura. Von den Malern der Mogul-Malerei und bes. der Rajput-Malerei ist das R. oft illustriert worden. Thai-Versionen des R., **Ramakien,** wurden mit Schattenspielfiguren (Nang) aufgeführt und in Malereien dargestellt.

Ramberg, 1) Arthur Georg Frhr. von, Maler, Lithograph, Zeichner, Großneffe von 2), *Wien 4. 9. 1819, †München 5. 2. 1875, war 1860–66 Prof. der Kunstschule in Weimar, seit 1866 der Akad. in München. Im Stil der niederländ. Malerei des 17. Jh. malte R. Genre- und Historienbilder.

2) Johann Heinrich, Maler, Zeichner, Großonkel von 1), *Hannover 22. 7. 1763, †ebd. 6. 7. 1840, war nach Studien in London (J. REYNOLDS, F. BARTOLOZZI) seit 1792 Hofmaler in Hannover; malte Allegorien, Porträts und Sittenbilder und zeichnete nach engl. Vorbild satirisch-zeitkrit. Blätter; v. a. Illustrationen.

Rambouillet [rãbuj'ɛ], Stadt im frz. Dép. Yvelines, südwestlich von Paris, 20100 Ew. Das Schloß (14. Jh.) wurde 1783 von LUDWIG XVI. gekauft und ausgebaut (heute z. T. Mus. mit Mobiliar, Wandteppichen und Wandvertäfelungen des 18. Jh.); weitläufiger Park (18. Jh.) mit Kanälen und der Meierei (›laiterie‹) der Königin MARIE-ANTOINETTE; heute ist das Schloß Sommerresidenz des frz. Staatspräsidenten.

Ramboux [rãb'u], Johann Anton, Maler, Kunsttheoretiker, *Trier 5. 10. 1790, †Köln 2. 10. 1866, schloß sich nach Studien in Paris (1807–12, J. L. DAVID) in Rom (ebd. seit 1816) den →Nazarenern an. Zu ihren bed. Bildern gehören seine Porträts, heim. und ital. Landschaften (bes. aquarellierte Zeichnungen), relig. Darstellungen und ital. Volksszenen. 1822 kehrte R. nach Trier zurück. Eine in Rom begonnene Reihe von Aquarell-Kopien nach Fresken des 13.–16. Jh. führte er bei einem 2. Italien-Aufenthalt (1832–42) fort (als graph. Folge erschienen 1853–58). Seit 1844 war R. Konservator der Wallrafschen Samml. in Köln.

Rameshvaram [-ʃ-], Küstenstadt in S-Indien, im Mythos Feldlager von Rama bei seinem Kampf gegen Ravana von Sri Lanka, heute hinduist. Wallfahrtsstätte mit ausgedehnten Tempelanlagen und Säulengängen der spätdravid. Zeit.

Ramesseum *das,* Totentempel von RAMSES II. (1290 bis 1224 v. Chr.) am W-Ufer des Nil in der Totenstadt von Theben. Der Tempel war zugleich dem Gott Amun geweiht und mit einem Königspalast verbunden. Wandbilder zeigen neben relig. auch histor. Szenen aus den Feldzügen des Pharao (u. a. Hethiterkämpfe). Im Hof stand eine Ramses-Statue, eine der größten Kolossalstatuen Ägyptens (17,5 m hoch, heute gestürzt).

Ramessiden, ägypt. Könige der 19. und 20. Dynastie (1306–1070 v. Chr.). Die R. ließen in ganz Ägypten großartige Bauten errichten, v. a. →Ramses II.

Ramirez-Vázquez [ram'ires β'askes], Pedro, mexikan. Architekt, *Mexiko 16. 4. 1919, lehrt seit 1943 ebd., baute Schulen, Wohnhäuser, Ausstellungsgebäude (Mexikan. Pavillon auf der Weltausstellung in Brüssel 1958) und Museumsbauten (Anthropolog. Mus. Mexiko, 1964 ff.). 1968 leitete er die Gesamtplanung aller Bauvorhaben für die Olymp. Spiele in Mexiko.

Ramla, Stadt in der Küstenebene von Israel, 20 km südöstlich von Tel Aviv, 30 000 Ew.; 711 vom Kalifen SULEIMAN gegr. Der 1318 erbaute Weiße Turm war urspr. das Minarett einer 716 erbauten Moschee, die Große Moschee früher eine Kreuzfahrerkirche des 13. Jh. – Nahe von R. liegt die 789 voll. Unaizija-Zisterne (Grundriß 24 × 20,5 m) mit auf 3 Pfeilerreihen gestütztem Dach (Spitzbögen, 1. Beispiel in der islam. Architektur).

Ramos [r'eɪməs], Mel (eigtl. Melvin John), amerikan. Maler, *Sacramento (California) 24. 7. 1935, vertritt eine Form der Pop Art, die dem Fotorealismus nahesteht; malte Comic-Helden, dann Pin-up-girls, oft in iron. Konfrontation mit Reklameartikeln (›Tobacco Rose‹, 1965) oder mit exot. Tieren.

ELIZABETH CLARIDGE: M. R. (1975).

Ramses II., ägypt. König (1290–1224 v. Chr.), größter Bauherr Ägyptens. Neben der Anlage einer neuen Residenz im Ostdelta des Nil (›Ramses-Stadt‹, Auaris), seines Felsgrabes im Tal der Könige und des dazugehörigen Totentempels (→Ramesseum) wurden in ganz Ägypten neue Tempel errichtet, bestehende Anlagen erweitert oder alte Denkmäler restauriert. Zu den wichtigsten erh. Bauten von R. gehören der große Felstempel von →Abu Simbel, der große Säulensaal des Amuntempels in Karnak, Hof und Pylon des Tempels von Luxor und sein Tempel von Abydos. Von den prächtigen Bauten in Memphis sind nur 2 Kolossalstatuen geblieben; die Hauptstadt im Nildelta und viele Tempel des ganzen Landes wurden mit Statuen des Königs reich versehen. In mehreren Tempeln verewigten Reliefdarstellungen die Schlacht von Kadesch und andere Episoden aus den Feldzügen des Königs. Während sein Grab z. T. zerstört und von seiner Grabausstattung nichts erh. ist, zählt das Grab seiner Gemahlin →Nefertari mit seinem farbigen Reliefschmuck zu den schönsten Denkmälern der Zeit; neben den Beamtengräbern in Sakkara und Theben sind v. a. die farbenfroh ausgemalten Gräber der Handwerker in Deir el-Medina hervorzuheben. Relief und Malerei waren am Anfang der Regierungszeit noch von hoher Qualität, die dann mit der wachsenden Quantität nachließ; immer stärker wurde das versenkte Relief bevorzugt.

Ramsey [r'æmzɪ], Allan, engl. Maler, *Edinburgh 13. 10. 1713, †Dover 10. 8. 1784, bildete sich 1735–38 in Rom und Neapel bei F. SOLIMENA, wurde 1767 Hofmaler GEORGS III. (1760–1820), schuf zuerst barock gehaltene, seit den 50er Jahren zartfarbige, sorgfältig gezeichnete Porträts (›Margaret Lindsay‹, seine Frau, um 1755; Edinburgh, Nat. Gal. of Scotland).

Ramsgate [r'æmzgɪt], Stadt in der engl. Cty. Kent an der O-Küste, 39 500 Ew., mit 1845–50 von A. W. N. PUGIN auf eigene Kosten einschließlich Kreuzgang, Sakristei und Schule errichteter neugot. Kirche St. Augustine. Gleichzeitig erbaute G. G. Scott 1847/48 die ebenfalls neugot. Christ Church.

Rancillac [rãsij'ak], Bernard, frz. Maler, *Paris 1931, war 1958–60 Mitgl. im ›Atelier 17‹ von S. W. Hayter, begann mit informellen Bildern, prägte dann mit trickfilmartigen Bilderbogen von Comic-Helden eine frz. Variante der Pop Art aus. Seit den späten 1960er Jahren malt R. marxistisch engagierte Agitationsbilder, die Photovorlagen zu plakativen Helldunkel-Kompositionen stilisieren.

Randers, Hafenstadt in O-Jütland, Dänemark, 63 100 Ew.; St.-Mortens-Kirche (15. Jh.); Heiliggeisthaus (1. H. 15. Jh., der Rest eines Klosters); Kunst-Mus. mit umfassender Samml. dän. Künstler. Die roman. Kirche von **Råsted** (frühes 12. Jh.) birgt den größten und besterh. ma. Freskenzyklus Dänemarks.

Ranftbecher, sich nach oben weitender Glasbecher mit einer dicken, facettierten oder kannelierten Fußplatte; eine bes. im Biedermeier beliebte Becherform mit geschnittenem Dekor.

Rangun, engl. **Rangoon** [ræŋg'u:n], Hauptstadt von Birma, im Irrawaddy-Delta, als Agglomeration 3,3 Mio. Ew. Die Shwe-Dagon-Pagode (›Gold-Pagode‹), die am meisten verehrte Pagode des Landes (mit Buddha-Reliquien), soll Ende 6. Jh. gegr. worden sein; heutiger Bau von 1564 (nach Erdbeben 1930 wiederhergestellt). Der mit Gold überzogene, 116 m hohe, 450 m Umfang messende Bau steht auf der Basis zweier nach den Haupthimmelsrichtungen ausgerichteter Terrassen; um die Pagode führt ein Wandelgang mit Gebetshallen, Votivstupas und Buddhafiguren in vielen ikonograph. Formen. – Die Sule-Pagode im Zentrum der Stadt, häufig restauriert, stammt aus den ersten nachchristl. Jh. – Im Nat.-Mus. u. a. kunsthistor. Gegenstän-

Rangun: Shwe-Dagon-Pagode; 1564

de, auch solche aus dem Besitz der letzten birman. Könige des 19. Jh. (1964 aus dem Victoria and Albert Mus., London, nach Birma zurückgebracht).

Ranken|ornament, allg. jede aus rankenden pflanzl. Motiven gebildete Ornamentform, z. B. der →Akanthus, die →Arabeske und die →Maureske, i. w. S. auch das Astwerk. Das R. trat früh im Mittelmeerraum auf. Es ist v. a. eine Ornamentform der Spätgotik, wo Motive heim. Pflanzen in komplizierten Verschlingungen mit Tieren und →Wilden Männern kombiniert wurden. Auch die gleichzeitig in Italien aufgekommene →Groteske ist mit R. durchsetzt. – R. sind beliebt als Dekor auf Stoffen und Gegenständen des Kunsthandwerks.

Ranson [rãs'ɔ̃], Paul Elie, frz. Maler, Graphiker, Kunsthandwerker, *Limoges 29. 3. 1861, †Paris 20. 2. 1909, gehörte zur Gruppe der Nabis, gründete 1908 eine Kunstschule **(Académie R.).** Er schuf Lithographien, phantast. Landschaften und Entwürfe für Bildteppiche, die dem Jugendstil nahestehen.

Rapha|el, ital. Maler, →Raffael.

Rapha|el, einer der →Erzengel, dargestellt mit Kreuz- oder Wanderstab, auch mit dem jungen →Tobias, in der Hand einen Fisch. Auf dem Dreikönigsschrein in Köln, Dom (1181–91), trägt R. die →Arma Christi.

Raphia, afrikan. Palmengattung mit 10–20 m langen Fiederblättern. Gewebe aus R.-Fasern werden (seit Jh. belegt) in weiten Teilen Afrikas hergestellt, bes. in einem zusammenhängenden Gebiet (v. a. Regenwald), das sich von Ghana entlang der westafrikan. Küste bis nach Angola hinzieht und im O bis zur Seenkette reicht. Isolierte Gebiete der R.-Weberei sind Sierra Leone im W und Madagaskar im SO. Heute ist reine R.-Weberei – zum Unterschied von der mit Baumwolle gemischten – nur noch selten anzutreffen. Die feinsten und künstlerisch bedeutendsten R.-Webereien sind aus Zaire, bes. von den Kuba, bekannt geworden; sie sind meist schwarzweiß oder rötlich-schwarz gefärbt, in Flechtmustern gewebt und häufig mit einer Plüschtechnik

Raphia: Kissen aus R.-Bast mit doppelköpfiger Schlange (Foumban, Bamum-Museum)

(›Kasai-Plüsch‹) veredelt; ebenfalls sehr feine R.-Gewebe, meist in gestreiften Mustern gearbeitet, kommen aus Madagaskar, bes. von den Betsimisaraka, den Merina, den Tanala und den Betsileo.

Rapperswil, Gem. im schweizer. Kt. St. Gallen, am Zürichsee, 8000 Ew.; Schloß (13.–14. Jh.), eine dreieckkige Anlage mit Palas, Uhrturm und Bergfried sowie Pfarrkirche (1491–96) in beherrschender Lage über der Stadt. Kapuzinerkloster und -kirche (1603–07). Rathaus (15. Jh.), im Ratssaal (1471) spätgot. Täfelung und Decke.

Rappoltsweiler, frz. **Ribeauvillé** [ribovil'e], Stadt (4400 Ew.) im Oberelsaß mit zahlreichen Bauwerken versch. Epochen, so die Pfarrkirche (13.–15. Jh.; 1876 erweitert; Chor rekonstruiert), die spätgot. Kirche des ehem. Augustinerklosters (14. Jh., mit z. T. barocker Ausstattung), die ehem. Katharinenkapelle des Spitals (15. Jh., heute Mus.), das Rathaus (1773; mit Samml. von silbernen Trinkgefäßen des 17. Jh.). Zahlreiche Häuser aus dem 16. und 17. Jh. prägen das Stadtbild. – Bei R. die ma. Burgruinen Rappoltstein, Ginsberg und Ulrichsburg.

Rapport [frz.], regelmäßige Wiederkehr desselben Musters auf Teppichen, Tapeten und Keramik. **Unendl. R.** nennt man Reihung von nicht in sich geschlossenen Mustereinheiten (z. B. Mäander).

Rappottenstein, Marktgem. im Bez. Zwettl, NÖ. Die Kuenringerburg R. ist eine gut erh., eindrucksvolle Anlage (beg. 12. Jh.) mit roman. Bergfried und 5 Höfen, im innersten Hof Renaissanceloggia; Kapelle im Bergfried (1378) mit Freskenresten.

Ras al-Kala Barbar, archäolog. Grabungsstelle auf den Bahrain-Inseln im Pers. Golf (KARTE Alter Orient). Dän. Archäologen legten hier u. a. einen großen Tempelbezirk (3 Baustufen) mit umlaufender ovaler Temenosmauer und dem Heiligtum auf einer Terrasse aus der 2. H. des 3. Jahrtsd. v. Chr. frei.

Raschdorff, Julius, Baumeister, *Pleß (Schlesien) 2. 7. 1823, †Wald-Sieversdorf (Mark) 13. 8. 1914, war 1854–72 Stadtbaumeister in Köln, 1878–84 Prof. der TH in (Berlin-)Charlottenburg, seit 1892 Dombaumeister in Berlin. Unter Mitarbeit seiner beiden Söhne baute R. in den historisierenden Stilformen des Neubarock.

HW: Wallraf-Richartz-Mus., Köln (1851–61, mit J. FELTEN; zerstört, Neubau 1955/56 von R. SCHWARZ und J. BERNARD nach dem früheren Grundriß); Vollendung der TH Charlottenburg (1881–84); Neubau des Berliner Doms (1894–1905).

Rasdorf, Gem. im Kr. Fulda, Hessen. Die ehem. Kollegiatsstiftskirche (1274 beg.), eine frühgot. flachgedeckte Basilika mit Stützenwechsel und achteckigem Vierungsturm, besitzt von einem früheren Bau 8 antikisierende, vermutlich karoling. Kapitelle des 9. Jh. Wehrkirchhof (um 1500) mit 4 Ecktürmen.

Rasenbilder, Scharrbilder, aus Rasenflächen ausgestochene große Figuren. Das 110 m lange Weiße Pferd von Uffington in England, dessen Farbe auf den freigelegten Kreidefels zurückzuführen ist, stammt dem

Rasenbilder, Scharrbilder: Der 55 m lange Riese von Cerne Abbas (Luftaufnahme)

Stil nach aus vorchristl. Zeit. Der 55 m lange ›Riese‹ von Cerne Abbas in der Cty. Dorset ist das Bild eines römisch-brit. Herkules aus der röm. Kaiserzeit.

Rasgrad, Razgrad, Stadt in Bulgarien, 65 km südöstlich von Russe, 35 600 Ew. Im östl. Teil von R. liegen die Ruinen der röm. Stadt **Abritus,** in deren Nähe der röm. Kaiser DECIUS im Kampf gegen die Goten 251 n. Chr. fiel. Die Ibrahim-Pascha-Moschee, eine der schönsten Moscheen Bulgariens, stammt von 1614.

Ras Schamra, Ruinenstätte von →Ugarit.

Rastatt, Stadt im Oberrhein. Tiefland, an der Murg, Bad.-Württ., 37 000 Ew.; 1705–71 Residenz der Markgrafen von Baden; Neuanlage der Barockstadt ab 1700 nach einheitl. Plan (Baumeisterfamilie ROHRER). Das 230 m lange Barockschloß (1699–1707), eine Dreiflügelanlage nach Versailler Vorbild, aber mit ital. Aufriß, besitzt hervorragende Rokoko-Stukkaturen (um 1750); das Innere der Schloßkirche Heiligkreuz (1719–23) ist von ungewöhnl. Prunk und Einfallsreichtum: über hohe Treppen zugängl. Bühnenaltar, mit Gold- und Seidenstickereien überzogene Pilaster. Einsiedelnkapelle (1715); Pagodenburg (1722, nach dem Vorbild im Nymphenburger Schloßpark). Ehem. Piaristenkolleg (1739–45). Als Prachtstraße angelegt wurde die Kaiserstraße mit 3 monumentalen Rokoko-Brunnen, der Stadtkirche St. Alexander (1756–64) und dem Rathaus (1750). Südöstlich von R. Lustschloß **Favorite** (1710 bis 1712) mit kieselverputztem Mauerwerk und erlesener Innenausstattung: einzigartige Stuckmarmorfußböden, textile Wandbespannungen, kostbare Porzellan-, Fayence- und Glas-Samml. (Mus.).

Råsted [r'ɔsteð], Stadtteil von →Randers.

Rastede, Gem. im Kr. Ammerland, Ndsachs., 17 100 Ew. In einem engl. Park liegt das frühklassizist. Schloß, ab 1756 an der Stelle eines 1643/1756 abgebrochenen ehem. Benediktinerklosters erbaut. Unter der 1059 gegr. Ulrichskirche mit Kanzel von L. MÜNSTERMANN (1612) eine roman. Krypta (um 1100); darin das an den Bremer Roland erinnernde Grabmal des Grafen Moritz von Oldenburg (†1420).

Rastenburg, poln. **Kętrzyn** [k'ɛntʃin], Stadt in der poln. Wwschaft Olsztyn (Allenstein), 2500 Ew. Die neben einer Kreuzritterburg entstandene Siedlung wurde (Ende 14. Jh.) mit Wehrmauern (z. T. erhalten) umgeben und hat got. Pfarrkirche (14. Jh. gebaut, 15./16. Jh. umgebaut). Die heute bestehende Ordensburg wurde 1370 gebaut; im 17. Jh. umgebaut, nach Zerstörungen (1945) wiederhergestellt.

Rastrelli, 1) Bartolomeo Carlo Graf (1704), russ. Bildhauer und Architekt ital. Herkunft, Vater von 2), *Florenz(?) 1675, †St. Petersburg 29. 11. 1744, war seit 1700 in Paris, seit 1716 in St. Petersburg tätig (u. a. Ausführung des Lustschlosses Strelna). Seine Bildwerke (Reiterdenkmal Peters I., 1743–44, Bronzeguß 1746, vor dem Ingenieurschloß) stehen in der Nachfolge von G. L. BERNINI und A. COYSEVOX.

2) Bartolomeo Francesco Graf, russ. Architekt ital.

Herkunft, Sohn von 1), *Paris(?) um 1700, †St. Petersburg 1771, kam 1716 mit seinem Vater nach Rußland. Seit 1736 Hofarchitekt der Kaiserin Anna Iwanowna, baute er zunächst v. a. in Kurland für Herzog E. J. Biron. Unter Kaiserin Elisabeth hat er das Stadtbild von St. Petersburg wesentlich mitbestimmt. Vom Barock Roms ausgehend, entwickelte R. eine russ. Sonderform des Spätbarock, wobei er auch österr. und süddt. Elemente verarbeitete. Er steigerte die noch verhaltenen Formen der Zeit Peters I. zu höchster Monumentalität und Prachtentfaltung. Bei meist rechteckig bestimmten Grundrißformen verstand er es, riesige Palastfronten rhythmisch zu gliedern und plastisch zu beleben. In seinen Kirchenbauten gelang es ihm, die traditionelle russ. Fünfkuppelkirche den neuen Architekturvorstellungen anzupassen.

HW: Schloß Ruhenthal (Rundal) bei Mitau (1736–40); Schloß in Mitau (1738–40); Umbau und Erweiterung von Schloß Peterhof (1747–52; →Petrodworez); Andreas-Kathedrale (1747–52, Kiew); Smolnyj-Kloster (1748–54, Leningrad); Palais Woronzow (1749–57, ebd.); Palais Stroganow (1752–54, ebd.); Großes Palais (1752–57, Puschkin); Winterpalais (1754–62, Leningrad; →Eremitage).

Rates [r'atıʃ], portug. Ort etwa 25 km nördlich von Porto, mit roman. Kirche S. Pedro (um 1100 von Heinrich von Burgund gestiftet); hervorragende Bauplastik v. a. an den figurengeschmückten Portalen, an der Außenseite der Apsiden und im Inneren (Kapitelle mit figürl. Darstellungen).

Rat für Formgebung, Abk. **RfF,** Stiftung zur Förderung der Formgestaltung, 1951 gegr.; Sitz: Darmstadt. Der RfF soll alle Bestrebungen fördern, die die bestmögliche Form dt. Erzeugnisse sicherstellen.

Ratgeb, Jerg (Jörg), Maler, *Schwäbisch Gmünd um 1480, †(hingerichtet im Bauernkrieg) Pforzheim 1526, war 1508 in Stuttgart für Herzog Ulrich von Württemberg tätig. R. malte umfangreiche Freskenzyklen im Karmeliterkloster zu Frankfurt am Main (1514–17). Sein HW ist der ›Herrenberger Altar‹ (1519; Stuttgart, Staatsgal.). – Seine Kunst setzt die naturalist. Form der Spätgotik in einen expressiven Manierismus um. In seinem Werk sind Einflüsse von H. Holbein d. Ä. und bes. von H. Baldung, die Kenntnis der Bilder M. Grünewalds und der oberital. Kunst (A. Mantegna, V. Carpaccio) spürbar. (Bild S. 141)

WW: Katharinenaltar (1510; Schwaigern bei Heilbronn, Stadtkirche).

W. Fraenger: J. R. (^{2}1981).

Ratha [Skt.], hölzerner ind. Tempelwagen mit reichen Schnitzereien, der bei Prozessionen die Götterfiguren trägt. Davon abgeleitet wurden steinerne Tempel als R. bezeichnet (monolith. R. in Mahabalipuram).

Rathaus, Gebäude zur Unterbringung der Gemeindeverwaltung und der städt. Ämter, i. e. S. des Bürgermeisteramtes.

Geschichte. In der grch. Antike wurden bereits eigene Gebäude für die Ratsversammlungen der Städte errichtet (Buleuterion), aus hellenist. Zeit sind v. a. R. in Milet und Priene erh. Die Römer nannten Gebäude mit ähnl. Funktion Curia. Vorbild war die Curia am Forum

Jerg Ratgeb: Geißelung Christi, aus dem Herrenberger Altar; 1519 (Stuttgart, Staatsgalerie)

in Rom, von CAESAR beg., von AUGUSTUS 29 v. Chr. voll.

Im MA. errichteten die Städte ihre R. gewöhnlich an den Marktplätzen. Um die Mitte des 12. Jh. ist in Italien ein bestimmter R.-Typ bereits voll ausgebildet: zweigeschossig, offene Halle im Erdgeschoß (Gerichts- oder Markthalle), Ratssaal im Obergeschoß, Balkon oder Altan, auch Erker (für Ansprachen), Uhr und Turm, so u. a. in Orvieto (beg. um 1157, Turm 13. Jh.), Florenz (Palazzo Vecchio, 1298–1314).

In Dtl. entwickelte sich ein ähnl. Grundtyp: Köln (14.–16. Jh.), Tangermünde (1430–80), Leipzig (1556 ff.), Schwäbisch Hall (1732–35). Andere ma. R. wuchsen aus mehreren Einzelgebäuden zusammen, z. B.: Lübeck (13.–15. Jh.), Regensburg (14.–15. Jh.), Breslau (2. H. 13. Jh.), Frankfurt a. M. (›Römer‹, 15. bis 19. Jh.). Aus Renaissance und Barock, aber z. T. auf älterer Grundlage, stammen als bedeutendste Anlagen die R. in Rothenburg o. d. T. (1570–78), Heilbronn (1579–82), Paderborn (1613–20), Augsburg (1615–20), Nürnberg (1616–22).

Stattl. R., z. T. mit hohen Türmen (Beffroi) und oft dreigeschossig, wurden v. a. in den niederländ. Städten gebaut: in Brügge (14./15. Jh.), Brüssel (1402–49), Löwen (1448–63) u. a. Sie wirkten bes. auf die R. des Deutschordensgebietes: Danzig (Rechtsstädt. R., 14. bis 16. Jh.), Thorn (14. Jh.). Im 19. und 20. Jh. wurden neue große R. in meist histor. Stilen errichtet: in München (1867–74 und 1899–1908), Wien (1872–83), Paris (1874–82), Hamburg (1886–97) u. a. Bed. Werke der modernen Architektur sind die R. in Stockholm von R.

ÖSTBERG (1911–23), Hilversum von W. M. DUDOK (1931) und Mainz von A. JACOBSEN (1968–74).

Rathenow [-o], Stadt im Havelland, Dt. Dem. Rep., 32 500 Ew., Altstadt 1945 stark zerstört. Von der spätroman. Pfarrkirche (um 1200, 15. und Anf. 17. Jh. erneuert) wird nur das Langhaus benutzt; im Innern bed. spätgot. Flügelaltar (Mitte 15. Jh.); in der Neustadt mehrere barocke Bürgerhäuser (1. H. 18. Jh.) erh.

Ratibor, poln. **Racibórz** [ratsj'ibuʃ], Stadt in der poln. Wwschaft Katowice (Kattowitz), an der Oder, 51 000 Ew., mit z. T. erhaltener Backstein-Stadtmauer (um 1300) mit Turm (1574–90). An der Stelle einer alten Burg ein got. Schloß (13. Jh., mehrfach ausgebaut) mit Kapelle (1281–87), welche die vielen Umbauten der Burg unberührt überstanden hat; Pfarrkirche mit got. Presbyterium (um 1300) und Halle aus dem 15. Jh.; ›Poln. Kapelle‹ (1426–46); Dominikanerkirche mit spätgot. Halle aus dem 14. Jh. (1637–55 umgebaut, Fassade von 1874).

Ratingen, Stadt bei Düsseldorf, NRW, 89 000 Ew., ehem. Hansestadt. Im got. Hallenlanghaus der Pfarrkirche (vor 1300) sind 2 roman. O-Türme (2. H. 12. Jh.) eingebaut, W-Turm um 1230/40, großer neugot. Erweiterungsbau 1892; im Kirchenschatz bed. Turmmonstranz (1394). Das ›Haus zum Haus‹ (14./16. Jh.) ist eine rechteckige, viertürmige Wasserburg; Haus Cromford (1784) im Louis-seize-Stil. Reformierte Kirche (1667–87). Im ehem. Rathaus (1751) das Städt. Mus. (u. a. Arbeiten des Porzellanmodelleurs J. P. MELCHIOR).

Rationale Architektur, Begriff der Architekturtheorie, der Bemühungen von Architekten der Zeit nach dem 2. Weltkrieg kennzeichnet, die Architektur als eigenständige Wissenschaft zu betrachten, die dem Verständnis der Baugeschichte und der Lösung neuer Planungsaufgaben dient. Die Grundlagen der R. A. bilden Schriften des frz. Architekturtheoretikers J.-N.-L. DURAND, der russ. Konstruktivismus der nachrevolutionären Jahre, der Funktionalismus der Bauhaus-Bewegung, die niederländ. Gruppe De Stijl und Erkenntnisse der ›Ital. Bewegung für R. A.‹ (Ausstellungen 1928 und 1931 in Rom; Veröffentlichungen des ›Gruppo 7‹ in der Ztschr. ›Rassegna Italiana‹ von Dez. 1926 bis Mai 1927).

Durch den ital. Architekten A. →Rossi, in den 60er Jahren theoretisch umrissen, wird der Begriff der R. A. erstmals in einem Begleitband zur XV. Mailänder Triennale (›Architettura razionale‹, hg. v. E. BONFANTI u. a., Mailand 1973) formuliert. Die R. A. will durch das Wissen um Grundregeln und Urformen des Bauwesens Rückschlüsse auf eine zeitgemäße Bauplanung ziehen und durch Verwendung von Archetypen (Flächen, Öffnungen, Säulen, Haus- und Grundrißtypen, Achsen und Symmetrien) die Kontinuität von Baugeschichte gewährleisten. Die Verschiedenartigkeit von Planungen der Architekten, die sich zu einer R. A. bekennen, verhindert die Darstellung einheitl. Grundregeln.

A. ROSSI: Die Architektur der Stadt (a. d. Ital., 1973); Rational Architecture Rationelle, hg. v. L. KRIER (Brüssel 1978); The Rationalists, hg. v. D. SHARP (London 1978).

Rattenberg, Stadt am unteren Inn, Tirol, Österreich, 600 Ew.; gut erh. maler. Straßenbild mit spätgot. und Renaissancehäusern. Die Pfarrkirche, eine spätgot. zweischiffige Halle (1507 gew.), wurde um 1730 mit reichen Stukkaturen und hervorragenden Fresken barock umgestaltet; Holzplastiken am Hochaltar von M. GUGGENBICHLER (1718). Die Servitenkirche, 1384 als Augustinerkirche gegr., ist ein Neubau von D. F. CARLONE (1707–09); im nördlich anschließenden spätgot. Kreuzgang originelle Gewölbe in gut erh. Farbigkeit (Ende 15. Jh.), spätgot. Hoferkapelle (1498 gew.) und barocke Ecce-Homo-Kapelle (1707). Burgruine (13. Jh.).

Ratzeburg, Stadt in Schlesw.-Holst., 12500 Ew., z. T. auf einer Insel im Ratzeburger See gelegen; 1149 bis 1554 Bischofssitz, 1296–1689 zeitweilig Residenz der Herzöge von Sachsen-Lauenburg. Der roman. Backsteindom (1170–1220) mit ehem. Prämonstratenser-Domkloster (13. Jh.), eine gewölbte Pfeilerbasilika, hat nach S eine wirkungsvolle Schauseite mit Vorhalle; Teile des roman. Chorgestühls (um 1200) erh., spätroman. Triumphkreuz (um 1260); prächtige geschnitzte manierist. Emporenloge der Herzöge von Lauenburg (1637); zahlreiche Epitaphe; der ehem. Hauptaltar (1629) ist ein HW des norddt. manierist. Knorpelstils, Kanzel (1576). Roman. Kirche auf dem St. Georgsberg (13. Jh.). Die Stadtkirche St. Petri (1787–91) ist ein typ. protestant. Predigtsaal mit umlaufenden, zweigeschossigen Emporen. Am Markt einheitl. Bebauung des 18./19. Jh. Schloßartige, dreiflügelige Dompropstei (1764–66) mit stuckierten Rokokoräumen. Ernst-Barlach-Gedenkstätte.

Rauch, 1) Christian Daniel, Bildhauer, *Arolsen 2. 1. 1777, †Dresden 3. 12. 1857, arbeitete im Atelier von G. SCHADOW in Berlin. In Rom (1805–18 mit Unterbrechung) schloß er sich B. THORVALDSEN an (auch Einfluß von A. CANOVA). 1811–15 entstand sein bed. Sarkophag der Königin Luise (Berlin, Mausoleum im Park von Schloß Charlottenburg). Seit 1819 hielt sich R. ständig

Christian Daniel Rauch: Sarkophag der Königin Luise im Mausoleum im Park von Schloß Charlottenburg, Berlin-West; 1811–1815

in Berlin auf (gemeinsame Werkstatt mit C. F. TIECK; mit K. F. SCHINKEL Ausführung der 12 Schlachtengenien für das Kreuzberg-Denkmal). J. W. v. GOETHE widmete er eine Marmorbüste (1820), eine Statuette (1823 bis 1824) und die Statue ›Goethe im Hausrock‹ (1828). Nach den Standbildern für G. v. Scharnhorst und F. W. Graf Bülow v. Dennewitz (1819–22; Berlin, vor der Neuen Wache) und L. v. Blücher (1826; ebd., 1950 entfernt, 1962 Scharnhorst und Blücher wieder aufgestellt) entstanden weitere Denkmäler in ganz Dtl. (u.a. das Max-Joseph-Denkmal, 1835; München). Die letzte Schaffenszeit (1840–57) begann mit dem Denkmal für Friedrich d. Gr. (1839–51; Berlin, Unter den Linden, nach dem 2. Weltkrieg im Park von Schloß Sanssouci, seit 1981 wieder am alten Ort); ihm folgten die Grabfiguren für Friedrich Wilhelm III. (1846; Berlin, Mausoleum im Park von Schloß Charlottenburg), Königin Friederike (1842) und Ernst August von Hannover (1855, beide Herrenhausen, Mausoleum) und Standbilder für L. Yorck v. Wartenburg und A. W. A. v. Gneisenau (1855; Berlin, vor der Neuen Wache).

In Berlin begründete R. eine richtungweisende Bildhauerschule (Schüler: E. RIETSCHEL, A. WOLFF, F. DRAKE, A. KISS, G. BLAESER, B. AFINGER, R. SIEMERING, R. BEGAS). Seine Kunst verband den Wirklichkeitssinn Schadows mit dem Klassizismus Thorvaldsens. Sein idealistisch überhöhter Realismus bestimmte das im Denkmal des 19. Jh. sichtbare Menschenbild.

C. D. R., Ausst.-Kat., Berlin (1957); JUTTA V. SIMSON u. F. MIELKE: Das Berliner Denkmal für Friedrich II. (1976); W. VOMM: Reiterstandbilder des 19. und frühen 20. Jh. in Dtl. (1979). – Weitere Lit.: →Berliner Bildhauerschule.

2) Hans Georg, satir. Zeichner, *Berlin 21. 6. 1939, arbeitet für zahlreiche Zeitschriften, u.a. für ›Die Zeit‹, den ›Spiegel‹. In seinen Arbeiten rückt R. mittels Perspektive, Auf- und Untersicht seinen meist polit. Gegenstand auf Distanz, um die Absurdität der Zustände zu entblößen. Veröffentlichte ›Rauchzeichen‹ (1971), ›Schweigende Mehrheit‹ (1975), ›Schlachtlinien‹ (1977), ›Zeitzeichen‹ (1983).

Rauchfaß, Rauchpfanne, Räuchergefäße, Behälter für kult. Räucherungen (Inzensation); in den christl. Liturgien nach KONSTANTIN D. GR. als stehende oder tragbare Schalen aus Bronze oder Messing ausgebildet, in denen ein kleines Kohlenbecken Platz hat, mit einem Deckel, durch den der Weihrauch aufsteigt. Das tragbare R. (lat. Thuribulum) wird an 3 Ketten geschwenkt. Seit der Romanik wird es mit reicher Ornamentik verziert und architektonisch oder kugelförmig ausgebildet. Meisterwerke entstanden im Rhein-Maas-Gebiet (→Maaskunst), so das R. des REINER VON HUY mit der Darstellung der drei Jünglinge im Feuerofen auf dem Deckel (um 1160–65; Lille, Palais des Beaux-Arts) und das R. des GOZBERTUS aus dem frühen 12. Jh. (Trier, Domschatz), dessen figürl. Schmuck auf alttestamentl. Rauchopfer anspielt (Abel, Melchisedech, Abraham). Nach der Blütezeit im MA. wurde unter dem Einfluß des Barock die urspr. Form des R. aufgegeben, es wurden Vasen, Urnen u.ä. Formen, im 19. Jh. v.a. historisierende Formen geschätzt. (BILD S. 145)

Rauchfaß,
Bronze vergoldet, Höhe 19,5 cm; 15. Jh. (München, Bayer. Nationalmuseum)

Rauchmiller, Rauchmüller, Matthias, Bildhauer, Maler, Baumeister, *Radolfzell 11. 1. 1645, †Wien 15. 2. 1686, war in seiner Wanderzeit wohl in den Niederlanden, seit 1676 in Wien und von hier aus auch für Liegnitz, Breslau und Passau tätig. Sein Terrakotta-Bozzetto für den Hl. Nepomuk auf der Karlsbrücke in Prag ist das Urbild der in ganz Europa verbreiteten Darstellungen des Brückenheiligen. Wie G. PETEL empfing R. als Bildhauer entscheidende Anregungen von P. P. RUBENS und seinem Kreis; sie zeigen sich auch in seinen Malereien, die den Anfang der hochbarocken Deckenmalerei bedeuten.

HW: Holzkruzifix (1669; Mainz, Dom); Grabmal K. v. Metternich (um 1675; Trier, Liebfrauenkirche); Grabmäler O. Pestaluzzi und A. v. Arzat (1678; Breslau, Magdalenenkirche); Piasten-Mausoleum (voll. 1678; Liegnitz, Johannespfarrkirche, mit 4 Alabasterfiguren); Terrakotta-Bozzetto des Hl. Nepomuk (1681; Prag, Nat.-Gal., nach diesem das von J. BROKOFF 1682 geschnitzte Gußmodell für die Bronzefigur auf der Karlsbrücke); Gesamtentwurf und 3 Engel für eine Pestsäule (beg. 1682; Wien, am Graben). – HW in Elfenbein: Bacchantenhumpen (1676; Wien, Samml. Liechtenstein). – Wandmalereien in Passau (Dom) und Wien (Dominikanerkirche).

Matthias Rauchmiller: Bacchantenhumpen; Elfenbein, 1676 (Wien, Samml. Liechtenstein)

Raudnitz an der Elbe, tschech. **Roudnice nad Labem** [r'ɔudnitsɛ n'adlabɛm], Stadt im Nordböhm. Kr., ČSSR, 14500 Ew. An der Stelle einer ma. Burg entstand 1652–84 Schloß Lobkowitz (heute Mus. mit Gemäldegal.; Bibl.). Erwähnenswert ist die ma. Steinbrücke über die Elbe und das 1333 gegr. Augustinerkloster mit Kirche (nach einem Brand 1676 von O. BROGGIO 1725–50 umgebaut); im Kreuzgang Wandmalereien (14. Jh.).

Rauhbewurf, erste, nur flüchtig geglättete, meist mit gröberen Zuschlagstoffen versehene Schicht des Putzes. Der R. muß vor Auftrag des Feinputzes (Intonaco) fest geworden sein, er speichert die nötige Feuchte.

Rauma, schwed. **Raumo,** Hafenstadt in SW-Finnland, 30500 Ew.; gut erh. altes Stadtbild mit vielen Holzhäusern; Ruine der Dreifaltigkeitskirche (14. Jh.); die Heiligkreuzkirche (15. Jh.) aus Feldstein mit Dekkenfresken war die Kirche eines 1538 aufgehobenen Franziskanerklosters. Im Alten Rathaus (1776) Mus.

Rauschenberg [-bə:g], Robert, amerikan. Maler, Graphiker, Happening-Künstler, *Port Arthur (Texas) 22. 10. 1925, schuf in seinen →Combine-Paintings Grundlagen einer über die Malerei hinausgehenden neuen Bildgattung, die auch freistehende Objekte einschließen kann (›Monogram‹, 1955–59; Stockholm, Modernes Mus.). Durch die Einbeziehung realer Gegenstände, meist Abfallprodukte, versachlichte er schon Mitte der 1950er Jahre die expressive Gestik des Action-Painting und wurde formal wie ikonographisch bahnbrechend für die Pop Art; gestaltete auch Collagen, Assemblagen, Objekte aus Karton.

G. Adriani: R. R. (1979).

Rauschgelb, Maltechnik: →Auripigment.

Rautenfries. Baukunst: →Fries, v. a. der Romanik und des anglo-normann. Stils.

Rautenstrauch-Joest-Museum, völkerkundliche Samml. in Köln, gegr. 1901, eine der bedeutendsten völkerkundl. Sammlungen der Bundesrep. Dtl. Die Samml. geht auf den Ethnographen W. Joest und das Ehepaar Rautenstrauch zurück. Joest stiftete seine Samml. 1898 der Stadt Köln, Rautenstrauch ließ 1904 bis 1906 ein eigenes Gebäude (Wiederaufbau nach Kriegszerstörung 1967 abgeschlossen) errichten; Gegenstände aus den Kulturen aller Erdteile.

Ravana [Skt.], ind. Dämonenkönig mit 10 Köpfen, bisweilen einem zusätzl. Pferdekopf obenauf. Nach dem Epos Ramayana entführte er Ramas Gattin Sita nach Lanka, wofür er von Rama getötet wurde. In shivait. Reliefs wurde R. kniend unter dem Berg Kailasa dargestellt, den er vergebens zu erschüttern versuchte (Ravananugrahamurti in Elephanta, Elura u. a.).

Ravanica [-tsa], Klosterkirche (14. Jh.) in der Nähe von Čuprija, Jugoslawien, im Tal der Morawa. Die Kirche in der Form eines grch. Kreuzes mit 5 Kuppeln ist von einer Verteidigungsmauer umgeben; Fassaden aus Haustein und Ziegelreihen mit reichem plast. Ornament; im Innern Fresken (1385 voll.)

Ravello, Stadt in der Prov. Salerno, Italien, auf der Halbinsel Sorrent, 2400 Ew. – Dom (gegr. 1086, im Barock verändert) mit Bronzetür von Barisanus von Trani (1179), Ambo (1130) und reichgestalteter Kanzel mit Marmorinkrustation und Mosaik (1272); Kirche S. Giovanni del Toro (urspr. 11. Jh.; Kanzel mit Mosaik- und Freskenverzierungen, 12. Jh.); in einem Park der auf das 11. Jh. zurückgehende Palazzo Rufolo mit Säulenhof im sizilianisch-sarazen. Stil.

Ravengiersburg, Gem. im Rhein-Hunsrück-Kr., Rheinl.-Pf., 400 Ew. Die ehem. Augustinerchorherren-Stiftskirche (1074 gegr.) besitzt eine hochbedeutende spätroman. Doppelturmfassade (12./13. Jh.); das spätgot. Langhaus (1487–97) wurde 1708–11 vereinfacht wiederhergestellt. Barocker Hochaltar 1722.

Ravenna, ital. Stadt und Erzbischofssitz südlich des Po-Deltas, 138 600 Ew.; Sitz einer Kunstakad. (mit Pi-

Ravenna: Mausoleum der Galla Placidia; 2. Viertel des 5. Jh.

nakothek). R. war ab 402/04 Kaiserresidenz und Hauptstadt des weström. Reiches, ab 494 Königstadt der Ostgoten, ab 540 Sitz des byzantin. Statthalters in Italien, wurde 751 von den Langobarden erobert. Aus seiner Blütezeit im 5. und 6. Jh. ist R. an Mosaiken der frühchristlich-byzantin. Kunst so reich wie keine andere Stadt. Im 2. Viertel des 5. Jh. wurde das Mausoleum der →Galla Placidia errichtet (ehem. ein Anbau an die Vorhalle der kreuzförmigen Kirche S. Croce), ein kleiner schlichter Backsteinbau über grch. Kreuz, im Innern mit farbig leuchtenden Mosaiken auf allen Gewölbezonen. Etwas später entstanden die Mosaiken, mit denen der achteckige, kuppelüberwölbte und mit Stuckplastik versehene Innenraum des Dombaptisteriums (Baptisterium der Orthodoxen, BILD Baptisterium; erbaut Ende 5. Jh. zus. mit dem Dom) geschmückt ist, sowie um 500 das Baptisterium der Arianer, ebenfalls mit Mosaiken (v. a. Kuppelmosaik mit Taufe Christi). Anfang des 6. Jh. ließ König Theoderich die Kirche S. Apollinare Nuovo erbauen, einen Backsteinbau mit rundem Campanile (aus dem 11. Jh.), innen dreischiffig mit korinth. Kapitellen und Kämpfern über Marmorsäulen; die Mosaiken an den Langschiffen, in 3 Zonen gegliedert, stellen Prozession von Märtyrern und Jungfrauen, darüber Propheten und Heilige und im obersten Streifen das Leben Christi dar. Nahe der Kirche liegt im Areal des ehem. Palastes des Theoderich der Westteil der zerstörten Kirche S. Salvatore in Calchi (gen. Palast des Theoderich). Am N-Rand der Stadt das Grabmal Theoderichs, zu seinen Lebzeiten errichtet; der Bau aus Muschelkalkquadern (größter Durchmesser und Höhe 14,10 m) besteht aus zehneckigem Sockel und Obergeschoß, darüber ein Zylinder mit Kuppel aus einem einzigen Stein.

Die Kirche S. Vitale, 527 beg., 547 gew., ist ein komplizierter Umgangszentralbau aus Backsteinen mit glanzvollem Inneren: 8 innere Pfeiler tragen Bogen, die sich zu doppelgeschossigen Umgängen öffnen; die Pfeiler sind mit farbigem Marmor verkleidet; Marmorsäulen tragen z. T. durchbrochen gearbeitete Kapitelle; der reiche Mosaikschmuck gibt u. a. Szenen aus dem A. T. sowie Kaiser Justinian und Kaiserin Theodora mit Gefolge wieder. 5 km südlich der Stadt liegt die Kirche S. Apollinare in Classe (549 gew.), eine sehr große dreischiffige Basilika mit rundem Campanile (Ende 10. Jh.); im Innern gut erh. Mosaiken der Apsis und des Triumphbogens und frühchristl. Sarkophage (v. a. 12 Apostel- und Theodorus-Sarkophag). Im Erzbischöfl. Mus. die Erzbischöfl. Kapelle (Oratorio S. Andrea) mit Mosaiken des frühen 6. Jh. und v. a. die Kathedra des Erzbischofs Maximian (BILD Elfenbeinschnitzerei), ein mit Elfenbeinreliefs des 6. Jh. verkleideter Bischofssitz. Der urspr. Bau des Doms, eine fünfschiffige Basilika, geht auf das Ende des 4. Jh. zurück (1733 abgerissen, danach neu gebaut; im Innern Marmorkanzel des AGNELLUS, urspr. 6. Jh.). An der Kirche S. Francesco Erinnerungskapelle (1780) mit Grabmal Dantes. Im Nat.-Mus. reiche Samml. v. a. frühchristl. und ma. Kunst (Elfenbeinarbeiten, Ikonen, Fragmente der originalen Farbverglasung von S. Vitale und S. Apollinare Nuovo). BILD frühchristliche Kunst

F. W. DEICHMANN: R., 1 (1969); 2, I (1974); 2, II (1976); 2, III (in Vorbereitg.); 3 (Neudr. 1969).

Ravensburg, Stadt in Bad.-Württ., 42 300 Ew., ehem. Reichsstadt, im MA. reiche Handelsstadt, hat gut erh. Ortsbild mit zahlreichen Toren und Türmen des 14. Jh., got. Rathaus, Kornhaus und Waaghaus (alle 15. Jh.), Brotlaube mit Erdgeschoßhalle (1625) und 4 got. Sakralbauten: Liebfrauen- oder ›Obere Kirche‹ (2. H. 14. Jh.) mit ausgezeichneten Glasgemälden von 1515; St. Jodok oder ›Untere Kirche‹ (1385 gew.), Pfeilerbasilika; ehem. Karmeliten-, jetzt evang. Stadtkirche (1349 gew.) mit Bronzegrabmälern (15.–18. Jh.); Spitalkapelle (1498 gew.), ein Zentralbau mit Netzgewölbe auf Mittelsäule. Städt. Mus. (bürgerl. Wohnkultur) im ›Vogthaus‹ (z. T. originelle Holzdecken, 15. Jh.).

Ravesteyn [r'avəstɛjn], Jan Antonisz. van, holländ. Maler, *Den Haag um 1570, begraben ebd. 21. 6. 1657, schuf viele repräsentative, meist lebensgroße Porträts von angesehenen Persönlichkeiten seiner Zeit.

Rawak, buddhist. Klosterstadt im NO von Khotan in der autonom. chines. Region Sinkiang. Bedeutendstes Bauwerk (3.–7. Jh.) ist der in seiner Basis runde Stupa (∅ 9,50 m) im Zentrum der polygonalen Anlage, auf einem dreistufigen, quadrat. Terrassensockel errichtet. An allen 4 Seiten führen Treppen hinauf, so daß ein kreuzförmiger Grundriß entsteht, vergleichbar dem Dharmarajika-Stupa im Taxila-Gebiet. Funde von Stuckplastik und Malerei sind Beispiele für die iranisch-buddhist. Mischkultur.

G. GROPP: Archäolog. Funde aus Khotan (1974).

Ray [reɪ], Man, amerikan. Maler, Photograph, *Philadelphia 27. 8. 1890, †Paris 18. 11. 1976, gehörte zur New Yorker Dadaistengruppe, lebte 1921–40 in Paris, wo er sich 1925 den Surrealisten anschloß, dann in Kalifornien und seit 1951 wieder in Paris. Als einer der ersten erschloß er mit seinen seit 1920 entstandenen Photomontagen und Photogrammen (›Rayographs‹) der modernen Kunst neue Ausdrucksmittel. Seine surreal (durch Verpackung, Vernagelung usw.) verfremdeten Objekte nehmen Entwicklungen der 1960er Jahre vorweg. – R. schrieb: ›Selfportrait‹ (1963; dt.).

SARANE ALEXANDRIAN: M. R. (a. d. Frz., 1973); J.-H. MARTIN: M. R. Photograph (a. d. Frz., 1982).

Rayonismus [rɛjɔn-, von frz. rayon ›Strahl‹], **Lutschismus** [russ. lutsch ›Strahl‹], von M. F. LARIONOW 1910–14 entwickelte Richtung der Malerei im vorrevolutionären Rußland, die vom Primitivismus ausging und Anregungen des Kubismus und Orphismus weiterverarbeitete. Die Bilder zeigen strahlenförmige Lichtbündel in leuchtenden Farben und bilden eine Frühform abstrakter Malerei.

Rayski, Louis Ferdinand von, Maler, *Pegau (Sachsen) 23. 10. 1806, †Dresden 23. 10. 1890, lebte nach Studien ebd. 1834/35 in Paris, seit 1839 in Dresden. Eindrücke der holländ. und engl. Porträtkunst wie der frz. Malerei (E. DELACROIX, P. DELAROCHE) förderten die rasche Entwicklung eines maler. Realismus. Als seine Porträts, Jagd- und Tierbilder, auch einige Landschaften Anf. des 20. Jh. bekannt wurden, erkannte man in ihm einen Vorläufer des Impressionismus.

HW: General v. Leysser (1834; Dresden, Gemäldegal.); Schloß Purschenstein (1840; ebd.); Graf Zech (1841; ebd.); Minna v. Rayski (1843; ebd.); Domherr v. Schroeter (1843, 1945 ebd. verbrannt); Haubold Graf v. Einsiedel (1855; Berlin-West, Staatl. Museen); Selbstporträt (1855; Weimar, Staatl. Kunstsamml.); Waldinneres (1859; Dresden, Gemäldegal.); Max v. Fabrice (um 1860; Köln, Wallraf-Richartz-Mus.); Christine v. Schönberg (1864; Berlin-West,

Rayonismus: Michail Larionow, ›Blauer Rayonismus‹, 1912 (Privatbesitz)

Re

Staatl. Museen); Inspektor Schneider (1876; Mannheim, Kunsthalle).

Raysse [ra'is], Martial, frz. Maler, Objektkünstler, *Golfe-Juan (heute zu Vallauris, bei Nizza) 12. 2. 1936, war Mitbegründer des Nouveau Réalisme (1960), dessen Parallelität zur angloamerikan. Pop Art er am deutlichsten belegt. Seine Bildmotive, reale Gegenstände und Leuchtröhren, die er zu plakativen Assemblagen montiert, entstammen v. a. der Konsumwelt und Werbung oder spiegeln die Technologie des künstl. Lichts wider. In den späten 1970er Jahren entwickelte R. eine tachistisch wirkende, scheinbar naive Figurenmalerei.

Re, ägypt. Sonnengott, der eigtl. Schöpfergott, dessen Taten der König auf Erden wiederholte. In der 4. Dynastie nahm der ägypt. König den Titel ›Sohn des Re‹ an. Seit dem Mittl. Reich verschmolz er mit Amun; auch andere Götter (Horus, Chnum, Month) wurden mit ihm verbunden. Sein bedeutendstes Heiligtum lag in Heliopolis, sein Kultsymbol war der Obelisk. Dargestellt wurde er meist menschengestaltig, wegen seiner früheren Verbindung mit Horus (R.-Harachte) auch falkenköpfig mit Sonnenscheibe.

Ready-made [r'edımeıd, engl., svw. ›gebrauchsfertig‹], von M. →Duchamp eingeführte Bez. für handelsübl. Gegenstände, die er als Kunstwerke ausstellte; erstes R.-m. war sein ›Fahrrad-Rad‹ (1913; Original verschollen).

Realgar [aus arab.], Maltechnik: Orangerotes Mineral (Arsensulfid), das sich verschiedentlich in ma. Tafel- und Wandbildern findet.

Realismus [lat. real, ›wirklich‹, ›sachbezogen‹], i. e. S. eine von Frankreich ausgehende Strömung in der Malerei des 19. Jh., i. w. S. eine Darstellungsweise, die eine im Lauf der Kunstgeschichte mehrfach wiederkehrende Erscheinung kennzeichnet. Realist. Züge im Ggs. zu stilisierenden oder idealisierenden weisen z. B. die röm. Kunst der republikan. Zeit (v. a. in der Porträtplastik) und die spätgot. Plastik in der 2. H. des 15. Jh. auf. Da sich die realist. Auffassung in Verbindung mit einer von bürgerl. Gesinnung getragenen Kunst durchsetzte, folgten ihr wichtige Perioden in der holländ. Malerei des 17. Jh. (v. a. in Porträt, Genre, Landschaft und Stilleben) sowie der span. Malerei (B. E. MURILLO, J. DE RIBERA, D. VELÁZQUEZ, F. ZURBARÁN), auf die sich die Künstler des 19. Jh. mehrfach bezogen. Während dem R. eine kreative Auseinandersetzung mit der Wirklichkeit zugrunde liegt, wird unter Naturalismus eher eine detailgetreue Wiedergabe des Vorbildes ohne seine Interpretation verstanden.

Als Begriff für eine Richtung der Malerei hat G. →Courbet 1855 den R. für sich in Anspruch genommen, als er über den Eingang seines aus Anlaß der Weltausst. errichteten Pavillons, in dem er seine Werke zeigte, schrieb: ›Le Réalisme‹. Diese Formulierung gab einer ganzen Stilrichtung der Malerei im 2. Drittel des 19. Jh. den Namen. Beim Schaffen Courbets lag i. S. des Begriffs R. der Akzent auf Figurenkompositionen, die zeitgenöss. Situationen zeigen, teils mit porträthaften

Zügen. Frührealist. Ansätze fanden sich zuvor in der inoffiziellen Landschaftsmalerei der 1820er Jahre, ausgehend von den engl. Malern (J. Constable, R. P. Bonington), bei C. Corot, P. Huet und J. Dupré, in Dtl. bei K. Blechen, E. Fries, später A. v. Menzel. In Frankreich verlief die Weiterentwicklung über die ›Paysage intime‹ der Schule von Barbizon (T. Rousseau, C. F. Daubigny, N. Diaz de la Peña). Seit den späteren 1840er Jahren und gleichzeitig mit Courbet bestanden im Bereich der Figurenkompositionen nebeneinander ländl. Thematik (J. F. Millet, J.-J. Henner) und städtische Thematik (H. Daumier, I. Pils, F. Bonvin, T. Ribot), darüber hinaus Porträts (H. Fantin-Latour). In Dtl. bestanden seit den frühen 1850er Jahren enge Verbindungen von Künstlern aus Frankfurt zu Courbet, der 1858/59 längere Zeit dort arbeitete (O. Scholderer, Victor Müller, J. Lunteschütz). K. P. Burnitz und L. Eysen vermittelten die Kenntnis der Landschaftsmalerei i. S. der Schule von Barbizon. 1869 kam Courbet zur Internat. Kunstausst. nach München, wo er Freundschaft mit W. Leibl schloß, den er nach Paris einlud. Leibls dort sowie in Köln und München entstandene Figurenkompositionen und Porträts sind als dt. Beitrag zum R. zu verstehen. Ohne selbst Lehrer gewesen zu sein, war er wie Courbet als Vorbild wirksam und zog einen Kreis Gleichgesinnter um sich (W. Trübner, R. v. Alt, K. Schucht, A. Lang, R. Hirth du Frênes, J. Sperl, H. Thoma, K. Haider), der bei versch. Aufgabenstellung der Einzelnen bis Mitte der 1920er Jahre verfolgbar ist. Der Ungar M. Munkacsy, anfangs in München von Leibl ausgehend, wurde der erste Anreger des jungen M. Liebermann. Ferner gab es eine unmittelbare Wirkung Courbets auf die belg. Malerei (C. Degroux, L. Dubois, A. Stevens). In Holland fand J. Israëls zu einer Millet verwandten Auffassung. Die Maler von Barbizon und Courbet haben sich mehrfach überschneidende Anregungen gegeben. Courbet hat Landschaften im Wald von Fontainebleau gemalt. Je weiter die Entfernung zu diesen frz. Ausgangspositionen blieb, um so unentschiedener entwickelten sich Richtungen, die nur meist in losem Zusammenhang stehen, wie in Rußland die →Peredwischniki (1870).

Das 20. Jh. rückt in seinen wesentl. Neuerungen vom R. ab. Dennoch dringen in der Reaktion auf expressionist. Tendenzen immer wieder realist. Richtungen durch: so der Magische R. (→Neue Sachlichkeit) der 1920er Jahre und die neuen Formen des R. in den 1960er Jahren. Daneben steht der R. meist im Dienst einer Kunst, die bewußt in die Gesellschaft wirken will und sich häufig mit sozialkrit. oder -revolutionären Zielen verbindet. R. gilt hier als demokrat. Stil, der allg. Verständlichkeit schafft; so in einer breiten Strömung der amerikan. Kunst seit der Ashcan School um 1900, verstärkt in den 1930er Jahren; so im monumentalen R. des Muralismo in Mexiko und v. a. im →Sozialistischen Realismus. Aus diesem entwickelten sich in den 1960er Jahren in der Dt. Dem. Rep. Bilder mit einer mehrschichtigen Ikonographie und freieren Stilmitteln vom Spätimpressionismus bis zu altmeisterl. Perfektion. In der Gegenwart bilden eigene Zentren der durch karikaturist. Überzeichnung geprägte ›Berliner R.‹ und der span. R. in Madrid, der in unbunten Farben die Alltagswelt zeigt.

Seit den 1960er Jahren setzten sich auch im Bereich der Avantgarde neue Formen des R. durch. Es kennzeichnet diesen R., daß an Stelle der primären Wirklichkeit die sekundäre Wirklichkeit vorgegebener Bildwelten der Reproduktion oder Photographie rückt wie bei der Pop Art (die gelegentlich in der Bundesrep. Dtl. i. Ggs. zum Sozialist. R. als ›Kapitalist. R.‹ bezeichnet wurde), bei Foto-, Hyper- oder Superrealismus. Ein eigener R.-Begriff lag dem 1960 um den Kritiker P. RESTANY in Mailand/Paris begr. ›Nouveau Réalisme‹ zugrunde, der, auf M. DUCHAMP basierend, die realen Gegenstände einsetzte, statt sie bloß abzubilden.

W. Leibl und sein Kreis, Ausst.-Kat., München (1974); Courbet und Dtl., Ausst.-Kat., Hamburg (1978); Malerei und Theorie. Das Courbet-Colloquium 1979 (1980); G. P. WEISBERG: The realist tradition. French painting and drawing 1830–1900 (New York 1981).

Rebschwarz, Frankfurter Schwarz, Maltechnik: Pigment aus Pflanzenkohle, v.a. in der Wandmalerei verwendet.

Récamiere [rekami'ɛ:rə, n. Madame Récamier, *1777, †1849], Liege des →Directoire mit 2 gleich hohen, nach außen geschwungenen Lehnen.

Recife [res'ifi], Stadt im Staat Pernambuco, Brasilien, an der Atlantikküste, 1,2 Mio. Ew. R., Mitte 16. Jh. gegr., bietet mit vielen erh. Bauten der Kolonialzeit (v.a. bed. Kirchen) ein reizvolles Stadtbild. Zu den schönsten Kirchen gehören S. Francisco de Assis (1606); Madre de Deus (1706–1720), einschiffig mit Zweiturmfassade und Ziergiebel sowie prächtigen barocken Holzschnitzereien im Innern; S. Teresa (1710 bis 1737) mit Wand- und Deckenmalereien; Nossa Senhora do Carmo (1767) mit Hauptaltar im Rokokostil (1780); Nossa Senhora dos Prazeres (17. Jh., Fassade 18. Jh.) ist im Innern mit dekorativen Azulejos geschmückt. Prächtigster aller Sakralbauten ist die Capela Dourada (1697 gew.), in der sich der Reichtum der Zeit dokumentiert mit vielen vergoldeten Schnitzereien, großflächigen Wandgemälden und filigranartig aus schwarzem Jacaranda-Holz geschnitztem Chorgestühl. Darüber das Mus. für Sakralkunst. Bemerkenswerte Profanbauten sind die portug. Festungsanlagen (17. Jh.) und das klassizist. Teatro S. Isabel (1850; zweigeschossig mit Dreiecksgiebel).

Recklinghausen, Stadt am N-Rand des Ruhrgebiets, NRW, 119600 Ew.; ehem. Hansestadt. Die Propsteikirche St. Petrus (um 1250, Ostteile 1519–23) ist eine gedrungene spätroman. Rundpfeilerhallenkirche mit Chorflankentürmen und schönem S-Portal; W-Turm 1652–70. Festspielhaus (1965), davor eine Monumentalplastik von H. MOORE. Das Ikonen-Mus. ist eines der bedeutendsten seiner Art in W-Europa. Städt. Kunsthalle (Kunst nach 1945).

Reconquista [rɛkɔŋk'ista, span. ›Wiedereroberung‹], Wortschöpfung span. Geschichtsschreiber, die den Kampf um die Zurückdrängung der arab. Herrschaft auf der Iber. Halbinsel vom 8. Jh. bis 1492

(Rückeroberung Granadas) bezeichnet. In den in dieser Zeit neu entstehenden Königreichen setzte eine reiche künstler. Entfaltung in Spanien ein (z. B. →Asturischer Stil).

Recuay [rɛkw'ai], Ort im nördl. Hochland von Peru, in dem vom Oberlauf des Río Santa gebildeten Tal (Callejón de Huaylas). Danach auch Bez. für den Stil der dort gefundenen Keramik (200 v. Chr.–700 n. Chr.). Charakteristisch ist der in Negativtechnik auf die Keramik aufgetragene Dekor in 3 Farben (schwarz und rot auf weißem Grund). Vorherrschende Motive sind ineinander verschlungene Fische und Schlangen. Bei gemalten Figuren ist oft der Kopf plastisch herausgehoben, oder ganze Szenen sind auf dem Gefäßkörper plastisch modelliert; bei Flaschen ist der figürl. Aufsatz durch einen Griff mit dem Ausguß verbunden. Dem R.-Stil sind auch Steinplastiken zuzuordnen, meist Figuren von bewaffneten Kriegern.

Reculver [rɪk'ʌlvə], Ort an der N-Küste von Kent, S-England, mit ehem., 669 gegr. Abtei. Die noch aus dieser Zeit stammende angelsächs. Kirche wurde 1809 mit Ausnahme der Doppelturmfront des 12. Jh. abgebrochen, die Grundmauern des von Annexräumen umgebenen Saals mit durch Dreierarkade über Säulen abgetrennter Apsis 1926 freigelegt.

Redon [rəd'ɔ̃], Odilon, frz. Maler, Graphiker, *Bordeaux 22. 4. 1840, †Paris 6. 7. 1916, Schüler von L. Gérôme, beeinflußt von E. Delacroix, suchte, mit den symbolist. Dichtern (S. Mallarmé u. a.) befreundet, einer visionären Traumwelt Ausdruck zu geben; ein wichtiger Vertreter des Symbolismus. Außer Gemälden (frühe Landschaften im Anschluß an die Schule von Barbizon; nach 1900 bes. Blumenstilleben), Pastellen und Aquarellen von fremdartigem Reiz hat er v. a. Radierungen und Zeichnungen (oft in Kohle) und ab 1879

Recuay: steinerne Figur eines sitzenden Kriegers

Odilon Redon: Der Kyklop; um 1898 (Otterlo, Rijksmuseum Kröller-Müller)

bes. lithograph. Folgen von hoher künstler. Eigenständigkeit geschaffen.

Lithograph. Folgen: Dans le rêve (1879); Apocalypse de St. Jean (1883); Tentation de St. Antoine de Flaubert (1888; neu hg. 1935 und 1937); Les fleurs du mal de Baudelaire (1890).

Redoute [red'ut, frz.] *die,* **1)** trapezförmiges, kleines Vorwerk in der Festungsbaukunst. **2)** Tanzsaal.

Redouté [rədut'e], Pierre-Joseph, frz. Zeichner, *St. Hubert bei Bastogne (Belgien) 10. 7. 1759, †Paris 19. 6. 1840, schuf botanisch getreue Pflanzenzeichnungen und illustrierte mit Stichen botan. Werke. Zu den künstlerisch reizvollsten gehören die Rosenbilder (›Les Roses‹, 1817–24; Lithographien). – Samml. von über 6000 Aquarellen im Mus. National d'Histoire Naturelle in Paris.

Refektorium [mlat.] *das,* **Remter** *der,* der Speisesaal im Kloster, meist an dem der Kirche gegenüberliegenden Kreuzgangflügel.

Rega, Barega, Lega, Balega, Bantu-Volk in O-Zaire, etwa 50 000 Menschen, leben im Regenwald zw. Lualaba und Kiwusee. Die Kunst der R. konzentriert sich auf kleine Figuren und Masken aus Holz, Bein, Elfenbein und Elefantenhaut (Masken). Figuren und Masken dienen ausnahmslos den Riten des ›Bwami-Bundes‹. Die Werke weisen sehr einfache, aber meist gut durchmodellierte Formen auf, bes. die Masken bestechen durch ihre harmon. Aufgliederung. Typisch für die Kunst der R. sind etwa millimeterstarke Löcher oder Ringe, die häufig in Figuren, Masken und Schmuckgegenstände gebohrt oder eingraviert werden, sowie eine gekonnte Verschiebung der Proportionen bei den Figuren, die dadurch teilweise manierist. Züge erhalten. Die Augen werden oft durch Kaurischnecken dargestellt oder in dieser Form geschnitten.

Régence [reʒ'ãs, frz. ›Regentschaft‹], Stilstufe der frz. Kunst zur Zeit der Regentschaft PHILIPPS VON ORLÉANS (1715–23). Sie bildet den Übergang vom Stil Louis-quatorze zum Stil Louis-quinze. Der R.-Stil wandelte die bisher vorherrschende pathetisch-offizielle Hofkunst zur elegant-privaten Adelskunst, bevorzugte Rundungen und zierliche Formen, hob im Innenraum die Grenze zw. Wand und Decke auf, ersetzte die plast. Säule durch den flachen Pilaster; bevorzugtes Ornament ist das Bandelwerk. Hauptmeister der R. sind R. DE COTTE, C. GILLOT, G. M. OPPENORD, N. DE LARGILLIÈRE und v. a. A. WATTEAU, die die Wegbereiter des Rokoko waren.

Regency [r'i:dʒənsɪ, engl. ›Regentschaft‹], Stilstufe der engl. Kunst, um 1810–30 (Regentschaft des Prinzen von Wales, des späteren GEORG IV., 1762–1830), zw. georgian. Klassizismus und viktorian. Historismus. Vom R.-Stil sind v. a. Industrie-, Zweck- und Wohnbauten sowie Innenarchitektur und Möbel geprägt.

Regenerieren [lat.], Verfahren, krepierte (undurchsichtig gewordene) Firnisschichten von Gemälden wieder transparent zu machen, indem man sie durch Alkoholdämpfe anquellen läßt. Diese Methode aus dem 19. Jh. wird heute kaum mehr angewendet, da der anfangs erstaunl. Erfolg oft nur von kurzer Dauer ist. Bereits regenerierter Firnis entwickelt eine noch stärkere Neigung zum Krepieren.

Regensburg, Stadt an der Donau, Bayern, 132 000 Ew. Röm. Militärlager **Castra Regina;** seit 1245 Reichsstadt, war im MA. der wichtigste Handelsplatz im dt. SO; kath. Bischofssitz (das Bistum 739 von Bonifatius gegr.). Die Altstadt hat ihr vorwiegend ma. Gepräge gut bewahrt. Der Dom (1274 beg.) ist der wertvollste hochgot. Sakralbau Bayerns, eine dreischiffige Basilika in Anlehnung an frz. Kathedralbauten; Doppelturmfassade im W (1341 beg., die 105 m hohen Türme erst 1859–69 nach Freiburger Vorbild voll.), dreiseitige Vorhalle (Triangel, um 1410); im Innern hervorragende Verkündigungsgruppe des ERMINOLD-MEISTERS (um 1280), Glasfenster (zw. 1270 und 1480) und im Südschiff ein Ziehbrunnen (1500). Am Domkreuzgang das Mortuarium (13./15. Jh., die originellen Fenstergewände um 1520 im Frührenaissancestil) und die roman., vollständig ausgemalte Allerheiligenkapelle (um 1150/60); Domschatz-Mus. Von großer Bedeutung ist auch das ehem. Benediktiner-Reichsstift St. Emmeram, dessen um 790 voll. Kirche 1731–33 durch J. M. PRUNNER und die Brüder ASAM barockisiert wurde; 3 Krypten (Ringkrypta um 740; Ramwold-Außenkrypta 977 bis 980, 1775 klassizistisch ausgemalt; fünfschiffige Wolfgangkrypta 1052 gew.); von besonderer Harmonie sind die frühgot. Teile (1240) des 1166 beg. Kreuzgangs; die Klostergebäude sind seit 1812 Wohnsitz der Fürsten Thurn und Taxis (1889 umgebaut). Die Schottenkirche St. Jakob (1150–84), eine roman. flachgedeckte Säulenbasilika mit O-Türmen, besitzt ein N-Portal (um 1170) mit Reliefs von Heiligen, Tieren und Dämonen. In der doppeltürmigen Kirche des ehem. Benediktinerinnen-Reichsstifts Niedermünster (Pfeilerbasilika um 1150, im 17./18. Jh. zurückhaltend barockisiert) ein Bronzekruzifix von G. PETEL (um 1631); die Klostergebäude seit 1821 Bischofsresidenz. Die Stiftskirche Unserer Lieben Frau zur Alten Kapelle (früh-ma. Kern des 11. Jh.) erhielt 1747–65 eine reiche Rokokodekoration. Die got. Dominikanerkirche St. Blasius (13. Jh.), eine steile Achteckpfeilerbasilika, ist die größte gewölbte Bettelordenskirche in S-Dtl. Das ehem. Minoritenkloster St. Salvator (1226 beg.; Kirche 2. H. 13. Jh., Chor um 1330) ist Städt. Mus. (u. a. Tafelbilder von A. ALTDORFER, Kunsthandwerk 13.–19. Jh.). In der Neupfarrkirche verbinden sich got. mit Renaissance Elementen. In der kostbar ausgestatteten frühbarocken Dreieinigkeitskirche (1627–33) klingen noch got. Formen an. Die ehem. Johanniterkirche St. Leonhard ist eine kleine roman. Rundpfeilerhalle (Mitte 12. Jh.). Die got., von nordfrz. Bauleuten errichtete Ulrichskirche (um 1230–50, profaniert) grenzt an den Herzogshof (um 1200) und den ›Römerturm‹. Altes Rathaus mit Reichssaal (1356/1408). Charakteristisch für R. sind die Patrizierhäuser mit stattl. Geschlechtertürmen (12.–14. Jh., von urspr. 50 rund 20 erh.), am eindrucksvollsten der neunstöckige ›Goldene Turm‹ (nach 1250). Steinerne Brücke (1135–46). Im Kepler-Gedächtnishaus Wohnräume des 16./17. Jh. (Mus.);

Ostdt. Gal. (Malerei des 19. und frühen 20. Jh.). Am Stadtrand liegen die doppeltürmige Hallenkirche **Karthaus-Prüll** (1110 gew., spätgot. Chor 1498–1513, Gewölbe mit Stuckrippen in Sternform um 1605) und das Benediktinerkloster **Prüfening** mit roman. flachgedeckter Pfeilerbasilika (1119 gew., 1718 barockisiert); wertvollstes Ausstattungsstück ist neben den vorzügl. Fresken (um 1125/30) das Hochgrab des Abtes Erminold (1283) vom danach gen. Erminold-Meister.

D. ALBRECHT: Zwei Jahrtausende R., Vortragsreihe der Universität R. (1979); K. DIETZ u.a.: R. zur Römerzeit (1979); K. BAUER: R. (³1980); R. STROBEL: Ma. Bauplastik am Bürgerhaus in R. (1980); Die Kunstdenkmäler von Bayern, Bd. 22: Stadt R. (²1981).

Regensburger Buchmalerei, spätotton. Skriptorium, für das neben byzantin. Einflüssen der aus dem Regensburger Stift St. Emmeram stammende →Codex Aureus aus der →Hofschule Karls des Kahlen künstler. Ausgangspunkt war. Unter HEINRICH II. als Stifter entstanden ein Sakramentar (kurz vor 1012; München, Bayer. Staatsbibl.) und ein 1022 nach Monte Cassino (Italien) gestiftetes Evangeliar für die Äbtissin Uta von Niedermünster (1002–1025; München, Bayer. Staatsbibl.) mit theologisch-symbol. Bildern. Auch im 12. Jh. brachte die R. B. bed. Werke hervor.

G. SWARZENSKI: Die R. B. des 10. und 11. Jh. (Neudr. 1969).

Regentenstück, →Gruppenbild.

Reggio di Calabria [r'eddʒo-], **Reggio Calabria,** ital. Stadt und Erzbischofssitz in Kalabrien, an der Straße von Messina, 179100 Ew. Die Stadt, eine grch. Gründung des 8. Jh. v. Chr., wurde häufig durch Erdbeben zerstört. Im Nat.-Mus. befindet sich eine bes. reiche Samml. von grch. und röm. Altertümern (darunter seit 1981 die Krieger von →Riace) und die Pinakothek (u. a. Gemälde von ANTONELLO DA MESSINA).

Reggio nell'Emilia [r'eddʒo-], **Reggio Emilia,** nordital. Stadt und Bischofssitz an der Via Emilia, 129700 Ew.; Dom (im 9. Jh. gegr., im 13./14. Jh. erneuert, Chor und unvoll. Fassade 16. Jh.; im Innern Chorgestühl, 1460; reicher Domschatz); S. Prospero (im 10. Jh. gegr., 1514–27 völlig erneuert, unvoll. Glokkenturm 1536–51). Die Kirche Madonna della Ghiara, unter den ESTE 1597–1619 als Kreuzkuppelbau errichtet, ist reich ausgestattet (Stuckdekoration, Fresken, Kreuzigungstafel von GUERCINO, 1624). In den Musei Civici Kunstsammlungen und Pinakothek; Civica Gal. Parmeggiani mit Gemälden des 19. Jh.

Regionalismus [lat.], Baukunst: Bestrebungen von Architekten, baul. Traditionen einer kulturell, ethnisch oder topographisch begrenzten Region in Form, Material, Konstruktion und Nutzung aufzugreifen und in neuen Architekturen mit dem Gedankengut zeitgenöss. Bauens zu verbinden.

Register, Fachausdruck der ägypt. und vorderasiat. Archäologie, mit dem man die Verteilung der Darstellung auf übereinander angeordnete Bildstreifen (meist mit schmalem Trennungssteg) auf Reliefs, Rollsiegeln u. ä. bezeichnet.

Regnault [rəɲ'o], **1)** Henri, frz. Maler, *Paris 30. 10. 1843, †(gefallen) bei Buzenval 19. 1. 1871, malte fein empfundene, dunkeltonige Porträts, Historienbilder, später v. a. Szenen aus dem Orient.

2) Jean-Baptiste, Baron (1829), frz. Maler, *Paris 19. 10. 1754, †ebd. 12. 11. 1829, klassizist. Historienmaler, der in seinen allegorisch-mytholog. Bildern seinem Vorbild und Rivalen J. L. DAVID nacheiferte.

Regula [lat.], Tropfleiste am Architrav des dorischen Tempels, an der Unterseite mit (meist 6) Stiften (Guttae) besetzt. (BILD Säulenordnung)

Rehbenitz, Theodor, Maler, Zeichner, *Borstel (Holstein) 2. 9. 1791, †Kiel 19. 2. 1861, gehörte in Wien (1813–16) und Italien (1816–32) zum Kreis der →Nazarener, war dann in München und seit 1842 in Kiel tätig. R. malte und zeichnete relig. Historienbilder, Porträts und Landschaften.

Rehn, Jean Eric, schwed. Baumeister, *Stockholm 18. 5. 1717, †ebd. 19. 3. 1793, führte den frz. klassizist. Stil in Schweden ein und gab ihm eine nationale Prägung (›Gustavian. Stil‹). R. baute viele Herrenhöfe und entwarf die Einrichtungen für das Königl. Schloß in Stockholm, Schloß Drottningholm u. a.

Rehna, Stadt nordöstlich von Schwerin, Dt. Dem. Rep., mit ehem. Benediktinerinnenkloster; in der spätroman. Klosterkirche (1. H. 13. Jh., 15. Jh. umgebaut) qualitätvolle got. Fresken; vom Schnitzaltar (um 1520) Figuren erh., die gemalten Teile im Mus. in Schwerin. Kreuzgang z. T. und Kapitelsaal erh.

Reiben der Farben, Maltechnik: Um vermalbare Farben zu erhalten, müssen Pigment und Bindemittel miteinander vermischt werden. Dies geschieht, um eine innige Verbindung und gleichmäßige Verteilung der Materialien zu erreichen, mittels des →Läufers auf dem Reibstein. Das R. d. F. erfordert Übung und Kenntnis der unterschiedl. Eigenschaften der Komponenten. Heute wird das R. d. F. maschinell auf Walzstühlen besorgt.

Reichel, Hans, Bildhauer, Hans →Reichle.

Reichenau, 1) Insel im Bodensee, Bad.-Württ., 4500 Ew. Die ehem. Benediktiner-Reichsabtei (724 gegr.) war die bedeutendste Pflegestätte v. a. otton. Kultur diesseits der Alpen (→Reichenauer Malerschule). Erh. sind 3 roman. Kirchen: Das doppelchörige Münster in **Mittelzell,** eine Pfeilerbasilika mit offenem Dachstuhl, wurde in 10 Bauphasen vom 8. bis 18. Jh. errichtet; wesentlich sind der 1048 gew. W-Bau (Umbauten im 12./13. Jh.) und der got. Chorneubau (1443–77). Die ehem. Stiftskirche St. Peter und Paul in **Niederzell** (1008 erwähnt) ist eine doppeltürmige Säulenbasilika des 11./12. Jh.; bei der Barockisierung 1756/57 blieb die Apsis mit ihrem roman. Freskenzyklus (12. Jh.) im alten Zustand. Die ehem. Stiftskirche St. Georg in **Oberzell,** eine flachgedeckte Säulenbasilika mit Krypta und Vierungsturm (9./10. Jh.), besitzt den größten erh. Zyklus otton. Monumentalmalerei (um 990).

H. MAURER: Die Abtei R. Neue Beiträge zur Gesch. u. Kultur des Inselklosters (1974).

2) R. an der Kněžna, tschech. **Rychnov nad Kněžnou**

[r'ixnɔv n'adknjɛʒnɔu], Stadt im Ostböhm. Kr., ČSSR, 7500 Ew., ehem. Tuchmacherstadt mit maler. Häusern. Oberhalb der Stadt das barocke Schloß der Adelsfamilie Kolowrat-Liebsteinský (1676–90; Gemäldesamml., Möbel, Wandteppiche, Bibl.). Mit dem Schloß verbunden die Kirche der Hl. Dreifaltigkeit (1594–1602) mit stark bewegter Fassade (vermutlich von G. SANTINI 1713, weitere Umbauten 18./19. Jh.).

Reichenauer Malerschule, umfangreiche otton. Hss.-Gruppe (2. H. 9. Jh.–um 1040), deren Entstehung in den klösterl. Malerschulen der Insel Reichenau vermutet wird (in der neueren Forschung wird – nicht unwidersprochen – Trier als Sitz der Werkstatt angenommen). Förderer und Besteller der Hss. sind neben den Kaisern OTTO III. und HEINRICH II. versch. Kirchenfürsten. Man unterscheidet 4 Malergruppen, die v. a. in der starken Betonung des ornamentalen Elements Gemeinsamkeiten aufweisen: reich gebildete Initialen, die sich an der Malerschule von St. Gallen orientieren, und dem reinen Schmuckprinzip unterworfene Schriftseiten.

1) Eburnant-Gruppe, gen. nach dem Schreiber einer der Hss. HW ist der Gero-Codex (Darmstadt, Hess. Landesbibl.), kurz vor 969 entstanden. Seine Bilder der Majestas Domini und der 4 Evangelisten lehnen sich stark an karoling. Vorbilder der Ada-Gruppe an (→Hofschule Karls des Großen).

2) Ruodprecht-Gruppe, gen. nach Ruodprecht, dem Schreiber des hervorragendsten Werkes dieser Gruppe, des Egbert-Psalters (Cividale del Friuli; Archäolog. Nat.-Mus.), für Erzbischof EGBERT von Trier (977–993) geschaffen.

3) Die 3. Gruppe wird bes. vom Egbert-Codex und dem →Gregormeister gebildet. Der Egbert-Codex ist ein Schlüsselwerk der R. M., das um 980 ebenfalls für Egbert von Trier angefertigt wurde (Trier, Stadtbibl.). Er enthält mit seinen 52 Miniaturen des N. T. den ältesten und bedeutendsten neutestamentar. Bilderzyklus. Der die anderen Miniatoren dieser Hs. weit überflügelnde Hauptmaler ist der Gregormeister. Die Bilder des Egbert-Codex stehen ikonographisch und stilistisch im Zusammenhang mit spätantik-christl. Vorlagen des 4.–6. Jh. und fallen durch ihre sehr körperhaft plastischen, frei im Raum agierenden Figuren auf.

4) Liuthar-Gruppe, gen. nach ihrem Donator, der sich im Widmungsblatt des Otto (II. oder III.?) – Evangeliars im Aachener Domschatz vorstellt. Weitere bed. Hss. der Liuthar-Gruppe sind das Evangeliar Ottos III. (um 1000; München, Staatsbibl.) mit seinen visionären Evangelistenbildern, die sich vom herkömml. Typ des Autorenbildes losgelöst haben, außerdem das Perikopenbuch Heinrichs II. (um 1007–12; München, Bayer. Staatsbibl.) und die →Bamberger Apokalypse. Der Stil der Liuthar-Gruppe wird bestimmt durch die Zurücknahme von Räumlichkeit und modellierender Körperhaftigkeit. Dafür wird der Ausdruck gesteigert. Die Figuren bleiben in der Fläche, beherrschen diese aber durch eine z. T. weit ausgreifende, spannungsreiche Gestik. Hände und Gesichter sind linear-expressiv betont.

Die R. M. erlangte ihrer Bedeutung gemäß zeitlich und räumlich weite Einflußbereiche.

Die Hss. der Bad. Landesbibl., Bd. VIII: Die Reichenauer Hss., bearb. v. A. HOLDER u. K. PREISENDANZ (1970–73); F. J. RONIG: Codex Egberti. Das Perikopenbuch des Erzbischofs Egbert von Trier (1977); F. DRESSLER u. a.: Das Evangeliar Ottos III. (1978).

Reichenbach, 1) Gem. im Kr. Cham, Oberpfalz, mit ehem. Benediktinerabtei (1118 gegr.). Die äußerlich weitgehend im ma. Zustand mit 2 O-Türmen und starker, fast burgartiger Befestigung erh. Kirche ist innen überaus reich und farbenprächtig barockisiert (1738–47). Hochaltar mit gedrehten Säulen (um 1750).

2) Teil der Stadt Hessisch Lichtenau, Werra-Meißner-Kr., Hessen. Von der ehem. Nonnenklosterkirche (seit 1221 Deutschordenskomturei, älteste Niederlassung in Dtl.), einer roman. flachgedeckten Basilika mit sächs. Stützenwechsel (um 1140), besteht noch das Langhaus; schöne Würfelkapitelle, z.T. mit Reliefschmuck (Fabeltiere). Von Burg R. ist der Bergfried erh.

3) R./Vogtland, Stadt im Bez. Karl-Marx-Stadt, Dt. Dem. Rep., 26300 Ew.; barocke Stadtkirche (1720) mit Silbermann-Orgel; Trinitatiskirche (17./18. Jh.) mit spätgot. Schnitzaltar (2. H. 15. Jh.).

Reichenberg, tschech. **Liberec** [-rɛts], Stadt im Nordböhm. Kr., ČSSR, 85100 Ew. Seit dem 15. Jh. bed. Handwerkerstadt (Textilerzeugung). – Renaissanceschloß (1583–87, im 18./19. Jh. umgebaut) mit Kapelle (1604–06 angebaut). Die Kapelle hat eine Kassettendecke u. a. wertvolle Holzschnitzarbeiten; im Schloßgarten Gemälde-Gal. in der ehem. Liebig-Villa (1871/1872). Die Heiligkreuzkirche wurde 1753–61 an der Stelle einer Friedhofskirche gebaut; das Altarbild St. Anna wurde früher A. DÜRER zugeschrieben; vor der Kirche Mariensäule (1719–20) von M. BRAUN; Bürgerhäuser aus dem 18. Jh. mit maler. Giebeln und Stuckreliefs an den Fassaden; Fachwerkhäuser (1. H. 17. Jh.).

Reichenhall, Bad R., Stadt im Berchtesgadener Land, Oberbayern, 17900 Ew. Die Kirche des ehem. Augustiner-Chorherrenstifts St. Zeno (1136 gegr.), die größte roman. Basilika Oberbayerns (1208 voll.), wurde 1512–20 spätgotisch umgebaut; marmornes W-Portal nach oberital. Vorbild mit liegenden Löwen (1. H. 13. Jh.); im roman. Kreuzgang ein Barbarossa-Relief. In der Stadtpfarrkirche St. Nikolaus (1181, 1861–64 erweitert) Apsisfresko von M. v. SCHWIND. Neuroman. Salinenanlage (1836–51). Mit der Stadtbefestigung verbunden ist das Schloß Gruttenstein (13.–17. Jh.).

Reichenweier, frz. **Riquewihr** [rikv'i:r], rechteckig mit Tortürmen angelegtes Städtchen im Oberelsaß; erh. sind viele Häuser des 16. und 17. Jh. (v. a. Haus Kiener mit figürl. Bildschmuck, 1574); Renaissanceschloß (1540, heute Schule) mit sechseckigem Treppenturm; evang. Kirche (1845–52); ehem. Liebfrauenkirche (14. Jh.); ehem. Spitalkapelle St. Erhard (1441).

Reichersberg, Gem. im Innviertel, OÖ, mit 1084 gegr. Augustiner-Chorherrenstift; barocke Stiftskirche (Neubau nach Brand 1629–44) mit bemerkenswerten Rokoko-Deckenfresken von C. WINK (1778/79); Neubau der Stiftsgebäude mit dem Konvent 1625/26 beg., Fürstentrakt (1663/64) und S-Trakt mit Sommerrefek-

Hans Reichle:
Kopf des Luzifer vom Zeughaus in Augsburg; 1603–06

torium von C. A. CARLONE (1691–95), reich stuckiert von G. B. CARLONE.

Reichle, Reichel, Hans, Bildhauer, Baumeister, *Schongau um 1570, †Brixen 1642, war seit 1588 in Florenz Schüler und Mitarbeiter von GIAMBOLOGNA und arbeitete dann v. a. in Brixen, auch in Florenz für Augsburg und München. R. hat die Formen des Manierismus (in selbständiger Weiterbildung) mit neuem, starkem Ausdruck erfüllt. Sein HW ist die in die Augsburger Zeughausfassade von E. HOLL meisterhaft einbezogene Bronzegruppe des Hl. Michael im Kampf mit Luzifer (1603–06).

WW: Bronzestatue der Hl. Magdalena am Kruzifix des Giambologna (1595; München, St. Michael); 44 lebensgroße Terrakottafiguren (24 erh.) von Habsburger Fürsten (1596–1601) und 6 Bischöfen (1607–08), Brixen, Bischöfl. Residenz; Relief mit der Geburt Christi (1601; Pisa, linke Bronzetür der W-Fassade); Christus am Kreuz mit Maria, Johannes und Magdalena (1605; Augsburg, St. Ulrich und Afra); Bronzeepitaph mit Relief der Kreuzabnahme (1620; Bruneck, Stadtkirche); 4 Heldenputti (1639; München, an der Mariensäule).
Welt im Umbruch – Augsburg zw. Renaissance und Barock, Ausst. Kat., Augsburg (1980).

Reichlich, Marx, Maler, *Neustift bei Brixen um 1460, †Salzburg nach 1520, seit 1494 ebd. nachweisbar, übernahm hier die Werkstatt des M. PACHER, in der er früher tätig war. Ein wesentl. Ausdrucksmittel seiner Kunst war die Farbe; er wirkte damit bes. auf die Künstler der →Donauschule. Sein Werk (v. a. Altargemälde) steht an der Wende von der Spätgotik zur Frührenaissance.

HW: Anbetung der Könige (1489; Innsbruck, Tiroler Landesmus. Ferdinandeum); Szenen aus dem Leben Mariä (1501–02; Hall in Tirol, Stadtmus.); Jakobus-und-Stephanus-Altar (1506; München, Alte Pinakothek); Marienaltar (1511; urspr. Kloster Neustift, heute München, Alte Pinakothek).

Reichlin, Bruno, *Bellinzona 10. 2. 1941, schweizer. Architekt, seit 1970 gemeinsames Büro mit Fabio **Reinhart** (*Bellinzona 23. 3. 1942) in Lugano, beide ehem. Assistenten von A. →Rossi und Hauptvertreter der Neuen →Tessiner Architektur. Strenge Geometrie und die Anwendung der Proportionslehren der Renaissance sind Merkmale ihrer Bauten und Projekte.

HW: Kirche Christo Risorto, Wettbewerbsentwurf, Lugano (1972); Wohnhaus Tonini, Torricella (zus. mit F. Reinhart, 1972–74); Wohnhaus Rivola, Projekt, Rivera (1973); Gemeindehaus, Restaurierung, Sornico (1974–75); Castello Grande, Entwurf einer Restaurierung, Bellinzona (1974).

Reichow [r'aiço:], Hans Bernhard, Architekt, *Roggow bei Belgard 25. 11. 1899, †Bad Mergentheim 7. 5. 1974, war stadtplanerisch tätig für Dresden (1929 ff.), Braunschweig (1934–36), Stettin (1936–45); beteiligte sich nach dem Krieg an der Aufbauplanung von Saarlouis, Trier u. a., entwarf Stadtrandsiedlungen u. a. für Hamburg, Bremen und Nürnberg.

Reichs|adlerhumpen, im 16. und 17. Jh. v. a. in Böhmen hergestellte zylindr. Gläser, die den Doppeladler des Röm. Reiches und die Wappenschilder der Kurfürsten als Dekor in Emailmalerei zeigen.

Reichskleinodi|en, i. e. S. die symbol. Schmuckstücke, die bei der Krönung der Herrscher des alten Dt. Reiches verwendet wurden: der Reichsapfel, die Krone, das Reichsschwert und das Zepter. I. w. S. gehören zu den R. auch die Reichsheiligtümer: 10 Reliquien, das Schwert und die Hl. Lanze. Die R. befinden sich heute in der Weltl. Schatzkammer in Wien. – Die ältesten Teile stammen aus karoling. Zeit: Schatzkammer-Evangeliar (→Palastschule Karls des Großen); Stephansburse (Reliquiar in Form einer Pilgertasche, Anf. 9. Jh.), mit Edelsteinen und figürl. Medaillons geschmückt; das ›Schwert‹ KARLS D. GR. (768–814) mit ornamentalen Einlegearbeiten (vielleicht Ende 9. Jh.). Werke von höchster künstl. und techn. Vollendung aus otton. und sal. Zeit: Reichskrone (wohl noch vor 1000 entstanden, Bügel und Kreuz unter KONRAD II., 1024 bis 1039), in symbol. Achteckform in Anspielung auf das Himml. Jerusalem, mit Edelsteinen und Goldemails reich geschmückt; Reichskreuz (Anf. 11. Jh.), v. a. zur Aufnahme von Reliquien und Kreuzpartikeln bestimmt, mit Edelsteinen und Perlen auf der Vorderseite und mit Nielli der 12 Apostel und zugehöriger Symbolik auf der Rückseite. Staufisch: Reichsapfel, eine Kugel (Weltkugel), auf der ein Kreuz als Sinnbild der christl. Weltherrschaft angebracht ist; der scharlachrote Krönungsmantel mit symmetr. Darstellungen von Löwen oder Leoparden, die Kamele überwältigen; 1133/34 in Palermo urspr. für den Normannenkönig ROGER II. (1101–54) angefertigt, ging dann in den Besitz von Kaiser FRIEDRICH II. (1212–50) über.

Reichskleinodien: Reichsapfel; 21 cm hoch, Goldblech auf Harzmasse, staufisch (Wien, Hofburg, Weltl. Schatzkammer)

H. FILLITZ: Die Insignien und Kleinodien des Hl. Röm. Reiches (1954).

Reidy [r'eɪdɪ], Affonso Eduardo, brasilian. Architekt, *Paris 26. 10. 1909, †Rio de Janeiro 11. 8. 1964, wurde als Stadtarchitekt von Rio de Janeiro und Prof. für Stadtplanung einer der Pioniere der modernen brasilian. Architektur. Aus seinem umfangreichen Schaffen (Museen, Theater, Verwaltungsgebäude) ragt die Siedlung ›Pedregulho‹ (1947–53) hervor.

Reihenhaus, Element der geschlossenen Bebauungsweise in Giebel- oder Traufenstellung zur Straße, in Reihen parallel oder in Zeilen senkrecht zur Straße, ohne Bauabstand nebeneinander, auch versetzt oder gestaffelt, eingeschossig oder mehrgeschossig. Das R. war zuerst als Kleinhaustyp im MA. in England, den Niederlanden und dt. Hansestädten üblich.

Reihung, 1) eine Folge zykl. Darstellungen einer Bildergeschichte (z. B. Hildesheimer Bronzetüren).

2) die Darstellung von Figuren in einer Reihe (bes. im Relief, auf Mosaiken, in der Tafelmalerei).

Reims [rɛ̃s], Stadt im frz. Dép. Marne, nordöstlich von Paris in der Champagne, 183 600 Ew.; kath. Erzbischofssitz.

Die heutige Kathedrale, eine der bedeutendsten der frz. Gotik, wurde nach Brand eines Vorgängerbaus 1211 beg. und im wesentlichen um 1300 voll.; Langhaus und Querschiff sind dreischiffig, der Chor fünfschiffig mit Kapellenkranz; die prachtvolle Westfassade gliedert sich in die Portalzone mit reichem

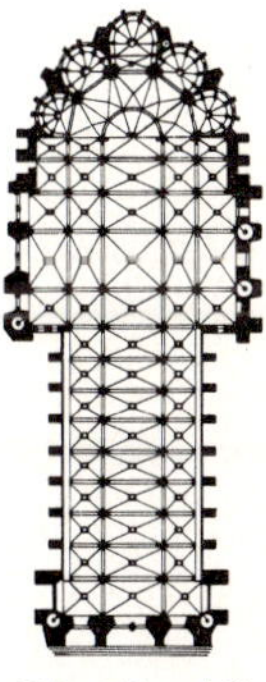

Reims: Grundriß der Kathedrale

Reims: Kathedrale von SO; links Palais du Tau

Skulpturenschmuck (am linken Portal sind das Leben Jesu, am mittleren ›Jungfrauenportal‹ u.a. Heimsuchung, Verkündigung und Darstellung im Tempel, am rechten Portal Heilige sowie Apokalypse und Jüngstes Gericht dargestellt), in die Mittelzone mit einer riesigen Fensterrose und in das Abschlußgeschoß mit einer Statuengalerie (Königsgalerie), über dem sich 2 stumpfe Türme erheben (BILD Gotik). Der Bau der Kathedrale sowie ihr Skulpturenschmuck am Außenbau und im Innern (v.a. die Statuen in den 120 Nischen) hat beispielhaft auf die übrige europ. Baukunst und Bildnerei gewirkt, bes. auf Dtl. (Bamberger und Magdeburger Dom). Von der einst reichen Ausstattung an Glasmalerei ist nur noch wenig erhalten, u.a. Grisaillefenster des 13. Jh. im Querschiff (6 neue Fenster von M. CHAGALL, 1974). Das Mus. der Kathedrale im ehem. bischöfl. Palast (Palais du Tau, 17. Jh.) enthält den Kirchenschatz (reiche Goldschmiedearbeiten), Wandteppiche und Skulpturen. – Im N der Stadt die Porte de Mars, ein röm. Triumphbogen des 2. Jh. n. Chr.; im S die Kirche St.-Remi aus der 1. H. des 11. Jh., Chor, Gewölbe und Westfassade aus frühgot. Zeit (mit Mus.). Mus. St. Denis (u.a. Samml. frz. Malerei des 19. Jh., Wandteppiche des 15. und 16. Jh., Porträts von L. CRANACH D. Ä. und D. J.); im Hôtel Le Vergeur (13.–16. Jh.) das Mus. du Vieux Reims (u.a. Kupferstiche von A. DÜRER).

Reimser Schule [rɛ̃sər-], Zentrum karoling. Buchmalerei nach dem Tod Karls des Großen unter dem Patronat des Erzbischofs EBO VON REIMS (815–35; wiedereingesetzt 840–45). HW sind das →Ebo-Evangeliar und der →Utrecht-Psalter. Die R. S. steht in der Nachfolge der Palastschule Karls des Großen und bildet einen eigenständigen graph. Stil aus.

Rein, Zisterzienserkloster in der Gem. Eisbach, nordwestlich von Graz, Steiermark, Österreich. Die Stiftskirche, urspr. eine dreischiffige roman. Pfeilerbasilika (1138 gew.), wurde 1737–47 zu einer weiträumig lichten barocken Wandpfeilerkirche umgebaut. Die nahe gelegene Wallfahrtskirche **Straßengel** ist ein HW der steir. Hochgotik (1346–55), eine dreischiffige Hallenkirche; schlanker Turm mit durchbrochenem Helm; bed. Glasgemälde (14./15. Jh.) in den Chorfenstern.

Reiner, Wenzel Lorenz (tschech. Václav Vavřinec), böhm. Maler, getauft Prag 8. 8. 1689, †ebd. 11. 10. 1743. Sein Werk (Fresken, Altarbilder, Porträts und Landschaften) wandte sich vom Einfluß der niederländ. Malerei (vermittelt durch J. R. BYSS, M. L. WILLMANN) der Helldunkelmalerei in der Nachfolge CARAVAGGIOS wie dem Kolorismus venezian. Maler (M. RICCI, PAOLO VERONESE) zu. Noch im Stil des Barock gehalten, zeigt es doch schon Elemente des Rokoko.

HW: Fresken: Osek bei Duchcov (1718/19; Zisterzienserkirche); Prag (Czernin-Palais, 1718–20; Vrtba-Palais, 1728; Hradschin, Johann-Nepomuk-Kirche, 1728–30; Thomaskirche, um 1736). – **Altarbilder:** Osek (1714–19; Mariä-Himmelfahrtskirche); Broumov (1721/22; St. Adalbertskirche); Wahlstatt (Hedwigskirche). – Orpheus mit Tieren und Landschaft (vor 1720; Prag, Nat.-Gal.); Röm. Markt I u. II (nach 1720; Dresden, Staatl. Kunstsammlungen).

Reiner von Huy [-ɥi], **Renerus aurifaber Hoyensis,** Goldschmied und Bronzegießer aus Huy (Wallonien), dessen überragendes Meisterwerk den Beginn der →Maaskunst markiert: das bronzene Taufbecken, das Abt Hellinus (1107–1118) für Notre-Dame-aux-Fonts in Lüttich in Auftrag gab (heute in St. Barthélemy). Das zylindr. Taufbecken umziehen versch. Taufszenen, deren Figuren fast vollplastisch wie auf einer Bühne agieren. Es wird nach dem Vorbild des →ehernen Meeres (nach 1. Kön. 7, 23–26) gestützt von ehem. 12 bronzenen Rindern (2 verloren). In der meisterhaften organ. Durchbildung der Körper wird das Rückgreifen auf antike Vorbilder deutlich. Als weitere eigenständige Schöpfung des R. v. H. gilt ein Bronzekruzifixus (um 1110–20; Köln, Schnütgen-Mus.).

Lit.: →Maaskunst.

Reiner von Huy: Taufbecken, Lüttich, St. Barthélemy; voll. 1118

Reinhardt [r'aınha:t], Ad (eigtl. Adolf J.), amerikan. Maler, Kunsttheoretiker, *Buffalo (New York) 24. 12. 1913, †New York 30. 8. 1967. Beeinflußt u. a. von P. MONDRIAN und M. ROTHKO, reduzierte er in seinen konstruktiv-geometr. Bildern fortschreitend Form und Farbe. Sein Spätwerk besteht aus Bildern mit schwarz abgetönten Rechteckformen, die erst nach längerer Betrachtung eine farbige Raumstruktur erkennen lassen und von R. als Meditationstafeln gesehen wurden; Vorläufer der Minimal Art und der Analyt. Malerei.

Reinhart, 1) Fabio, schweizer. Architekt, →Reichlin, Bruno.

2) Johann Christian, Maler, Zeichner, Radierer, *Hof 24. 1. 1761, †Rom 9. 6. 1847, Schüler von A. F. OESER in Leipzig und J. C. KLENGEL in Dresden, lebte 1787–89 in Meiningen, dann in Rom. Hier wandelte sich sein realist. Stil unter dem Einfluß von J. A. KOCH i. S. der klassisch-heroischen Landschaft, bewahrte jedoch die Frische der Einzelbeobachtung. Idyllisch-ideale Stimmung (v. a. in den Radierungen) unterscheidet seine Werke vom Pathos der Klassizisten.

HW: Waldpartie mit Steineichen (1793; Kopenhagen, Thorvaldsen-Mus.); 72 Landschaftsradierungen aus Italien (1799; zus. mit J. W. MECHAU und K. DIES); Landschaft mit Wasserfall (1816; Köln, Wallraf-Richartz-Mus.); 4 Ansichten von Rom, aus dem Turmzimmer der Villa Malta (1829–35; München, Neue Pinakothek); Wanderers Sturmlied (1832; Stuttgart, Staatsgal.); Villa Doria Pamphili (1832; Essen, Folkwangmus.); Die Erfindung des korinth. Kapitells durch Kallimachos (1846; München, Neue Pinakothek).

INGE FEUCHTMAYR: J. C. R. 1761–1847, Monographie u. Kat. (1975).

Reinhart, Sammlung R., ehem. private Kunstsamml. von OSKAR REINHART (*1885, †1965) in Winterthur (Schweiz). 1924 erwarb R. dort das Haus ›Am Römerholz‹, das er um einen Gal.-Bau für seine umfangreiche Samml. (Malerei und Zeichnungen vom MA. bis zu den Impressionisten) erweitern ließ. 1951 wurde ein Teil der Samml. mit Werken des 19. und frühen 20. Jh. (u. a. A. BÖCKLIN, F. HODLER, W. LEIBL, H. v. MARÉES, H. THOMA, W. TRÜBNER, F. WASMANN) im alten Gymnasium der Stadt Winterthur als **Stiftung Oskar Reinhart** eröffnet. 1958 vermachte R. auch den Rest seiner Samml. mit Wohnhaus und Gal. dem schweizer. Staat.

Stiftung O. R., Gemälde u. Plastiken, Wiss. Kat., hg. v. F. ZELGER, 3 Bde. (^{2}1981, bisher 2 Bde.).

Reinheim, Ortsteil der Gem. Gersheim, Saar-Pfalz-Kreis. – Bei R. wurden 1954 kelt. Hügelgräber entdeckt, bes. wertvoll das reichausgestattete Grab einer kelt. Fürstin (Goldschmuck, Prunkservice, 2 Bronzeschüsseln).

Reinhold, 1) Friedrich Philipp, Maler, Graphiker, Bruder von 2), *Gera 8. 1. 1779, †Wien 22. 4. 1840, malte zunächst Historienbilder und Porträts, seit 1816 v. a. ideale Landschaften, auch realist. Naturbilder.

2) Heinrich, Maler, Graphiker, Bruder von 1), *Gera 18. 7. 1788, †Rom 15. 1. 1825, arbeitete nach Ausbildung in Dresden und Wien (auch bei seinem Bruder als Radierer) 1809–14 in Paris als Kupferstecher. Wieder in Wien, wandte sich R. unter dem Einfluß von F. OLIVIER der Landschaftsmalerei zu und ging 1819 nach Italien. – Seine von J. A. KOCH ausgehenden Landschaften verbinden realist. Naturauffassung (Einfluß von M. ROHDEN) mit einem sicheren Gefühl für klare Gestaltung.

Reinick, Robert, Maler, Dichter, *Danzig 22. 2. 1805, †Dresden 7. 2. 1852, lebte nach Ausbildung in Berlin (K. BEGAS, W. v. SCHADOW), Italien und Düsseldorf seit 1844 in Dresden. Seine Gemälde zeigen v.a. romant. und histor. Motive in gemütvoller Stimmung; bedeutender war R. jedoch als Zeichner von Buchillustrationen und als Radierer.

Reiskornmuster, urspr.Dekortechnik der pers. Keramik (12. Jh.), wird in China seit der Ch'ien-lung-Zeit (1736–95) verwendet. In den Scherben werden reiskorngroße, ornamental angeordnete Löcher geschnitten, die sich später durch die Glasur wieder schließen und durchsichtig bleiben. Die europ. Bez. beruht auf dem Irrtum, daß dieser Effekt durch in den Scherben eingelegte und beim Garbrand verbrennende Reiskörner hervorgerufen werde.

Reiterstandbild, in der Antike weitverbreitete Art der Herrscherdarstellung, in der Renaissance und im Barock wieder aufgenommen. Die lebensgroßen R. der röm. Kaiserzeit wurden wegen des mit ihnen verbundenen Herrscherkults von Christen zerstört (ein R. des Augustus wurde bei Lemnos aus dem Meer gehoben). Das R. des Kaisers MARK AUREL (161–180) ist nur erh. geblieben, weil es für eine Darstellung KONSTANTINS D. GR., des ersten christl. Kaisers, gehalten wurde. Es diente als Vorbild für die R. des →Gattamelata (BILD Renaissance) und des →Colleoni. Im Barock wurde das R. die beliebteste Darstellungsform des absolutist. Herrschers (P. TACCA: Philipp IV., Madrid, BILD Tacca; A. SCHLÜTER: Der Große Kurfürst, Berlin-West; E.-M. FALCONET: Peter der Große, Leningrad, BILD Falconet; G. VON GRUPELLO: Johann Wilhelm, Düsseldorf, BILD Grupello).

Im MA., dem der profane Denkmaltyp fremd war, wurden v.a. der Hl. Martin und der Hl. Georg zu Pferd dargestellt. Noch keine endgültige Deutung hat der um 1230–40 entstandene ›Bamberger Reiter‹ (BILD Bamberg) gefunden. Der ›Magdeburger Reiter‹ (um 1240) gilt als Symbolgestalt für den Recht sprechenden König (OTTO I. oder OTTO II.).

ELFRIEDE R. KNAUER: Das R. des Marc Aurel (1968); U. KELLER: Reitermonumente absolutistischer Fürsten (1971); W. VOMM: R. des 19. und frühen 20. Jh. in Dtl. (1979).

Rejsek, Matouš, böhm. Baumeister, Steinmetz, in Böhmen um 1445 bis 1506, seit 1478 Mitgl. der Steinmetzzunft in Prag und ebd. verantwortl. Baumeister des Neuen Turmes (›Pulverturm‹) am Altstädter Königshof, schuf seit 1489 in Kuttenberg den oberen Teil des Triforiums und (1499) das Chorgewölbe am Hauptschiff der St.-Barbara-Kirche sowie in Prag den Baldachin der Theynkirche. – Als Baumeister setzte R. die Parler-Tradition fort, als Steinmetz war er v.a. in der Dekoration bedeutend.

Rekonstruktion [lat. ›Wiederherstellung‹], Archäologie und Kunstwissenschaft: die Rückgewinnung des urspr. Zustandes untergegangener oder nur in wenigen Teilen erh. Kulturdenkmäler. I. Ggs. zur →Restaurierung, die zu den Hauptaufgaben der →Denkmalpflege gehört, werden Kunstwerke, deren originaler Zustand nicht mehr erkennbar, sondern nur noch erschließbar ist, rekonstruiert. In den archäolog. Wissenschaften stützt man sich bes. auf Ausgrabungsergebnisse, in den übrigen Kunstwissenschaften auf literar. Quellen, Urkunden und Pläne. In den seltensten Fällen sind zeitgenöss. Modelle oder Kopien vorhanden, nach denen man rekonstruieren kann. Seit dem 2. Weltkrieg hat man in sehr vielen Fällen Bauwerke nach genauen photograph. Aufnahmen aus der Zeit vor der Zerstörung wiederaufgebaut. Häufig besteht die R. im richtigen Zusammenfügen verstreuter Fragmente, z. B. bei der R. von Vasen, Tonfiguren, Glasgemälden und Fresken. Beim Fehlen einzelner Teile muß man oft den wahrscheinlichen Originalzustand theoretisch erschließen, wobei ästhet., histor. oder prakt. Gegebenheiten zu berücksichtigen sind. Solche R. beziehen sich entweder auf ein Gesamtkunstwerk, z. B. Stellproben mit unzerbrechlichen, leichten Abgüssen des Originals (Polyphemgruppe von Sperlonga), oder auf Einzelheiten wie die urspr. Farbigkeit von Bauwerken auf Grund von Feststellungen der originalen Farbgebung der Bauzeit (München, Theatinerkirche), auch auf die Wiedergewinnung des früheren Gesamteindrucks unter Benutzung verwandter zeitgenöss. Formen (Münster, Prinzipalmarkt; Deckengemälde des Weißen Saales im Schloß Charlottenburg, Berlin-West). Die R. allein auf Grund von zeitgenöss. Stil- und Formparallelen wird jedoch immer umstritten bleiben. – R. werden durch Zeichnungen oder Modelle in verkleinertem oder originalem Maßstab vorstellbar gemacht, nach denen eine Wiederherstellung vorgenommen werden kann.

Relief [frz., eigtl. ›das Hervorgehobene‹] *das,* Werk der →Bildhauerkunst, dessen Figuren nicht frei im Raum wie bei der Plastik stehen, sondern an eine Fläche (einen Hintergrund) gebunden sind. – Nach dem Grad der Erhebung der Formen über den Grund unterscheidet man: **Flachrelief** oder **Basrelief** [ba-] und **Hochrelief** oder **Hautrelief** [o-]. Eine Sonderform ist das in der ägypt. Kunst vorkommende **versenkte R.** In der ital. Plastik des 15. Jh. entwickelte sich ein maler. R.-Stil: **rilievo schiacciato** [-skjattʃ'a:to, ›gequetschtes Relief‹].

Die klassizist. Kunsttheorie hat, ausgehend vom grch. R., einen strengen und einen freien (malerischen) R.-Stil unterschieden. Im strengen Stil sind die Figuren gleichmäßig an den Grund gebunden und setzen sich klar gegen ihn ab; Überschneidungen und Verkürzungen werden vermieden. Im freien R.-Stil bildet der Grund mit den Figuren eine räuml. Einheit; die Darstellung nähert sich dem gemalten Bild; der perspektiv. Größenabstufung nach der Tiefe entspricht eine Abnahme der R.-Höhe von den stark plastisch hervortretenden Vordergrundfiguren bis zu den ganz flach gehaltenen Darstellungen des Hintergrundes.

AUSSEREUROPÄISCHE KULTUREN

In Ägypten (BILDER ägyptische Kunst) erscheinen R.-Darstellungen erstmals auf Schminkpaletten aus dem Ende der Vorgeschichte (um 3000 v. Chr.), in der Frühzeit dann auch auf Grabstelen und Opfertafeln, später auf Beamtengräbern, deren R.-Dekoration in der 5. Dynastie einen Höhepunkt erreichte. Spätere Blütezeiten lagen in der 18./19. und in der 26. Dynastie, während in den dazwischenliegenden Zeiten die Malerei dominierte. Mit R. wurden auch die Kultanlagen der

Pyramiden und in der 19. und 20. Dynastie die Felsgräber der Könige (Tal der Könige) geschmückt, dazu die Götter- und Totentempel. Man unterscheidet erhabenes R., bei dem der Grund um die Figuren abgearbeitet wurde, und versenktes R., das in die Fläche eingetieft wurde; beide Arten wurden im letzten Arbeitsgang bemalt. Während der R.-Schmuck der Beamtengräber eine Fülle von Darstellungen aus dem tägl. Leben festhielt, beschränkte er sich in Königsgräbern und Tempeln auf Kultszenen, zu denen in den Tempeln des Neuen Reiches noch histor. Darstellungen aus den Feldzügen der Könige traten. Seit dem 4. Jh. v. Chr. wurde auch grch. Einfluß auf das ägypt. R. spürbar.

Die R.-Kunst Vorderasiens ist, vergleichbar mit der ägypt. Flachbildkunst, von unperspektiv. (›vorstelliger‹ oder ›aspektivischer‹) Seh- und Darstellungsweise geprägt; nur in wenigen Ansätzen (bei der Stele des Hammurapi umstritten, besser in neuassyr. Orthostaten-R.) ist perspektiv. Sehweise zu beobachten. Im Unterschied zu ägypt. R. ist das vorderasiat. R. immer erhaben herausgearbeitet und meistens recht flach. (BILDER akkadische Kunst, assyrische Kunst, babylonische Kunst)

Schon im Neolithikum sind R. bezeugt (Jericho, Buqras, Çatal Hüyük als Stuck- oder Hoch-R.). Seit dem 4. Jahrtsd. v. Chr. gehören sie in der Großkunst (Fels-R., Stele, später Orthostaten-R.) und in der Kleinkunst (Terrakotta-R., Intarsien, reliefierte Gefäße) zum Bestand der vorderasiat. Kunst. Seltenere oder auf bestimmte Perioden beschränkte R.-Träger sind die →Weihplatten, Obelisken oder Kudurrus (→kassitische Kunst). Die oben halbrund abschließende Stele (Ausnahme: die spitzbogige Naramsin-Stele) bildet einen bes. ausgeprägten Typ: im 3. Jahrtsd. v. Chr. mit R.-Darstellungen, die in horizontale Bildstreifen angeordnet sind, im 1. Jahrtsd. v. Chr. als typ. Bildträger der Herrscherdarstellung mit meist großfiguriger Wiedergabe des Königs. Der Typ des erzählenden (histor.) R., als dessen Vorläufer man die Geierstele des →Eannatum von Lagasch (etwa 2500 v. Chr.) ansehen kann, erlebte dann in den Basis-R. der assyr. Orthostatenkunst eine reiche Entfaltung; Kriegszüge und Jagdszenen assyr. Herrscher wurden z. T. in bisher nicht üblicher Darstellungsweise in kleinen, detailreichen Szenen über die ganze Fläche verteilt. Der begleitende Text stimmt häufig nicht mit dem Geschehen überein.

In der iran. Kunst spielt das R., bes. als bauplast. Schmuck, eine wichtige Rolle. Nach Anfängen in der Pasargadae (550 v. Chr., noch in assyr. Tradition) bildete sich in Persepolis (500–350 v. Chr.) ein eigener Stil heraus, gekennzeichnet durch lange Reihungen gleich großer Figuren in strenger Profildarstellung, sehr flach modelliert (BILD achaimenidische Kunst). In der parth. und sassanidischen Kunst (BILD) wurden vorwiegend Stuck-R. hergestellt, zunächst geschnitten, dann aus Modeln geformt. Außer geometr. (Mäander) und floralem (Palmetten) Dekor wurden Tiere und Büsten in Medaillons dargestellt. In den Fels-R. wurden monumentale Schöpfungen hervorgebracht. In der islam. Epoche lebte das Stuck-R. anfangs weiter (Samarra, 9. Jh.), wurde dann aber durch Glasurfliesen verdrängt.

In der indischen Kunst bewirkte die enge Bindung der Stein- und Terrakottaplastik an die Sakralarchitektur im Hinduismus wie auch im Buddhismus und in der Jaina-Religion die Dominanz des R. gegenüber der Rundplastik (ausgenommen die thematisch allseitig ausgerichteten mehrköpfigen Kultbilder). In der Höhlenarchitektur wurden seit dem 3.–2. Jh. v. Chr. im R. Figuren und Architekturformen in Imitation von Freibauten an Fassaden und in den Innenräumen skulptiert (Barabar, Bhaja). Auf den Pfeilern und Balken der Stupa-Steinzäune entstand die Form des erzählenden R. mit Szenen der Buddhalegende (Bharhut, Sanchi). Der anfänglich flache Schnitt der R. wandelte sich seit dem 1. Jh. zum Hoch-R. mit teils vollplast. Partien und Durchbrüchen der Rückenplatte (v. a. seit dem 8. und 9. Jh.). Die Entfaltung des Tempelbaus in der Gupta-Zeit schuf Platz für Sockelfriese, Nischen- und Pfeiler-R., die v. a. in der ma. und späthinduist. Kunst häufig die gesamten Wandflächen bedecken (Modhera, Halebid u. a.). Unter AKBAR wurden v. a. in Fatehpur Sikri im ›Haus der Rumi Sultana‹ die inneren Wandflächen bis etwa ½ m Höhe über dem Fußboden mit R. versehen, die von Vögeln, Löwen und Affen belebte, phantast. Blumen- und Waldlandschaften enthalten. Bes. plast. Blumen-R. gibt es im Taj Mahal, der dazugehörigen Moschee und dem Gästehaus sowie in den Innenräumen der Forts von Agra und Delhi.

In der indojavan. Kunst kommt dem R. größere Verbreitung und Bedeutung zu als der Vollplastik: erzählende R. mit Szenen aus den buddhist. (Borobudur, Mendut) und hinduist. Legenden und Sagen (v. a. am Prambanan, Candi Jago, Panataran und Surawana).

Die bed. Tempel der Khmer-Kunst, bes. in →Angkor und im →Banteay Srei, sind z. T. übersät von höchst eindrucksvollen, z. T. filigranartig gearbeiteten Flach-R. erzählenden und ornamentalen Inhalts.

In China wurden Grabanlagen seit der Han-Zeit mit R.-Ziegeln oder Stein-R. ausgekleidet (z. B. →Shantung-Reliefs). Zw. dem 4. und 6. Jh. entfaltete sich das R. in den buddhist. Höhlentempeln und auf →Stelen. Zu den frühesten Beispielen eines in Stein übertragenen Gemäldes zählt das des →Yen Li-pen: Sockel-R. aus dem Grab des Kaisers T'AI-TSUNG (7. Jh.).

R. wurden in den Hochkulturen des vorkolumb. Amerika auf nahezu jedem dazu geeigneten Material, v. a. auf Stein, angebracht. Es gab Hoch- und Flach-R., getrennt und in Kombination (z. B. das Sonnentor von Tiahuanaco, Stelen und Türstürze der Maya, BILD). Mit R. (Ornamenten, Figuren, bei den Maya auch Hieroglyphen) versehen wurden Gebäudefassaden, Stelen, Grabkammern, Throne, Altäre und Säulen. – Eine große Rolle spielt das R. auch in Ozeanien; hier finden sich geschnitzte Holzreliefs, v. a. als ornamentale Verzierung, z. B. an Balken und Giebeln der Kult-, Vorrats- und Männerhäuser in Melanesien und bei den Maori (BILD), auf Schilden und Paddeln der Asmat.

In Afrika wird R.-Technik von einem Großteil der kunstschaffenden Stämme praktiziert. R. finden sich auf Türen (Senufo, Baule, Bambara, Yoruba, Nupe), auf Kultgeräten, Trommeln, Masken und Skulpturen

(Schmucknarben u.a.). Besondere Beachtung haben die Bronzeplatten des Palastes von →Benin und die ›Akwanshi‹-Megalithe aus dem Gebiet des →Cross River erlangt; ferner die beschnitzten Hörner der Volksgruppen im Kameruner Grasland und der →Nyamwezi, die Kultbretter der Nkanu (Zaire) u.a.

EUROPA

Vorgeschichte. Die ältesten Belege für R. an Felswänden und auf Steinblöcken finden sich in der Eiszeitkunst (Angles-sur-l'Anglin, Cap Blanc, Laussel). Es handelt sich dabei um Werke des Gravettien und Solutréen (etwa 25000–17000 v.Chr.), in denen Tier- und Menschendarstellungen die Hauptmotive bilden.

R. sind aus der Antike durch eine Vielzahl von Denkmälern belegt; sie kamen in Verbindung mit einem Bauwerk, als Einzel-R. (Grab-, Weih-R.) oder auf Geräten und Gefäßen vor. Die Entwicklung führt von reiner Profildarstellung zu einer fast vollplastisch-perspektiv. Auffassung der Figuren. – In der Architektur waren R. an versch. Bauten und deren Zonen angebracht: an Toren und Portalen (Löwentor in Mykene, 13.Jh. v.Chr., das früheste Beispiel eines monumentalen Stein-R. in der abendländ. Architektur; BILD kretisch-mykenische Kunst), an Tempeln als Metopen, Fries oder, z.T. vollplastisch, im Giebelfeld, seltener an Säulen und Architrav; an Altären (→Ara Pacis Augustae) und anderen Monumenten finden sich reliefierte Sockelfriese; röm. Triumphbögen, Ehrensäulen und Grabmäler waren mit R. geschmückt; v.a. die Sarkophage wurden Hauptträger röm. R.-Kunst seit dem ausgehenden 2.Jh. n.Chr. (BILD römische Kunst) – Freistehende R.-Platten sind ebenfalls schon in myken. Zeit durch die Grabstelen vom Gräberrund in Mykene bekannt. Groß ist die Zahl überlieferter grch. Weih- und Grab-R., v.a. aus dem 6.–4.Jh. v.Chr. Gefäße und Geräte aus Stein, Metall (Bronze) und Keramik wurden in der gesamten Antike mit R. geschmückt; die Blüte dieser Kunstgattung lag im Hellenismus und der frühen röm. Kaiserzeit.

Mittelalter und Neuzeit. Bis um 1000 brachte die abendländ. Plastik nur R. hervor; auch danach war das R. das bevorzugte plast. Kunstwerk: Bogenfelder der Kirchenportale, Chorschranken (Hildesheim, Bamberg), Türflügel in Holz (Köln, S. Maria im Kapitol) oder Bronze (Augsburg, Hildesheim, Nowgorod; Pisa, BILD Bonanus von Pisa), Lettner, Taufstein und -kessel sowie Elfenbein- und Goldschmiedearbeiten. In der Frührenaissance knüpften DONATELLO und J. DELLA QUERCIA (BILD) an den antiken R.-Stil an. Das ›rilievo schiacciato‹ handhabten virtuos DESIDERIO DA SETTIGNANO und FRANCESCO DI GIORGIO MARTINI (BILD). Das Terrakotta-R. mit bunten Glasuren wurde in der Werkstatt der Familie DELLA ROBBIA gepflegt. Die R. MICHELANGELOS in Florenz und JACOPO SANSOVINOS in Venedig bedeuten den Höhepunkt des Renaissance-R., die des GIAMBOLOGNA sind typisch für die R.-Auffassung des Manierismus. Die Bildhauer des Barock, bei denen das R. an Bedeutung verlor, arbeiteten im maler. Stil, die des Klassizismus unter Einfluß mißverstandener grch. Vorbilder im strengen R.-Stil mit scharf umrissenen Gestalten vor leerem Grund (B. THORVALDSEN). A. RODIN schuf maler. R. im Sinn des Jugendstils (›Höllenpforte‹). In der zeitgenöss. Kunst und Architektur nimmt das R. i.a. keinen hervorragenden Platz ein. (Weitere BILDER Agostino di Duccio, Giganten, A. Pisano)

⇒ Bronzekunst · Felsrelief · Holzbildhauerei · Stuck

Reliefdruck, Graphik: →Zinkätzung.

Relief|intarsia, flaches Relief aus verschiedenfarbigen Hölzern (→Egerer Arbeit).

Reliefkeramik, Keramik mit erhabener Dekoration. In der Antike wurde Keramik hauptsächlich durch Bemalung verziert, doch gab es in best. Zeiten und Bereichen auch Reliefdekoration, die wahrscheinlich jeweils aus der Technik der Bronzegefäße übernommen wurde. I.w.S. kann man schon die aufgelegten, plast. Schlangen geometr. Grabgefäße zum Bereich der R. rechnen; charakteristisch für die großen Reliefpithoi des 7. Jh. v. Chr. aus mehreren Landschaften Griechenlands ist die gestempelte, figürl. und ornamentale Reliefverzierung; auch die etrusk. Buccherovasen des 6. und 5. Jh. v. Chr. haben Flachreliefzonen, die mit Hilfe von Stempeltechniken (Rollsiegel oder Handstempel) hergestellt wurden. Gegen Ende des 5. Jh. v. Chr. läßt sich auch in Athen der Versuch beobachten, die gemalten Bilder der Vasen durch Reliefszenen zu ersetzen, die, mit Hilfe von Matrizen in Ton geprägt, auf die Gefäßwand aufgelegt und bemalt oder wie die Gefäßwand einheitlich gefirnißt wurden (›Plakettenvasen‹). V. a. der Hellenismus und die frühe röm. Kaiserzeit kennen R., die als Ganzes aus einer Tonform (Formschüssel) gewonnen wurde und in deren Innenwand das Relief negativ eingestempelt war (Megarische Becher, Bleiglasurware, Arretin. R., Terra sigillata). – In der nordafrikan. Sigillataware (3.–4. Jh. n. Chr.) kam es erneut zu einer Verwendung von Tonappliken.

Reliquiar [kirchenlat.], Behälter zur Aufbewahrung oder Zurschaustellung von Reliquien, den Überresten der Körper von Heiligen oder von mit ihnen in Verbindung gebrachten Gegenständen (Berührungsreliquien). Anfänglich dienten kostbare Stoffe als Reliquienhüllen. Seit dem 4. Jh. kamen Kästen (→Lipsanothek), Kapseln und Pyxiden aus Stein, Elfenbein, Holz oder Edelmetallen auf, die in Verbindung mit dem Heiligengrab oder im Altar aufbewahrt wurden. Kult. Verehrung von Reliquien war bes. im 9.–14. Jh. verbreitet.

Die Reliquien erhielten kostbare R. in den verschiedensten Formen. Neben den **Kreuz-R.,** zur Aufnahme von Partikeln des Kreuzes Christi bestimmt (Ardennenkreuz aus dem 2. Viertel des 9. Jh.; Nürnberg, German. Nat.-Mus.), und den **Tafel-R.** mit Kreuzreliquien (wie die mit Perlen, Filigran und figürl. Emailarbeiten kostbar geschmückte Limburger Staurothek aus Konstantinopel, 948–959; Limburg a. d. Lahn, Domschatz; BILD Staurothek) entstanden schon früh die **Bursen-R.,** ebenfalls reich gestaltete R. in Form einer Pilgertasche (Enger, Mitte 8. Jh.; Berlin, Kunstgewerbemus.; Stephansburse, 1. Drittel 9. Jh., Wien, Schatzkammer des Kunsthistor. Museums). Seit Ende des 10. Jh. nahmen die R. an Vielfalt und Kostbarkeit der Gestaltung noch zu. Die verzweigteste Gruppe ist die der ›**Redenden**‹ **R.**, bei denen das R. durch seine Form bildlich auf die in ihr aufbewahrte Reliquie hinweist **(Kopf-, Arm-, Fuß-R.).** Ein bed. Beispiel eines **Fuß-R.** ist der Andreas-Tragaltar in Trier (vor 993; Trier, Domschatz), der laut Inschrift die Sandalenriemen des Hl. Andreas bewahrt. Ein goldgetriebener Fuß mit edelsteinbesetzten Sandalenriemen auf dem Altarkasten veranschaulicht die Identität von äußerer Form und Inhalt. Weitere ›Redende‹ R.: der Petrusstab aus Trier (um 998; Limburg a. d. Lahn, Domschatz); das Nagel-R. (vor 993; Trier, Domschatz) und das Simeons-R. (2. Viertel 14. Jh.; Aachen, Domschatz), das eine Armreliquie des Hl. Simeon umschließt. Ein kleiner Schrein wurde zum Altartisch, auf dem sich in plastisch-figürl. Darstellung die Aufopferung des Christuskindes im Tempel durch Simeon vollzieht. Weiter gibt es R., die den Mittelpunkt eines Klappaltars (Triptychon oder Polyptychon) bilden. Wichtig in ihrer Funktion als Herrschaftszeichen sind die R. in Kronenform (z. B. ein **Kronen-R.** aus Lüttich, nach 1267; Louvre) oder das Herrscherbild als **Kopf-** oder **Büsten-R.** (→Cappenberger Barbarossakopf, BILD staufische Kunst; Pauluskopf, 11. Jh., Münster in Westf., Domkammer; Kopf-R. des Papstes Alexander, →Godefroid de Huy). Weit verbreitet waren auch **Arm-R.** aus Holz oder Metall (11.–18. Jh.), die auf die frommen Taten des betreffenden Heiligen verweisen und deren Segensgestus als Fürbitte für den Gläubigen verstanden wurde. Die Hauptform des R. bildet der **Reliquienschrein,** der in Form einer Truhe oder eines Hauses – aus kostbaren Materialien und mit z. T. ausführlichem figürl. Programm – bes. in der →Maaskunst zu höchster Vollendung geführt wurde (→Nikolaus von Verdun). Später wurde der Reliquienschrein noch stärker architektonisiert, er wurde zur Miniaturkathedrale (Gertrudenschrein, 1272–98; Nivelles, Gertrudenkirche, 1940 z. T. zerstört; Schrein des Hl. Taurin, 13. Jh., Klosterkirche St. Taurin, Évreux).

Am Ende des 12. Jh. setzte ein Bedeutungswandel in der Reliquienverehrung ein. Bisher wurden die Reliquien ausschließlich in verschlossenen, undurchsichtigen Behältern aufbewahrt. Bes. im 14. und 15. Jh. ent-

Reliquiar: R. aus St. Taurin, Évreux; Goldschmiedearbeit, 13. Jh.

standen aber Schau-R., mit Glas- oder Kristallzylindern für die Reliquie, mit hohem Ständer als Fuß. Diese Form übernahm die Monstranz (→liturgische Geräte). An die Stelle des Glaubens an die mag. Kraft trat eine visuelle Art der Verehrung, die die Substanz der Reliquie dem gesteigerten Schaubedürfnis zugänglich macht.

J. BRAUN: Die R. des christl. Kultes und ihre Entwicklung (Nachdr. 1971); E. G. GRIMME: Goldschmiedekunst im MA. Form und Bedeutung des R. von 800–1500 (1972); Rhein und Maas, Ausst.-Kat., Köln, 2 Bde. (1972/73); H. SWARZENSKI: Monuments of romanesque art (Chicago 1974); Les fastes du Gothique, Ausst.-Kat., Paris (1981/82).

Rellingen, Gem. im Kr. Pinneberg, Schlesw.-Holst., 13600 Ew. Die Kirche (1754–56), ein oktogonaler Zentralbau mit 2000 Sitzplätzen, ist ein HW des spätbarokken prot. Sakralbaus in N-Dtl.; Rocaillestuck, umlaufende Doppelemporen, wirkungsvoller Kanzel-Orgel-Altar; Turm der ma. Kirche erh., hoher Spitzhelm von 1702/03.

Remagen, Stadt im Kr. Ahrweiler, Rheinl.-Pf., 14300 Ew., an der Stelle des röm. Kastells **Rigomagus.** In maler. Lage über dem Rhein liegt die viertürmige neugot. Wallfahrtskirche St. Apollinaris (1839–43 von E. F. ZWIRNER), ein HW der romant. Baukunst im Rheinland, mit nazaren. Fresken der Düsseldorfer Schule (1843–53). Die Pfarrkirche St. Peter und Paul ist eine neuroman. Basilika (1900–02), die Teile des Vorgängerbaus (v. a. den reich gegliederten Chor von 1246) einbezieht. Am spätroman. Pfarrhoftor (Anf. 13. Jh.) Flachreliefs heidn. und christl. Inhalts.

Remarque-Abdruck [rəm'ark-, frz. ›Anmerkung‹], Graphik: Art des →Zustandsdrucks bei Kupferstich und Radierung, der außerhalb der Darstellung auf den Plattenrand angebrachte kleine Skizzen oder Ätzproben zeigt. Da diese ›Remarquen‹ meistens vor dem Auflagendruck entfernt wurden, sind R.-A. von Sammlern begehrt.

Rembrandt, eigtl. R. Harmensz. **van Rijn** [-rɛjn], holländ. Maler, *Leiden 15. 7. 1606, †Amsterdam 4. 10. 1669, Sohn einer wohlhabenden Leidener Familie, besuchte die Univ. ebd. und wurde 1623 Schüler von P. →Lastman in Amsterdam, wohin er nach seiner ersten Schaffenszeit in Leiden 1631 übersiedelte. Doch hat R. auch Anregungen von J. PYNAS und von den Utrechter CARAVAGGIO-Anhängern aufgenommen. 1634 heiratete er SASKIA VAN UIJLENBURGH (†1642; Porträts in Kassel, Staatl. Kunstsammlungen, und Dresden, Gemäldegal.); von ihren Kindern blieb nur TITUS am Leben, der Maler wurde (*1641, †1668). Seit 1649 lebte R. mit HENDRICKJE STOFFELS zusammen (†1663; Porträt in Berlin-West, Staatl. Museen), der Mutter seiner Tochter CORNELIA. Schlechte Geschäftsführung und seine Sammelleidenschaft führten 1656 zum wirtschaftl. Zusammenbruch. 1657/58 wurden sein Haus (heute Mus.) und seine Habe versteigert. Die letzten Jahre verbrachte R. zurückgezogen, sein Schaffen zu höchster Reife steigernd. Er wurde in der Amsterdamer Westerkerk begraben. R. hat von seinem 22. Lebensjahr an viele Schüler gehabt: G. DOU, J. BACKER, G. FLINCK, F. BOL, G. VAN

Rembrandt: Samsons Blendung; 1636
(Frankfurt am Main, Städelsches Kunstinstitut)

DER EECKHOUT, S. VAN HOOGSTRATEN, J. VICTORS, B. und C. FABRITIUS, N. MAES, A. DE GELDER. Seine Werke sind zu allen Zeiten gesammelt und nachgeahmt worden.

Werk. Über den Umfang seines Werkes besteht, außer bei den über 300 Radierungen, noch keine Einigkeit. Die Trennung von Arbeiten seiner Schüler und Nachahmer ist oft schwierig, da die Lehrlinge während ihres Aufenthalts in der Werkstatt den jeweils herrschenden Stil R.s adaptierten. Bei zunehmend krit. Sichtung gelten heute etwa 420 Gemälde als eigenhändig (H. GERSON). Bei weitem nicht alle der bis 1957 zusammengestellten 1400 Zeichnungen (O. BENESCH) sind authentisch. Ebenso umstritten ist die urspr. Farbskala seiner Gemälde (erneut seit der Restaurierung von ›Jacob segnet seine Enkel‹, 1656, Kassel: dunkle Braun-Gold-Töne oder eher helle Lokalfarben).

Meist stellte er bibl., seltener histor. und mytholog. Szenen dar, äußere Wirkungen dem seel. Geschehen unterordnend. Seine Porträts vergegenwärtigen die menschl. Erscheinung durch subtile Einfühlung in die Individualität. In rd. 70 gemalten und radierten Selbstporträts machte er sich selbst (so oft wie kein zweiter Künstler) zum Gegenstand seiner Beobachtung. Neu und einzigartig waren seine →Gruppenbilder. Die eigtl. holländ. Themen des Stillebens, des Sittenbildes und der Landschaft hat R. nur ausnahmsweise behandelt. In der Radierung beschränkte er sich weitgehend auf die allg. bekannten techn. Mittel (Ätzung, Kaltnadelradierung), setzte diese aber virtuos ein, um Tonabstufungen zu erreichen. Seine Handzeichnungen umfassen Einzelstudien und Gesamtkompositionen, Historienbilder wie Landschaften. Zunächst bevorzugte er Kreide, später die Feder, oft durch den lavierenden Pinsel ergänzt. Besonderes Kennzeichen R.s ist die breit zeichnende Rohrfeder.

In seiner Leidener Frühzeit (1625–31) stand er unter dem Einfluß der von A. ELSHEIMER geprägten und im wesentlichen durch P. LASTMAN vermittelten neuen Historienmalerei, die auf heroisierende Elemente verzichtete und in Gesichtsausdruck und natürl. Gebärdensprache Gemütszustände der histor. Personen abbildete. Eingehende Wiedergabe des Stofflichen und die Gegensätze von Licht und Schatten steigerten seine Darstellungen ins Dramatische. Die Werke wurden kleiner, dunkler, konzentrierter. Aus Antlitzstudien zu bibl. Darstellungen wurden kleine Porträts seiner Verwandten und R.s selber, oft mit starkem, erregtem Ausdruck. In dieser Zeit entstanden 1626: ›Bileam‹ (Paris, Mus. Cognacq-Jay), ›Die Eltern des Tobias‹ (Amsterdam, Rijksmus.), ›Tempelreinigung‹ (Moskau, Puschkin-Mus.); 1627: ›Flucht nach Ägypten‹ (Tours, Mus.), ›Goldwäger‹ (Berlin-West, Staatl. Museen); 1628: ›Samson und Dalila‹ (ebd.); 1629: ›Der reuige Judas‹ (Mulgrave Castle, Yorkshire, Samml. Normanby); um 1630: ›Emmausmahl‹ (Paris, Mus. Jacquemart-André); 1631: ›Simeon im Tempel‹ (Den Haag, Mauritshuis). – Radierungen: ›Bildnisse der Mutter‹ (1628), zahlreiche Selbstporträts, Kindheitsgeschichte Christi, Akte von scharfer Beobachtung und Bettlerstudien.

Mit seiner Übersiedlung nach Amsterdam begann R.s 2. Schaffenszeit. Hier entstand 1632 sein erstes Gruppenbild, die ›Anatomie des Dr. Tulp‹ (Den Haag, Mauritshuis; BILD Anatomie); die 7 Ärzte bilden, zur Handlung verbunden, ein Kollektiv – eine umwälzend

Rembrandt: Die Frau mit dem Pfeil; 1661; Kaltnadelradierung

neue Auffassung, denn vorher wurden in holländ. Gruppenbildern nur Einzelporträts addiert. Bald ein begehrter Porträtmaler, schuf R. in der Tradition von T. DE KEYSER zahlreiche lebensvolle bürgerl. Porträts. In der Historiendarstellung orientierte er sich an P. P. RUBENS in lebensgroßen Bildern mit stark bewegten, plastisch gegebenen Figuren, oft in effektvoller Kostümierung (›Opferung Isaaks‹, 1635, Leningrad, Eremitage; ›Samsons Blendung‹, 1636, Frankfurt am Main, Städelsches Kunstinstitut; ›Belsazar‹, um 1639, London, Nat. Gal.) und begann, meist unter dem Einfluß von H. SEGHERS, auch Landschaften zu malen (›Gewitterlandschaft‹, um 1639; Braunschweig, Herzog Anton Ulrich-Mus.). Es war die Zeit seiner größten äußeren Erfolge. Im barocken Stil seiner Gemälde schuf er auch Radierungen (›Auferweckung des Lazarus‹, um 1632; ›Kreuzabnahme‹, 1633). Die 1642 gemalte →Nachtwache brachte ihn durch den völligen Bruch mit der Tradition des Gruppenbildes in Widerstreit mit dem holländ. Bürgertum und seinem nüchternen Wirklichkeitssinn. Die barocken Wirkungen wichen zunehmender Beruhigung, warmbrauner Tonigkeit und verinnerlichtem Ausdruck (›Die Hl. Familie mit Engeln‹, 1645, Leningrad, Eremitage; ›Die Eltern des Tobias‹, 1645, Berlin-West, Staatl. Museen; ›Hl. Familie‹, 1646, Kassel, Staatl. Kunstsammlungen; ›Emmausmahl‹, 1648, Louvre; Radierungen: ›Die drei Bäume‹, 1643; ›Jan Six‹, 1647).

In den 1650er Jahren erhob sich seine Kunst zu monumentaler Stille und Größe. R. gelangte zu flächenbetonender, ausgewogener Komposition; er beschränkte sich zunehmend auf Braun- und wenige Rottöne. Die Figur gewann noch stärker an Bedeutung (›Aristoteles vor der Büste Homers‹, 1653, New York, Metrop. Mus. of Art; ›Bathseba‹, 1654, Louvre; ›Joseph und Potiphars Weib‹, 1655, Berlin-West, Staatl. Museen; ›Poln. Reiter‹, um 1655, New York, Frick Coll.). Es entstanden großartige Porträts (›Der Mann mit dem Goldhelm‹, um 1650, Berlin-West, Staatl. Museen; ›N. Bruyningh‹, 1652, Kassel, Staatl. Kunstsammlungen; ›Jan Six‹, 1654, Amsterdam, Six-Stiftung) und Radierungen (›Faust‹, um 1651; ›Die drei Kreuze‹, 1653; ›Die Kreuzabnahme bei Fackellicht‹, 1654; ›Abrahams Opfer‹, 1655; ›Ecce Homo‹, 1655; ›Der ungläubige Thomas‹, 1656; ›Christus am Ölberg‹, 1658).

Die 1660er Jahre waren von R.s Spätstil geprägt, in dem die Malerei lockerer und durchsichtiger, die Farbgebung heller wurde. Seine Spätwerke sind einzigartig in der europ. Kunst: ›Esthers Gastmahl‹ (1660; Moskau, Puschkin-Mus.), ›Verleugnung Petri‹ (1660; Amsterdam, Rijksmus.), ›Matthäus mit dem Engel‹ (1661; Louvre), ›Isaak und Rebekka‹, auch die ›Judenbraut‹ genannt (um 1666; Amsterdam, Rijksmus.), ›Die Rückkehr des verlorenen Sohnes‹ (um 1669; Leningrad, Eremitage), ›Simeon im Tempel‹ (um 1669; unvoll.; Stockholm, Nat.-Mus.). R.s letztes Gruppenbild stellt die ›Staalmeesters‹, einen Ausschuß der Tuchmachergilde, in klass. Einfachheit dar (1662; Amsterdam, Rijksmus.). Die ›Verschwörung des Claudius Civilis‹, 1661 für das Amsterdamer Rathaus gemalt, wurde von dort wieder entfernt, verkleinert und überarbeitet (Stockholm, Nat.-Mus.). An Porträts stammen aus der Spätzeit Selbstporträts (1660, Louvre; 1661, Amsterdam, Rijksmus.; als Apostel Paulus, um 1663, Köln, Wallraf-Richartz-Mus.; 1669, Den Haag, Mauritshuis), ›G. de Lairesse‹ (1665; New York, Samml. R. Lehman) sowie das ›Familienbildnis‹ (um 1668/69; Braunschweig, Herzog Anton Ulrich-Mus.). (Weitere BILDER Radierung, Selbstporträt, Zeichnung)

C. WHITE u. K. G. BOON: R.'s etchings, 2 Bde. (Amsterdam 1969); O. BENESCH: The drawings of R., 6 Bde. (London [2]1973); C. TÜMPEL: R. in Selbstzeugnissen und Bilddokumenten (1977); H. GERSON: R. (1978); C. BROWN: R., 2 Bde. (a. d. Engl., 1979, Tb.); W. L. STRAUSS u. M. V. D. MEULEN: The R. documents (New York 1979); H. BONNIER: R. und seine Welt (a. d. Frz., 1980); C. WRIGHT: R. Selfportraits (London 1982).

Remington [r'emɪŋtən], Frederic, amerikan. Illustrator, Maler, Bildhauer, *Canton (New York) 4. 10. 1861, †bei Ridgefield (Connecticut) 26. 12. 1909; seine Werke schildern in lebendigem Realismus die Welt des ›Wilden Westens‹.

Remojadas [remɔx'aðas], Fundort von präkolumb. Keramik im Staat Veracruz, Mexiko, gekennzeichnet durch eine große Menge von Tonfiguren (vermutlich Grabbeigaben) aus der frühen und späten klass. Periode (300 bis 900 n. Chr.), v. a. Darstellungen aus dem Alltagsleben mit charakterist. ›lächelnden Gesichtern‹.

Remter [mhd. reventer], das →Refektorium bes. der Ordensburgen des Dt. Ritterordens (Sommer- und Winter-R. der Marienburg).

Renaissance [rənɛs'ãs, frz. ›Wiedergeburt‹], i. e. S. im 19. Jh. von Kulturhistorikern wie J. MICHELET und J. BURCKHARDT geprägte Bez. für die Zeit von etwa 1350 bis Anf. des 16. Jh. als die Zeit der Wiedergeburt der Antike in Italien, i. w. S. auch die Strömungen geistiger

Renaissance: Raffael, ›Die Schule von Athen‹; Fresko 1508 (Vatikan, Stanza della Segnatura)

Erneuerung im MA. wie die →Karolingische Renaissance und vergleichbare Tendenzen in der ottonischen und staufischen Kunst (→Protorenaissance). Die R. als Epoche der europ. Kunstgeschichte zw. Gotik und Barock entstand in Italien. Hier löste der neue, an der Antike geschulte Stil um 1420 die Gotik ab **(Frührenaissance),** erreichte um 1500 seinen Höhepunkt **(Hochrenaissance)** und ging seit 1520–30 seinem Ende entgegen (**Spätrenaissance,** meist dem →Manierismus gleichgesetzt). Die Erforschung des Überlieferungsbestandes wird erleichtert durch reiche Kunstliteratur aus der Zeit. I. Ggs. zum MA., wo die einzelne Künstlerpersönlichkeit oft anonym blieb, sind nun volle Signaturen und biograph. Fakten bekannt, letztere v. a. durch die Künstlerviten G. VASARIS. Wegbereitend für die R.-Kunst wirkten einige der großen Meister des Trecento (GIOTTO). Während sich die R.-Kunst fast ausschließlich in Italien entwickelte, begann sie sich nach fast hundertjährigem Abstand über die anderen europ. Länder zu verbreiten. Im Norden wie im Süden war das Kunstwerk seitdem nicht mehr zweckgebunden, sondern wurde zum Instrument eines Ausdruckswillens. Während jedoch Italien auf Verwissenschaftlichung zielte, strebte der Norden nach vertiefter Meditation über Wesensgehalte. Die Einwirkung des Manierismus auf den Norden ist von derjenigen der Hochrenaissance nicht zu trennen.

Italien. Zu Beginn der Frührenaissance, um 1420, stand die Antike noch nicht im Blickfeld der ital. Künstler. In Florenz, der führenden Kunststadt, wurde zw. 1410 und 1420 die Zentralperspektive durch einen Freundeskreis, zu dem F. BRUNELLESCHI, DONATELLO und L. GHIBERTI gehörten, entdeckt. Daran schlossen sich Versuche mit der Luftperspektive von L. B. ALBERTI, PIERO DELLA FRANCESCA an (→Perspektive). Während in der Malerei die Darstellung von Themen aus dem Altertum nicht vor 1460 auftrat, meisterte die Skulptur schon sehr viel früher die Darstellung des nackten Menschen, der klass. Standmotive (→Kontrapost) und der

Renaissance: Donatello, Johannes der Täufer als Knabe; Bronze, vor 1443 (Florenz, Bargello)

Renaissance: Blois, Treppenturm des Schlosses; 1515–24

klass. Proportionen, v.a. aber entstand die Rundfigur, die anschaubare Seiten- und Rückenansichten gewährt. Donatello, L. Ghiberti, J. DELLA QUERCIA übertrugen die Zentralperspektive auf das Relief und gaben damit die got. Kompositionsmöglichkeiten auf. Seit etwa 1430 verbreitete sich in Malerei und Plastik die neue Vorstellung vom Porträt als der Darstellung eines unverwechselbaren Menschen, der an seinen physiognom. Merkmalen erkannt wird. Gleichzeitig entstand ein neues Naturgefühl, das sich in der Wiedergabe der geschauten Umwelt als →Landschaftsmalerei äußerte, von MASACCIO bis zu A. POLLAIUOLO und dem jungen LEONARDO DA VINCI.

Die neuen Züge der Frührenaissance-Architektur, die sich auf die soziolog. Architekturtheorien VITRUVS stützten, bestimmen die Baukunst bis heute. Um 1420 entstanden Haus und Palast als axial gebundene Anla-

Renaissance: Peter Vischer d. J., ›Orpheus und Eurydike‹; um 1515, Bronzeplakette (Berlin-West, Staatl. Museen)

Renaissance: Ansicht einer Idealstadt, Gemälde eines unbekannten Meisters des 16. Jh. (Urbino, Galleria Nazionale)

gen, in denen sich Türen, Treppen und Höfe aufeinander bezogen; später folgten Korridore. Die Kirchen wurden nicht mehr aus einzelnen got. Jochen errichtet, sondern in großen Raumkuben komponiert, deren Vierungen mit Kuppeln eingewölbt wurden. Zum 1. Mal seit dem Altertum wurden auch Städte wieder in weiten Achsen angelegt und mit großen Baublöcken besetzt (Piacenza; Systematisierung des Borgo in Rom durch L. B. Alberti).

Einen Gegensatz zw. heidn. Antike und Christentum haben die Künstler der R. nicht gesehen: Dieselben Meister, die antik-heidn. Stoffe behandelten, schufen auch die Altäre und Statuen für die Kirchen. Der wesentl. Zug der Frührenaissance ist die Verbindung von Wissenschaft und Kunst. Bei allen großen Frührenaissance-Meistern ist das Kunstwerk zugleich wissenschaftl. Experiment.

In der Malerei und Plastik der Hochrenaissance herrschte eine neue Vorstellung von der Würde des Menschen, dessen Körper nun runder und voller gestaltet wurde und der große feierl. Gesten vollzog. Die Figurenanhäufung des 15. Jh. trat zugunsten der Gruppe oder des repräsentativen Einzelnen zurück. Das Porträt besaß nicht mehr die Schärfe der Beobachtung, die die Bildnisse des 15. Jh. auszeichneten. Ein Grund dafür war, daß die Bedeutung des Dargestellten überhöht wurde, indem er sich in fremden Gestalten porträtieren ließ, z. B. eine junge Florentinerin als Kleopatra. Die großformatige Komposition ist ruhig, still und ausgewogen (Leonardos Abendmahl, BILD Abendmahl; die Fresken RAFFAELS in den Stanzen des Vatikans).

Die Architekturtheorien gipfelten in der Idealstadt, die in Zeichnungen von FILARETE, B. PERUZZI u. a. überliefert sind (verwirklicht wurde jedoch nur die Konzeption für →Palmanova), und im →Zentralbau, den Leonardo da Vinci förderte und BRAMANTE sogar dem Petersdom zugrunde legen wollte.

Die großen Krisen, welche ganz Europa seit etwa 1520 erschütterten, fallen mit den Todesjahren der großen Künstler der Hochrenaissance zusammen (Leonardo †1519, Raffael †1520). In der Spätrenaissance zerbrach das Ideal von der autonomen Einzelfigur und der Würde des Menschen. Die harmon. Darstellung des

Renaissance: Piero della Francesca, ›Battista Sforza‹; 1461–66 (Florenz, Uffizien)

Menschen, die ausgewogene Bildkomposition, die antike Proportion waren nicht mehr vorbildlich, die überlängte Figur, die ›linea serpentinata‹, kam auf.

Deutschland. Die Gedanken der Architekturtheorie wurden hier nur zögernd aufgenommen: Erst 1547 übersetzte W. RYFF, genannt Rivius, den Vitruv in Nürnberg. Die frühesten italianisierenden Bauwerke auf dt. Boden sind die Grabkapelle der Fugger in Augsburg (Weihe 1518) und die Kirche zur ›Schönen Maria‹ in Regensburg (um 1520), ein sechseckiger Zentralbau mit zweijochigem Chor (als Holzmodell erhalten). Kolossaler Italianismus (Arkadenhof der Plassenburg bei Kulmbach) neben got. Restbeständen in der Sakralarchitektur demonstrieren den uneinheitl. Stil der deutschsprachigen Länder. Ein Stilzusammenhang bildete sich nur im Nordwesten (Weserrenaissance; BILD). Vielfach wurden ital. Motive durch Mittel-Dtl. vermittelt: Dominikanerkirche in Halle (1519/20), Sakristei zu Annaberg (1518), Ausbau des Schlosses Hartenfels in Torgau. Im späteren 16. Jh. hingegen wurden die ital. R.-Formen durch die Niederlande vermittelt, bes. durch Stiche von C. FLORIS und H. VREDEMAN DE VRIES.

In der Plastik ist ital. Einfluß kaum zu verzeichnen, auch in der Kleinkunst setzte er nur vereinzelt ein. Ital. Entlehnungen finden sich bes. in der Nürnberger Vischer-Werkstatt. Die Anregungen seiner Italienreise hielt H. VISCHER D. J. in zahlreichen Architekturzeichnungen fest. P. VISCHER D. J. verwendete Dekorationen aus Padua und Venedig und schuf kleine Reliefbilder südl. Poesie.

Die Malerei zeigte R.-Formengut v. a. im Augsburger Kreis um H. BURGKMAIR D. Ä. Bis heute ist unklar, ob seine monumentale Nürnberger Madonnentafel von 1509 auf Michelangelos Brügger Madonna zurückgeht. Italien lehrte die dt. Maler Fülle und Repräsentanz, direkte Nachahmungen finden sich jedoch selten. Erstes dt. Tafelbild, das keine Sage, sondern antike Geschichte wiedergibt, ist H. WERTINGERS ›Alexander und sein Arzt‹ (Prag) für Ludwig X. von Bayern. Dessen Bruder Wilhelm IV. bestellte A. ALTDORFERS ›Alexanderschlacht‹. 1515 brachte H. HOLBEIN D. J. die Kenntnis oberital. Formen nach Basel mit. Am fruchtbarsten verarbeitete A. DÜRER ital. Bildungsgut.

Frankreich. Malerei, Plastik, Architektur und Ornament sind in Frankreich eine bes. enge Verbindung eingegangen, charakteristisch der Stil von →Fontainebleau unter FRANZ I. (→François-premier). 1495 hatte Karl VIII. als ersten Bildhauer G. MAZZONI aus Neapel mitgebracht, es folgten u. a. die Brüder A. und I. GIUSTO (→Juste), die sich 1513 in Tours niederließen. Ihr wichtigstes Werk, das Grabmal Ludwigs XII. und der Anne de Bretagne (1516–31) in St. Denis, wurde maßgebend für die späteren Königsgräber. Italiener faßten nicht leicht Fuß, schließlich wurden doch Einheimische aufgefordert. Zunächst wurde GIROLAMO DELLA ROBBIA für das Grab Heinrichs II. und der Katharina Medici herangezogen, doch gab man dann seinem frz. Konkurrenten G. PILON den Vorzug.

In der Baukunst setzte sich der ital. Formenkanon erst nach 1530 durch. Die ital. doppelläufige Treppe findet sich in Chenonceaux und Azay-le-Rideau (1518 bis 1527). SANGALLOS Schüler DOMENICO DA CORTONA lieferte den 1. Entwurf für Chambord. In der Bauornamentik überwog zuerst das Interesse an venezian. und lombard. Dekor, erst nach 1528 orientierte man sich mehr an den antikisierenden Formen der Toskana. In Paris signalisiert St. Eustache die Wende (Grundsteinlegung 1532). Die Benutzung Vitruvs ist zuerst im Frühwerk des J. GOUJON nachweisbar (um 1530). Entscheidend für die Durchsetzung des klass. Geschmacks wurden die Jahre um 1540, als F. PRIMATICCIO Antikenabgüsse aus Rom mitbrachte, P. DE L'ORME seinen Italienaufenthalt beendet hatte und S. SERLIO den dritten, 1540 erschienenen Teil seines Architekturtraktates Franz I.

Renaissance: Jan van Scorel, ›Maria Magdalena‹; um 1528 (Amsterdam, Rijksmuseum)

widmete. Serlios Werk gab der frz. R. mit ihrem zunächst oft veralteten ital. Detail die Balance.

Die Malerei hatte ebenfalls ihren Mittelpunkt in Fontainebleau (G. B. ROSSO, F. PRIMATICCIO). Auch Stecher verschafften den vielfach mit Vorlagen der Raffaelschule arbeitenden Kompositionen weitere Verbreitung. Franz I. bevorzugte den ›uomo universale‹, den er in LEONARDO gefunden zu haben glaubte. Der Hofkünstler J. PERRÉAL, der dreimal in Italien gewesen war, brillierte in Festdekorationen wie als Schöpfer ausdrucksvoller Bildnismedaillen und Illustrator einer alchemist. Handschrift. Diesem Typus hatte schon B. CELLINI angehört, der zwischen 1540 und 1545 in Frankreich das Kunstgewerbe ebenso beeinflußte wie die Malerei.

Niederlande. In der Architektur traten ital. R.-Formen spät und zufällig auf: lombard. Dekor seit 1531 in Brügge. Nach der Jahrhundertmitte strömten manierist. Formen ein. Leichter ging die Plastik zum ital. Geschmack über, wie im Lettner des J. DU BROEUCQ in Mons (nach 1535).

Wichtiger Bestandteil der Malerei wurde das Landschaftsbild, als Gattung wahrscheinlich in noch ungeklärten Prozessen aus Italien eingeführt (Bezeichnung eines Bildes als ›Landschaft‹ findet sich zuerst in Venedig). Schon G. DAVID, ROGIER VAN DER WEYDEN, JOOS VAN GENT hatten Italien besucht, ohne daß sich jedoch die got. Struktur ihrer Bilder verändert hätte. Als erster fläm. Romreisender wurde JAN GOSSAERT (BILD) zum R.-Künstler. Das Italienerlebnis wirkte in ihm zuerst von seiten der Antike, dann in Dekoration und Ikonographie, zuletzt im Stil nach. In seinem Spätwerk mehrten sich mytholog. Szenen mit nackten Figuren, seine Bildarchitekturen spiegeln das Erlebnis Bramantes

Renaissance: Schule von Fontainebleau, ›Diana auf der Jagd‹; 1550–60 (Paris, Louvre)

Renaissance: Gattamelata, Reiterstandbild von Donatello in Padua; 1447–53

(›Danae‹, 1527) wider. Ital. Anregungen, bes. von Leonardo, nahm Q. MASSYS auf. Durch seinen Landsmann Papst HADRIAN VI. wurde JAN VAN SCOREL als Nachfolger Raffaels zum Verwalter der röm. Antiken bestellt. Über die Kunstabsichten der ›Romanisten‹ (→Romanismus) besteht noch wenig Klarheit.

In der 2. Phase der Italienbewegung, in welcher die heim. Überlieferung bereits weitgehend verdrängt worden war, gruppierten sich L. LOMBARD, B. ORLEY, L. BLONDEEL und P. COECKE VAN AELST. Die Vorbilder waren gemischt, man übernahm Antikes ebenso wie die Kunst des Quattrocento sowie Michelangelo und Bandinelli, Raffael wie Tizian. In der Heimat gründete Lombard eine Akademie nach ital. Muster, aus der u. a. F. FLORIS, W. KEY und H. GOLTZIUS hervorgingen. Wichtig zur Verbreitung des R.-Stils wurden die Stecher, z. B. stach H. COCK Raffaels ›Schule von Athen‹. Der ›Lagunismus‹ der Venedigreisenden löste die Romliebe ab; M. DE VOS soll in Tintorettos Atelier gearbeitet haben.

R. WITTKOWER: Grundlagen der Architektur im Zeitalter des Humanismus (a. d. Engl., 1969); G. KAUFFMANN: Die Kunst des 16. Jh. (1970); M. WUNDRAM: R. (1970); ders.: Frührenaissance (1980); E. HUBALA: R. u. Barock (1971); P. MURRAY: Architektur der R. (a. d. Engl., 1975); H. A. STÜTZER: Die ital. R. (1977); E. BATTISTI: Hochrenaissance u. Manierismus (a. d. Ital., 1979); R. E. WOLF u. a.: R. u. Barock (1979); L. M. BATKIN: Die ital. R. (a. d. Russ., 1981); L. HEYDENREICH: Studien zur Architektur der R. (1981); Gesch. der dt. Kunst 1350–1470, hg. v. E. ULLMANN (Leipzig 1981).

Rendsburg, Stadt an der Eider und am Nord-Ostsee-Kanal, Schlesw.-Holst., 33 100 Ew.; seit Ende 13. Jh. zeitweilig Residenz einer Linie der Grafen von Schauenburg. Got. Marienkirche, eine Backsteinhallenkirche des 13. Jh., mit reicher Ausstattung, bes. der spätmanierist. Hochaltar (1649) und die Renaissance-Holzkanzel (1621). Im Alten Rathaus (Fachwerk, Kern 16. Jh.) das Heimat-Mus. (Stadtmodelle, Waffen u. a.). Im 1690–95 halbkreisförmig angelegten Stadtteil Neuwerk der Paradeplatz mit Amtsgebäuden (17./18. Jh.) und der kreuzförmigen barocken Christkirche (1694 bis

1700), deren Holztonnengewölbe mit Akanthusborten bemalt sind.

Reni, Guido, ital. Maler, *Calvenzano bei Bologna 4. 11. 1575, †Bologna 18. 8. 1642, lernte bei D. Calvaert, später bei L. Carracci und war 1600–03 sowie 1607–14 v.a. in Rom tätig, wo er von Caravaggio beeinflußt wurde, dessen Helldunkel er zu einem leuchtenden Goldton milderte. In seiner bolognes. Spätzeit gelangte er zu einem kühlen, eleganten Stil von glatten Formen und konventioneller Schönheit.

HW: Gang des Hl. Andreas zur Kreuzigung (1608/09; Rom, Kapelle bei S. Gregorio Magno); Fresken in der Kapelle des Quirinals (1610/12) und der Borghese-Kapelle von S. Maria Maggiore in Rom (1612/13); Bethlehemit. Kindermord (um 1612; Bologna, Pinakothek); Deckenfresko der Aurora (1612/14; Rom, Casino des Palazzo Rospigliosi); Pietà mit Heiligen (1614–16; Bologna, Pinakothek); Herkulesbilder (1617/21; Louvre); Wettlauf der Atalante mit Hippomenes (Neapel, Gal. Nazionale di Capodimonte); Ruhende Venus (Dresden, Gemäldegal.).

S. Pepper: G. R. (London 1982).

Rennes [rɛn], Hauptstadt des frz. Dép. Ille-et-Vilaine, 205 700 Ew.; kultureller und wirtschaftl. Mittelpunkt der Bretagne; kath. Erzbischofssitz. Die Altstadt auf dem rechten Ufer der Vilaine, 1720 durch einen Brand fast völlig zerstört (Palais de Justice von 1618–55 erh.; im Großen Saal Wandteppiche zur Gesch. der Bretagne), wurde seitdem neu angelegt (Hôtel de Ville, 1734/43; Kathedrale, 1762–1844; mit prächtigem Schnitzaltar des 15. Jh.). Mus. mit Gemäldegal., archäolog. Samml., breton. Volkskunst u.a.

Renoir [rənw'a:r], Pierre Auguste, frz. Maler, Graphiker, *Limoges 25. 2. 1841, †Cagnes-sur-Mer (Dép. Alpes-Maritimes) 3. 12. 1919, war zunächst Porzellanmaler, 1862/63 Schüler von C. Gleyre. Die tonige Malerei seiner frühen Werke, meist Figurenbilder, läßt den

Auguste Renoir: Am Frühstückstisch; 1879 (Frankfurt am Main, Städelsches Kunstinstitut)

Einfluß G. COURBETS erkennen. Ende der 1860er Jahre wurde seine Palette heller und farbiger, und der Farbauftrag lockerte sich. R. wandte sich nun, unter dem Einfluß der Schule von Barbizon, mit A. SISLEY und J.-F. BAZILLE der Freilichtmalerei zu. Gleichzeitig mit C. MONET entwickelte er die für die impressionist. Form entscheidende kommaartige Pinselschrift, mit der er die sich im Licht dauernd verändernden farbigen Erscheinungen festhielt. Außer Figurenbildern malte er nun auch Porträts (u. a. von C. Monet, 1875, Musée d'Orsay, Paris) und Landschaften, in deren blühender Farbigkeit sich bes. in den 1870er Jahren seine Bewunderung für E. DELACROIX bekundet. In den 1880er Jahren wurde unter dem Eindruck von RAFFAEL und J. A. D. INGRES seine Form in klass. Sinn bestimmter. In seiner letzten Schaffensperiode lockerte sich das Farbgefüge wieder. Es entstanden Landschaften in leuchtenden Tönen und mit naturhaft sinnl. Anmut gemalte Bilder von Frauen und jungen Mädchen, die, wie sein ganzes Werk, heiterer Ausdruck seines unzerstörbaren Glaubens an die lebensspendende Kraft der Natur sind. In seinen letzten Jahren, als seine von Rheuma verkrüppelten Hände gelähmt waren, hat er mit Hilfe eines Bildhauers auch Bronzeplastiken (lebensgroße Venus, 1915/16; Rotterdam, Mus. Boymans-van Beuningen) geschaffen.

Werke: Lise (1868; Essen, Folkwang-Mus.); Ehepaar Sisley (1868; Köln, Wallraf-Richartz-Mus.); Die Loge (1874; London, Courtauld Institute Galleries); Le Moulin de la Galette (1876; Paris, Musée d'Orsay); Akt in der Sonne (1876, ebd.); Mme. Charpentier mit Töchtern (1878; New York, Metrop. Mus. of Art); Am Frühstückstisch (1879; Frankfurt am Main, Städelsches Kunstinstitut); Frühstück im Freien (1879; Musée d'Orsay); Frühstück der Ruderer (1881; Washington, D. C., Phillips Gal.); Drei badende Frauen, große Zeichnungen (um 1882–85; Musée d'Orsay), als Ölbild (1887; Philadelphia Samml. Tyson); Zwei Mädchen am Klavier (1892; Musée d'Orsay); Familie des Künstlers (1896; Merion, Pennsylvania, Barnes Foundation); Landschaft mit Sacré Cœur (um 1896; München, Neue Pinakothek); Badende Frauen (1918; Musée d'Orsay).

J. RENOIR: Mein Vater A. R. (a. d. Frz., 1962); W. PACH: A. R. ([4]1979); G. BETZ: A. R. Leben und Werk (1982).

Renovierung [lat.], Erneuerungsmaßnahmen an einem Kulturdenkmal; i. d. R. Erneuerung der verschmutzten und unansehnlich gewordenen inneren und äußeren Oberfläche eines Baus. Da alte Anstriche und Fassungen meist beträchtl. histor. oder künstler. Wert besitzen, wird die R. eines Kulturdenkmals in die Nähe der →Restaurierung gerückt.

Rentoilieren [rãtwa'li:rən, zu frz. toile ›Leinwand‹], selten angewendete Maßnahme beim Restaurieren von Gemälden, deren Leinwand schadhaft geworden ist. Sie wird nach Überkleben der Vorderseite Faden für Faden entfernt und durch eine neue ersetzt. Das Wort wird heute meist unkorrekt verwendet für das üblichere Verfahren, bei dem das Gemälde mit einer 2. Leinwand hinterklebt wird (→Doublieren).

Repin, Ilja Jefimowitsch, russ. Maler, *Tschugujew (Gouv. Charkow) 5. 8. 1844, †Kuokkala (Finnland; heute Repino, Gebiet Leningrad) 29. 9. 1930, war 1893–1907 Prof. an der Akad. in St. Petersburg. R. malte zunächst im Geist der Peredwischniki Bilder sozialen

Ilja Jefimowitsch Repin:
Burlaken an der Wolga; 1870–73
(Leningrad, Staatliches
Russisches Museum)

und histor. Inhalts, die psycholog. Scharfblick mit realist. Milieuschilderung verbanden. Seit der Jahrhundertwende wandte er sich stärker rein maler., später auch relig. Problemen zu. Sein Haus ›Penaty‹ in Kuokkala, wo er seit 1917 lebte, ist Museum.

HW: Leningrad (Russ. Mus.): Burlaken an der Wolga (Wolgatreidler, 1870–73); Die Saporoger Kosaken schreiben einen Brief an den türk. Sultan (1878–91; Skizze zu diesem Bild Moskau, Tretjakow-Gal.); Sitzung des Staatsrats (1901–03). – Moskau (Tretjakow-Gal.): M. Mussorgskij (Porträt, 1881); Kreuzprozession im Kursker Gouvernement (1880–83); Unerwartet (1884–88); Iwan der Schreckliche und sein Sohn Iwan (1885); L. Tolstoj (Porträt, 1887); Verhaftung des Agitators (1880–92).

Replik [lat.-frz.], eigenhändige Wiederholung eines Kunstwerks durch den Künstler selbst, i. Ggs. zur Kopie, einer Nachbildung von fremder Hand. – Neuerdings auch Bez. für technisch hochwertige Kunstdrucke.

Replikat [lat.] *das,* qualitätvolle kunsthandwerkl. Nachbildung einer (meist kleineren) Skulptur in Originalgröße, aus gleichem oder möglichst ähnl. Material.

Repoussoir [rəpusw'a:r, frz. repousser ›zurückschieben‹], dunkle, meist durch ein Versatzstück (Baum, Draperie, Torbogen u. a.) gebildete Stelle im Vordergrund eines Bildes zur Steigerung der Tiefenillusion des dahinterliegenden eigtl. Bildmotivs (BILD Vermeer van Delft).

Reproduktion [lat.], Vervielfältigung eines Kunstwerks i. Ggs. zum →Original, aber auch im Unterschied zur →Kopie. Klare Abgrenzung gibt es bei Unikaten, wo die R. eine reine Abbildung des Originals (z. B. für Kunstblätter, Bücher, Kalender) durch photomechan. Verfahren darstellt. Schwieriger ist die Unterscheidung zum Original bei der Graphik: Fortgeschrittene Techniken können hier die Grenze zw. Originalgraphik und R.-Druck verwischen (→Reproduktionsgraphik). Ähnliche Probleme treten bei Abzügen plast. Modelle auf (z. B. Nachgüsse von Bronzen). Die Polarität zw. Original und R. wird bei modernen künstler. Ausdrucksformen teilweise ganz aufgelöst, wo die Vorstellung von der Einmaligkeit des Werkes durch dessen beliebige Vermehrbarkeit ersetzt wird (›Ars multiplicata‹) und damit eine Annäherung an die typ. Verbreitung von Druck- oder Filmwerken erreicht. Das R.-Recht steht als ausschließl. Verwertungsrecht dem Urheber zu, wobei es auf die Art der Wiedergabe des Werkes nicht ankommt (z.B. also auch Aufnahme auf Bildträger); die Vervielfältigung oder sonstige Verwertung eines urheberrechtlich geschützten Werkes durch einen Dritten bedarf der Zustimmung des Urhebers.

W. BENJAMIN: Das Kunstwerk im Zeitalter seiner techn. Reproduzierbarkeit ([10]1977); P. BADURA: Der Eigentumsschutz des Urhebers und die Vervielfältigung urheberrechtlich geschützter Werke (1982).

Reproduktionsgraphik, originalgetreue Wiedergabe oder Nachbildung einer Vorlage (Zeichnung, Gemälde) durch ein druckgraph. Verfahren (z.B. Holzschnitt, -stich, Kupferstich, Lithographie). Im Unterschied zur →Originalgraphik wird die Druckform nicht vom entwerfenden, die Darstellung erfindenden Künstler (→Peintre-graveur) angefertigt, sondern von auf die Reproduktion fremder Vorlagen spezialisierten Künstlern. Ihre höchste künstler. Blüte erlebte die R. im 16. und 17. Jh. durch Kupferstiche und Holzschnitte v.a. von M. RAIMONDI (nach RAFFAEL und DÜRER), H. GOLTZIUS (nach Raffael und MICHELANGELO) und den →Rubensstechern. Heute werden Originalvorlagen mittels photomechan. Druckverfahren (z.B. Lichtdruck, Offsetdruck) reproduziert (›Kunstdrucke‹ oder ›Reproduktionen‹).

Réquichot [rekiʃ'o], Bernard, frz. Maler, Objektkünstler, *Asnières-sur-Vègre (Sarthe) 1. 10. 1929, †Paris 4. 12. 1961, war einer der Initiatoren des Nouveau Réalisme, der schon Mitte der 1950er Jahre ein Collage-Verfahren mit Illustriertenphotos entwickelte, die in abstrakte Bilder eingeschnitten wurden.

Resa̱ Abbasi̱, Riza Abbasi, pers. Maler, *etwa 1565, †etwa 1640, arbeitete von 1587 bis etwa 1605 für Schah ABBAS I. (1587–1629), als dessen Diener ihn seine bevorzugte Namensform kennzeichnet, v.a. an der Ausmalung von Bilderhandschriften. Später lebte er abseits des Hofes mit dem einfachen Volk, dessen Menschen er vielfach darstellte, meist in brillanten Pinselzeichnungen, oft mit satir., aber auch erot. Einschlag. – Unterschiedl. Namensformen in den Signaturen (Riza, Aka Riza, Riza-ji Abbasi) führten lange zur Aufteilung seines Werks auf mehrere Meister.

Re̱sava, →Manasija.

Re̱schef [semit.], phönik. Gott der Seuchen und des Krieges, der seit dem Neuen Reich auch in Ägypten verehrt wurde. In hellenist. Zeit wurde R. dem Apollon gleichgesetzt. Dargestellt wurde er mit einem Blitzpfeil und mit Waffen (Schild, Speer, Keule) in den Händen.

Restaurierung [aus frz.], Wiederherstellung, Erhaltung gealterter, beschädigter oder durch spätere Hinzufügung entstellter Werke der bildenden Kunst oder kunsthistorisch bed. Gegenstände (Musikinstrumente, Bücher, Textilien, Bauwerke; →Denkmalpflege).

Bei Gemälden handelt es sich zunächst gewöhnlich

Restaurierung: OBEN Außergewöhnlich stark beschädigtes Porträt aus dem 18. Jh. MITTE Die Rückseite des gleichen Porträts mit schädlichen, dilettantisch aufgeklebten Flicken. UNTEN Das auf vollen Schauwert restaurierte Porträt

um eine Reinigung oder Abnahme des alten vergilbten oder gebräunten Firnis. Gemälde mit beschädigtem oder geschwächtem Leinwandbildträger werden durch Aufkleben auf eine neue Leinwand wieder gefestigt (Doublieren). Eine Übertragung von Grundier- und Farbschicht ist nur in drast. Fällen und v. a. bei Holztafeln erforderlich. Fehlstellen werden ausgekittet und i. d. R. möglichst unsichtbar in versch. Techniken retuschiert. Skulpturen und Plastiken erfordern eine R., wenn z. B. eine farbige Fassung oder Vergoldung abgeblättert oder in versch. Zeiten unterschiedl. Stilepochen durch mehrfache Übermalungen entstellt ist. Die schadhafte Fassung wird gesichert, also nur konserviert, oder ausgekittet und retuschiert. Abgebrochene Einzelteile lassen sich wieder zusammensetzen und anfügen. Inwieweit fehlende Teile rekonstruiert werden dürfen, entscheidet der zuständige Denkmalpfleger. Kommen Statuen als Kultgegenstände in eine Kirche zurück, wird bestmögl. Ergänzung und R. gefordert. Holzfiguren können durch Holzschutzmittel und Gammastrahlung von Schädlingen befreit und durch organ. Harze und Leime gefestigt werden. Neuerdings gibt es auch zuverlässige Steinkonservierungsmittel.

Auf dem Gebiet der Wandmalerei sind in erster Linie Reinigungsmethoden erforderlich. Sie sind problematisch, wenn die Haftfestigkeit der Kalkmörtelschicht oder die Unverwischbarkeit der Farben nicht mehr ausreichen und Impf- und Fixiermaßnahmen nötig werden. Eine besondere Aufgabe ist das Aufdecken alter Wandmalerei unter dicken Putzmörtel- oder Kalktüncheschichten. Beim Abnehmen und Übertragen von Fresken unterscheidet man das Strappo- von dem Distacco-Verfahren. In beiden Fällen wird zunächst die Bildschicht mit mehreren dicken Sicherungslagen provisorisch überklebt. Bei der Strappo-Methode läßt sich auch in relativ großen Formaten oder Teilstücken die Farbschicht der Malerei zusammen mit einer dünnen Putzmörtelschicht von nur 1–2 mm vom Unterputz abschälen und aufrollen. Dagegen verlangt die Distacco-Methode eine Abnahme in starren Teilstücken, die mitsamt einer dickeren Putzmörtelschicht bewerkstelligt werden muß. Abgenommene Fresken oder deren Teilstücke klebt man auf gespannte Gewebe oder starre Tafeln sowie direkt wieder auf Wände auf. Trennungsstöße von Teilstücken werden durch Retuschen fast unsichtbar gemacht.

R. werden meist in den R.-Werkstätten der Denkmalpflegeämter und Museen oder durch freiberufl. **Restauratoren,** die v. a. für Privatleute und den Kunsthandel arbeiten, ausgeführt. Für die Wissenschaft ergeben sich bei R. häufig aufschlußreiche Hinweise für die Zuschreibung und Datierung eines Kunstwerks. International anerkannte Institute sind: Istituto Centrale del Restauro (Rom), Courtauld Institute (London), Institut Royal du Patrimoine Artistique (Brüssel), Doerner-Institut (München), Institut für Technologie der Male-

Restaurierung: Bei einer alten, durch Larvenfraß sehr beschädigten Holzskulptur wird flüssiges Kontaktgift in die Fraßgänge injiziert, um die Anobien abzutöten und durch einen Zusatz zugleich das im Inneren vermehlte Holz wieder zu verfestigen

rei (Stuttgart) und v.a. für moderne Kunst das Restaurierungszentrum Düsseldorf. Die Aufgaben der Restauratoren haben durch Umweltverschmutzung und durch mutwillige Zerstörungen in Museen stark zugenommen.

R. E. STRAUB u. T. BRACKERT: Konservierung und Denkmalpflege (1965); H. KÜHN: Erhaltung und Pflege von Kunstwerken und Antiquitäten, 2 Bde. (1974–81); P. u. L. MORA u. P. PHILIPPOT: La conservation des peintures murales (Paris 1977); FRANCIS KELLY: R. von Gemälden und Drucken (a. d. Engl., [3]1979); J. TAUBERT: Farbige Skulpturen ([2]1979); H. WEBER: Fassadenschutz (1979); H. ALTHÖFER: Moderne Kunst. Hb. der Konservierung (1980).

Restitution [lat.], die Rückgabe von kulturellem Eigentum v.a. aus Museen der westl. Welt an ihre Ursprungsländer.

Reszel [r'ɛʃɛl], poln. Name von →Rößel.

Retabel [lat.] *das,* rückseitig aufgesetzter oder angefügter Aufbau des Altartisches (→Altar); seit dem 11. Jh. nachweisbar. Zu den ältesten gehören 3 R. aus getriebenen Edelmetallen, die von Abt WIBALD VON STAVELOT (1130–58) für Altäre seiner Abteikirche sowie für den Hochaltar der Abteikirche zu Malmedy gestiftet wurden. Sie sind verloren, das Remaklus-R. ist jedoch in einer Zeichnung von 1661 überliefert. Erh. ist das Pfingst-R. aus Stavelot (Koblenzer R., um 1160–70; heute im Mus. Cluny in Paris). Aus Stein oder Stuck bestehen die R. aus Carrières-Saint-Denis (heute im Louvre), in Oberpleis bei Köln und im Erfurter Dom, alle um 1160 entstanden. Zwei frühe Beispiele bemalter R. aus Holz mit Darstellungen der Kreuzigung und des Gnadenstuhls im Zentrum stammen aus der Wiesenkirche in Soest (13. Jh.; heute in der Gemäldegal. Berlin-Dahlem). Aus dem R. entwickelten sich bes. in der Spätgotik hohe Bildwände, z.T. mit komplizierten Klappmechanismen, die regional in Europa unterschiedl. Ausbildung finden. In Renaissance und Barock zeichnen sich die R. durch einen architekton. Aufbau aus.

Lit.: →Altar.

Rethel, Alfred, Maler, Zeichner, *Diepenbend bei Aachen 15. 5. 1816, †Düsseldorf 1. 12. 1859, war nach Ausbildung ebd. (W. v. SCHADOW) und Frankfurt am

Alfred Rethel: Holzschnitt aus der Folge ›Auch ein Totentanz‹, 1849

Main (P. VEIT) dort bis 1847 tätig, dann in Aachen, Düsseldorf und Dresden, 1844/45 und 1852/53 in Italien. Nach frühem Erfolg (Gemälde und Illustrationsvorzeichnungen) erhielt R. 1840 den Auftrag für sein HW, die Karlsfresken in Aachen (unvoll. wegen einer 1853 ausbrechenden Geisteskrankheit). Sein künstler. Weg führte vom Nazarenertum seiner Lehrer zu einem ausgeprägten Monumentalstil, der histor. Ereignisse mythisch darstellte. Seine Totentanzfolge, angeregt durch die Revolution von 1848, gehört zu den bed. Leistungen der dt. Graphik im 19. Jh.

HW: Bonifatiusbilder (1832 u. 1833; Berlin-West, Staatl. Museen, und Aachen, Mus.); Porträt der Mutter (um 1836; Berlin-West, Staatl. Museen); Kaiser Maximilian in der Martinswand (1839; Frankfurt am Main, Städelsches Kunstinstitut); Hannibals Zug über die Alpen (1842–44; Dresden, Kupferstichkabinett; aquarellierte Zeichnungen, 1875 von H. BÜRGNER in Holz geschnitten); Ausmalung des Kaisersaals im Rathaus zu Aachen (Entwürfe für 8 Fresken, davon vier 1847–51 von R. ausgeführt, die anderen von J. KEHREN); Zeichnungen für die Holzschnittfolge ›Auch ein Totentanz‹ (erschienen 1849; 6 Blatt, mit Versen von R. REINICK) und die Holzschnitte ›Der Tod als Würger‹ (1847) und ›Der Tod als Freund‹ (1851).

Lit.: →Düsseldorfer Schule.

Rethymnon [r'εθimnɔn], Stadt und Hafen an der N-Küste der Insel Kreta, Griechenland, 15 000 Ew. Die Ursprünge von R., das antike **Rịthymna,** gehen auf neolith. Zeit zurück; die minoische Vergangenheit ist v. a. durch die südlich von R. gelegene Nekropole **Armẹni** belegt (spätminoische Truhensarkophage, im Mus. von Chania). – Aus venezian. Zeit (13.–17. Jh.) stammen die Ruinen der Festung (16. Jh.), die Loggia des frühen 17. Jh. (heute archäolog. Mus.) und die Kirche S. Francesco; mehrere Moscheen aus türk. Zeit (seit 1648).

Retro-Choir [r'etrəʊkwaɪr, engl.], die Raumfolge bes. bei engl. got. Kathedralen hinter den Chorgestühlen in Weiterführung der Seitenschiffe (Kathedralen von Salisbury; Lincoln; Wells; Peterborough).

Retti, Retty, Leopold(o), ital. Baumeister, *Laino (Prov. Como) oder Wien 1705, †Stuttgart 18. 9. 1751, wurde 1732 ansbach., 1750 württemberg. Oberbaudirektor. R. vollendete 1732/33 die Residenz in Ansbach und begann 1746 den Bau des Neuen Schlosses in Stuttgart (Nachfolger seit 1751: L. P. DE LA GUÊPIÈRE). – Sein Baustil wandte sich vom ital.-österr. Barock dem frz. Frühklassizismus zu.

Retụsche [frz.], restaurator. Maßnahme, die durch Schließen von Fehlstellen in Gemälden, Fassungen von plast. Bildwerken und Wandmalerei versucht, den ganzheitl. Charakter des Kunstwerks wiederherzustellen. Die R. als Aufgabe des Kunstmalers oder des Restaurators wurde seit dem 19. Jh. und bis in das 20. Jh. großzügig angewendet, wobei der originale Charakter des Kunstwerks durch übermäßige R. oft beeinträchtigt wurde. Als Reaktion darauf entstand nach dem 2. Weltkrieg eine purist. Gegenströmung, die jegliche R. als Eingriff und Gefahr für das Objekt verstand. Fehlstellen wurden belassen und im Ton der Umgebung abgetönt. Heute wird versucht, die Forderung nach Erhaltung des dokumentar. Charakters des Originals mit der nach ästhet. Einheitlichkeit zu verbinden. R. sollen einerseits den formalen und inhaltl. Zusammenhang des

Kunstwerks wiederherstellen, aber andererseits als restaurator. Maßnahme erkennbar bleiben. Dazu dienen 2 Techniken, das Tratteggio-Verfahren und die pointillist. Technik. Beim ersten wird durch feine Schraffur der Umriß und die Binnenzeichnung des in der Fehlstelle zu Ergänzenden dargestellt. Beim zweiten wird das gleiche durch feine Tupfer, vergleichbar dem Raster im Druck, erreicht.

Retz, Stadt im Bez. Hollabrunn, NÖ, 4850 Ew.; gut erh. Stadtbild aus ›gewachsener‹ Altstadt und 1280–90 ›gegründeter‹ Stadt um rechteckigen Hauptplatz, auf dem das kirchenähnl. ehem. Rathaus (Mus.) mit Marienkapelle (1367 erwähnt) und mächtigem Stadtturm steht; zahlreiche spätgot. Bürgerhäuser mit Renaissance- und Barockfassaden. Frühgot. Dominikanerkirche (1295) mit Barockausstattung, Kloster (17. Jh.); Schloß (17. Jh.).

Reusch, Erich, Bildhauer, Architekt, *Wittenberg 26. 6. 1925, seit 1975 Prof. an der Akad. Düsseldorf. R. experimentierte schon 1956 mit horizontaler Plastik (Balkenelemente direkt auf dem Boden) und hat seitdem eine Vielzahl neuer Vorstöße zur plast. Aktivierung des Raums (Ruhr-Univ. Bochum, 1971; Olympiagelände München, 1978/81) oder zur Einbeziehung neuer Medien und Materialien (Windenergie, Überschallwellen, Laserflächen, Kohlenstaub mit seinen elektrostat. Eigenschaften) in die Plastik unternommen.

B. Kerber: E. R. (1977).

Reuter, Hans Peter, Maler, *Schwenningen (am Neckar) 3. 9. 1942, gestaltet v. a. menschenleere, vollständig gekachelte Interieurs, die beim Betrachter ein Gefühl des Beengtseins und der Bedrückung hervorrufen (›Stadtbad ohne Dinge‹, 1972); seit 1976 Objekte, in denen er illusionistisch gemalte Kachelräume und tatsächlich gekachelte Flächen verbindet (Documenta 6, Kassel 1977).

Reuterswärd, Carl Frederik, schwed. Künstler, Dichter, *Stockholm 4. 6. 1934, studierte in Paris (1952) bei F. Léger, malte zunächst kalligraphisch wirkende Bilder, gestaltete dann neodadaist., ironisch verfremdete Objekte, beteiligte sich an Happenings und Aktionen. Seit 1968 experimentiert er mit den Gestaltungsmöglichkeiten von Laserlicht in dunklen Räumen; entwarf Bühnendekorationen.

C. F. R., Ausst.-Kat., Bern (1978).

Reutlingen, Stadt in Bad.-Württ., 94 500 Ew., ehem. Reichsstadt. Seit dem Stadtbrand 1726 ist das Ortsbild vom 18. Jh. geprägt. Bedeutendstes Bauwerk ist die got. Marienkirche; Chor mit Flankentürmen (1247 beg.), 73 m hoher W-Turm (1343 voll.), Einfluß der frz. Hochgotik, über Straßburg vermittelt, v. a. im Strebesystem sichtbar; reich skulptiert der Taufstein (1499) und das etwas jüngere Hl. Grab. Ehem. Spital (1333/1555) am Markt. Von der ma. Befestigung ist v. a. das Tübinger Tor (13. Jh., 1528 erhöht) erh. Im Pfleghof des Klosters Königsbronn (1538) das Heimat-Mus.

Reuwich [r'e: wix], **Reeuwich, Reeuwyck,** Erhard, niederländ. Maler, Zeichner, aus Utrecht. R. begleitete 1483/84 den Mainzer Domherrn BERNHARD VON BREYDENBACH auf einer Pilgerfahrt ins Hl. Land und schmückte dessen Bericht (›Peregrinationes in Terram Sanctam‹, 1486) mit Holzschnitten (nach eigenen Zeichnungen), darunter die großen Ansichten von Venedig und Palästina. R. wird auch als Drucker genannt. – Sein Stil gleicht dem des →Hausbuchmeisters; er wird daher z. T. mit diesem identifiziert.

Reval, estn. **Tallinn,** russ. **Tallin,** Hauptstadt der estn. SSR am Finn. Meerbusen, 436 000 Ew. – R., das 1346–1561 zum Dt. Ordensstaat gehörte, war einer der Haupthäfen im Handel mit Rußland. Die Altstadt hat trotz Bränden und Zerstörungen ihren ma. Charakter bewahrt: Burg (erste Massivbauten 1219, mehrfach umgebaut), Bergfried ›Langer Hermann‹ (1377, 43 m hoch), Dom (urspr. 13. Jh., nach Bränden 1433 und 1684 erneuert), St. Olaikirche (ältester Teil 1260, Chor 1330 voll.), St. Nikolaikirche (um 1280, Wiederaufbau nach Zerstörungen des 2. Weltkriegs; Triptychon von H. RODE, 1482, erh.), Heiliggeistkirche (Anf. 14. Jh., Altar von B. NOTKE, 1483), Rathaus (1404 voll.), spätgot. Haus der ›Großen Gilde‹ (1410), ›Schwarzhäupterhaus‹ (15. Jh., Renaissancefassade 1597). Der Mauerring mit 26 Türmen (u. a. ›Kiek in de Kök‹, 1500; ›Dikke Margarete‹, 1510) ist zum größten Teil erh. Vor der Stadt (heute eingemeindet) liegt das für Peter d. Gr. erbaute barocke Schloß Katharinental (1718–25; Mus.).

Revanta [Skt.], der Sohn des ind. Sonnengottes Surya, auf einem gezäumten Pferd reitend mit Peitsche und Schirm als Attribute dargestellt.

Revival [rɪv'aɪvəl, engl. ›Wiederbelebung‹], angloamerikan. Bez. für Architekturströmungen, die bewußt Stilformen der Vergangenheit wiederbeleben.

Revolutions|architektur, Richtung der frz. Architektur um 1789 (Frz. Revolution), die ein Bauen in nüchtern-monumentalen, stereometr. Formen unter Verzicht auf Architekturglieder forderte und sich in vielem an A. PALLADIO anschloß, dabei von strengem, auf Abstraktion zielendem Rationalismus war. Die Bez. R. meint den Bruch mit der Tradition, nicht das polit. Bekenntnis zur Frz. Revolution. Ihre Hauptvertreter, die auch für das ›ancien régime‹ gearbeitet hatten, waren E.-L. BOULLÉE, C.-N. LEDOUX und JEAN-JAQUES LEQUEU (*1757, †um 1825).

R.: Boullée, Ledoux, Lequeu. Ausst.-Kat., München (1971).

Rey, Stadt in Iran, →Raj.

Reymerswaele [r'ɛjmərswa:lə], Marinus van, niederländ. Maler, →Roymerswaele.

Reymond [rɛm'ɔ̃], frz. Emailmaler-Familie, tätig in Limoges. Bed. Mitgl.: Pierre (*um 1513, †nach 1584); er schuf Prunkgefäße aller Art, seine Arbeiten sind mit seinen Initialen signiert. Von den Arbeiten seines Sohnes Martial (†1599) sind 6 Medaillons mit Passionsszenen erhalten.

Reynolds [r'enəldz], Sir (1768) Joshua, engl. Maler, Kunsttheoretiker, *Plympton (Devonshire) 16. 7. 1723, †London 23. 2. 1792, lernte dort bei T. HUDSON, bildete

Joshua Reynolds: Selbstporträt; 1748 (London, National Portrait Gallery)

ich 1749–52 in Italien, wo er RAFFAEL, MICHELANGELO ınd die Venezianer der Hochrenaissance studierte, war 768–92 erster Präs. der neugegr. Royal Academy of Arts in London und seit 1784 Hofmaler GEORGS III. 769–90 hielt er auch Akademievorträge, in denen er das Programm des engl. Klassizismus entwickelte. R. ıat außer Historiendarstellungen etwa 2000 Porträts geschaffen. Von A. VAN DYCK übernahm er die elegante Auffassung, von REMBRANDT das Helldunkel; antike ınd ital. Vorbilder beeinflußten seine Formgebung. Seine Porträts sind Musterbilder der engl. Gesellschaft: erfolgreiche Politiker, liebevolle Mütter (›Die Herzogin on Devonshire mit Töchterchen‹, 1786; Chatsworth), Kinder (›Erdbeermädchen‹, 1773; London, Wallace Coll.). Bis um 1760 sind R.' Porträts rokokohaft intim ›Nelly O'Brien‹, 1760–62; ebd.). In den 1770er Jahren wird sein Stil klassizistisch; die Modelle erscheinen ıäufig in antiken oder histor. Rollen. Zuletzt gelangte R., unter dem Einfluß seiner niederländ. Reise von 781, zu malerisch bestimmter Vereinfachung. Kontrastreiche Farbigkeit, Breite und Freiheit des Vortrags eichnen seine besten Werke aus.

D. HUDSON: Sir J. R. (London 1958).

Rhamnus, antiker Ort an der NO-Küste von Attika Griechenland) mit Resten von Tempeln der Themis spätes 6. Jh. v. Chr.) und der Nemesis (um 430 v. Chr.); ı letzterem stand ein gewaltiges Marmorkultbild 3,50 m hoch) der Nemesis von AGORAKRITOS (in zahleichen röm. Kopien erh.). Unterhalb der auf einer ünstl. Terrasse liegenden Tempel Reste der Festung 4. Jh. v. Chr.).

Rhäzüns, Gem. im schweizer. Kt. Graubünden. Roıan. St. Georgskirche mit hochgot. Fresken (um 1350 nd 2. H. 14. Jh.), die Szenen des A. T., N. T. und der Georgslegende darstellen. Im Schloß (1288 erwähnt) Rittersaal mit Gemälden (1589), Raum mit Szenen der Tristansage (Ende 14. Jh.).

Rheda-Wiedenbrück, Stadt in NRW, 38 600 Ew. Die ehem. Wasserburg in Rheda wurde zum Schloß umgebaut (16.–18. Jh.); der roman. Torturm verbindet Festungsbau (Donjon), Wohn- und Sakralraum (Doppelkapelle, 13. Jh., mit bed. Bauplastik). In der got. Ägidienkirche (13./16. Jh.) in Wiedenbrück frühbarocke Sandsteinkanzel (1617). Ehem. Franziskanerkloster (1667–1716) mit spätgot. Ursulakirche (um 1470).

Rheinau, Gem. im Kt. Zürich, am linken Rheinufer, 1200 Ew., mit ehem. Benediktinerkloster (um 800 bis 1862). Vollständiger Neubau der Klosterkirche 1704 bis 1711 von F. BEER unter Beibehaltung des spätgot. Turms (1572–78), eindrucksvolle Wandpfeilerhallenkirche mit Stukkaturen des Wessobrunners F. SCHMUZER und Deckenfresken des Tessiners F. A. GIORGIOLI.

Rheinberg, Stadt im Kr. Wesel, NRW, 26900 Ew., am linken Niederrhein. Die Pfarrkirche hat spätroman. W-Turm (12. Jh.), Hallenumgangschor (1400 beg.) und basilikal ausgebautes Langhaus (15. Jh.); prächtiger Hochaltar, 1845/46 aus 2 spätgot. Schnitzaltären (um 1435/1515) zusammengesetzt.

Rheine, Stadt im nördl. Münsterland, NRW, 71 100 Ew. Das ehem. Kreuzherrenkloster, jetzt Schloß Bentlage (1463–1504), besitzt in seiner 1468–84 errichteten Kirche bed. spätgot. plast. Werke. St. Dionysius (15./16. Jh.) ist eine spätgot. westfäl. Rundpfeilerhallenkirche; im südl. Seitenschiff noch roman. Teile des 11. Jh., Gewölbeausmalung nach 1484. Im Falkenhof, einem ehem. Burgmannshof (1532), Mus. (Gemälde, Graphik, Plastik 15.–20. Jh.).

Rheinfelden, Stadt im schweizer. Kt. Aargau, am linken Rheinufer, 8900 Ew., mit gut erh. histor. Straßenbild. Martinskirche (15. Jh.), spätgot. Pfeilerbasilika, 1769–71 barock umgestaltet, mit bemerkenswertem Kirchenschatz; in der Johanniterkapelle (1456/57) Fresken (um 1490) der Schongauer Schule; Rathaus (1530, Barockfassade 1767).

Rheinsberg/Mark, Stadt im Kr. Neuruppin, Dt. Dem. Rep., 5500 Ew. Das Renaissance-Wasserschloß wurde 1734–39 von G. W. v. KNOBELSDORFF umgebaut, barocke Dreiflügelanlage, Rundtürme an N- und S-Flügel, die Flügel durch Kolonnaden verbunden, die Rokokoausstattung nur z. T. erh.; Wohnsitz des Kronprinzen FRIEDRICH (König Friedrich II.), dann seines Bruders HEINRICH. Kavaliershaus mit Schloßtheater (Theaterflügel 1945 ausgebrannt), 1738 von Knobelsdorff beg., voll. 1774.

Rheinstein, →Trechtingshausen.

Rhenen [r'e:nə], Städtchen in der niederländ. Prov. Utrecht, am Rhein. Die spätgot. St. Cunerakirche (15. Jh.) mit hohem Turm (1492–1531) hat u. a. skulptiertes Doxale der Frührenaissance (um 1550–60) und Renaissancechorgestühl (1570).

Rhens, Gem. im Kr. Mayen-Koblenz, Rheinl.-Pf., am Rhein, 2700 Ew.; war seit 1273 Versammlungsort der rhein. Kurfürsten. Der Königsstuhl, wo die Könige sich zw. Wahl und Krönung dem Volk vorstellten, ist ein Ende 14. Jh. erbautes, 1842 wiederhergestelltes kleines achteckiges Bauwerk. Das spätgot. Fachwerkrathaus (16. Jh.) mit offener Erdgeschoßhalle zählt zu den schönsten am Mittelrhein.

Rheydt, Stadtteil von →Mönchengladbach, NRW. Die urspr. spätgot. Wasserburg wurde 1558–70 zu einer T-förmigen Renaissanceanlage mit 2 Vorburgen ausgebaut; Hofseite mit italienisch anmutender achtbogiger Säulenloggia, die Dekorationselemente niederländisch beeinflußt. Städt. Mus. Schloß R.

Rhodische Vasen, Bez. für ostgrch. Vasen, v. a. von Rhodos, die mit umlaufenden Tierfriesen und dichter Füllornamentik geschmückt waren. Die Umrißmalerei, ohne Innenzeichnung auf hellen Grund gesetzt, entstand im 7. Jh. v. Chr. unter stark oriental. Einfluß; sie erstarrte im 6. Jh. v. Chr. (→Fikelluravasen). Rhodos war eines unter mehreren Produktionszentren (Samos, Milet, Knidos, Ephesos).

Rhodos, Insel Griechenlands vor der SW-Küste Kleinasiens; zunächst von Karern, seit etwa 1000 v. Chr. von Dorern besiedelt. Die Städte →Lindos, →Ialysos und →Kameiros waren seit etwa 700 v. Chr. Zentren der Insel. 408/07 v. Chr. wurde die neue Hauptstadt R. gegr. Die Insel erlangte zunehmende Bedeutung als Handels- und Seemacht; in hellenist. Zeit war sie Sitz einer Bildhauerschule. Im MA. gehörte R. 1308/10–1522 dem Johanniterorden (Rhodeser-Ritter), der die Insel durch zahlreiche Burgen sicherte.

Die Anlage der antiken Stadt R. mit rechtwinklig sich schneidenden Straßen (Hippodamisches System) wurde an vielen Stellen festgestellt; ferner wurden 3 Tempel, ein Stadion und ein Theater freigelegt. Das nach vergebl. Belagerung von R. durch den Diadochenkönig Demetrios Poliorketes (305/04 v. Chr.) errichtete Siegesdenkmal, der ›Koloß von R.‹, eine riesige Bronzestatue, wurde um 292 v. Chr. von Chares aus Lindos geschaffen; sie zählte zu den Sieben Weltwundern (227/226 v. Chr. durch Erdbeben zerstört).

Die ma. Befestigung der Stadt geht auf byzantin. Zeit zurück und wurde vor 1400 durch den Johanniterorden erneuert. Durch eine Mauer war die Festung in das Viertel der Ritter und die Vorstadt (Händlerviertel mit Basar) geteilt. An der Ritterstraße liegen die ›Herbergen‹ (Versammlungshäuser der 8 Ritter-Landsmannschaften). Im Mittelpunkt des Viertels liegt das 1440–89 erbaute Ritterhospital (im 1. Stock ein 50 m langer Krankensaal mit Kreuzgewölbe), heute Archäolog. Mus. Der nach alten Stichen von den Italienern nach dem 1. Weltkrieg neu aufgebaute Großmeisterpalast (Einbau von Teilen anderer Burgen aus dem Dodekanes) ist jetzt Gouverneurspalast und Mus. – Nach der türk. Besetzung (1523) war die Altstadt nur von Türken und Juden bewohnt. Zahlreiche Moscheen wurden in dieser Zeit errichtet und byzantin. Kirchen in Moscheen umgewandelt (Marienkirche des 13. Jh., Georgskirche u. a.; in der Ilk-Mihrab-Moschee byzantin. Fresken der 2. H. des 14. Jh.). Seit 1947 wurden einige byzantin. Kirchen wiederhergestellt.

Rhoikos von Samos, grch. Erzgießer, Baumeister des 6. Jh. v. Chr., wird sowohl von Pausanias als auch Plinius zus. mit Theodoros als Erfinder des Erzgusses

Riace: Bronzefiguren aus dem Meer vor Riace; um die Mitte des 5. Jh. v. Chr. (Reggio di Calabria, Archäolog. Museum)

und Erbauer des Heratempels auf Samos genannt, des ersten ionischen Dipteros.

rhythmische Travée, Baukunst: →Joch.

Rhyton [grch. ›Trinkhorn‹] *das, Mz.* **Rhyta,** grch. Trink- und Spendegefäß, trichterförmig, wie ein Horn geschwungen. Aus dem durchbohrten spitzen Ende sprang der Weinstrahl dem Trinkenden in den Mund oder in eine Schale. In der kretisch-mykenischen Kunst (BILD) gab es R. verschiedenster Form (konisch, eiförmig, in Gestalt von Tieren und Tierköpfen) und unterschiedl. Materials (Silber, Stein, Ton). Im 5. und 4. Jh. v. Chr. wurden kunstvoll gebildete R. (Tierköpfe mit durchbohrtem Maul) meist aus Ton, seltener aus Metall hergestellt. – Wertvolle R. wurden seit dem 10. Jh. v. Chr. in Iran aus Gold, Silber, Elfenbein u. a. Material geschaffen, unter Verwendung versch. Tierprotome: Hirsch, Stier, Fabelwesen (Greif, Flügelstier, Pegasus, Sphinx). Auch die skyth. Kunst brachte kunstvoll gestaltete R. hervor.

Riace [ri'atʃe], Ort an der SO-Küste Kalabriens (Italien), in dessen Küstengebiet 1972 zwei hervorragend erh. Bronzefiguren im Meer gefunden wurden. Die Statuen zweier nackter, bewaffneter Männer (alle Waffen, auch der Helm von einem der Krieger, sind verloren) gehören zu den bedeutendsten Großbronzen der grch. Kunst. Sie sind zweifellos Originalwerke des Strengen Stils (um die Mitte des 5. Jh. v. Chr.); die kunstgeschichtl. Zuweisung ist noch umstritten, v. a. ob sie als Werke des PHIDIAS oder Teil des marathon. Weihgeschenks Athens in Delphi anzusehen sind. Nach jahrelanger Restaurierung wurden die Statuen, die zu den wenigen erh. grch. Originalen dieser Zeit gehören, 1981 im Archäolog. Mus. von Reggio di Calabria aufgestellt.

A. BUSIGNANI: Die Heroen von R. (a. d. Ital., 1982).

Riad, Er-R., Er-Rijad, Hauptstadt und größte Stadt Saudi-Arabiens, 667 000 Ew. – Aus der Gründungszeit (1746) ist noch eine quadrat. Burganlage mit Rundtürmen an den 4 Ecken erh. (Kasr al-Mumak); im ›Mus. of Antiquities‹ Ausgrabungsfunde.

Ribalta [riβ'alta], Francisco, span. Maler, *Solsona (Prov. Lérida) um 1551/55, begraben Valencia 14. 1. 1628, bildete sich in Madrid an FERNÁNDEZ DE NAVARRETE, F. ZUCCARI und den CARDUCHOS, kopierte ital. Meister (RAFFAEL, SEBASTIANO DEL PIOMBO, CORREGGIO). Seit 1581 arbeitete er in Valencia, wo er den Spätstil entwickelte, dessen Helldunkel, Realismus und Ausdrucksstärke die Entwicklung der span. Malerei des 17. Jh. bestimmte. R.s Sohn Juan (*1596, †1628) arbeitete in der Werkstatt seines Vaters.

HW: Gemälde im Colegio del Corpus Cristi (1603–10) und im Kapuzinerkonvent (1620) in Valencia; Retabel der Kartause von Porta Coeli (1625–27; heute in Valencia, Mus. der Schönen Künste); Hl. Franziskus (Madrid, Prado).

Ribat, befestigtes muslim. Rasthaus, das den freiwilligen Glaubenskämpfern als Truppenlager an strategisch bed. Plätzen zur Verteidigung und Ausbreitung des Islam diente; v. a. im 9.–12. Jh. in N-Afrika; meist aus einer Stiftung hervorgegangen, häufig mit einem

Mausoleum und einer Medrese verbunden. Der von Mauern mit Türmen umgebenen klosterähnl. Anlage entsprach im ostislam. Bereich die →Karawanserei.

Ribạt-i Scharạf, Ort in der Prov. Chorasan, O-Iran, nahe Meschhed, mit Ruinen einer Palastanlage aus der Seldschukenzeit (1114/15, restauriert 1154/55) mit 2 Höfen, auf die sich je 4 Iwane mit 2 Moscheen (Stuck-Michrabs) öffnen; an den Ecken der Umfassungsmauern turmartige Verstärkungen; reicher Dekor (bemalter Stuck, Ziegelornamente, Schriftfriese).

Ribe, Stadt in Jütland, 18 000 Ew., eine der ältesten Städte Dänemarks, 948 Bischofssitz, mit gut erh. histor. Straßenbild und vielen Fachwerkhäusern des 16. und 17. Jh. Roman. Dom (wohl nach 1150 beg.) mit Querhaus, Apsis, kräftigem NW-Turm und schlankem SW-Turm (Ende 19. Jh. rekonstruiert); mehrere Portale, bes. bemerkenswert das figurenreiche Portal (›Katzenkopftür‹) am südl. Querhaus. Got. Katharinenkirche (15. Jh., mit Teilen einer roman. Kirche), urspr. Kirche eines Dominikanerklosters; Kloster (außer dem O-Flügel) und Kreuzgang erh.; Rathaus (1528 aus 2 ma. Häusern zusammengefaßt); Reste der Burg Riberhus (12. Jh.) mit 3 rekonstruierten Rundtürmen.

Ribeauvillé [ribovil'e], frz. für →Rappoltsweiler.

Ribera [riβ'era], **1)** Jusepe de, genannt **lo Spagnolẹtto** [-spaɲo-, ital. ›der kleine Spanier‹], span. Maler, Radierer, *Játiva bei Valencia 17. 2. 1591, †Neapel 2. 9. 1652, Schüler von F. Ribalta in Valencia, ging früh nach Italien und lebte seit 1616 in Neapel, wo er die Helldunkelmalerei Caravaggios übernahm. In seiner reifen Zeit lichteten sich seine Farben oft zu silbrigen Tönen. In der Spätzeit wechselte die Farbgebung von düsterem Helldunkel bei Märtyrerszenen zu warmen

Jusepe de Ribera: Jakobs Traum; 1639 (Madrid, Prado)

Goldtönen bei Wunderdarstellungen. In der Kunst R.s verbinden sich kraftvoller Realismus und span. Leidenschaft mit tiefer Religiosität.

HW: Frühzeit (Radierungen): Bacchanal (1626; Neapel, Gal. Nazionale di Capodimonte); Bartholomäusmarter, Archimedes (1630; Madrid, Prado). – Reife Zeit: Unbefleckte Empfängnis (1635; Salamanca, Augustinerklosterkirche); Himmelfahrt der Magdalena (1636; Madrid, Academia de S. Fernando); Apoll und Marsyas (1637; Neapel, Mus. Nazionale di S. Martino); Beweinung (1637; ebd.); Propheten (1638–43; ebd.); Jakobs Traum (1639; Madrid, Prado). – Spätzeit: Anbetung der Hirten (1650; Louvre); Kommunion der Apostel (1651; Neapel, Mus. Nazionale di S. Martino); Der Klumpfuß (1652; Louvre).

2) Pedro de, span. Architekt, *Madrid um 1681, †ebd. 1742, einer der Hauptmeister des Madrider Barock in der 1. H. des 18. Jh. (ab 1726 Stadtbaumeister), geschult an J. CHURRIGUERA (→Churriguerismus); schuf auch Zeichnungen für reich ornamentierte Katafalke.

HW (in Madrid): Klosterkirche Ermita de la Virgen del Puerto (1718 voll.); Portal und Fassade des Hospicio de S. Fernando (1722 beg.); Brücke von Toledo über den Manzanares (um 1719 beg.; reiches bauplast. Dekor).

Ribnitz-Damgarten, Stadt nordöstlich von Rostock, am Saaler Bodden, Dt. Dem. Rep., 17300 Ew.; got. Stadtkirche (13.–14. Jh., mehrfach erneuert); got. Kirche des ehem. Klarissinnenklosters (um 1400) mit wertvoller Ausstattung, u. a. die geschnitzten ›Ribnitzer Madonnen‹ (um 1400).

Ribot [rib'o], Théodule, frz. Maler, Radierer, *Saint-Nicolas-d'Attez (Eure) 8. 8. 1823, †Colombes 11. 9. 1891, malte in maler., an J. RIBERA erinnerndem Realismus und beeinflußt durch die Brüder LE NAIN Küchenstilleben und Interieurs, später auch Porträts und relig. Themen.

Ricci [r'ittʃi], **1)** span. Malerfamilie ital. Abstammung, →Rizi.

2) Marco, ital. Maler, getauft Belluno 5. 6. 1676, †Venedig 21. 1. 1730, Neffe und Schüler von 3), mit dem er 1706/07 in Florenz tätig war. Von Venedig aus reiste er 1708–10 und 1712–16 nach London, 1720 nach Rom und 1724 nach Turin. Beeindruckt von den Landschaften S. ROSAS und P. MULIERS D. J. sowie den Theaterdekorationen F. JUVARRAS, führte R. in seinen Phantasieveduten und Ruinengemälden die barocke Landschaftsmalerei in Venedig ein; die Figurenstaffage wurde häufig von Sebastiano R. ausgeführt.

3) Sebastiano, ital. Maler, Onkel von 2), getauft Belluno 1. 8. 1659, †Venedig 15. 5. 1734, ausgebildet in Bologna und Rom, tätig auch im Ausland (Wien, Paris, London) und in Turin, neben G. B. PIAZZETTA und G. B. TIEPOLO der bedeutendste Maler der späten venezian. Malerei, die er durch Zurückgreifen auf PAOLO VERONESE belebte.

HW: Fresken im Palazzo Marucelli, Florenz (1706/07). – Altargemälde: Fürbitte für die Seelen im Fegfeuer (1730/31; Bergamo, S. Alessandro della Croce); Kommunion der Hl. Lucia (1730; Parma, S. Lucia); Kreuzauffindung (1732–34; Venedig, S. Rocco); Himmelfahrt Mariä (1733/34; Wien, Karlskirche).

Riccio [r'ittʃo], Andrea, eigtl. A. **Briosco,** ital. Bildhauer, Goldschmied, *Padua um 1470, †ebd. 1532. Seine z. T. stark von der Antike beeinflußten Werke deuten in der unruhigen Führung der Umrisse und der kleinteiligen Zerlegung der Formen den Manierismus an; schuf v. a. Medaillen, mytholog. Bronzefiguren und Nachabformungen von Tieren.

HW: 2 Chorschrankenreliefs (Bronze, um 1506/07; Padua, S. Antonio); Osterleuchter (Bronze, mit Reliefszenen und Einzelfiguren, fast 4 m hoch, 1507–16; ebd.); Grabmal della Torre (Bronze, um 1510; Verona, S. Fermo Maggiore; Originale der allegor. Bronzereliefs seit 1796 im Louvre); Marmorgrab des A. Trombetta (1522; Padua, S. Antonio).

Richardson [r'ıtʃədsn], **1)** Henry Hobson, amerikan. Architekt, *Priestley Plantation (Louisiana) 29. 9. 1838, †Brookline (Massachusetts) 27. 4. 1886, erhielt seine Ausbildung u. a. in Paris. Seine Bauten zeigen roman. Stilelemente; er entwarf Villen, Kirchen, Geschäftshäuser (Kaufhaus Marshall Field, 1885; Chicago).

2) Jonathan, engl. Maler, Kunsttheoretiker, *1665, †London 28. 5. 1745. Als Schüler von J. RILEY, beeinflußt von G. KNELLER, wurde er als Porträtmaler bekannt (›G. Vertue‹, 1738; London, Nat. Portrait Gal.). R. entwickelte eine Theorie der Malerei und der Kunstkritik, die J. REYNOLDS beeinflußte.

Richelieu [riʃəlj'ø], frz. Stadt im Dép. Indre-et-Loire, 2400 Ew., für Kardinal R. planmäßig (Rechteck 700 × 500 m) von J. LEMERCIER 1627 ff. konzipiert (Baubeginn 1631) mit Schloß (nur Pavillon erh.); in Stichen von J. MAROT überliefert.

Germaine Richier: Die Ameise; Bronze, 1953 (München, Bayer. Staatsgemäldesammlungen)

Richier [riʃj'e], **1)** Germaine, frz. Bildhauerin, *Grans (bei Arles) 16. 9. 1904, †Montpellier 31. 7. 1959, Schülerin von A. BOURDELLE. Später v. a. von ALBERTO GIACOMETTI beeinflußt, gestaltete sie bizarre, häufig mit Draht verspannte Figuren mit stärksten Verformungen und aufgerissenen Oberflächen (›Die Ameise‹, 1953; München, Bayer. Staatsgemäldesamml.). Es sind phantast. Mischwesen, die symbolhaft die Entfremdung und Gefährdung des Menschen darstellen und auch relig. Bildvorstellungen umfassen (Kruzifix in Assy, um 1950). In späteren Arbeiten führte R. das Körperliche immer mehr auf einfachste, zeichenhafte Elemente zurück.

2) Ligier, frz. Bildhauer, * Saint-Mihiel (Meuse) um 1500, †Genf 1567, bedeutendster ostfrz. Bildhauer der Renaissance, seit 1533 im Dienst des lothring. Herzoghauses. In seinen got. Traditionen entwachsenden Werken verbinden sich burgund. Stileinflüsse mit ital. Vorbildern.

HW: Pietà (1528; Étain, St. Martin); Grablegung (1554–64; Saint-Mihiel, St. Étienne).

Richini, Ricchini [rikk'i:ni], Francesco Maria, ital. Baumeister, *Mailand 1583, †24. 4. 1658, Architekt des Kardinals Federigo Borromeo, wurde mit einer Reihe von Arbeiten kirchl. und weltl. Baukunst und Dekoration zum Hauptmeister des Mailänder Frühbarocks; bes. anregend wirkte er im Palastbau.

HW (alle Mailand): S. Giuseppe (1607–30); Collegio Elvetico (1627); Palazzo di Brera (1651 ff.).

Richmond [r'ıtʃmənd], **1)** Stadt in der Cty. North

Yorkshire, N-England, mit 1071 von ALAN RUFUS gegr. normann. Burg. Von den ma. Pfarrkirchen der gleichzeitig angelegten Stadt sind St. Mary (13.–15. Jh.) und Holy Trinity am Marktplatz, von dem 1258 gegr. Franziskanerkloster der Turm des 16. Jh. erh. Nahe der Stadt befinden sich die Ruinen der 1152 von den Prämonstratensern besiedelten **Easby Abbey** ['i:zbɪ 'æbɪ] mit Resten von Querhaus, Chor und Lady Chapel der Kirche.

2) Stadt in Virginia, USA, 219 200 Ew. The Virginia Mus. of Art, 1936 eröffnet, ist heute eines der bedeutenderen kleineren Museen der USA. Die Samml. enthält u. a. Werke von REMBRANDT, D. TENIERS, P. P. RUBENS, W. HOGARTH, T. GAINSBOROUGH, J.-A. WATTEAU und J. CONSTABLE sowie eine beachtl. Gruppe von Werken zeitgenöss. amerikan. Künstler.

Richmond [r'ɪtʃmənd], Sir (1897) William Blake, engl. Maler und Bildhauer, *London 29. 11. 1842, †ebd. 11. 2. 1921, Schüler der Royal Academy ebd. und von F. PODESTI und N. COSTA in Rom, malte Mythologien und Porträts. Als sein bestes plast. Werk gilt das Grabmal W. GLADSTONES in Hawarden bei Chester.

Richter, 1) Gerhard, Maler, Graphiker, *Dresden 19. 2. 1932, kam 1961 in die Bundesrep. Dtl., wurde 1971 Prof. an der Akad. Düsseldorf. R. malte seit 1964 v. a. nach Zeitungsphotos Bilder von hoher Virtuosität in verwischten Grautönen, die das Prinzip ›Abbildung‹ reflektieren. Auch den späteren Bildreihen liegt, trotz aller Stilwechsel, das gleiche Thema zugrunde: Seine Farbtafeln (seit 1966) und grau monochromen Bilder (seit 1976) sind perfekt gemalte Kommentare auf eine an Reproduktionen orientierte Welt.

2) Hans, Maler, Filmgestalter, *Berlin 6. 4. 1888, †Minusio (Schweiz) 1. 2. 1976, war seit 1941 in den USA tätig. R. stand zunächst Kubismus und Expressionismus nahe und schloß sich 1916 in Zürich den Dadaisten an. Über Zeichnungsfolgen, die ein Thema in verschiedenen Zeitphasen festhalten (›Rollen‹), kam er in den 1920er Jahren zum experimentellen Film (›Film ist Rhythmus‹, 1920/21), dessen abstrakte Spielart er als Künstler wie als Theoretiker wesentlich weiter entwikkelte.

H. R. Ausst.-Kat., Berlin-West (1982).

3) Hans Theo, Zeichner, Graphiker, Maler, *Rochlitz 7. 8. 1902, †Dresden 14. 9. 1969, 1947–67 Prof. ebd., schuf Werke von maßvoller Verhaltenheit, in denen er allg. menschl. Verhältnisse darstellt (z. B. Mutter und Kind, Geschwister).

4) (Adrian) Ludwig, Maler, Zeichner, *Dresden 28. 9. 1803, †ebd. 19. 6. 1884, Schüler seines Vaters, des Kupferstechers Carl August R. (*1770, †1848), bildete sich 1823–26 in Italien zum Maler, beeinflußt von J. A. KOCH, J. C. REINHART, J. SCHNORR V. CAROLSFELD. 1828 bis 1835 war R. Zeichenlehrer an der Porzellanmanufaktur in Meißen. Die Verbindung zu dem Verleger G. WIGAND (Aufträge für Buchillustrationen, rd. 150 Bücher mit 3000 Holzschnitten) führte seit 1838 zur Entfaltung seiner zeichner. Begabung, bed. im Figürlichen wie in der Landschaft und der Arabeske. In Vorzeichnungen für Holzschnitte und Lithographien, auch in frei komponierten Sammelwerken, entstand eine reiche, biedermeierl. Bildwelt volkstüml. Charakters. Zu R.s besten Leistungen gehören zarte Aquarelle. Ölgemälde entstanden noch gelegentlich nach 1840; sie sind Zeugnisse spätromant., gemütvoller Naturverbundenheit.

HW: Gemälde: Der Watzmann (1824; München, Neue Pinakothek); Gewittersturm am Monte Serone (1830; Frankfurt am Main, Städelsches Kunstinstitut); Überfahrt am Schreckenstein (1837; Dresden, Gemäldegal.); Teich im Riesengebirge (1839; Berlin-West, Staatl. Museen); Genofeva in der Waldeinsamkeit (1841; Hamburg, Kunsthalle). – Buchillustrationen: Dt. Volksbücher (1838–46); Volksmärchen von Musäus (1842); Alemann. Gedichte von Hebel (1851); Andersens Märchen (1851); Bechsteins Märchenbuch (1853). – Mappenwerke: R.-Album, 2 Bde. (1848–51); Kinderleben (1852); Goethe-Album (1853–56); Bilder zu Schillers Glocke (1857); Der Gute Hirte (1860); Bilder und Vignetten (1874).

Ricketts [r'ɪkɪts], Charles, engl. Maler, Graphiker, *Genf 2. 10. 1866, †London 7. 10. 1931, stand in seinem maler. Schaffen unter dem Einfluß von E. DELACROIX und G. MOREAU. 1896 gründete er mit C. SHANNON nach dem Vorbild der Kelmscott Press von W. MORRIS die ›Vale Press‹ und gab bibliophile Buchdrucke heraus.

Rickey [r'ɪkɪ], George, amerikan. Plastiker, *South Bend (Indiana) 6. 6. 1907. Nach bewegl. Glasskulpturen gestaltet er abstrakte hängende oder stehende Mobiles mit fester Achse und pendelnden Stahlrechtecken oder -stäben, die, weit in den Raum greifend, Licht reflektieren.

G. R., Ausst.-Kat., Berlin-West (1979).

Ridinger, Riedinger, 1) Georg, Baumeister, *Straßburg 24. 7. 1568, †vermutlich nach 1628, schuf als Kenner des Festungsbaus und in Aufnahme ma. Tradition (im Grundriß) 1605–14 den Quadratbau des Schlosses in Aschaffenburg, mit 4 Ecktürmen eine der ersten streng regelmäßigen Vierflügelanlagen in Dtl., ein HW der dt. Renaissance. Zerstört ist sein 1626 erbautes kurtrierisches Schloß Philippsburg am Rhein.

2) Johann Elias, Maler, Kupferstecher, Radierer, *Ulm 16. 2. 1698, †Augsburg 10. 4. 1767, stand 1715 bis 1718 in Regensburg im Dienst des Grafen METTERNICH und war ebd. seit 1746 tätig; er wurde 1759 Direktor der Akad. in Stuttgart. R. schuf Gemälde und über 1600 Stiche (Jagdszenen).

HW: Abbildung der jagdbaren Thiere mit derselben Faehrten und Spuhren (1740) u. a.

Riechkapsel, kostbar gestalteter Metallbehälter, der →Bisamapfel.

Ried, auch **Rieth, Ryed, Meister Benedikt,** Benedikt, Steinmetz, Baumeister, *Piesting, NÖ(?) um 1454, †Prag 30. 10. 1534, 1489 von König VLADISLAV nach Prag berufen, nahm am Wiederaufbau der böhm. Kirchen und Schlösser nach den Hussitenkriegen teil, war auch in Sachsen und Schlesien tätig. Von seinem Neuen Bau am Hradschin in Prag ist nur der kühn gewölbte Vladislav-Saal (1493–1502) erh., ferner das Vladislav-Oratorium des Veitsdomes (1490–93). Von ihm stammt auch der Entwurf zum oberen Teil des Langhauses (ausgeführt zw. 1512 und 1536) und zum Mittelschiffgewölbe (ausgeführt 1540–48) der St.-Barbara-Kirche in Kuttenberg. – R.s Baustil nahm die Tradition der süddt. Spätgotik auf und setzte sich mit den wohl in Ungarn empfangenen Eindrücken der ital. Renaissance auseinander.

Riedinger, →Ridinger.

Riedlingen, Stadt im Kr. Biberach, Bad.-Württ., bis 1805 eine der 5 vorderösterr. Donaustädte. Maler. ma. Ortsbild mit got. Rathaus (15./16. Jh.), Georgskirche (14./15. Jh.), einer flachgedeckten Rundpfeilerbasilika, und zahlreichen Fachwerkhäusern. Das Heimat-Mus. im ehem. Spital (14.–16. Jh.) enthält u. a. Werke des Bildhauers J. J. CHRISTIAN.

Riegel, Baukunst: beim →Fachwerk der waagerechte Balken zw. den senkrechten Stielen, beim Rahmentragwerk der waagerechte Balken.

Riegersburg, Marktgem. im SO der Steiermark, Österreich, überragt von der mächtigen Feste R., entstanden aus 2 ma. Burgen (12. Jh.); im 17. Jh. Abbruch der unteren Burg und Anlage der Befestigung (9 Basteien und 7 Tore), Ausbau der oberen Burg zum Schloß mit bemerkenswerten Innenräumen, u. a. ›Fürstenzimmer‹ und ›Rittersaal‹.

Riemenschneider, Tilman (Dill, Til), Bildhauer, Bildschnitzer, *Heiligenstadt (Eichsfeld) um 1460, †Würzburg 7. 7. 1531, ebd. vor 1479 nachweisbar. 1520/21 Bürgermeister, verlor 1525 im Bauernkrieg wegen Parteinahme für die Bauern nach Folterung und Kerker Ämter und Ehren und Teile seines Vermögens.

Tilman Riemenschneider: Marienaltar in der Herrgottskirche in Creglingen, Detail des Mittelschreins; um 1505

Erste Ausbildung vermutlich in seiner mitteldt. Heimat (Erfurt?); entscheidend durch oberrhein. Einflüsse geprägt (M. Schongauer, N. Gerhaert v. Leyden, N. Hagenower), wohl auch durch Ulm (M. Erhart) und die südniederländ. Kunst. – Seine Schnitzkunst bezieht das Licht- und Schattenspiel in die Formgebung ein und sucht in subtiler Behandlung der Oberfläche die farbige Fassung der Figuren durch Monochromie (einfarbige Fassung durch Lasur) zu ersetzen. Nur Einzelheiten wie Lippen und Augen sind farbig angedeutet. Die Bearbeitung des Steins glich R. der des Holzes an.

Durch ausgewogene Gestaltung der einzelnen Figuren wie der Komposition insgesamt suchte R. die Unruhe des spätgot. Stils zu überwinden (v. a. im Creglinger Altar). Damit tritt zugleich das Charakteristisch-Individuelle immer mehr hinter dem idealen Schönen zurück. Um 1510 erreichte die Kunst R.s ihren Höhepunkt. Die Formenwelt der Renaissance berührte ihn nur äußerlich (Bibra-Grabmal). Zeitlebens blieb R. der handwerkl. Meister, zu dem der Werkstattbetrieb ebenso gehörte wie die Übernahme fremder Vorlagen (M. Schongauer) oder die Wiederholung eigener Werke.

HW: Wiblinger Altar (nachweisbar in Rothenburg ob der Tauber 1485–1513, farbige Fassung von M. Schwarz; Teile in Berlin-West, Staatl. Museen, Berchtesgaden, Schloßmus., Harburg bei Donauwörth, Fürstlich Oettingen-Wallersteinsche Kunstsamml., Heroldsberg, evang. Pfarrkirche); Münnerstädter Altar (1490–92; Teile in Münnerstadt, kath. Stadtpfarrkirche, Berlin-West, Staatl. Museen, München, Bayer. Nat.-Mus.); Adam und Eva, Steinfiguren (1491 bis 1493; urspr. Würzburg, Marienkapelle, heute ebd., Mainfränk. Mus.); Grabmal Rudolfs von Scherenberg, in Stein (1496–99; Würzburg, Dom); Hochgrab für Kaiser Heinrich II. und seine Gemahlin Abendmahl (1501–05; Rothenburg ob der Tauber, Jakobskirche; Bild Abendmahl); Schreinaltar mit Himmelfahrt Mariens (um 1505; Creglingen, Herrgottskirche); Kreuzigungsaltar (etwa 1505–10; Detwang, evang. Kirche St. Peter und Paul); Windsheimer Zwölfbotenaltar (1509; Heidelberg, Kurpfälz. Mus.); Grabmal des Lorenz von Bibra († 1519; Würzburg, Dom); Steinrelief der Beweinung (1526 aufgestellt; Maidbronn, ehem. Zisterzienserinnenkirche, Hochaltar); Maria im Rosenkranz (1521–24; Volkach, Wallfahrtskirche St. Maria im Weingarten).

M. H. v. Freeden: T. R. Leben und Werk (5. veränderte und erweiterte Auflage, 1981); T. R. – Frühe Werke, Ausst.-Kat., Würzburg (1981).

Riemerschmid, Richard, Architekt, *München 20. 6. 1868, †ebd. 15. 4. 1957; Entwürfe für Möbel, Tapeten, Stoffe; wandte sich um 1900 der Baukunst zu. Er gehörte 1907 zu den Begründern des Werkbunds, beeinflußte maßgebend die Formgebung von Bau und Gerät.

HW: Schauspielhaus München (1901); Fabrikbau der Dt. Werkstätten Hellerau bei Dresden (1909); Gartenstadt Hellerau (1907/08); Friedhof Gräfelfing bei München (1913); Funkhaus München (1928).

R. R. Vom Jugendstil zum Werkbund, hg. v. W. Nerdinger (1982); R. R., Ausst.-Kat., München (1983).

Riepenhausen, Franz, urspr. Friedrich, *Göttingen 1786, †Rom 3. 1. 1831, und sein Bruder Johannes, urspr. Christian, *1788, †1860, arbeiteten als Maler, Zeichner, Radierer eng zusammen. Sie waren Schüler von J. H. W. Tischbein in Kassel und fanden in Rom (ebd. seit 1805) den Weg zur Romantik, später zu den Nazarenern.

HW: Stiche und Radierungen: 32 Umrißstiche zur Rekonstruktion der Gemälde von Polygnot in Delphi (1805 u. später); Genofeva, 14 Radierungen (1806).

Riesa, Stadt im Bez. Dresden, Dt. Dem. Rep., am linken Elbufer, 50400 Ew., mit ehem. Benediktinerinnenkloster; spätgot. Klosterkirche St. Marien, Klostergebäude mit roman. Resten im N- und O-Flügel, Kapitelsaal im W-Flügel (15. Jh.), S-Flügel zum Schloß umgebaut (Ende 16. Jh., heute Rathaus).

Rieseby, Gem. im Kr. Rendsburg-Eckernförde, Schlesw.-Holst. In der spätroman. Backsteinkirche (um 1220/30) ein seltenes hölzernes bemaltes got. Antependium (Anf. 14. Jh.) und ein Triumphkreuz (um 1280/1300).

Riesen *der,* Baukunst: der obere Teil einer got. →Fiale.

Riesenbibeln, großformatige (meist mehr als halbmeterhohe) Bibelhss. des 11. bis frühen 13. Jh., die v. a. aus ober- und mittelital. Skriptorien stammen. Hauptschmuck sind große, reich ornamentierte Initialen mit eingefügten Figuren oder Szenen. Eine der frühesten R. (2. H. 11. Jh.) kam aus dem Skriptorium S. Valentino in Piano, Umbrien (jetzt Parma, Biblioteca Palatina); eine der jüngsten ist die R. von Lucca (Biblioteca Capitulare) aus dem frühen 13. Jh. Das Riesenformat dieser Bibeln wurde bald in Frankreich und Dtl. nachgeahmt.

Riesener [frz. rizn'ɛ:r], Jean-Henri, frz. Kunsttischler, *Gladbeck (Westf.) 1734, †Paris 6. 1. 1806, übernahm 1767 die Werkstatt seines Lehrers J.-F. →Oeben, dessen Schreibtisch für König Louis XV. (Louvre) er 1769 fertigstellte. 1782 wurde R. ›Königl. Kunsttischler‹. Seine klassizist. Arbeiten sind von großer handwerkl. Meisterschaft.

Rietberg, Stadt im Kr. Gütersloh, NRW, 23400 Ew. Gut erh. Ortsbild mit zahlreichen Fachwerkbauten (16.–18. Jh.), Rathaus (um 1800). Franziskanerkirche (1619–29) mit guter Barockausstattung, Klostergebäude (1716–21). Die Johann-Nepomuk-Kapelle, ein kleiner ovaler Zentralbau, 1747/48 wohl nach Plan von J. C. Schlaun erbaut, ist ein HW des westfäl. Spätbarock.

Rieti, ital. Stadt und Bischofssitz nordöstlich von Rom, 43000 Ew.; gehörte seit 1198 mit kurzer Unterbrechung zum Kirchenstaat. Der roman. Dom (1225 gew.) wurde über einem Bau des 5. Jh. errichtet (Campanile 1252, Eingangshalle 15. Jh.); bischöfl. Palast (seit 1283) mit offener Gewölbehalle (Loggia Papale); Stadtmauern (13. Jh.).

Rietschel, Ernst Friedrich August, Bildhauer, *Pulsnitz (Sachsen) 15. 12. 1804, †Dresden 21. 2. 1861, war 1826–30 Gehilfe von C. D. Rauch in Berlin (maßgeblich an dessen Max-Joseph-Denkmal in München beteiligt). Nach einem Romaufenthalt (1830) wurde R. 1832 Prof. an der Dresdner Akad. und begründete dort mit E. J. Hähnel die Dresdner Bildhauerschule (in der Tradition C. D. Rauchs, dann Wendung zum Realismus). Zu seinen Schülern gehörten A. v. Donndorf, G. Kietz, J. Schilling.

HW: Lessing-Denkmal (1848/49; Braunschweig); Goethe-Schiller-Denkmal (1856 voll., erst nach seinem Tod aufgestellt; Weimar); Luther-Denkmal (1858 Modell und Statuen Luthers und Wycliffes, bis 1868 von seinen Schülern voll.; Worms).

Lit. →Berliner Bildhauerschule.

Rietveld, Gerrit Thomas, Architekt, Möbeldesigner, *Utrecht 24. 6. 1888, †ebd. 26. 6. 1964, gehörte zur Gruppe De Stijl, Mitbegründer des CIAM. R. entwarf Villen (Haus Schröder, Utrecht, 1924), Reihenhäuser und Ausstellungspavillons von großer Schlichtheit und Eleganz. Seine die Architektur unterstreichende Innenraumgestaltung folgt wie seine Möbelentwürfe strengen, konstruktivist. Gesetzen unter Verwendung der Primärfarben (Rot, Blau, Gelb).

D. BARONI: Ursprung des modernen Möbels (a. d. Ital., 1979).

Rievaulx Abbey [r'i: vəʊ 'æbɪ], 1131 gegr. Zisterzienserabtei in der Cty. North Yorkshire, N-England, deren um 1230 voll. frühgot. Kirche nur als Ruine erh. ist. 1750–60 wurde oberhalb der Abtei **Rievaulx Terrace** von T. DUNCOMBE als Teil eines umfassenden Landschaftsparks mit 2 klassizist. Tempeln angelegt.

Riga, Hauptstadt der Lett. SSR, an der Düna, 843 000 Ew. – R., seit 1282 Mitgl. der Hanse, war Zentrum des Handels zw. Dtl. und Rußland. Im ma. Stadtkern rechts der Düna, der im 2. Weltkrieg schwere Schäden erlitt, der Dom St. Marien, ein spätroman. Backsteinbau mit viereckigem Turm (um 1220–29, nach Brand 1595 wiederhergestellt; heute Mus.), St.-Petri-Kirche (urspr. 13. Jh., im 15. Jh. nach dem Vorbild norddt. Kirchen umgebaut; befindet sich nach Zerstörung im 2. Weltkrieg im Wiederaufbau) mit dem 140 m hohen Turm (17. Jh.), St.-Jacobi-Kirche (13.–15. Jh.), St.-Johannis-Kirche (14.–16. Jh.), Schloß des Dt. Ordens (um 1330 beg., mehrmals umgebaut; heute Mus.), barockes Rathaus (1750–65) u. a. Renaissance- und Barockbauten. Das ›Schwarzhäupterhaus‹ (1330, im 17. Jh. umgebaut), ein spätgot. Gildehaus mit manierist. Fassade, wurde im 2. Weltkrieg zerstört.

Rigaud [rig'o], Hyacinthe, eigtl. Jacinzo **Rigau y Ros,** frz. Maler katalan. Herkunft, getauft Perpignan 18. 7. 1659, †Paris 29. 12. 1743, studierte an der Pariser Akad., war Schüler von C. LEBRUN, errang 1682 den Rompreis der Akad., blieb jedoch in Paris, wo er bald ein in Europa bekannter Porträtmaler wurde. Anfänglich stark von A. VAN DYCK beeinflußt, malte er v. a. Mitgl. des Hofes (Ludwig XIV., 1694, Madrid, Prado; ders., 1701, Louvre; Ludwig XV., 1715 und 1730, Versailles, Nat.-Mus.; Philipp von Orléans, 1688, London, Nat. Gal.) und der Aristokratie, auch Gelehrte und Künstler, mit großartigen Gebärden und vor prunkvollen Hintergründen. R. gilt als Hauptvertreter der Porträtmalerei im Louis-quatorze; viele Werkstattarbeiten.

Rijeka [rij'ɛka], ital. **Fiume,** Stadt in Kroatien, Jugoslawien, 132 900 Ew. Aus röm. Zeit stammt das Alte Tor (1. Jh.), auch das Kastell Trsat geht auf eine röm. Anlage zurück, im MA. und im 19. Jh. erneuert; barockisierter Dom mit Glockenturm (1377); Veitskirche (Sveti Vid) aus dem 18. Jh. mit barocken Altären; barocker

Stadtturm mit Uhrturm (15. Jh.), im 18. Jh. umgebaut; Kunstgal.

Rijksbureau voor Kunsthistorische Documentatie [r'ɛjksbyro vo:r k'ynsthistorisə dɔkymɛntats'i:], Den Haag, staatl. Institut zur Samml. kunsthistor. Lit., bibliograph. Nachweise und Abbildungen zur niederländ. Kunst, u.a. der Malerei; gegr. 1932 aus privater Initiative.

Rijksmuseum [r'ɛjksmyzeum], Mus. in Amsterdam. Grundstock der Samml. war der auf Anordnung LOUIS BONAPARTES (1806–10 König von Holland) eingezogene Kunstbesitz des Hauses Oranien, der nicht nach Paris gebracht worden war, sondern im Amsterdamer Rathaus der Öffentlichkeit zugänglich gemacht wurde. Die Samml., seit 1885 in dem neugot. Mus.-Gebäude von P. CUYPERS, umfaßt die bedeutendsten Bestände holländ. Malerei mit Werken von L. VAN LEYDEN, F. HALS, REMBRANDT, J. VERMEER, G. TERBORCH und P. DE HOOCH, Graphik (A. DÜRER, REMBRANDT), Plastik und Kunsthandwerk (holländ. Silber, Möbel, Delfter Kacheln) und asiat. Kunst.

Rijsselberghe [r'ɛjsəlbɛrxə], Theo, →Rysselberghe.

Rijswijk [r'ɛjswɛjk], Stadt in der niederländ. Prov. Südholland, 53 300 Ew.; spätgot. Kirche, teils Pseudobasilika, teils Hallenkirche, mit Turm (1300) und fünfeckigem Chor (Ende 15. Jh.); in der Ausstattung des 17. Jh. Kanzel (1620), Chorgitter (1668) und geschnitztes Gestühl (1692).

Rila, ehem. Kloster in Bulgarien, im westl. Rila-Gebirge, 1147 m ü. M. gelegen, 120 km südlich von Sofia. 931 vom Einsiedler Iwan von Rila gegr., 1335 vom Ort der alten Einsiedelei und dem Grab des Heiligen an den heutigen Platz verlegt. Die Blütezeit des Klosters lag im 14. Jh. Nach der Zerstörung unter der Osmanenherrschaft wurde es wieder aufgebaut und 1469 die Reliquien des Hl. Iwan in das Kloster überführt. Im späten

Rila

18. und im 19. Jh. war das Kloster Mittelpunkt und Symbol der nat. bulgar. Wiedergeburt. Von den ma. Gebäuden ist nur der Wachturm von 1335 mit Wandmalereien aus der Erbauungszeit erh. Der heutige Klosterkomplex wurde ab 1816 (Klausur) auf den abgetragenen Resten des alten Klosters erbaut; dreistöckige Gebäude mit farbigen Arkaden und Holzgalerien umschließen einen Innenhof mit Kirche (1834–37). Die gesamte Anlage gilt als bedeutendstes Kulturdenkmal des Landes und ist heute Mus. Die Schatzkammer enthält Kunstwerke des 10. bis 18. Jh. (Ikonen, kirchl. Geräte und Gewänder, Skulpturen, Hss. u. a.).

Schätze des R.-Klosters, Ausst.-Kat., Stuttgart (1981).

Riley [r'aılı], **1)** Bridget, engl. Malerin, Graphikerin, *London 24. 4. 1931, u. a. beeinflußt von V. VASARÉLY. Ihre Bilder bestehen i. S. der Op Art (BILD) aus der Verschränkung dynam. und linearer (Punkt-)Systeme, die eine illusionäre Raumbewegung suggerieren.

B. R., Ausst.-Kat., Basel (1975).

2) John, engl. Maler, *London 1646, †ebd. 1691, neben G. KNELLER ein beliebter Porträtmaler und Hofmaler König WILHELMS III. und der Königin MARIA VON ENGLAND.

rilievo schiacciato [-skjattʃ'ato, ital.], Bildhauerkunst: →Relief.

Rimini, ital. Seebad und Bischofssitz in der Prov. Forlì, an der Küste des Adriat. Meeres. R. besitzt aus röm. Zeit den Augustusbogen (27 v. Chr.) am Endpunkt der Via Flaminia, die Augustusbrücke (21 unter TIBERIUS voll.) und Reste des Amphitheaters. Zentrum der Stadt ist die Piazza Cavour mit Palazzo Comunale (1562, 1687 erneuert), romanisch-got. Palazzo dell' Arengo (1204, 1926 restauriert), Palazzo del Podestà (urspr. 1334, mehrfach verändert) und Fischhalle (1747). Bedeutendster Bau R.s ist die got. Kirche S. Francesco (urspr. 13. Jh.; heute Dom), die SIGISMONDO MALATESTA seit 1447 (ausgeführt von M. DE' PASTI nach Plänen von L. B. ALBERTI) zu einer Grab- und Ruhmeskirche seiner Fam. umgestalten ließ (›Tempio Malatestiano‹; im Innern reiche plast. Ausschmückung v. a. von AGOSTINO DI DUCCIO, Fresko des Malatesta von PIERO DELLA FRANCESCA, 1451). Der Freskenzyklus in der Chorpartie von S. Agostino (13. Jh.) zeugt von der von GIOTTO und der Schule von Siena beeinflußten Malerei des 14. Jh. in R. Im Palazzo Gambalunga Mus. mit Pinakothek.

Rimpar, Marktgem. im Kr. Würzburg, Unterfranken, 6900 Ew. Das spätgot. Schloß wurde ab 1613 als Sommersitz des Würzburger Fürstbischofs JULIUS ECHTER VON MESPELBRUNN ausgebaut (→Echter-Stil); in der neugot. Pfarrkirche das früheste Werk von T. RIEMENSCHNEIDER (Grabstein E. v. Grumbach, †1487).

Rimpa-Schule, von KOETSU und SOTATSU gegründete Schulrichtung der japan. dekorativen Malerei, bes. des 16. und 17. Jh., die die Themen des Yamato-e ins Ornamentale umformte und später auch nach ihrem genialsten Vertreter →Korin als ›Korin-Schule‹ bezeichnet wird.

Rinaldi, Antonio, ital. Baumeister, *um 1710, †Rom 10. 4. 1794, seit 1756 Hofbaumeister in St. Petersburg. Seine Bauten in Oranienbaum (heute Lomonossow) stehen in der Tradition des Rokoko (Palast Peters III., 1758–62; Chines. Palais, 1762–68, Pavillon und Anlage des ›Rutschberges‹, 1762–74, u. a.). Den Übergang zum frühen Klassizismus zeigen das Große Schloß in Gattschina (1766–81) und das Marmorpalais in St. Petersburg (1768–85).

Rinascimento [-ʃi-], ital. Bez. für →Renaissance.

Rinchnach, Gem. im Kr. Regen, Niederbayern, mit 1010 gegr. ehem. Benediktinerpropstei des Klosters Niederalteich. Kirche und Kloster wurden 1727 durch J. M. FISCHER neu erbaut und 1728/29 mit zartem Régencestuck von F. J. I. HOLZINGER und Fresken von W. A. HEINDL aus Wels geschmückt.

Rindenbilder, Darstellung auf (über dem Feuer flachgedrückten) Eukalyptusrinden; eine alt-austral. Tradition, heute auf Arnhem-Land beschränkt und z. T. kommerzialisiert. Die Motive (v. a. tier- und menschengestaltige Formen, auch ›der Regen‹) zeigen Beziehungen zu den mündl. Überlieferungen (Elemente der natürl. und kulturgebundenen Umwelt, Traumzeitwesen und deren schöpfer. Handlungen, seltener synchron handelnde Gruppen). Die R. sollen als Lehrmittel in kleinen Initiationshütten u. a. verwendet worden sein (BILD Australier). – In N-Australien sind Verbindungen zur Kunst der →Felsbilder nachgewiesen, auch für die offenbar recht jungen Formen des →Röntgenstils. – Als R. werden fälschlich auch die Malereien auf den flachgepreßten Blattstengeln der Sagopalme bezeichnet; diese stammen v. a. aus dem Sepik-Gebiet Neuguineas (u. a. von den →Kwoma) und heißen in der melanes. Umgangssprache ›Panggal‹ (Palmblattstengel).

K. KUPLA: Peintres aborigènes d'Australie (Paris 1972).

Ring, Der R., 1925 gegr., aus dem Zehnerring hervorgegangene Vereinigung führender Architekten in Berlin, deren Ziel der Kampf gegen die offizielle konservative Kulturpolitik der Stadt war. Die Vereinigung, die sich schon 1930/31 wieder auflöste, wurde nicht durch ein architekton. oder formalist. Programm zusammengehalten, sondern allein durch die Originalität ihrer Mitgl. (W. GROPIUS, E. MENDELSOHN, L. MIES VAN DER ROHE, ADOLF MEYER, B. PANKOK, O. HAESLER, R. DOECKER, E. MAY, A. RADING, H. TESSENOW, H. SCHAROUN, A. KORN, W. und H. LUCKHARDT, B. und M. TAUT, H. POELZIG, O. BARTNING u. a.). Durch ihren Sekretär H. HÄRING, der den R. 1928 beim →CIAM vertrat, hatte sie bed. Einfluß v. a. auf den Siedlungsbau.

Ring, Laurids Andersen, eigtl. L. **Andersen,** dän. Maler, *Ring (Seeland) 15. 8. 1854, †Roskilde 10. 9. 1933, malte in der Tradition von C. W. ECKERSBERG seeländ. Landschaften und dörfl. Genrebilder in graugestimmten Farben.

Ring, tom R., Malerfamilie in Münster. Ludger d. Ä., *Münster 1496, †ebd. 3. 4. 1547, war ebd. seit etwa 1520 Meister der Malergilde, malte mit frischem, an der niederländ. Kunst geschultem Realismus Kirchenbilder und Porträts. Seine Söhne Hermann (*Münster 2. 1. 1521, †ebd. 1596) und Ludger d. J. (*Münster 19. 11. 1522, †Braunschweig 1584) führten die Werkstatt des Vaters fort.

HW: Ludger d. Ä.: Epitaph des R. Dobbe (Münster, Dom); Selbstporträt (1541; Schloß Surenberg, Samml. Freiherr v. Heeremann-Zuydtwyck); Porträt der Gattin (1541; Köln, Wallraf-Richartz-Mus.). – Hermann: Selbstporträt (Münster, Privatbesitz); Porträt eines Musikers (1547; Münster, Landesmus.); Altar der Überwasserkirche (1593/94; Münster, heute ebd., Landesmus.). – Ludger d. J.: Selbstporträt (Essen, Samml. Krupp).

Ringbündel, Ringträger, Symbolzeichen auf Siegeln der Uruk-Zeit (um 3000 v. Chr.) in S-Mesopotamien: ein Stab aus gebündelten Schilfhalmen mit 2 oder mehr Reihen senkrecht angeordneter Ringe. Die Bedeutung ist noch unbekannt.

Ringebu, Gem. im norweg. Gudbrandsdal; die Stabkirche, 1270 erwähnt, aber mit Sicherheit älter, hat ein geschnitztes Portal mit Drachenmotiven und z. T. noch Ausstattung des MA.

Ringelbecher, Trinkglas des 16. und 17. Jh., meist kon. Becher, mit auf der Wandung umlaufenden Fadenauflagen und unterhalb des Lippenrandes angebrachten Ösen mit eingehängten bewegl. Ringen.

Ringhallentempel, →Peripteros.

Ringkrug, Wurstkrug, Ton- oder Steinzeugkrug mit einem ringförmigen oder aus 2 sich kreuzenden Ringen gebildeten Bauch. Im Innern des Rings ist häufig eine Figur angebracht. R. wurden seit dem 16. Jh. hergestellt, seit dem 17. Jh. auch aus Glas.

Ringsaker, Gem. in Hedmark, nördlich von Oslo, mit einer der schönsten roman. Landkirchen Norwegens, einer Basilika (vor 1170) mit hohem Turm (1694); im Innern bemalter spätgot. Schnitzaltar (1520).

Ringsted [r'eŋsdɛð], Stadt auf der dän. Insel Seeland, 28 000 Ew. Die dreischiffige basilikale St. Bendts-Kirche (1160 als königl. Grablege beg.), eine der ältesten dän. Backsteinkirchen, war mit einem 1082 gegr. Benediktinerkloster verbunden; im Innern Kalkmalereien (2. H. 13. Jh. und später) und Königsgräber mit Grabplatten, von denen jedoch nur die gravierte Messingplatte über König Erik Menved und Königin Ingeborg (beide †1319) original erh. ist.

Ringtonne, Baukunst: Tonnengewölbe (→Gewölbe), das um einen Zentralraum gelegt ist (z. B. bei Chorumgängen und Krypten).

Rinke, Klaus, bildender Künstler, *Wattenscheid (Ruhr) 29. 4. 1939, seit 1974 Prof. an der Akad. Düsseldorf, schuf zu den Themen Raum-Zeit und Schwerkraft Plastiken, Environments (documenta 6, 1977), Zeichnungen, Aktionen (u. a. ›Primärdemonstrationen‹ mit eigenem Körper) und Photosequenzen.

K. R., Ausst.-Kat., Hamburg (1978); Rinke-Hand-Zeichner, Ausst.-Kat., Stuttgart (1981).

Rinteln, Stadt im Wesertal, Kr. Schaumburg, Ndsachs., 25 800 Ew.; 1665–1807 Festung. Gut erh.

Río Bec

Altstadt mit reichem Bestand an Fachwerkbauten; prachtvolle geschnitzte Fassaden des ehem. Prinzenhofs und des Alten Mus. (1620). Münchhausenscher Adelshof mit dem reich verzierten ›Archivhäuschen‹ im Stil der Weserrenaissance (1546), im selben Stil das ehem. Rathaus mit den 2 ungleichen Giebeln (1583). Die got. Marktkirche St. Nikolai (13./14. Jh.) besitzt manieristisch-frühbarocke Ausstattung (um 1600, v. a. W-Empore); Turm mit barockem Oktogonaufbau, Kuppel und Laterne (1770).

Río Bec, Zeremonialzentrum der Maya im SO des Staates Campeche, Mexiko. Das freigelegte Bauwerk mit gemauerten, pyramidenähnl. Türmen, an denen nicht begehbare Treppen zu Tempelattrappen (mit Scheintüren, ohne Innenraum) hinaufführen, wurde namengebend für einen Baustil der Spätzeit der Maya-Kultur im Grenzgebiet zw. Campeche und Quintana Roo. Ein weiteres Beispiel findet sich in Xpuhil.

Rio de Janeiro [r'iu di ʒan'eiru], Hauptstadt des Bundesstaates R. de J., Brasilien, 1763–1960 Hauptstadt des Landes, am W-Ufer der Guanabara-Bucht, 5,1 Mio. Ew. Wahrzeichen der Stadt ist die 30 m hohe Christusstatue (1931, von dem frz. Bildhauer P. LANDOWSKI) auf dem 704 m hohen Corcovado. Die urspr. Anlage der 1565 von Portugiesen gegr. Stadt ist vielfach verändert worden. Zw. modernen Hochhausbauten (von A. E. REIDY, O. NIEMEYER, L. COSTA, LE CORBUSIER u. a.) sind auch bed. Beispiele der Kolonialarchitektur erhalten. Der bedeutendste Barockbau ist das Kloster S. Bento (beg. 1652, z. T. 18. Jh.) mit prächtiger Kirche (1633–1641), einer dreischiffigen Basilika mit Emporen über den Seitenschiffen; das ausgemalte Tonnengewölbe, die ornamentierten Pilaster und die Gemälde sind Meisterwerke der Kolonialkunst. Ein HW brasilian. Sakralarchitektur ist auch die Kirche Nossa Senhora da Candelária (1639, 1775 umgestaltet): dreischiffige Basilika mit tonnengewölbtem Mittelschiff, das – wie auch die Kuppel – ausgemalt wurde; Barockfassade mit 5 Portalen. Die Kirche des 1608 gegr. Klosters S. Antônio enthält Gemälde; in der Sakristei blaue Azulejos. Die benachbarte, von außen einfache Kirche

S. Francisco da Penitencia (1773 gew.) ist verschwenderisch ausgestattet mit Deckenmalereien, geschnitzten vergoldeten Holzornamenten, filigranartig geschnitztem Gestühl aus Jakarandaholz. Die auf einem Berg erbaute Kirche Nossa Senhora da Gloria (1741 bis Ende 18. Jh.; Spätbarock und Frührokoko) hat innen Mauersockel mit Azulejos und schönen Hochaltar, die Kirche Monte do Carmo (1755–1770) ein kunstvoll gestaltetes Marmorportal und silbernen Hochaltar. Die alte Kathedrale (gegr. 1761, oft umgebaut) zeichnet sich durch ihre Wand- und Deckengemälde aus. Eine riesige moderne Kathedrale in Form eines abgestumpften Kegels wurde 1980 fertiggestellt. Von den Profanbauten der Kolonialzeit ist u.a. erhalten der Aquädukt Arcos da Carioca (1750; zweistöckig mit monumentalen Rundbogenarkaden). Die Oper (1909 eröffnet) ist eine verkleinerte Nachbildung der Pariser Oper. Das Mus. Nacional de Belas Artes enthält europ. und einheim. Gemälde des 17.–19. Jh. Das Mus. de Arte Moderno wurde 1967 von A. E. REIDY erbaut.

Riom [rjɔ̃], Stadt im frz. Dép. Puy-de-Dôme, nördlich von Clermont-Ferrand, 18000 Ew. R. ist reich an Baudenkmälern des 15. und 16. Jh. (u.a. Rathaus, Maison des Consuls, Hôtel Guimoneau). Vom Schloß der Herzöge der Auvergne ist die Ste. Chapelle (1382–88) mit Glasgemälden des 15. Jh. erh. In der Kirche Notre-Dame-du-Marthuret (14./15. Jh.) bed. Madonnenskulptur des 14. Jh. (›Vierge à l'Oiseau‹). Im Mus. Mandet Gemäldesamml.

Riopelle [rjɔp'ɛl], Jean-Paul, frz. Maler kanad. Herkunft, *Montréal 7. 10. 1923, lebt seit 1947 in Paris, Vertreter des Automatismus. Er bedeckt seine großflächig-abstrakten Bildflächen rhythmisch spachtelnd mit meist aus der Tube gedrückten Farbstreifen, die in ihrem dichten Nebeneinander zu vibrieren scheinen; ver-

Jean-Paul Riopelle: Begegnung; 1956 (Köln, Museum Ludwig)

wendet seit den 1970er Jahren auch Tier- und Landschaftsmotive; schuf außerdem Bronzeplastiken in vegetativ wuchernden Formen, Lithographien, Aquarelle und Gouachen.

Riphahn, Wilhelm, Architekt, *Köln 25. 7. 1889, †ebd. 27. 12. 1963, war 1945–48 Berater der Stadt Köln für Wiederaufbauplanung (u. a. Zeco-Wohnhochhaus, Concordia-Geschäftshaus, Opern- und Schauspielhaus).

Ripoll [rip'ɔʎ], span. Stadt rd. 60 km nordwestlich von Gerona, 10000 Ew. Die Benediktinerabtei S. María de R. (1032 gew.) war das älteste und bedeutendste roman. Bauwerk Kataloniens (1835 zerstört, Anf. des 20. Jh. z. T. mit alten Bauteilen rekonstruiert); die Fassade in der Vorhalle ist mit 6 übereinanderliegenden, reich skulptierten Figurenfriesen (bibl. und histor. Szenen darstellend) und einem prächtigen Archivoltenportal geschmückt (12. Jh.); zweistöckiger Kreuzgang (12. und 15. Jh.) mit z. T. roman. Kapitellen.

Ripon [r'ɪpən], Stadt in der Cty. North Yorkshire nördlich von Leeds, N-England. Von der Kirche des im 7. Jh. gegr. Augustinerstifts ist nur die Kryptenanlage erhalten und in den 1180 beg. frühgot. Neubau integriert, dessen basilikaler Chor 1288–97 eine Kreuzrippenwölbung und eine neue O-Fassade mit zentralem Maßwerkfenster erhielt. Das zunächst einschiffige, durch Laufgänge gegliederte Schiff wurde um 1500 durch Seitenschiffe erweitert; aus der gleichen Zeit stammt der spätgot. Lettner des Choreingangs sowie das Chorgestühl. Für die Außenerscheinung der Kirche, seit 1836 Kathedrale, fehlen heute die Steilhelme der beiden Westtürme und des Vierungsturms.

Rippe, Baukunst; i. e. S. nur der tragende Teil einer Decke oder eines Gewölbes. Die R. bildet das Gerüst, das die nichttragenden Teile (Kappen) des Gewölbes abfängt. R. sind meist sichtbar, können aber auch in oder über der Gewölbeschale liegen. Man unterscheidet Wand-, Gurt-, Kreuz-, Flecht- oder Diagonal-R. Vom Querschnitt ausgehend, spricht man von Band-, Stab-, Birnstabrippen. I. w. S. sind R. auch die nichttragenden rippenförmigen Zierteile einer Decke oder eines Gewölbes.

Rippenstuhl, got. Armstuhl, Spätform des →Faltstuhls, stellt ein Bockgestell dar, dessen Seitenlehnen von gleichlaufenden, gebogenen Leisten (Rippen) gebildet werden; ein schmales, geschweiftes Brett dient als Rückenlehne.

Rippl-Rónai [-r'o:nɔi], Jószef, ungar. Maler, Graphiker, *Kaposvár 24. 5. 1861, †ebd. 25. 11. 1927, wurde nach 2 Jahren im Pariser Atelier von M. MUNKÁCSY durch A. MAILLOL den Nabis zugeführt und war mit É. VUILLARD und P. BONNARD befreundet. In dieser Zeit (1885–1902) entstanden seine ›schwarzen Bilder‹ aus Kohlezeichnung und Ölmalerei. Entwürfe für Inneneinrichtungen, Kartons für Wandteppiche u. a. stehen dem →Jugendstil nahe. Nach seiner Rückkehr (1902) erhielt die ungar. Kunst von R.-R. entscheidende Anregungen. Seine späten Bilder (v. a. Porträts) zeigen einen lockeren, spätimpressionist. Pastellton.

Riquewihr [rikv'i:r], frz. für →Reichenweier.

Risa [russ.], Priestergewand der russ.-orth. Kirche. Bei russ. Ikonen bes. seit dem 16. Jh. eine kostbar verzierte Verkleidung aus Edelmetall, die häufig nur Gesicht und Hände freiläßt. (→Oklad)

Risalit [ital. risalto ›Vorsprung‹] *der*, Baukunst: Teil eines Gebäudes, der über dessen Fluchtlinie in ganzer Höhe um ein geringes hervortritt, bes. bei Barockbauten. Man unterscheidet Mittel-R., Seiten-R., Eck-R.

Rishabhanatha [Skt.], der erste der 24 Tirthankaras der ind. Jaina-Religion, dargestellt als nackter Asket mit langem Strähnenhaar. Sein Symboltier (Vahana) ist ein Stier.

Riß, die zeichner. Projektion eines Baues oder Bauteils in die Ebene. Der waagerechte Schnitt wird als →Grundriß bezeichnet, die senkrechte Darstellung einer Außen- oder Innenansicht als →Aufriß.

Rissanen, Juho Viljo, finn. Maler, *Kuopio 9. 3. 1873, †Miami (Florida) 10. 12. 1950, beeinflußt von A. GALLÉN-KALLELA, malte großflächige Aquarelle und Ölbilder mit Themen aus dem finn. Volksleben, Fresken (u. a. im Nat.-Theater Helsinki) und Glasgemälde.

Rissani, Ort in S-Marokko, ehem. Hauptstadt der Tafilalet-Oasen. Sultanskasbå und Ksar aus dem 17. Jh. mit merinid. Schmuckelementen (13./14. Jh.). 1,5 km südöstlich die mächtigen Ruinen des **Ksar Abbar,** einer Aliden-Residenz aus dem frühen 19. Jh.; eine 6,5 m hohe Stampflehmmauer mit Monumentaltor (Hufeisenbogen, geometr. und Arabeskenschmuck) umschließt ein Gelände von 5 ha, darin hinter einer 2. Mauer mit 12 Zinnentürmen und Doppelbastei-Monumentaltor die Reste eines großen Palasts mit Harem (Eingangstor gekielter Hufeisenbogen, großer Patio, Hufeisenbögengalerien) und 5 weitere Palastbauten mit Innenhöfen, Säulenhallen und Pavillon (schöne Stuckfragmente) hinter 8 m hoher Lehmziegelmauer. 2,5 km südöstlich der prächtige **Ksar Oulad el-Halim:** Ringmauer mit hohen Türmen (Backsteinreliefs), Doppelbastei-Monumentaltor (Ziegelblendarkaden) zur Kasba (um 1900).

Rißbildung, Malerei: →Alterssprünge.

Ritschl, Otto, Maler, Schriftst., *Erfurt 9. 8. 1885, †Wiesbaden 1. 7. 1976, lebte seit 1908 ebd. R. malte seit den 1930er Jahren abstrakte Kompositionen mit geometr. Formen von dynam. Bewegtheit und leuchtenden Farben, seit etwa 1960 Bilder mit gelockerten, weicheren Formen und meditativem Gehalt.

O. R., Das Gesamtwerk 1919–72, hg. v. K. LEONHARD (1973).

Ritsuo, Künstlername des **Haritsu Ogawa,** japan. Lackmeister, Maler, Töpfer, Dichter, *Edo 1663, †ebd. 1747. Er und seine Schule schufen Lackarbeiten mit Einlagen fremder Materialien (Blei, Keramik, Koralle, Elfenbein, Glasflüsse, Schmucksteine, Schnitzlackstücke), die in ihrer Raffinesse charakteristisch für das japan. Kunsthandwerk des 18. Jh. sind.

Riva San Vitale: Baptisterium mit Freskenresten (um 1000)

Ritz|zeichnung, Maltechnik: Einritzen der Bildkomposition in den Malgrund, um die Konturen auch durch darübergelegte Farben sichtbar zu erhalten; häufig bei ma. Bildern mit Goldgrund und beim Fresko.

Riva San Vitale, Gem. im schweizer. Kt. Tessin, 1600 Ew. Neben der spätbarocken Kirche S. Vitale (1756–59) steht das älteste kirchl. Bauwerk der Schweiz, das Baptisterium (um 500), ein achteckiger Zentralbau (von außen nur im oberen Teil als Achteck kenntlich), mit Freskenresten (um 1000). Die Kirche S. Croce (1588–94) mit achteckiger Tambourkuppel steht an der Wende Renaissance/Barock.

Rivera [riβ'ɛra], Diego María, mexikan. Maler, Graphiker, *Guanajuato 8. 12. 1886, †Mexiko 24. 11. 1957, studierte seit 1897 an der Kunstakad. in Mexiko, 1906 bis 1910 in Spanien, Portugal und Frankreich, lebte 1911–21 v.a. in Paris (Auseinandersetzung mit dem Kubismus), 1931–34 in den USA. R. gehört zu den Begründern des →Muralismo; war führendes Mitgl. der KP Mexikos. Er gestaltete v. a. riesenhafte Wandgemälde (1929–45, Mexiko, Nat.-Palast) aus dem polit. und sozialen Leben Mexikos, die bes. die revolutionäre Dreieinigkeit aus Arbeitern, Bauern und Soldaten verherrlichen. Seine kompositorisch ausgewogenen Bilder verbinden folklorist. Elemente mit Stilmitteln moderner europ. Malerei. Er war verheiratet mit der Malerin FRIDA KAHLO. (BILD S. 215)

D. R., Wort und Bekenntnis, hg. v. M. MITTLER (1965).

Rivers [r'ɪvəz], Larry, amerikan. Maler, Bildhauer, *New York 17. 8. 1923. Seine Bilder und Plastiken nutzen vorgeprägte Themen (oft aus dem Bereich von Werbung oder Kunstgesch.) i. S. der Pop Art; sie ironisieren volkstüml. Reproduktion wie den eigenen Malstil; schuf auch monumentale Wandbilder.

L. R. Retrospektive, Ausst.-Kat., Hannover (1981).

Rivière [rɪvɪ'eə], Briton, engl. Maler frz. Herkunft

Diego Rivera: Maishandel; Detail eines Wandgemäldes im Palacio Nacional in Mexiko

*London 14. 8. 1840, †ebd. 20. 4. 1920, Schüler seines Vaters William (*1806, †1876) und W. ORCHARDSONS. Ähnlich wie C. LANDSEER wollte er in seinen Tierbildern eine seel. Verbindung zum Menschen herstellen, auch verarbeitete er bibl. Themen (›Das Wunder der 2000 Gadarener Säue‹, London, Tate Gal.).

Riwạk, Riwạq, in der islam. Architektur überdeckte Halle, die einen Hof umgibt; sie ist wesentl. Bestandteil des oriental. Hofhauses und der davon abstammenden Hofmoschee sowie aller späteren islam. Höfe.

Riza Abbasị [riz'a:-], pers. Maler, →Resa Abbasi.

Rizi [r'iθi], **Rịzzi,** auch **Ricci** [r'ittʃi], **1)** Francisco, span. Maler ital. Abstammung, Bruder von 2), *Madrid 1608, †Escorial 2. 5. 1685, Schüler von V. CARDUCHO, Mitarbeiter von J. CARREÑO DE MIRANDA, wurde 1656 Hofmaler; schuf dekorative Fresken für die königl. Schlösser (Spiegelsaal des Alcázar in Madrid, ab 1653; zerstört), relig. Deckengemälde (zus. mit Carreño de Miranda in der Kathedrale von Toledo; 1665–70), Altarbilder (in der Kapuzinerkirche El Pardo, 1650) und Bühnendekorationen für das Schloßtheater von Buen Retiro.

2) Fray Juan, span. Maler und Benediktinermönch ital. Abstammung, Bruder von 1), *Madrid 1600, †Kloster Montecassino 29. 11. 1681, ging 1662 nach Rom, schuf, beeinflußt von D. VELÁZQUEZ und F. DE ZURBARÁN, Altarbilder und Porträts für zahlreiche span. Benediktinerklöster (u. a. in San Millán de la Cogolla).

Rịzinus|öl, Maltechnik: nicht trocknendes Öl, das Öl- oder Lackfarben in geringen Mengen als Weichmacher und Trocknungsverzögerer zugesetzt wird.

Antonio Rizzo: Adam; um 1485 (Venedig, Dogenpalast)

Rizzo, Antonio, ital. Bildhauer, Baumeister, *Vero-na (?) um 1430, †Foligno 1499/1500. R. nimmt in der Geschichte der venezian. Frührenaissance-Skulptur eine Schlüsselstellung ein, indem er Antikenstudium mit spätgot. Tradition verbindet.

HW: Vierstöckiges Wandgrabmal des Dogen Niccolò Tron mi Nischen und Figuren (um 1476 beg.; Venedig, S. Maria dei Frari) überlebensgroße Marmorstatuen Evas und Adams (um 1485; ebd. Dogenpalast).

Rjabuschkin, Andrej Petrowitsch, russischer Ma-ler, *Stanitschnaja Sloboda (Gouv. Woronesch) 29.10.1861, † Didwino bei Ljuban (Gebiet Leningrad) 10.5.1904. Sein Interesse galt bes. dem russ. Volksleben des 17. Jh., v. a. seinen ethnographisch interessanten Seiten (Trachten, Festtagsbräuche u. ä.).

Rjasan, Gebietshauptstadt in der Russ. SFSR, an der Oka, 462000 Ew. – 1095 erstmals erwähnt, war R seit Mitte des 14. Jh. Hauptstadt eines Fstt. Im N der Stadt befindet sich der Kreml (1095) mit mehreren Kir-chen (Uspenskij-Kathedrale, urspr. 14. Jh., 1693–9 Neubau von J. G. BUCHWOSTOW, mit freistehendem Glockenturm, 1789–1840; Erzengelkathedrale, 16. Jh. 1647 umgebaut), Klöstern und Palästen (›Palast des Oleg‹, ehem. Prälatenhaus, 1653–92); außerhalb von R. das Solotschinsker Kloster (gegr. 14. Jh.) mit Heilig-geistkirche (1688/89).

Rjorich, Nikolaj Konstantinowitsch, →Roerich.

Robbia, ital. Bildhauerfamilie des 15. und 16. Jh., tä-tig in Florenz, errang in der Produktion gebrannter, mit Email- oder Bleiglasur überzogener, allmählich zu im-mer reicherer Farbigkeit strebender Reliefs eine führen-de Stellung in Europa (Exporte, z. B. nach Flandern). Luca **della R.** (*Florenz 1400, †ebd. 10. 2. 1482), Grün-der der Werkstatt, gehörte zu den bedeutendsten Bild-hauern der Frührenaissance. In seinen Werken verbin-den sich Einflüsse des melod. Linienstils L. GHIBERTI mit der Betonung geschlossener Körper, die eine Schu-lung bei NANNI DI BANCO vermuten lassen; hinzu kommt, bes. in der Sängerkanzel für den Dom (1431 bis 1438; Marmor, heute Dom-Mus.; BILD S. 358), eine ei-genwillige Auseinandersetzung mit der Antike. Die Terrakottareliefs über den Sakristeitüren des Dom

Luca della Robbia: Sängerkanzel des Doms in Florenz, 1431–38 (Florenz, Dom-Museum)

Andrea Della Robbia: Madonna mit Kind und Heiligen; undatiert (Florenz, Santa Croce)

(1442 ff. und 1446 ff.) bilden in der Veranschaulichung von Bewegungsabläufen ein Bindeglied zw. Nanni di Banco und A. DEL VERROCCHIO. (BILD Terrakotta)

WW (alle Florenz): 5 Marmorreliefs mit Darstellungen der Wiss. für den Campanile des Doms (1437–39; heute Dom-Mus.); Marmorgrabmal des Bischofs Federighi (1455/56; S. Trinità); Bronzetür zur Nordsakristei des Doms (1464–69; mit MICHELOZZO). Terrakotten: Rundreliefs der Pazzi-Kapelle bei S. Croce (nach 1443); Zunftwappen an Or S. Michele.

Sein Neffe Andrea **della R.** (*Florenz 28. 10. 1435, †ebd. 1525) und dessen Söhne Giovanni (*1469, †nach 1529) und Girolamo (*1488, seit 1529 in Frankreich, †Paris 1566) entwickelten die Technik der glasierten Terrakotta in Richtung auf das Dekorative und Bunte weiter.

HW: Andrea: Rundreliefs der Wickelkinder am Findelhaus in Florenz (1463–66); Freigruppe der Heimsuchung, Ton, weiß glasiert, Pistoia, S. Giovanni Fuorcivitas (1505); Reliefs, bes. mit Madonnendarstellungen, in Bogenfeldern und für Altäre; Büsten. – Giovanni: Werke der Barmherzigkeit am Ospedale del Ceppo in Pistoia (1525–29).

Röbel/Müritz, Stadt im Bez. Neubrandenburg, Dt. Dem. Rep., 6400 Ew., mit 2 frühgot. dreischiffigen Backsteinhallenkirchen (beg. 13. Jh.): in der Altstadt Marienkirche mit spätgot. Flügelaltar (Anf. 16. Jh.) und Triumphkreuzgruppe (15. Jh.); in der Neustadt Nikolaikirche mit roman. Taufstein.

Robert [rɔb'ɛ:r], **1)** Hubert, frz. Maler, *Paris 22. 5. 1733, †ebd. 15. 4. 1808, ging 1754 an die Académie de France nach Rom, wo er bei dem Bildhauer R.-M. SLODTZ arbeitete, von G. P. PANNINI und G. B. PIRANESI beeinflußt wurde und sich mit J. H. FRAGONARD anfreundete. 1765 kehrte er nach Paris zurück. Seine Ruinenbilder (nach ihnen wurde er auch **R. des Ruines** [-derɥ'in] gen.) sind poetisch empfundene Architekturidyllen, wirkungsvoll komponiert und locker gemalt. Er schuf auch Bilder mit Pariser Motiven und stellte zeitgenöss. Ereignisse dar. Seit 1794 trat er für die Einrichtung des Louvre als Mus. ein; war auch als Gartenarchitekt tätig (Versailles, Méréville).

2) Léo Paul, schweizer. Maler, Neffe von 3), *Ried bei Biel 19. 3. 1851, †Orvin 10. 10. 1923, schuf Gemälde von relig. Gehalt, große Wandbilder und Entwürfe für Mosaiken.

3) Léopold, schweizer. Maler, Onkel von 2), *Les Éplatures (Kt. Neuenburg) 13. 5. 1794, †Venedig 20. 3. 1835, Schüler von J. L. DAVID und A. J. GROS in Paris, lebte seit 1818 in Italien und malte hier Bilder aus dem Volksleben.

Roberti, Ercole de'R., auch **Grandi,** ital. Maler, *Ferrara nach 1450, †ebd. 1496, bed. Vertreter der Malerschule von Ferrara im 15. Jh., arbeitete in der Nachfolge von F. DEL COSSA an den Fresken des Palazzo Schifanoia in Ferrara; zw. 1480 und 1486 hauptsächlich in Bologna tätig. In seinem Stil vereinigt er Elemente von Cossa, C. TURA, ANTONELLO DA MESSINA, J. und GIOVANNI BELLINI.

HW: Mannalese (London, Nat. Gal.); Thronende Madonna mit Heiligen (1480/81; Mailand, Brera); Predella des Hochaltars von S. Giovanni in Monte, Bologna (1480–86; 2 Seitentafeln mit Kreuztragung und Gang nach Golgatha, Dresden, Gemäldegal.; Mitteltafel mit Pietà, Liverpool, Walker Art Gal.).

Roberts [r'ɔbəts], David, engl. Maler, Zeichner, *Stockbridge bei Edinburgh 24. 10. 1796, †London 25. 11. 1864, sammelte auf vielen Reisen durch Europa und den Orient Motive zu Öl- und Aquarellbildern und wurde als Architekturmaler bekannt (›Inneres der Kathedrale von Burgos‹, 1835; London, Tate Gal.).

Rocaille 2) um 1745 (Amorbach, Stiftskirche)

Rocaille [rɔk'aj, frz. ›Muschelwerk‹, ›Grottenwerk‹] *die,* **1)** Grottendekoration aus Steinen und Muscheln in der Gartenkunst und Innendekoration.

2) namengebendes Hauptornament des →Rokoko, das für alle Kunstgattungen von 1740–80 verbindlich war. Die meist asymmetr. R. wurde durch Umformung des Muschelornaments zu Ende des 18. Jh. vorgeformt und von J. A. MEISSONIER in seinem 1734 erschienenen Ornamentstichwerk ausgebildet. Nach Mitteleuropa vermittelt wurde die R. durch F. CUVILLIÉS D. Ä., der in der Ausstattung der Residenz in München 1730–37 und der Amalienburg in Nymphenburg 1734–39 die R. als Architekturornament zur vollen Geltung brachte. Sie wurde im letzten Viertel des 18. Jh. durch den →Zopfstil verdrängt.

H. BAUER: R. Zur Herkunft und zum Wesen eines Ornamentmotivs (1962).

Rocamadour [-d'ur], Gem. im frz. Dép. Lot, über einer engen Schlucht an einer Felswand gelegen, seit 1166 Wallfahrtsort, im MA. Pilgerstation auf dem Weg nach Santiago de Compostela; zahlreiche Wallfahrtsstätten im ›Hl. Bezirk‹: Église St. Sauveur (12. Jh., mit Krypta St. Amadour), Chapelle de la Vierge (15. und 18. Jh., mit Altar der ›Schwarzen Madonna von R.‹, 19. Jh.), Felsenkapelle St. Michel (12./13. Jh.); Schloß (14. Jh., erneuert).

Roche [rəʊtʃ], Eamonn Kevin, Architekt, *Dublin

14. 6. 1922, zeitweilig Mitarbeiter von EERO SAARINEN. In seinen Bauten verbindet sich die abstrakte Geometrik von L. MIES VAN DER ROHE mit einem kraftvollen strukturalen Expressionismus.

HW: Oakland Museum, Oakland/San Francisco (1961–68); Hauptverwaltung der Ford Foundation, New York (1963–68); Erweiterung des Metropolitan Mus. of Art, New York (seit 1967); Federal Reserve Bank, New York (seit 1969); Gebäude der United Nations Development Corp., New York (1969–75).

K. R., John Dinkeloo and Associates 1962–1975, hg. v. H. R. HITCHCOCK (1975).

Rochester [r'ɔtʃɪstə], Stadt röm. Ursprungs in der südengl. Cty. Kent, 55 500 Ew., an einem Brückenübergang des Medway; seit dem frühen 7. Jh. Bistum, seit dem 16. Jh. anglikanisch. Ein normann. Kastell wurde vor 1140 als Keep mit innerem Laufgangsystem erbaut; Mitte des 12. Jh. Neubau der benachbarten Kathedrale mit durch Ecktürme und Blendbögen gegliederter W-Front, deren Säulenportal sich in der Bauplastik eng an Chartres anlehnt. Um 1200 wurde der frühgot. Rechteckchor mit zusätzl. O-Querhaus angefügt.

Rochlitz, Stadt im Bez. Karl-Marx-Stadt, Dt. Dem. Rep., an der Zwickauer Mulde, 8100 Ew.; spätgot. Kunigundenkirche (1476 voll.) mit reicher Ausstattung; u. a. prächtiger Hochaltar mit dreifachen Flügeln (1513); spätgot. Petrikirche (1499 voll.); Schloß (12./13. Jh., spätgotisch umgestaltet), in der Schloßkapelle spätgot. Fresken; klassizist. Rathaus (1828).

Rochus, wohl legendärer Heiliger, *Montpellier um 1295, †ebd. 16. 8. 1327, volkstümlich als Patron der Pestkranken und einer der 14 Nothelfer, von der bildenden Kunst als Pilger mit Pilgerzeichen, Stab und Pilgerflasche dargestellt, der seine Pestbeulen vorweist, an seiner Seite ein Hund (mit einem Brot im Maul) oder ein Engel, der ihn heilt (Altargemälde des MEISTERS DER HL. SIPPE, um 1500; Köln, Wallraf-Richartz-Mus.; Holzskulptur von H. WYDYZ, Anfang 16. Jh.; Freiburg i. Br., Augustiner-Mus.), auch mit anderen Pestheiligen (Sebastian, Antonius). – Zyklen: R.-Altar (1517; Antwerpen, Jakobskirche); TINTORETTO (2. H. 16. Jh.; Venedig, S. Rocco).

Rockefeller Foundation [r'ɔkɪfelə faʊnd'eɪʃn], →Metropolitan Museum of Art.

Roda de Isábena [r'ɔða ðe is'aβena], span. Ort rd. 80 km nordöstlich von Huesca, in den Pyrenäen; in der Krypta der ehem. Kathedrale (11. Jh., dreischiffig) der Sarkophag des Hl. Ramón (12. Jh.) mit polychromen Flachreliefs (Szenen aus dem Leben Mariens und des Heiligen darstellend) und Fresken mit der Taufe Christi (11. Jh.); im roman. Kreuzgang Wandmalereien des frühen 13. Jh.; Pfarr-Mus. (u. a. Holzstuhl des Hl. Ramón, 12. Jh.).

Rodakọwski, Henryk, poln. Maler, *Lemberg 9. 7. 1823, †Krakau 28. 12. 1894, studierte in Wien und Paris (L. COGNIET) und lebte dann in Paris (1850–67) und in Polen. Seine stimmungsvollen Porträts zeigen den Einfluß der frz. Romantik (v. a. E. DELACROIX). Seine Historienbilder sind nach dem Vorbild P. VERONESES gemalt.

Rode, 1) Christian Bernhard, Maler, Radierer, *Berlin 25. 7. 1725, †ebd. 24. 6. 1797, Schüler von A. PESNE und C. VANLOO in Paris, seit 1782 in Berlin Direktor der Akad. R. malte in spätbarockem Stil allegor., histor. und relig. Bilder für Schlösser und Kirchen Berlins und Potsdams und schuf etwa 250, z. T. erstaunlich realist. Radierungen.

2) Hermen, Maler, *Lübeck(?) um 1430, †ebd. 1504, malte v. a. Altarbilder in dekorativem Stil (Goldgrund mit Lasuren ornamental verziert), der sich später dem niederländ. Realismus annähert, auch kleine Gedenkbilder mit dem Porträt des Stifters. Seine Kunst ist durch lichtes Kolorit und unmittelbaren Ausdruck ausgezeichnet.

HW: Altar (1468; urspr. Stockholm, Storkyrkan, heute ebd., Statens Historiska Museet); Lukas-Altar (1484; Lübeck, St. Annen-Mus.); Ein Kartäuser im Gebet vor der Muttergottes (um 1485; Mährisch-Sternberg, Schloß); Greverade-Altar (1494; urspr. Lübeck, Marienkirche, heute ebd., St.-Annen-Mus.).

Rodenbach, Gem. im Kr. Kaiserslautern, Rheinl.-Pf. In der Gemarkung wurde 1872–74 ein frühlatènezeitl. Fürstengrab mit reichen Beigaben (Bronzegeschirr, Schmuck, antike Importstücke) ausgegraben, die sich im Mus. in Speyer befinden.

Rodenkirchen, Ortsteil von Stadland im Kr. Wesermarsch, Ndsachs. Die got. evang. Kirche (13. Jh.) besitzt mit dem vorzügl. manierist. Altar (1618–29) und der Kanzel (1631) 2 HW von L. MÜNSTERMANN.

Rodez [rɔd'ɛs], Hauptstadt des frz. Dép. Aveyron, auf einem Hügel über dem Aveyron, kath. Bischofssitz, 28 200 Ew. R., mit z. T. noch ma. Stadtbild (schöne Häuser vom 15.–18. Jh.), ist aus dem bischöfl. Stadtkern mit der got. Kathedrale Notre-Dame (beg. 1277, voll. 16. Jh.) mit 87 m hohem spätgot. Turm und der Burg zusammengewachsen. Mus. Fenaille (vorgeschichtl. Funde, gallöröm. und ma. Kunstwerke). Mus. des Beaux-Arts (Gemäldesamml. und Skulpturen).

Rodin [rɔd'ɛ̃], Auguste, frz. Bildhauer, *Paris 12. 11. 1840, †Meudon 17. 11. 1917, arbeitete seit 1894 v. a. in Meudon, wurde u. a. beeinflußt von A.-L. BARYE und J.-B. CARPEAUX. Die stärksten künstler. Eindrücke erhielt er von MICHELANGELO (1875 Reise nach Florenz und Rom) und der Gotik (1877 Reise zu den frz. Kathedralen). Bereits seine erste selbständige Arbeit ›Mann mit der zerbrochenen Nase‹ (Bronze, 1864) und die Jünglingsgestalt ›Das eherne Zeitalter‹ (Bronze, 1876) zeigen in der Darstellung einen bis dahin unbekannten Realismus, der auf Ablehnung stieß. Die Oberfläche seiner Skulpturen ist bewegt und zerklüftet, so daß ein reiches Spiel von Licht und Schatten malerisch-impressionist. Wirkungen erzeugt, ohne formauflösend zu wirken. Oft wird der Reiz des Skizzenhaften, Unvollendeten und Fragmentarischen gesucht; manchmal sind die Figuren nur z. T. aus dem Block herausgearbeitet (›Danaide‹, 1890). Mit den ›Bürgern von Calais‹ (1884–86, Bronze; entgegen der Absicht R.s 1895 auf einem Sokkel aufgestellt) schuf R. einen neuen Denkmaltyp ohne jede heroische Verklärung. Die Balzac-Statue (1891 bis 1898; in Bronze gegossen 1939; BILD Impressionismus

Auguste Rodin: Der Kuß, Marmor, 1886 (Paris, Musée Rodin)

verkörpert ein neues, zu seiner Zeit heftig bekämpftes Verständnis des schöpfer. Menschen, indem sie u. a. die Spannung zw. heroischer Vision und augenblickl. Alltäglichkeit zeigt (Balzac im Schlafrock). Für die Weltausstellung in Paris (1900) gestaltete R. einen eigenen Pavillon. Er war auch Zeichner, Radierer und Maler. Die meisten seiner Werke sind im R.-Mus. in Paris (dessen Gesamtbestand in Abgüssen im R.-Mus., Philadelphia). – Die weitere Entwicklung der europ. Plastik erwuchs z. T. aus der bejahenden oder verneinenden Einstellung zu R.s Werk.

WW: Bronze: Der Schreitende (1877); Der Denker (1880); Das Höllentor (1880–1917); Eva (1881); Kauernde (1882). Marmor: Der Kuß (1886); Der Gedanke (1886); Die Hand Gottes (vor 1898); Gebet (1909); Die Kathedrale (1910). Denkmal von V. Hugo (1886 in Auftrag gegeben, Gips 1897). Porträtbüsten.

B. CHAMPIGNEULLE: R. (a. d. Frz., 1970); J. A. SCHMOLL, gen. EISENWERTH: R.-Studien (1975).

Rodo, Bildhauer, Auguste de →Niederhäusern.

Rodríguez Tizón [roðr'iγeθ tiθ'on], **Ventura,** span. Architekt, *Ciempozuelos 14. 4. 1717, †Madrid 26. 8. 1785, beherrschte gemeinsam mit F. SABATINI und J. DE VILLANUEVA die span. Architektur am Übergang vom Barock zum Klassizismus; war bis 1759 als Hofarchitekt tätig, wurde 1764 Stadtbaumeister von Madrid; ausgebildet von G. B. SACCHETTI beim Bau des Königl. Palastes ebd., schuf er anfänglich spätbarocke, später frühklassizist. Bauten.

HW: Kirche S. Marcos in Madrid (1749–53); Vollendung der Basilika Nuestra Señora del Pilar in Saragossa (1753; von F. HERRERA D. J. 1681 beg.); Sanktuarium der Kathedrale von Jaén (1764); Portikus der Kathedrale von Pamplona (1783).

Rodt, Christoph, Bildhauer, *Neuburg an der Kammel (Kr. Günzburg) vermutlich zw. 1575 und 1580, †Großkötz (heute zu Kötz, Kr. Günzburg) 10. 3. 1634, schuf für schwäb. Kirchen eine Reihe großer Altäre mit farbig bemalten Holzbildwerken. Sie zeigen fern der höf. Monumentalplastik einen best. volkstüml. Akzent, der sie mit der Tradition der einheim. spätgot. Skulptur verbindet. In den späten Werken von R. sind bereits stilist. Anklänge an den Frühbarock spürbar.

Rodtschenko, Aleksandr Michajlowitsch, russ. Maler, Bildhauer, Gebrauchsgraphiker, *St. Petersburg 15. 12. 1891, †Moskau 3. 12. 1956, neben K. MALEWITSCH und W. TATLIN einer der wichtigsten Bahnbrecher der modernen Kunst in der UdSSR. Er war sowohl als Maler (monochrome Bilder schwarz auf schwarz) wie als Bildhauer (mobile Plastiken) von äußerster Radikalität; um 1920 wandte er sich fast ausschließlich der techn. Formgebung, der Gebrauchsgraphik und dem Film zu.

A. LAWRENTJEW u. H. GASSNER: R. Photograph (1982); A. R. und Warwara Stepanowa, Ausst.-Kat., Baden-Baden (1983).

Roeder, Emy, Bildhauerin, *Würzburg 30. 1. 1890, †Mainz 7. 2. 1971, lebte 1936–49 meist in Florenz und Rom. Ihre mittelgroßen Figuren und Gruppen (v.a. Mädchen- und Tierdarstellungen) kennzeichnet streng vereinfachte, doch lebensnahe Gestaltung, die sich bes. bei Porträtköpfen zu kubisch-plast. Kraft steigert (H. Purrmann, 1950/51; Mannheim, Kunsthalle).

F. GERKE: E. R. Eine Werkbiographie (1963).

Roehr, Peter, Künstler, *Lauenburg (Pommern) 1. 9. 1944, †Frankfurt a. M. 15. 8. 1968, schuf etwa 600 Serien von unverändert wiederholten, meist genormten Gegenständen (Etiketten, Photos, Wortblöcken), die in Form von Sequenzen auf Papier aneinandergereiht werden; entwickelte damit eine eigenständige Parallele zum Nouveau Réalisme und zur Seriellen Kunst.

Roelandt [r'u:-], Lodewijk, belg. Baumeister, *Nieuwpoort 3. 1. 1786, †Gent 5. 4. 1864, Schüler von C. PERCIER und P. F. L. FONTAINE in Paris, baute in Gent Univ. (1826 voll.), Theater (1840 voll.) und Justizpalast (1846 voll.).

Roelas, auch **Ruelas,** Juan de las, *Sevilla 1558 oder 1560, †Olivares (Sevilla) 23. 4. 1625. R. war der bedeutendste Sevillaner Maler des spätmanierist. Stils, durch die venezian. Malerei (PAOLO VERONESE) beeinflußt. Seine relig. Themen sind durch die Mystik geprägt. Altarbilder v. a. in vielen Sevillaner Kirchen, in der Univ. und im Mus. ebd.

Roemer- und Pelizaeus-Museum in Hildesheim. Das von dem Hildesheimer Senator HERMANN ROEMER (*1815, †1894) 1844 gegr. **Roemer-Museum** besitzt bed. naturwissenschaftl. und heimatkundl. Samml. und eine Nachbildung des →Hildesheimer Silberfundes, Münz-Kabinett und die Ernst-Ohlmer-Samml. (chines. Kunst). WILHELM PELIZAEUS (*1851, †1930) schenkte 1907 seine Samml. ägypt. Altertümer der Stadt Hildesheim, die 1911 ein eigenes Gebäude zur Verfügung stellte (Neubau 1959). Das im gleichen Hause wie das Roemer-Mus. befindl. **Pelizaeus-Museum** verfügt über bed. Werke altägypt. Kultur, v. a. Grabungsfunde aus dem Alten (bes. Giseh), dem Mittleren und Neuen Reich und der Ptolemäer-Zeit.

Roentgen, David, Kunsttischler, *Herrnhaag (bei Büdingen) 11. 8. 1743, †Wiesbaden 12. 2. 1807, entwickelte die 1772 übernommene Werkstatt seines Vaters Abraham (*1711, †1793) in Neuwied zu einem Unternehmen von internat. Ruf. Seit 1779 unterhielt R. mit großem Erfolg eine Niederlassung in Paris, wo er eines seiner bedeutendsten Stücke, einen kunstvollen Schreibschrank, an König LUDWIG XVI. verkaufte. Zu den Kunden R.s gehörten alle europ. Fürstenhöfe; bes. lieferte R. viele Arbeiten für Kaiserin KATHARINA II. von Rußland. Während seine frühen Möbel noch unter dem Einfluß des Rokoko, speziell des engl., standen, wandelte sich sein Stil nach 1775 zu Louis-seize-Formen. Die Besonderheit der R.-Möbel liegt v.a. in der handwerkl. Vollkommenheit seiner vielfach farbigen Intarsien. Um 1790 verarbeitete R. vornehmlich Mahagoni und wandte sich immer mehr einem strengeren, klassizist. Stil zu.

H. KREISEL: A. R. (1953).

Roerich, Rjorich, Rerich, Nikolaj Konstantinowitsch, russ. Maler, *St. Petersburg 9. 10. 1874, †Nagar (Pandschab, Indien) 13. 12. 1947, stand dem Mir Iskusstwa nahe und malte dekorativ stilisierte Bilder (auch Bühnenbilder), bes. aus der myth. Frühzeit Rußlands. Seit 1920 lebte er in den USA; auf Expeditionen nach Innerasien (1923–28) schuf er zahlreiche theosophisch inspirierte Gemälde aus Tibet und dem Himalaya. Die meisten seiner Werke befinden sich im R.-Mus. in New York (gegr. 1923, jetzt Riverside-Mus.).

ELENA J. POLJAKOVA: N. R. (Moskau 1973).

Roermond [ru:rm'ɔnt], Stadt in der niederländ. Prov. Limburg, 36900 Ew., kath. Bischofssitz. Die Münsterkirche (1224 gew.) ist eine spätroman. Pfeilerbasilika mit oktogonalem Vierungsturm, doppeltürmigem, kleeblattförmigem Ostbau und ebenfalls doppeltürmigem hohem Westbau; roman. Grabmal des Grafen Gerhard III. von Geldern (†1229) und seiner Gemahlin Margarete von Brabant (†1231). Die St.-Christoffel-Kathedrale (Anf. 15. Jh.) birgt u. a. Renaissancealtar (1593), Chorbänke (16. Jh.) und wertvolle Gemälde, u. a. Christuskopf von P. P. RUBENS. Neuroman. bischöfl. Grabkapelle von P. CUYPERS (1887). In Cuypers' ehem. Atelierhaus befindet sich das Städt. Museum (u. a. Gemälde).

Rogalin, Ort in der Wwschaft Poznań, Polen, rd. 500 Ew. Schloß der Raczyński (1770–82 barock-klassizistisch von J. GRAFF gebaut); Barockgarten (18. Jh.), teilweise englisch verändert, 1820–40 erweitert.

Rogers [r'ɔdʒəz], Richard, amerikan. Architekt, *Florenz 23. 7. 1933; schuf Wohnbauten im Stil F. L. WRIGHTS, dann Industriebauten; seit 1971 Partnerschaft mit R. PIANO (→Centre National d'Art et de Culture Georges Pompidou, Paris 1977).

Rogerus von Helmarshausen, einer der bedeutendsten Goldschmiede des dt. MA., ein Meister der Niello-Technik; Mönch des Klosters Helmarshausen (Ndsachs.), tätig um 1100. Sein Werk, für dessen Stil neben byzantin. Quellen die Bibel von Stavelot (1097 voll.) maßgebend war (zw. Helmarshausen und Stavelot bestanden enge Beziehungen), gruppiert sich um den Tragaltar der Hll. Kilian und Liborius im Paderborner Domschatz (1100). Sicher zuzuschreiben ist R. v. H. außerdem: der Abdinghofer Tragaltar (um 1100; Paderborn, Franziskanerkirche; BILD Tragaltar), sein HW, dessen in Niello gearbeitete Figuren sich durch eine äußerst lebhaft-bewegte Auffassung auszeichnen; der prunkvoll gestaltete Vorderdeckel des Helmarshausener Evangeliars (um 1100; Trier, Dom-Bibl.); mit Einschränkung das Reliquienkreuz aus Enger (vielleicht nicht von ihm selbst, sicher aber aus seiner Werkstatt; Berlin-West, Staatl. Museen). In der Forschung umstritten ist die Identität des R. von H. mit →Theophilus Presbyter. Die Kunst des R. von H. hat weitreichend auf die Goldschmiedekunst (Hildesheim) und die Buchmalerei des 12. Jh. (Köln) eingewirkt.

H. SCHNITZLER: Rhein. Schatzkammer (1959); Kunst und Kultur im Weserraum, Ausst.-Kat., Münster (1966).

Roggenburg, Gem. im Kr. Neu-Ulm, im bayer. Schwaben. Die ehem. Prämonstratenser-Reichsabtei (1126 gegr.) besitzt eine der bedeutendsten und am prächtigsten ausgestatteten Rokokokirchen Schwabens (1752–58 erbaut, Stuck der Feuchtmayer-Werkstatt; frühbarockes Chorgestühl, 1628); der weiß-goldene Orgelprospekt zählt zu den schönsten des 18. Jh. Refektorium und Bibl. sind klassizistisch dekoriert.

Roghman [r'oːxman], Roeland, holländ. Maler, Radierer, *um 1620, †Amsterdam 1686, malte v. a. Berglandschaften in starken Helldunkelkontrasten. Sein graph. Werk umfaßt 46 Radierungen mit Berg- und Waldlandschaften, auch topograph. Ansichten.

Rogier van der Weyden [roːx'iːr van dər w'ɛjdə], niederländ. Maler, →Weyden.

Rohan-Stundenbuch [rɔ'ã-], Gebetbuch, benannt n. dem letzten Besitzer, der Fam. Rohan (Paris, Bibl. Nat.); von JOLANTHE VON ARAGON (Frau Ludwigs II., König von Sizilien) in Auftrag gegeben, von einem anonymen Künstler 1420–27 ausgeführt. In vielen ganzseitigen Miniaturen fällt das besondere Talent des Meisters in der Darstellung des Tragischen auf, dem er durch oft übersteigerten Realismus dramat. Ausdruck verlieh.

Les Heures de Rohan, Einführung u. Kommentar v. M. MEISS u. M. THOMAS (Faks. 1973).

Rohde [r'oːðə], Johan, dän. Maler, Graphiker, *Randers 1. 11. 1856, †Hellerup (Amt Kopenhagen) 18. 2. 1935, malte v. a. dän. Kleinstädte (Ribe) in zarten, gedämpften Farben. R. spielte in den frühen 1890er Jahren eine wichtige Rolle als Vermittler neuer Strömungen (V. VAN GOGH, P. GAUGUIN).

Rohden, Johann Martin von, Maler, *Kassel 30. 7.

Christian Rohlfs: Kahle Konifere; Aquarell, 1921 (Privatbesitz)

1778, †Rom 9. 9. 1868, ebd. (abgesehen von kürzeren Aufenthalten in Kassel) seit 1795, seit 1831 hess. Hofmaler. R. bildete sich v. a. durch eigenes Studium (J. A. KOCH, J. C. REINHART) zum Landschaftsmaler. Seit etwa 1810 wird ein entschiedener Realismus spürbar, in dem R. einfache Motive in tonig-weichen Farben malte (Bilder aus der Umgebung Roms). Zeichnungen von ihm gehören zu den schönsten seiner Zeit.

Rohlfs, Christian, Maler, Graphiker, *Niendorf (Holstein) 22. 11. 1849, †Hagen 8. 1. 1938, lehrte in Weimar und Hagen. Er malte zunächst stimmungsvolle realist. Landschaften, nahm dann Anregungen vom frz. Impressionismus auf und gelangte in den um 1905 entstandenen Bildern von Bauwerken (bes. aus Soest), Landschaften und figürl. Darstellungen zu expressionist. Gestaltung. Bei lockerer, vibrierender Formgebung war sein eigtl. Ausdrucksmittel die Farbe. Die gedeckten Grau- und Brauntöne seines Frühwerks entwickelten sich zu den reinen und leuchtenden Farben seiner späten, lichtdurchfluteten Landschafts- und Blumenaquarelle. Als Graphiker wandte er sich v. a. dem Holz- und Linolschnitt zu.

W. SCHEIDIG: C. R. (1965); P. VOGT: C. R., Œuvre der Ölgemälde (1978).

Rohr, 1) Gem. bei Meiningen, im Thüringer Wald, Dt. Dem. Rep. In der Dorfkirche (10. Jh., mehrfach umgebaut) ist wahrscheinlich z. T. eine Pfalzkapelle erh.; Kassettendecke, Emporen mit bemalten Brüstungen (17. Jh.); unter dem Chor dreischiffige otton. Krypta.

2) R. in Niederbayern, Markt im Kr. Kelheim, mit ehem. Augustiner-Chorherrenstift (1133 gegr., jetzt Benediktinerkloster). Die Kirche wurde 1717–23 von den Brüdern ASAM erbaut und hervorragend ausgestattet; der Hochaltar (1723) stellt in einer bühnenartig arrangierten plast. Gruppe die Himmelfahrt Mariens dar und gilt als Gipfelleistung des europ. Barock.

Rokoko: Joseph Anton Feuchtmayer, ›Der Honigschlecker‹; um 1750 (Wallfahrtskirche Birnau)

Rokoko: Detail vom Chorgitter der Klosterkirche in Amorbach von M. Grattinger, 1750

Rohrfeder, aus Schilfrohr zugeschnittene Zeichenfeder, mit der bes. breite Striche ausgeführt werden können (v. a. von REMBRANDT angewendet).

Rokoko [vgl. Rocaille], in der bildenden Kunst die Ausdrucksform des späten Absolutismus zw. 1730 und 1770. An den Spätbarock anschließend, aber auch sich von ihm abkehrend, leitet das R. zum Klassizismus über, der sich v.a. in England, Frankreich und dem evang. N-Dtl. seit etwa 1750 neben ihm entwickelte. Im R. manifestiert sich eine neue Auffassung von Kunst, in der Elemente des Manierismus, des Hochbarock und der Antike eine neue ästhet. Einheit bilden. Geistesgeschichtl. Voraussetzungen bildeten der Sensualismus des engl. Philosophen A. SHAFTESBURY und die Schriften der frühen frz. Aufklärung (B. FONTENELLE und P. BAYLE). Größe und Pathos des Barock, in dem Kunst als Idee des Souveräns und der gegenreformator. Kirche erscheinen sollte, weicht im R. dem Gefälligen, Eleganten, aus sich selbst Schönen als dem Ideal der höf. Gesellschaft. Thematisch führt dies zur Verniedlichung der antiken Götterwelt und zu einer psychologisierenden Darstellung der Heiligen. Der Putto verkörpert das ewig Junge, Kindlich-Naive. In den Chinoiserien klingt die Freude am Exotischen an.

Die Einheit der Kunstgattungen bildet nicht mehr die Architektur, sondern die Dekoration als Instrument des höf. Zeremoniells. Architektur wird kulissenhaft, mit reliefhaft modellierter Oberfläche gestaltet. Anstelle der antiken Säulenordnung erscheinen oft ›niedere‹ Formen der Baukunst (Lisenen, Hermen, Voluten). Die Aufmerksamkeit wendet sich dem Innenraum und seiner Ausstattung zu. Statt der großen Residenzen wie Versailles bevorzugt der Adel Stadtpalais und Lusthäuser in seinen Parks. Helle intime Räume und Kabinette mit abgerundeten Ecken verdrängen die düsteren barocken Säle; pastellfarbene Töne dominieren. Als Vorbote des Klassizismus breitet sich an Wänden und Möbeln anstelle von Vergoldungen seit etwa 1750 substanzloses Weiß aus. Große Fenster, Spiegel und Lüster verstärken den unwirkl. ›arkadischen‹ Wohncharakter.

Als Dekorationsstil des Stadtadels entstand das R. um 1730 in Paris (→Louis-quinze), wo es als Reaktion auf die offizielle Staatskunst Ludwigs XIV. (→Louis-quatorze) mit der Régence (1715–23) eingeleitet wurde. Leitmotiv der R.-Dekoration ist die Rocaille, ein Ornament, das im Rahmen der Régence-Groteskendekora-

Rokoko: Juste-Aurèle Meissonier, Tafelaufsatz; Kupferstich, 1735

Rokoko: Deckenmalerei in der Wies von J. B. Zimmermann, 1754

tion (J. BÉRAIN, D. MAROT D. Ä., A. WATTEAU) bildhaft eingesetzt wird und auf manierist. Rollwerk sowie ital. barockes Muschelwerk zurückgreift (J.-A. MEISSONIER). Die an der Klassik orientierte Architektur des R. in Frankreich (Theoretiker J.-F. BLONDEL) zeigt sich v. a. beim Stadtpalais: in Paris Umbau des Hôtel Soubise 1735, Hôtel Matignon ab 1721 (G. BOFFRAND), bes. aber in Inneneinrichtungen (G.-M. OPPENORT, L.-C. VASSÉ) mit geschnitzten Vertäfelungen (frz. ›Panneaux‹), aber auch in Landschlössern (Chantilly, Petit Château) und Lustbauten (Petit Trianon im Park von Versailles, von J.-A. GABRIEL, 1762). Anlagen größeren Ausmaßes entstanden nur in der frz. Provinz (Nancy, Place Stanislas; Straßburg, Château de Rohan). Mehr als der frz. Skulptur des R. (E. BOUCHARDON, J.-B. PIGALLE, E.-M. FALCONET) gelang es in der Malerei, eine eigene poet. Bildgattung zu gründen, v. a. A. Watteau, dem Erfinder des galanten Genres (Fêtes galantes), einer traumhaft entrückten, arkad. Kavalierswelt. Weiterhin schufen F. BOUCHER (BILD), J. H. FRAGONARD (BILD), N. LANCRET und J.-B. F. PATER Gesellschaftsstücke, Schäferszenen und Boudoirbilder von oft hintergründiger Bedeutung. Das psychologisierende Porträt repräsentieren J.-M. NATTIER und J.-É. LIOTARD (BILD); die bürgerl. Kleinwelt schildert atmosphärisch J.-B. S. CHARDIN.

Rokoko: Hl. Magdalena von I. Günther, 1755 (Starnberg, Museum)

Eine eigene Variante des R. entstand unabhängig von Frankreich in Venedig, v. a. in der Malerei. S. RICCI, G. B. PIAZZETTA, G. B. PITTONI und G. B. TIEPOLO (BILD), die mit Fresken und Altarbildern auch nach Österreich, Dtl., Spanien und England wirkten, sind die Hauptvertreter eines theatralisch-anmutigen Illusionismus. CANALETTO, F. GUARDI (BILD) und B. BELLOTTO begründeten den Ruhm der Vedute; typisch auch die Alltagsszenen von P. LONGHI, die Pastell-Bildnisse der ROSALBA CARRIERA und die Capriccios von G. B. PIRANESI. Ausgesprochen rokokohafte Züge erhielten während des ital. Spätbarock die Kirchenräume von B. A. VITTONE in Piemont (Brà, S. Chiara, 1742) und das Interieur des Schlosses Stupinigi bei Turin (F. JUVARRA, ab 1729).

Durch die massenhafte Verbreitung von Dekorationsvorlagen im Kupferstich (in Dtl. bes. Augsburger Verlage) fand das R. schnell Eingang in die versch. Residenzen Europas. Nach Dtl. gelangte es durch den in Frankreich geschulten, am Münchener Hof tätigen F. DE CUVILLIÉS D. Ä. (Münchner Residenz: ›Reiche Zimmer‹; Amalienburg; Residenztheater, ab 1730). In mehr spätbarockem Architekturrahmen erbaute J. B. NEUMANN (BILD) die fürstbischöfl. Residenzen der Schönborn (Würzburg, Bruchsal), G. W. KNOBELSDORFF im aufgeklärten ›friderizianischen R.‹ Sanssouci bei Potsdam (BILD), weiterhin die Eremitage und den Ruinengarten von Bayreuth. Kleinere Residenzen des R. sind Ansbach und Brühl. Wichtigen Anteil am Gesamteindruck des höf. R. tragen die Stukkatoren J. B. ZIMMERMANN, J. M. FEUCHTMAYER, FRANZ XAVER FEUCHTMAYER (*1705, †1764), A. BOSSI, F. NAHL und J. M. HOPPENHAUPT. Enklaven des R. sind Schloßeinrich-

Rokoko: Konzertzimmer in Schloß Sanssouci; Dekoration von J. M. Hoppenhaupt, Wandgemälde von A. Pesne

Rokoko: Antoine Watteau, ›Aufbruch von Kythera‹; 1717 (Paris, Louvre)

tungen in Schönbrunn bei Wien, Esterházy in Ungarn, St. Petersburg und Stockholm.

Weitgehend eigenständig – entsprechend der autonomen Stellung der reichsfreien Stifte und Klöster – entfaltete sich das kirchl. R. in Dtl. als umfassender Stil, der auch den volkstüml. Bereich prägte. Unter dem Einfluß ital. und böhm. Spätbarockarchitektur (G. GUARINI, C. und K. I. DIENTZENHOFER) und theaterhaftem Illusionismus (A. POZZO, Gebrüder ASAM) entstanden Kirchenräume, die sinnenhafte Spiritualität mit märchenhafter Exotik vereinen (von J. M. FISCHER: Dießen am Ammersee, Berg am Laim, Zwiefalten, Ottobeuren, Rott am Inn; von D. ZIMMERMANN: Wallfahrtskirchen Steinhausen, Wies; von P. THUMB: Neubirnau, St. Gallen; von B. NEUMANN: Vierzehnheiligen, Neresheim). Die bereits genannten Stukkatoren und Bildschnitzer (J. A. FEUCHTMAYER, BILD, und J. J. CHRISTIAN in Schwaben, I. GÜNTHER in Altbayern, C. WENZINGER am Oberrhein, J. G. AUWERA in Franken) vervollständigten das Kircheninnere zu einem szenischen Paradies, das den Betrachter in seine Realität mit einschließt. Die Vorliebe für gewölbte Zentralräume ließ großflächige illusionist. Dekkenmalerei zu, die barocke Emblematik und Mystik mit neuem Naturverständnis und Geschichtsbewußtsein geistreich verbindet (J. B. ZIMMERMANN, J. E. HOLZER, M. GÜNTHER, JOHANN ZICK, F. MAULBERTSCH, BILD). Kuriose Einzelphänomene sind die grotesken Gartenfiguren von F. DIETZ (Veitshöchheim; BILD F. Dietz) und die Genrebilder von N. GRUND (Prag, Nat.-Gal.).

Eine spätbarocke Exotik entfaltet das R. im bourbon. Spanien, in Neapel und Sizilien (Oratorien mit Stukkaturen von G. SERPOTTA in Palermo), Portugal (Braga) und deren Kolonien in Lateinamerika (→lateinamerikanische Kunst). Von myst. Charakter sind die späten Kirchenausstattungen in Ungarn, Böhmen und Polen (Lemberg).

Das Kunsthandwerk des R., in ganz Europa verbreitet, verbindet Züge der hohen Kunst mit serieller Produktion, z. B. in der frz. und Augsburger Goldschmiedekunst, den Lyoner Manufakturen für Gobelins und Seidentapeten und bes. in den Manufakturen des neuentdeckten Porzellans (Meißen: J. J. KÄNDLER; Nymphenburg: F. A. BUSTELLI; Frankenthal: J. F. LÜCK, K. LINCK; BILDER Porzellan). Kunsttischler (Ebenisten) schufen die Voraussetzungen für das moderne, bequeme Mobiliar wie Kommode, Konsoltisch, Chaiselongue, Fauteuil (C. CRESSENT, J. F. OEBEN, BILD; D. ROENTGEN, T. CHIPPENDALE). – Selbst das Phänomen des Englischen Gartens, in dem das Pittoreske aus der bildenden Kunst in den Park übertragen wird und die sentimental erlebte Natur sich selbst abbildet, ist aus der Ästhetik des R. zu verstehen.

H. BAUER: Rocaille, zur Herkunft und zum Wesen eines Ornamentmotivs (1962); H. KELLER: Die Kunst des 18. Jh., in: Propyläen Kunstgesch., 10 (1971); V. LOERS: Rokokoplastik und Dekorationssystem (1976); C. NORBERG-SCHULZ: Architektur des Spätbarock und R., in: Weltgesch. der Architektur, hg. v. P. L. NERVI (1975); A. BLUNT u. W. SWAAN: Kunst und Kultur des Barock u. R. (a. d. Engl., 1979); P. VOLK: Rokokoplastik in Altbayern, Bayerisch-Schwaben und dem Allgäu (1981).

Rokotow, Fjodor Stepanowitsch, russ. Maler, *Woronzowo (heute zu Moskau) 1735(?), †Moskau 24. 12. 1808, malte zahlreiche Porträts der russ. Aristokratie, wobei er vom repräsentativen Ganzfigurenbild zu einem persönlicheren, farblich kultivierten Porträtstil (meist Brustbilder) überging.

Roland, Rolandsäule, alte Bildsäulen aus Holz oder Stein auf den Markt- oder Hauptplätzen vieler Ortschaften Nord- und des nördl. Mittel-Dtl.s. Sie stellen meist einen barhäuptigen Mann in Rüstung oder Mantel dar, der ein bloßes Schwert hält. Ursprung und Bedeutung sind umstritten: wahrscheinlich Sinnbilder des Königsbanns, des Marktrechts oder der Gerichtsbarkeit.

Rolands|eck, Stadtteil von Remagen, Rheinl.-Pf., ehem. **Bahnhof R.** mit Empfangsgebäude von 1855/56. Beherbergt seit 1965 Künstlerwohnstätten; wechselnde Ausstellungen und Aufführungen zur zeitgenöss. Kunst.

Roldán, Pedro, span. Architekt, Bildhauer, Maler, *Antequera (Málaga) um 1624, †Sevilla 1699, Hauptmeister der Bildhauerei Sevillas in der 2. H. des 17. Jh., gehörte einer von G. L. BERNINI beeinflußten barocken Strömung an, bevorzugte malerische Effekte (farbige Fassung seiner Reliefs und Figuren). – Seine Tochter María Luisa (*Sevilla 1656, †Madrid 1704) war seit 1695 (als einzige Frau) Hofbildhauerin KARLS II.

HW: Hauptretabel mit Grablegung in der Kirche des Hospitals de la Caridad, Sevilla (1670 beg.); Christus als Schmerzensmann (ebd.; um 1674).

Rolfsen, Alf, norweg. Maler, *Oslo 28. 1. 1895, studierte in Kopenhagen, später in Paris und besuchte mehrfach Italien. Einflüsse des Kubismus und der ital. Hochrenaissance (MICHELANGELO und RAFFAEL) sind in seinen Fresken spürbar (Kirche in Stiklestad, 1930;

Krematorium in Oslo, 1932–37; Hansa-Brauerei in Bergen, 1967); schuf auch Porträts und Landschaften in Öl.

Rollbild, häufigste Bildgattung der ostasiat. Kunst, →Hängerolle, →Querrolle.

Rollenfries, Baukunst: →Fries, v.a. der Romanik und des anglo-normann. Stils.

Rollenporträt, Darstellung eines Schauspielers oder Sängers im Kostüm und Habitus einer Bühnenrolle. Das R. entwickelte sich zu Beginn des 18. Jh. in Frankreich (A. PESNE, N. DE LARGILLIÈRE) und fand Mitte des 18. Jh. Eingang in die engl. Malerei und Graphik (G. ROMNEY). Im 20. Jh. v. a. von L. CORINTH (Rudolf Rittner als Florian Geyer) und M. SLEVOGT (Francisco d'Andrade als Don Giovanni, BILD Slevogt) als Porträtform verwendet.

Rollsiegel, →Siegel.

Rollwerk, Sammelbez. für Ornamente aus stilisierten Spruchbändern, Wappenschildern und Kartuschen, deren Enden schneckenartig eingerollt sind und plastisch aus der Fläche hervortreten. Es wurde von den Italienern der Schule von Fontainebleau um 1530 ausgebildet und rasch in Architektur und Kunsthandwerk eingeführt. Bald nach der Mitte des 16. Jh. hatte das R., auch in Verbindung mit der Groteske, seinen Höhepunkt und wurde durch C. FLORIS und H. VREDEMAN DE VRIES in seine manierist. Spätphase gebracht. Beschlagwerk und Schweifwerk lösten das R. im letzten Viertel des 16. Jh. ab.

Roluos, früher Hariharalaya, Hauptstadt des Khmer-Reiches vom Ende 8. Jh. bis Ende 9. Jh., nahe Angkor im Kulen-Hochland (KARTE Khmer-Kunst). R. wurde von König JAYAVARMAN II. gegründet: Der Tempelkomplex Prah Koh (875–893) besteht aus 6 Backsteintürmen in 2 Dreierreihen auf gemeinsamem Unterbau. Das Hauptheiligtum der Stadt, Bakong (Ende 9. Jh.), ist der erste Tempelberg des angkorian. Herrscherhauses als fünfstöckige Pyramide, das in einer winzigen Cella das Linga des ›Gottkönigs‹ enthielt. König INDRAVARMAN legte bei R. ein riesiges Bewässerungssystem an, den Baray von Lolei (3800 m × 800 m). Dieser älteste Baray hatte nicht nur größte Bedeutung für den Ackerbau, sondern füllte auch die Gräben der Tempel und des Palasts der Stadt.

Rom, ital. **Roma,** Hauptstadt und kulturelles Zentrum Italiens, beiderseits des Tiber (Tevere) auf Hügeln gelegen, 2,9 Mio. Ew.; in der →Vatikanstadt Sitz des Papstes. In R. haben zahlreiche Univ., Bibliotheken, Akademien (u.a. Kunstakad.) und ausländ. Einrichtungen, wie das Dt. Archäolog. Institut, die →Bibliotheca Hertziana und die →Villa Massimo, ihren Sitz.

BAUTEN UND GESCHICHTE

Der Legende nach soll die Stadt R. (Roma quadrata) am 21. 4. 753 v. Chr. durch Romulus, der als 1. König von R. gilt, auf dem palatin. Hügel gegr. worden sein. Wahrscheinlich ist R. jedoch eine etrusk. Gründung um

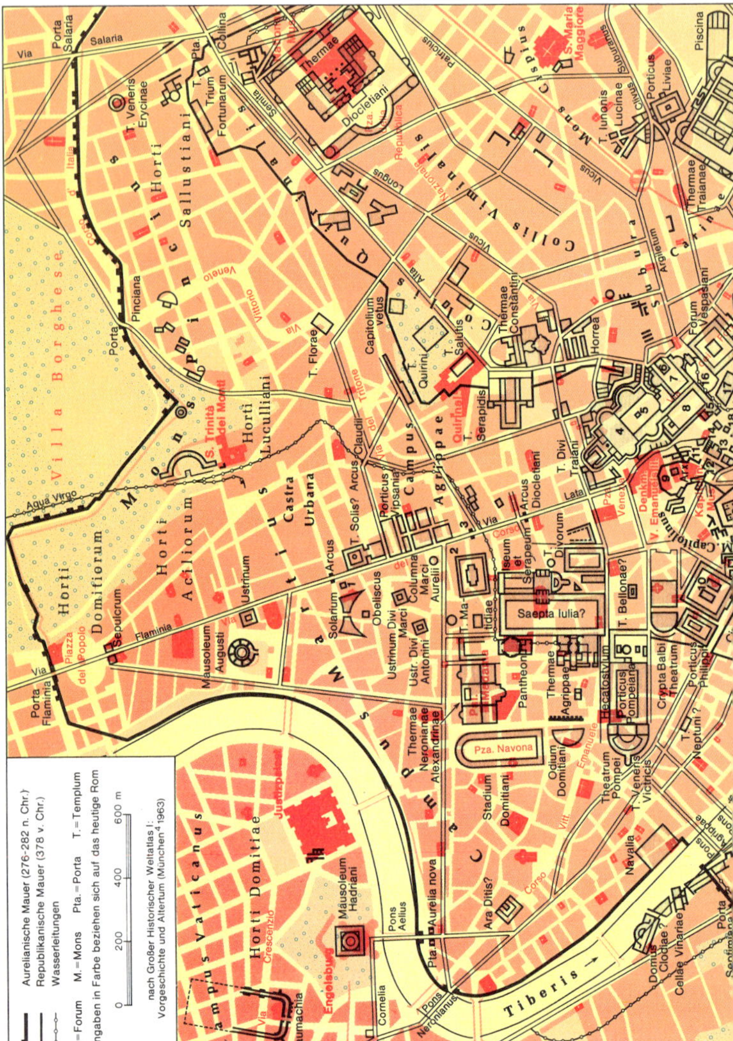

ROM IM ALTERTUM

650 v. Chr. Ausgrabungen haben ergeben, daß die ersten Spuren einer kontinuierl. Besiedlung des Palatin und bald auch des Esquilin bis ins 10. Jh., nach neueren Forschungen bis ins 13. Jh. v. Chr. zurückreichen. Damals diente die sumpfige Niederung zw. Palatin, Kapitol und Esquilin, das spätere Forum Romanum, als Be-

stattungsstätte der Hügelbewohner (Brandgräber, Erdbestattungen). Spätestens um 600 v. Chr. wurde die alte Begräbnisstätte aufgegeben, das Gebiet durch Kanalsysteme (z. B. die Cloaca Maxima) entwässert und damit ein Ort geschaffen, an dem sich die Hügelbewohner treffen konnten (Forum Comitium). Bald entstanden hier die ersten Staatsbauten und Tempelanlagen, die in den folgenden Jh. erneuert und vergrößert wurden (Forum Romanum, →Forum). Ende des 6. Jh. v. Chr. wurde die Rep. gegr., 509 v. Chr. die wichtigste Kultstätte, der Jupiter-Optimus-Maximus-Tempel, auf dem →Kapitol 1) gew. Noch im 5./4. Jh. v. Chr. entstanden der Saturn- und Castortempel (Forum Romanum), der Apollotempel (Marsfeld), der Tempel der Juno (Kapitol), der Concordiatempel sowie der Circus Maximus. Die meisten dieser republikan. Monumente wurden schon in der Kaiserzeit überbaut. Um 380 v. Chr., unmittelbar nach dem zerstörenden Einfall der Gallier, wurde das Stadtgebiet mit den 7 Hügeln (Palatin, Kapitol, Quirinal, Viminal, Esquilin, Caelius, Aventin) durch die ›Servianische Mauer‹ befestigt. Seit Ende des 4. Jh. v. Chr. wurden die Via Appia, Brücken über den Tiber und die ersten Aquädukte gebaut. Im Innern der Stadt entstanden seit dem 4. Jh. v. Chr. zahlreiche neue Tempel, v. a. Weihungen für Siege im Kampf um die Herrschaft über Italien und die Mittelmeerküsten. Erh. sind, von den in der Kaiserzeit erneuerten Tempeln abgesehen, aus dem 3. und 2. Jh. v. Chr. nur die Grundrisse der Tempel auf der Piazza Argentina und am Forum Holitorium, aus dem 1. Jh. v. Chr. am Tiber der Tempel der Fortuna Virilis und der Rundtempel der Vesta, der erste erh. Marmortempel Roms. Die Machtkämpfe der Parteien und ihrer Anführer brachten im 1. Jh. v. Chr. eine Schwächung der republikan. Institutionen. Schließlich gelang es CAESAR, die Macht zu übernehmen. Mit seinem Namen sind viele Bauwerke verbunden (u. a. Basilica Iulia auf dem Forum Romanum, Tempel der Venus Genetrix auf dem von ihm neu gestifteten Forum Iulium, Erweiterung des Circus Maximus).

Kaiserzeit. Aus heftigen Kämpfen um die Nachfolge Caesars ging OCTAVIAN als Sieger hervor. Mit ihm, dem späteren AUGUSTUS PONTIFEX MAXIMUS, beginnt die Kaiserzeit. Dem Glanz des Kaiserreichs und der ›Pax Romana‹ entsprachen die Bauten, die er in R. errichten ließ. Statt in Tuffstein wurde jetzt in Marmor gebaut; schon vorhandene Architekturen wurden mit Marmor verkleidet und damit das Stadtbild wesentlich verändert. Augustus gliederte die Stadt in 14 Regionen, wobei erst jetzt das Marsfeld und das Gebiet rechts des Tibers mit dem Ianiculum in den Stadtbereich einbezogen wurden. Die bedeutendsten Bauten seiner Regierungszeit sind das vom Tempel des Mars Ultor beherrschte Augustusforum, der Tempel des Apoll auf dem Marsfeld, die →Ara Pacis Augustae sowie das Mausoleum des Kaisers, die Theater des MARCELLUS und des CORNELIUS BALBUS, die Thermen und das →Pantheon des AGRIPPA, das ›Haus der Livia‹ auf dem Palatin und Grabbauten wie der Rundbau der →Caecilia Metella und die →Cestius-Pyramide.

Auch den späteren Kaisern verdankt R. großartige Neubauten. Die erste Palastanlage auf dem Palatin erbaute TIBERIUS. Unmittelbar nach dem Großbrand von 64 n. Chr. ließ NERO die Domus Aurea als seine Residenz errichten und begann mit der heute noch das Stadtbild prägenden Gestaltung der ›urbs nova‹ mit ihren Marmortempeln, Thermen, Geschäftshäusern, Hafenanlagen, Lagerhallen (horrea), ihren mehrgeschossigen Wohnkomplexen aus gebrannten Ziegeln, von deren einstigem Aussehen →Ostia Antica eine Vorstellung zu geben vermag. Um die Neugestaltung R.s haben sich v.a. die nachfolgenden, flav. Kaiser (VESPASIAN, TITUS, DOMITIAN) verdient gemacht (→Kolosseum; →Titusbogen; die domitian. Palastanlage auf dem →Palatin; das Stadion Domitians, dessen Formgebung noch heute in der Piazza Navona weiterlebt). Am Ende des 1. Jh. n. Chr. erreichte R. den Höhepunkt seiner Macht; Überreste prächtiger Neubauten sind Zeugen dieser Glanzzeit. Vorhandene Foren wurden erweitert, neue angelegt; die trajan. Märkte (Mercati Traiani) entstanden. HADRIAN gab dem Pantheon, das seit der Errichtung durch Agrippa zweimal abgebrannt war, seine neue, endgültige Gestalt als riesiger, kuppelgewölbter Rundbau. Auf dem Forum entstanden der Doppeltempel der Venus und Roma und jenseits des Tibers das Mausoleum des Kaisers (→Engelsburg), zu dem eine neue Brücke, der Pons Aelius, hinüberführte. Als Siegeszeichen wurden die →Trajanssäule, die →Mark-Aurel-Säule sowie der →Septimius-Severusbogen auf dem Forum (203 n. Chr.) errichtet. Zunehmende Barbareneinfälle seit dem 3. Jh. und damit Unsicherheit an den Reichsgrenzen veranlaßten Kaiser AURELIAN, 275 die Hauptstadt neu zu befestigen (›Aurelianische Mauer‹). Riesige Dimensionen und Prachtentfaltung sind Kennzeichen des 3./4. Jh. (die →Thermen des CARACALLA, des DIOKLETIAN); sie manifestieren sich auch in der unter Kaiser MAXENTIUS begonnenen Basilika auf dem Forum, die unter KONSTANTIN D. GR., nachdem er Maxentius 312 an der Milvischen Brücke besiegt hatte, vollendet wurde. Zeichen dieses Sieges ist der →Konstantinsbogen (BILD römische Kunst).

Durch das 313 erlassene Mailänder Edikt wurde der Bau der ersten christl. Kirchen möglich. Konstantin stiftete die Lateranbasilika und bald danach die Peterskirche. KONSTANZE, seine Tochter, ließ einen gewaltigen Kirchenbau (heute Ruine) und in Verbindung damit ihr Mausoleum errichten. Noch im 4. Jh. entstanden vor den Mauern R.s weitere Basiliken bei Begräbnisstätten (Katakomben) von Märtyrern, z. B. Sebastiano, S. Lorenzo fuori le mura, S. Paolo fuori le mura (über dem Grab des Apostels Paulus errichtet). Innerhalb der Mauern wurden Pfarrkirchen (Titelkirchen) errichtet sowie die päpstl. Basilika S. Maria Maggiore. Großartige Mosaikausstattungen aus frühchristl. Zeit sind heute noch in SS. Cosma e Damiano, S. Costanza (BILD frühchristliche Kunst), S. Pudenziana, S. Maria Maggiore erhalten.

Mittelalter. Nachdem Konstantin 330 die Hauptstadt des Imperiums nach Konstantinopel verlegt hatte, nahm die polit. Bedeutung R.s ab. Seit dem 5. Jh. verfielen die nicht mehr benutzten Tempel, Thermen und Theater. Einzelne Tempelbauten blieben erh. (z. T. in christl. Kirchen umgewandelt, z. B. das Pantheon; BILD). Aus anderen wurden Architekturteile, bes. Säulen für Kirchen, entnommen. Die Barbareneinfälle im 5. Jh. (Goten 410, Wandalen 455) verwüsteten die Stadt; die Ew.-Zahl ging ständig zurück. Für R. begann eine Verfallszeit; dennoch entstanden kirchl. Neubauten (SS. Cosma e Damiano, S. Stefano Rotondo, S. Maria Antiqua auf dem Forum, S. Maria in Cosmedin u.a.). Allmählich gewann die christl. Kirche an Einfluß. KARL D. GR. wurde 800 in R. zum Kaiser gekrönt. Im 9.Jh. wurde trotz der sich wiederholenden Sarazeneneinfälle, die eine Ummauerung von St. Peter und seiner Umgebung erforderlich machten, wieder aufgebaut, erweitert und neu geschaffen (SS. Quattro Coronati; S. Cecilia in Trastevere und S. Marco mit Apsismosaiken; S. Prassede mit Triumphbogenmosaiken; S. Maria in Domnica). 1084 fielen die Normannen in R. ein und brannten ganze Stadtteile nieder.

Im 12./13.Jh. gelang wiederum ein Aufbau der Monumente; 1143/44 wurde die Kommune gegr. und auf dem Kapitol der Senatorenpalast errichtet. Kämpfe der großen Adelsfamilien untereinander erforderten befestigte Wohnbauten und Geschlechtertürme zur gegenseitigen Verteidigung (u.a. Torre dei Conti). Dennoch kam es zur Gründung neuer Kirchen. Auch die in größerer Zahl erh. charakterist. Glockentürme (S. Maria in Cosmedin, SS. Giovanni e Paolo, S. Maria in Trastevere) stammen aus dieser Zeit. Die Innenräume wurden kostbar ausgestattet (Arbeiten der →Cosmaten in S. Clemente, S. Lorenzo fuori le mura, S. Maria in Cosmedin; Wandmalereien in S. Giovanni a Porta Latina, S. Cecilia in Trastevere und im Oratorium des Hl. Silvester der SS. Quattro Coronati; Apsismosaiken in S. Maria in Trastevere, S. Maria Maggiore, S. Clemente). GIOTTO, P. CAVALLINI, J. TORRITI, ARNOLFO DI CAMBIO arbeiteten in der Stadt. Um 1280 wurde S. Maria sopra Minerva, der einzige repräsentative got. Kirchenbau in R., beg. Während des Exils der Päpste in Avignon (1309–76) und dem darauffolgenden Schisma (1378 bis 1417) verarmte und verkam die Stadt. Es kam zu einer fast gänzl. Unterbrechung künstler. Tätigkeit.

Renaissance. Nach dem Ende des Schismas begann mit dem Pontifikat MARTINS V. (1417–31) ein neuer Aufstieg. R. wurde die Hauptstadt eines zentralisierten fürstl. Kirchenstaates. Der Schwerpunkt der Stadt hatte sich in die Ebene des Marsfeldes verlagert, da die klass. Hügel wegen der zerstörten Aquädukte ohne Wasserversorgung waren. Nach der Zerstörung des ma. Papstpalastes am Lateran (1308) wurde der ständige Wohnsitz der Päpste in den Vatikan verlegt. NIKOLAUS V. (1447–55) beschloß, die vom Einsturz bedrohte konstantin. Peterskirche zu renovieren. Unter seinen Nachfolgern veranlaßte SIXTUS IV. (1471–84) die Straßenregulierungen und den Ausbau von Plätzen. Die Stadt wurde mit neuen Bauwerken, Kirchen und großen Palästen geschmückt (Palazzo Venezia, Palazzo della Cancelleria, S. Maria del Popolo, S. Agostino, S. Maria della Pace u.a.). Im 16.Jh., unter JULIUS II. (1503–13), übernahm R. die künstler. Vormachtstellung nicht nur in Italien, sondern in ganz Europa. Künstlerpersönlichkeiten wie BRAMANTE, RAFFAEL, MICHELANGELO wurden nach R. geholt. Julius II. erteilte Bramante den Auftrag zum Neubau der →Peterskirche. Raffael malte die →Stanzen und Loggien im Vatikan aus; gleichzeitig schuf Michelangelo die Deckengemälde der →Sixtinischen Kapelle (BILD Deckenmalerei) und arbeitete am Grabmal für Julius II. (BILD Grabmal). Bauaufträge für Paläste und Villen erhielten neben Raffael und Bramante namhafte Architekten wie A. DA SANGALLO D. J. (Palazzo Sacchetti), B. AMMANATI (Palazzo Ruspoli) und B. PERUZZI (Neubau des Palazzo Massimo alle Colonne und der →Farnesina). Eine zeitweilige Unterbrechung der regen Bautätigkeit brachte der ›Sacco di Roma‹ (Verwüstung und Plünderung R.s durch Söldner Kaiser Karls V., 1527). Der Farnese-Papst PAUL III. (1534–49) setzte die Tradition seiner Vorgänger als Kunstmäzen fort. Er ernannte Michelangelo zum obersten Architekten, Bildhauer und Maler des Apostol. Palastes. Dieser gab dem von A. da Sangallo d. J. begonnenen Palazzo →Farnese sein monumentales Gepräge. Er malte in der Sixtin. Kapelle das Jüngste Gericht und die Fresken der Cappella Paolina. Der Kapitolsplatz wurde von ihm neugestaltet, das Reiterstandbild Mark Aurels dort aufgestellt (→Kapitol 1). Schließlich übernahm er die Bauleitung der Peterskirche und entwarf die Kuppel. Die 1568 von G. DA VIGNOLA (BILD) begonnene Jesuitenkirche Il Gesù, der Prototyp eines vom Geist der Gegenreformation geprägten neuen Kirchenraumes, wurde von GIACOMO DELLA PORTA weitergeführt (Wölbung und Fassade), der auch den Palazzo Chigi begann, die Kuppel der Peterskirche und den Palazzo Farnese vollendete. Ein großangelegtes urbanist. Programm vollendete SIXTUS V. (1585–90): Die Hauptkirchen R.s wurden durch geradlinige Straßenzüge verbunden und auf ihren Vorplätzen Obelisken aufgestellt. Außerdem entstand der →Lateranpalast neu, und der Vatikan. Palast wurde von D. FONTANA erweitert. Die Malerei wurde in der 2. H. des 16. Jh. von der Raffaelschule geprägt, es folgten CARAVAGGIO, die Brüder ZUCCARI, die CARRACCI, G. RENI u. a.

Barock und Klassizismus. Anfang des 17. Jh. beauftragte PAUL V. (1605–21) den Architekten C. MADERNO, den Neubau der Peterskirche zu vollenden und die Fassade zu errichten. Zur gleichen Zeit ließ er die Villa Borghese ausbauen (mit Casino, 1610–15, und Gartenhof von C. RAINALDI, um 1690 voll.). Im Lauf des Jh. wurde unter den Päpsten URBAN VIII., INNOZENZ X. und ALEXANDER VII. das Stadtbild immer stärker von der Vielzahl neuer barocker Kunstwerke bestimmt. Die hervorragenden Künstler sind G. L. BERNINI (Kolonnaden von St. Peter, Figuren auf der Engelsbrücke), F. BORROMINI (Ausbau des Palazzo Spada und Mitwirkung am Palazzo →Barberini), PIETRO DA CORTONA (Deckenfresken im Salon des Palazzo Barberini). Die Piazza Navona fand mit dem Palazzo Pamphili, der Kirche S. Agnese in Agone und den 3 Brunnen durch Bernini, Borromini und Rainaldi ihre heutige Gestalt. Zahlreiche Paläste wurden errichtet (u. a. Palazzo Montecitorio, Entwurf von Bernini) oder ausgebaut (z. B. Barockfassade des Palazzo Madama; Palazzo del Quirinale, unter Mitwirkung von Maderno und Bernini). Viele prunkvoll ausgestattete Kirchenbauten mit Kuppeln und barocken Fassaden (S. Ignazio, S. Andrea della Valle, S. Carlo alle Quattro Fontane, S. Andrea al Quirinale, S. Ivo, SS. Luca e Martina) entstanden.

Im 18. Jh. wurden durch den Bau der Span. Treppe, der Fontana di Trevi (von N. Salvi; Bild Brunnen), der Fassaden von S. Giovanni in Laterano und S. Maria Maggiore, durch Platzanlagen (z. B. vor S. Ignazio) und große Palastbauten (Palazzo della Consulta, Palazzo Corsini, Villa Albani, Vollendung des Palazzo del Quirinale; →Quirinal) weitere bed. Akzente im Stadtbild gesetzt. Der Klassizismus des 19. Jh. manifestiert sich v. a. in der durch G. Valadier neugestalteten Piazza del Popolo. Vom gleichen Künstler stammt die Ausgestaltung des Parks auf dem Pincio (mit klassizist. ›Casina Valadier‹). Das wiederaufkommende Interesse für antike Kunst führte zur Freilegung des Forum Romanum und anderer kaiserzeitl. Denkmäler.

19. und 20. Jahrhundert. Im 19. Jh. ging die künstler. und kulturelle Bedeutung R.s durch polit. Geschehen zurück. Nach der Vereinigung Italiens wurde R. 1870 Hauptstadt des Kgr. Italien. Die neue Administration ließ die Straßenzüge der Via del Tritone und des Corso Vittorio Emanuele durch die Innenstadt anlegen; der Justizpalast am Tiber wurde gebaut, an der Piazza Venezia entstand in antikisierenden Formen das Nationaldenkmal für Viktor Emanuel II., der Pincio wurde mit Büsten ital. Patrioten geschmückt.

Zw. den Weltkriegen gab Mussolini dem Stadtbild ein neues Gepräge. Durch den Borgo (zw. Peterskirche und Tiber) wurde die Via della Conciliazione gebrochen und von der Piazza Venezia zum Kolosseum die Via dei Fori Imperiali neu angelegt. Viele faschistische Anlagen, wie das Foro Italico, das Universitätsgelände und Verwaltungsgebäude entstanden. 1929 wurde durch die Lateranverträge die Vatikanstadt ausgegliedert.

Nach dem 2. Weltkrieg wurde mit dem Hauptbahnhof (Stazione Termini) ein international richtungweisender Bau voll. Unter den neuen Vierteln nimmt die EUR (Esposizione Universale di Roma), das Gelände für die von Mussolini geplante Weltausstellung (1942) im S der Stadt, eine Sonderstellung ein. Nach 1945 entstand dort ein modernes Verwaltungs- und Kongreßzentrum, in das die noch in der faschist. Ära errichteten monumentalen Bauten einbezogen wurden (z. B. der Palazzo del Lavoro, das faschist. ›Kolosseum‹). 1960 wurden für die Olymp. Sommerspiele Sportanlagen (z. B. der Palazzo dello Sport von P. L. Nervi) im Gelände der EUR sowie im N der Stadt am Ponte Flaminio errichtet; beide Sportzentren wurden durch die neuangelegte ›Strada Olimpica‹ verbunden.

Ein mehrstufiges Konzept der röm. Stadtverwaltung und des ital. Staates zur Rettung der antiken Baudenkmäler R.s vor Umweltschäden sah im Lauf der 1980er Jahre die Umwandlung der Via dei Fori Imperiali in einen archäolog. Park vor. Aus finanziellen Gründen wurde dieses Projekt jedoch zurückgestellt.

MUSEEN

Der Bestand an Kunstwerken in röm. Museen gehört zu den umfangreichsten der Erde. Die größten Antikensammlungen sind die des Vatikans (→Vatikanische Sammlungen), der Kapitolin. Museen und des Thermen-Mus. (Mus. Nazionale Romano; reichhaltigste Samml. röm. Sarkophage); ferner das Etrusk. Nat.-Mus. in der Villa Giulia (Funde aus der Umgebung von R.), Mus. Barracco (v.a. grch. und etrusk. Kunst) und Mus. di Villa Albani (Reste der Antikensamml. des Kardinals A. Albani). Die wichtigsten Gemäldegalerien sind: Vatikan. Pinakothek, Gal. Borghese im Casino der Villa Borghese (auch mit Plastiken von G. L. BERNINI, A. CANOVA), Gal. Nazionale d'Arte Antica im Palazzo Barberini (bes. ital. Gemälde des 13.–16. Jh.) und Palazzo Corsini (Gemälde des 17. und 18. Jh.), Kapitolin. Pinakothek, die Gal. Colonna, Doria Pamphili, Pallavicini, Spada sowie die Gal. Nazionale d'Arte Moderna (Malerei und Plastik des 19. und 20. Jh.); ferner Mus. di Palazzo Venezia (Kunsthandwerk vom MA. bis zum 18. Jh.), Mus. della Civiltà Romana (Entwicklungsgesch. des antiken R.), Mus. di Roma (Mus. zur Gesch. R.s vom MA. bis zur Neuzeit) sowie zahlreiche private Galerien.

Geschichte: L. PARETTI u. P. BREZZI: Storia di Roma (Mailand 1963); F. GREGOROVIUS: Gesch. d. Stadt Rom im MA., 4 Bde. (1978, Tb.). – **Kunstdenkmäler:** L. BRUHNS: Die Kunst der Stadt R., 2 Bde. (1951); C. ELLING: Rome. The biography of its architecture from Bernini to Thorvaldsen (Tübingen 1975); C. PIETRANGELI u. C. PERICOLI: Guide rionali di Roma (R. 1971–76); L. v. MATT u. F. BARELLI: R. (²1977); H. A. STÜTZER: Das antike R. (1979); F. COARELLI: R., ein archäolog. Führer (a.d. Ital., 1980); Reclams Kunstführer, Bd. 5: R. und Latium, bearb. v. A. HENZE (⁴1981); BIRGIT KRAATZ: R. Du Mont Kunst-Reiseführer (1982).

Roma dea [lat. ›Göttin Rom‹], die göttl. Verkörperung der Stadt Rom, deren Verehrung sich seit dem 2. Jh. v. Chr. unter grch. Einfluß ausprägte und sich in der Kaiserzeit mit der des kaiserl. Genius verband. Als Schutzgöttin des röm. Imperiums nahm sie schließlich die Züge einer Militärgottheit an. Sie wurde der Athene und auch den bewaffneten Amazonen (mit entblößter Brust) nachgebildet oder zus. mit der Kapitolin. Wölfin (Reliefs des Titus- und des Konstantinbogens im Rom) dargestellt. Bis in die Kunst der Neuzeit trat R. d. als Personifikation Roms in Erscheinung.

Romainmôtier [rɔmɛ̃motj'e], Städtchen im schweizer. Kt. Waadt, am Jurarand, mit im 5. Jh. gegr. Abtei. Die an der Stelle von 2 frühroman. Vorgängerbauten zw. 1000 und 1030 errichtete Kirche ist eine Rundpfeilerbasilika nach cluniazens. Vorbild; zierl. frühgot. Vorhalle (Anf. 13. Jh.); Wandmalereien (Ende 13. Jh.), figürl. Kapitelle (14. Jh.), als ältestes plast. Werk ein Ambo mit Flechtwerkrahmen (7. Jh.). Konventsgebäude (v. a. 16. und 17. Jh.).

Romako, Anton, österr. Maler, *Atzgersdorf bei Wien 20. 10. 1832, †Wien 8. 3. 1889, ebd. Schüler von F. WALDMÜLLER und C. RAHL, 1857–76 geschätzter Porträtmaler in Rom. Nach Wien zurückgekehrt, konnte er sich nicht gegen H. MAKART durchsetzen. – Farbigkeit und hintergründige Psychologie seiner Porträts und Historiendarstellungen erweisen R. als Wegbereiter des österr. Expressionismus.

HW: Der Bildhauer R. Begas und seine Frau (1869/70; Wien, Österr. Gal.); Ital. Fischerkind (1870/71; ebd.); Admiral Tegetthoff in der Seeschlacht bei Lissa (um 1880; ebd.); Circe und Odysseus (um 1884/85; Wien, Histor. Mus.); Gräfin Kuefstein (1885/86; Wien, Österr. Gal.).

Romanik: Alpirsbacher Lesepult; 12. Jh. (Freudenstadt, Stadtkirche)

Romanik [von lat. romanus ›römisch‹], der auf die →karolingische Kunst folgende Stil des MA., der der Gotik vorausgeht (950 bis um 1200).

Die Früh-R. (bis um 1080) wird in Dtl. →ottonische Kunst genannt. Der Hoch-R. (1080 bis um 1150, →salische Kunst) schließt sich parallel zur frz. Frühgotik eine Phase der Spät-R. an (1150 bis um 1240), die in Dtl. und S-Italien der →staufischen Kunst entspricht.

Die Bez. ›Romanischer Stil‹ kam für die Baukunst in Anlehnung an den älteren Begriff ›Romanische Sprachen‹ um 1820 in Frankreich auf. Sie ist zutreffend, weil die R. tatsächlich röm. Formelemente (Rundbogen, Pfeiler, Säule, Gewölbe) übernahm.

BAUKUNST

In Dtl. unterscheidet sich die hoch- und spätroman. Baukunst von der otton. durch einheitlichere Durchgestaltung des Baukörpers, die sich aus dem schon von der karoling. und otton. Kunst angewendeten Prinzip der Gruppierung verschiedenartiger (rechteckiger und runder, längs- und quergerichteter, lagernder und aufstrebender) Bauelemente zu einem vielgliedrigen Ganzen ergab. Diese Kunst der Gruppierung (ein entscheidender Unterschied zu allem Römischen) erreichte ihren Höhepunkt z. B. in Maria Laach. Auch verband sie oberird. Räume des Baukörpers mit unterirdischen, den →Krypten, die sie zu wirkl. Räumen ausgestaltete, am eindrucksvollsten in der Hallenkrypta. Seit dem 11. Jh. begann sich die Wölbung etwa gleichzeitig in Dtl., Frankreich und der Lombardei durchzusetzen: Kreuzgratgewölbe, später Kreuzrippengewölbe, in

Romanik: Das Martyrium des Hl. Blasius; Wandmalerei in der Apsis der Kapelle von Berzé-la-Ville (Burgund), Mitte des 12. Jh. (?)

Romanik: Kapitell der ehem. Klosterkirche in Spieskappel; um 1200

Romanik: Thronende Ecclesia; Mittelbild im Vierungsgewölbe der Klosterkirche Prüfening, um 1125/30

Frankreich außer diesen auch das Tonnengewölbe. In einzelnen frz. Landschaften, bes. in Aquitanien, entschied man sich sogar für die Kuppelkirche. Das Kreuzrippengewölbe erlaubte das folgenreiche →Gebundene System (in Dtl. zum 1. Mal im Speyerer Dom).

Der gegenüber der otton. Kunst gewachsene plast. Wille zeigt sich in der stärkeren Stufung und Gliederung der Wände durch Sockel und Vorlagen (Lisenen, Halbsäulen), in der Fortbildung des Stützenwechsels der Arkaden und des Emporenmotivs, in der Erfindung des →Triforiums und der →Zwerggalerie, in der Abstufung des →Portals, der Fensterlaibungen u. a. Die Kraft des roman. Stilwillens bezeugen die vielen Abwandlungen, die er in den Ländern Europas erfuhr. In Frankreich, wo er am vielfältigsten war, vermochte er sich ins spätere 12. Jh. zu behaupten, in Italien, das an der R. sein antikes und frühchristl. Erbe erkannte, und in Dtl. bis weit ins 13. Jh.

Die R. ist der erste wahrhaft monumentale Baustil seit der Antike; in ihm erscheint das christl. Abendland zum 1. Mal architektonisch als Einheit. Mit der Monumentalität wußte bes. die spätere R. in Ornamentfriesen an Wänden, Portalen, Fenstern und in einem Kapitellschmuck von einzigartiger Vielfalt auch das Schmückende zu verbinden.

BILDHAUERKUNST

Der plast. Wille, der den Baukörper durchformte, führte auch zu einer Erneuerung der Bildhauerkunst. Aus der otton. Kunst kennt man nur vereinzelte groß-

Romanik: Christus in der Mandorla, Relief im Chorumgang in St. Sernin in Toulouse; um 1096

Romanik: LINKS Wormser Dom von Westen; um 1234.
RECHTS Speyerer Dom, Mittelschiff gegen Osten; 11.–12. Jh.

plastische Schöpfungen (→Gerokruzifixus); vorherrschend war die Kleinplastik. Seit dem 11. Jh. kam es aber auch zu großplast. Versuchen. Bis auf die Kultbilder, v. a. der thronenden Maria mit dem Kind (Imad-Madonna) und einige Ausnahmen wie den Erfurter Wolframleuchter oder das Alpirsbacher Lesepult, entstand durchweg Reliefplastik; selbst bei den freistehenden Figuren erkennt man, daß sie aus der Ebene (als Ar-

Romanik: S. Miniato al Monte, Florenz; um 1070–1093, 1128–1150

Romanik: Der Hl. Audemarus und sein ungehorsamer Diener; Buchmalerei, 2. Hälfte des 11. Jh. (St.-Omer, Bibliothèque Municipale)

chitekturplastik) entwickelt sind. Das Relief war zunächst flach, erhöhte sich aber rasch. Der plast. Sinn entwickelte sich jedoch nicht so sehr wie in der Antike mit dem zunehmenden Verständnis für Bau und Bewegung des menschl. Körpers als vielmehr mit dem Verständnis für das Volumen überhaupt, das den Charakter der Massigkeit annehmen konnte. Aus relig. Gründen vermochte er sich fast nur an der Gewandfigur zu bezeugen. Die Entwicklung des plast. Körpers aus der Fläche erklärt sich z. T. daraus, daß die roman. Plastik bes. Architekturplastik war, in Frankreich mehr am Außenbau (Fassaden, Portale), in Dtl. mehr im Innenraum (Chorschranken, Taufsteine u. a.). Fast vollplast. Darstellungen konnten im Figurenkapitell erreicht werden,

Romanik: Detail des Pórtico de la Gloria mit dem Hl. Jakobus der Kathedrale von Santiago de Compostela; 1128 geweiht

das bes. in Frankreich (Vézelay, Ste. Madeleine, 2. Viertel 12. Jh.) Menschen, Tiere, Fabelwesen und Pflanzen auf kleinem Raum zu anschaulichen Szenen miteinander verschmolz. Beinahe gleichzeitig beginnt um 1100 in S-Frankreich (Toulouse), in N-Spanien (Santiago de Compostela) und in Italien (Wiligelmus am Dom von Modena) die monumentale hochroman. Skulptur, deren Kennzeichen eine kraftvolle Körperlichkeit ist. Die burgund. Skulptur dieser Zeit (Cluny, Autun, Vézelay) setzt dagegen eine starke spirituelle Expressivität. Zu den bedeutendsten und zukunftweisenden Schöpfungen gehören die Tympanonreliefs und Gewändefiguren der Portale. Zumal mit diesen, wenn sie, wie schon in St. Denis und in Chartres (W-Portal der Kathedrale von Chartres), die Form der →Säulenfigur erhielten, hat Frankreich auch die Grundlage für die gotische Figur geschaffen.

Neben der Stein- gab es auch die gefaßte (Alpirsbacher Lesepult) oder mit Goldblech verkleidete Holzplastik, v.a. Kruzifixe, Kreuzigungsgruppen, Marienfiguren. Die Metallplastik (Bronze, Gold, seltener Silber) blieb im wesentlichen auf Werke der Kleinkunst beschränkt, die auch Elfenbein verarbeitete; Ausnahmen bilden die riesigen Radleuchter im Aachener und Hildesheimer Dom. Der Bronzelöwe in Braunschweig (1166; BILD Braunschweig) ist trotz seiner Monumentalität stilistisch von den Aquamanilen der Zeit abhängig. Getriebene Figuren und Emailarbeiten schmücken die Reliquiare des Rhein-Maas-Gebietes (→Maaskunst).

MALEREI

In der R. herrschte die Wandmalerei vor. Die Kirchen waren mit bibl. Szenen und Heiligenlegenden ausgemalt. Vollständige Zyklen sind nicht erh. Dem urspr. Bestand am nächsten kommen span. Fresken (Wandmalerei aus S. Clemente de Tahull, Panteón de los

Romanik: Daniel in der Löwengrube (Wormser Dom, Ende 12. Jh.)

Reyes bei S. Isidoro in León), die Fresken von St. Savin bei Poitiers von Berzé-la-Ville in Burgund, Sant' Angelo in Formis bei Capua, in Prüfening bei Regensburg, in der Doppelkirche von Schwarzrheindorf, Soest (Marienkirche), Köln (St. Gereon) und im Braunschweiger Dom. Ähnlich wie die Plastik zeichnet sich die Malerei durch gesteigerte Expressivität bei strenger Stilisierung aus. In Italien spielte neben der Wandmalerei das vielfach von der byzantin. Kunst bestimmte →Mosaik eine große Rolle (S. Marco in Venedig; Cappella Palatina in Palermo; Monreale). Von der roman. Tafelmalerei sind nur wenige Beispiele erh., dagegen sind Zeugnisse der →Buchmalerei in großer Menge vorhanden; stilistisch ist diese verwandt mit der Wandmalerei (Evangeliar aus Kloster Abdinghof, Köln; Albani-Psalter; Winchester-Bibel; ital. Riesenbibeln u.a.). Die →Glasmalerei entfaltete sich bes. seit dem 12. Jh. in Frankreich zu hoher Qualität (St. Denis, Chorfenster; Chartres, W-Fenster). Die wenigen erhaltenen Wandteppiche zeigen strenge Stilisierung und dramat. Aufbau (Abrahamsteppich, Halberstadt).

Romanik: Kapitell in der Kirche San Martin in Formista, Provinz Palencia; 12. Jh.

M. AUBERT: Roman. Kathedralen und Klöster in Frankreich (a. d. Frz., 1966); P. DE PALOL u. M. HIRMER: Spanien, Kunst des frühen MA. (1966); H. E. KUBACH: Die Architektur der R., hg. v. P. NERVI (1974); B. RUPRECHT: Roman. Skulptur in Frankreich (1975); K. M. SWOBODA: Die Epoche der R. (1976); L. GRODECKI: Roman. Glasmalerei (1977); R. BUDDE: Dt. roman. Skulptur (1979); A. LEGNER: Dt. Kunst der R. (1982).

Romanino, eigtl. Girolamo di **Romano,** ital. Maler, *Brescia zw. 1484 und 1487, †ebd. nach 1559, bildete sich in Padua und Venedig nach GIORGIONE und dem jungen TIZIAN. Kühne Komposition, leuchtende Farbgebung und naturalist. Auffassung zeichnen seine Gemälde aus.

HW: Madonna mit Heiligen (1513; Padua, Galerie); Fresken im Dom von Cremona (4 Passionsdarstellungen, 1519/20); Porträts; Fresken in S. Maria della Neve in Pisogne (bei Brescia, um 1531).

Romanismus, Richtung in der europ. Kunst außerhalb Italiens, bes. der niederländ. Malerei im 16. Jh. (etwa 1520–70), die sich an der klass. röm. Antike und der damals in ganz Europa als vorbildlich geltenden ital. Kunst orientierte. Die Vermittlung dieser Vorbilder nach dem nördl. Europa erfolgte durch Künstlerreisen nach Italien und die Verbreitung z. T. auch in den Niederlanden gefertigter Stiche nach ital. Vorbildern (RAFFAEL, MICHELANGELO u.a.). J. GOSSAERT, J. VAN SCOREL und M. VAN HEEMSKERCK studierten als erste systematisch antike Kunstwerke in Rom und standen neben B. VAN ORLEY, J. S. VAN HEMESSEN, L. LOMBARD und F. FLORIS unter dem Einfluß ital. Kunst. Aber auch Künstler der einheim. Tradition wie LUCAS VAN LEYDEN oder P. BRUEGEL D. Ä. setzten sich mit südl. Kunst auseinander und verbreiteten deren Anregungen.

Romano, Giulio, ital. Maler, →Giulio Romano.

Romantik, aus der Literatur auf die Kunst übertragener Stilbegriff, mit dem seit etwa 1800 verstärkt einsetzende Strömungen zusammengefaßt werden, die weniger durch ein gemeinsames positives Merkmal als

Romantik: C. D. Friedrich, ›Klosterruine Eldena‹; um 1808 (Berlin-West, Staatl. Museen)

durch das negative einer Distanzierung vom vorherrschenden Klassizismus zu definieren sind. Als Reaktion auf den Rationalismus der Aufklärung suchte die R. Verbindung mit der Natur und wandte sich verstärkt der Geschichte (bes. dem MA.), der Religion, dem Volksleben und dem Seelischen zu. Dadurch ergaben sich für die bildende Kunst neue Themen und auch neue Bewertungen alter Themen.

Vorbereitet wurde die R. schon in der 2. H. des 18. Jh. in einem neuen Naturerleben, wie es sich v. a. im englischen Landschaftsgarten äußert. Ihre geistigen Ursprünge liegen v. a. im philosophisch-literar. Bereich, dessen Thematik die Bildinhalte der romant. Malerei bestimmt und diese zum wichtigsten Träger romant. Gedankenguts werden läßt. Die Besinnung auf das Nationale bewirkte sehr versch. Ausdrucksweisen in den einzelnen Ländern. Bes. gegensätzlich sind die Ausprägungen der R. in Frankreich und in Dtl. Südeuropa ist kaum von ihr erfaßt worden.

Das markanteste Phänomen der romant. Architektur ist die →Neugotik, die, von England ausgehend, zunächst in Verbindung mit der Landschaft in Parkbauten gepflegt wurde, dann jedoch auch in städt. Großbauten, sakralen wie profanen, Anwendung fand. Mit der Besinnung auf nationale Vergangenheit entwickelte sich die Denkmalpflege, deren bedeutendste Aufgaben in Dtl. die Wiederherstellung der Marienburg in Westpreußen und der Ausbau des Kölner Doms waren. Die wichtigsten Vertreter romant. Architektur sind in Dtl. K. F. SCHINKEL, ohne daß seine Kunst mit diesem Begriff zu erschöpfen wäre, und in England W. PUGIN.

Die vordringlichste Aufgabe romant. Skulptur war das Denkmal, in dem man Gedankenreichtum und gesteigerten Gefühlsausdruck mitzuteilen suchte. Auch hier entwickelte die R. keine spezif. Formensprache und griff vielfach auf den Barock zurück.

Die vorherrschende Gattung der romant. Malerei wurde die Landschaft. In ihr suchte v. a. die norddt. R. eine ›göttliche Offenbarung‹. Während P. O. RUNGE seine Ideen in Kompositionen von Figuren und Pflanzen mitteilte, gelangten C. D. FRIEDRICH, F. OLIVIER, K. BLECHEN und C. ROTTMANN, zeitweise auch K. F. Schinkel, zu einer symbol. Ausdeutung der Landschaft. Andere Maler sprachen ihr Gefühl ›demütiger Hingabe‹ an die Natur in ihrer genauen Schilderung aus, so F. G. WALDMÜLLER in Wien. Eine relativ einheitl., weil auf dem Stil RAFFAELS und seiner Vorläufer aufbauende Formensprache zeigte die figürl. Malerei der Nazarener. Ihre Kunst entwickelte sich seit 1810 in Rom unter der Führung von F. OVERBECK, F. PFORR und P. v. CORNELIUS und wirkte von dort nach München, Dresden, Berlin, Düsseldorf (durch W. Schadow). Ein später Romantiker ist M. v. SCHWIND. In Frankreich sind die Hauptmeister T. GÉRICAULT und E. DELACROIX. In ihren leidenschaftl. Bildern wurden barocke Ausdrucksmittel weiterentwickelt. Sie bevorzugten ungewöhnl., oft exotische, z. B. oriental., Themen. Zusammenhänge bestanden mit der engl. R., die sich bruchlos aus dem 18. Jh. entwickelte. W. BLAKE schuf eine dichterisch inspirierte figürl. Kunst. W. M. TURNER und J. CONSTABLE sind die wichtigsten Landschaftsmaler. J. MARTIN malte architekton. Visionen. Um die Mitte des 19. Jh. setzten die Präraffaeliten die R. fort.

Romantik: Philipp Otto Runge, ›Der Morgen‹; 1. Fassung, 1808 (Hamburg, Kunsthalle)

Ein Ende der R. ist nicht feststellbar. Ihr Gedankengut lebt bis heute weiter. Mit der Restauration nach den Befreiungskriegen wurde in Dtl. der erste starke Impuls der R. gebrochen. Im Biedermeier verflachte die Bewegung, lebte jedoch immer wieder in einzelnen Künstlern auf.

The romantic movement, Ausst.-Kat., London (1959); R. ZEITLER: Die Kunst des 19. Jh. (1966); R. LISTER: British romantic art (London 1973); H. v. EINEM: Dt. Malerei des Klassizismus und der R. 1760–1840 (1978); J. C. JENSEN: Aquarelle und Zeichnungen der dt. R. (1979); Die Nazarener in Rom, Ausst.-Kat., Rom (1981).

Vgl. weiterhin die Lit. bei den biograph. Stichwörtern wie Friedrich, Runge u. a.

Rombouts [r'ɔmbɔuts], Theodor, fläm. Maler, getauft Antwerpen 2. 7. 1597, †ebd. 14. 9. 1637, vermutlich Schüler von A. JANSSENS, ging 1616 nach Italien und malte, seit 1625 Meister in Antwerpen, von seinem Lehrer und P. P. RUBENS, bes. aber von CARAVAGGIO beeinflußt, halbfigurige Sittenbilder und relig. Darstellungen.

Römer [niederländ. ›Prunkglas‹, zu roemen ›rühmen‹] *der,* meist grünl. Weinglas mit aus einem Faden gewickeltem Fuß, zylindrischem, mit Nuppen besetztem Hohlschaft und kugeliger Kuppa. Der Name sowie die Form kamen in der 1. H. des 16. Jh. auf. Der R. hat sich aus Becherformen des MA. (Krautstrunk) entwickelt.

Römhild, Stadt im Kr. Meiningen, Dt. Dem. Rep., 2300 Ew.; Schloß Glücksburg (2. H. 15. Jh., 1676–78 barock erweitert); in der Stadtkirche, einer dreischiffigen spätgot. Hallenkirche (1450–70), Grabmäler der Grafen Henneberg aus der Werkstatt P. VISCHERS D. Ä.

römische Kunst, die Kunst der Römer und die unter ihrer Herrschaft entstandene Reichskunst. Die Er-

römische Kunst: Mehrstöckiges Ladengebäude auf den Trajansmärkten (hinter dem Trajansforum) in Rom; um 110 n. Chr.

römische Kunst: Markt in Leptis Magna; 1 Jh. n. Chr.

folge Roms in den Punischen Kriegen führten im 2. Jh. v. Chr. zur Herausbildung einer einheitl. stadtröm. Kultur, die von Rom aus in den sich ständig vergrößernden Machtbereich weiter vermittelt wurde; im Gefolge dieses Prozesses erloschen die älteren italischen Stammeskulturen. Da die r. K. in starkem Maß polit. Zwecken und staatl. Selbstdarstellung diente, blieb ihr eigtl. Zentrum Rom, wo die für das übrige Reichsgebiet maßgebl. künstler. Ausdrucksformen entwickelt wurden.

Die r. K. ist in erster Linie bestimmt durch die Verschmelzung von italischen und griechisch-hellenist. Elementen, wobei in den versch. Prov. und Regionen die bodenständigen Traditionen z. T. stark prägend blieben (→provinzialrömische Kunst). In Rom selbst ist die Kunst bis in die Spätzeit gekennzeichnet von im-

römische Kunst: Zuschauerraum und Bühnenfassade des Theaters in Orange; 1. Hälfte 1. Jh. n. Chr.

römische Kunst:
Konstantinsbogen in Rom; 315 errichtet

mer neuen Auseinandersetzungen mit der Kunst Griechenlands und des Ostens. Während in vielen Bereichen die älteren grch. Vorbilder lediglich tradiert wurden (Idealplastik, Ornament), gewann die r. K. in anderen eine eigenständige Bedeutung (Architektur, Porträt, Relief). Beginn und Ende einer eigtl. r. K. sind nicht scharf begrenzt; allg. bezeichnet man die Kunst der nachkonstantin. Zeit bis zum Tode JUSTINIANS I. (565 n. Chr.) als spätantike Kunst; in ihr vermischen sich bereits frühchristl. und byzantin. Elemente.

römische Kunst:
Octavia, Basaltbüste; letztes Drittel des 1. Jh. v. Chr. (Paris, Louvre)

BAUKUNST

Für die Ausbildung der Baukunst sind pragmat. (Expansion des Imperiums) und politisch-propagandist. (Staatsideologie) Gesichtspunkte maßgebend.

Im sakralen Bereich folgen die frühen Tempel der Stadt Rom dem italisch-etrusk. Typus mit der einseitig frontalen Podiumsanlage. Die röm. Bauten gewannen jedoch durch ihre Dimensionen und den Übergang vom Holz- und Lehmziegelbau (mit oft überreicher figürl. und ornamentaler Tondekoration) zum Steinbau ein monumentaleres Aussehen. Diese Entwicklung vollzog sich seit dem 2. Jh. v. Chr. in Anlehnung an den grch. Tempelbau.

Größere Bedeutung als im griechisch-hellenist. Bereich kam schon seit dem 4./3. Jh. v. Chr. den röm. Profanbauten zu (Anlage von Straßen, Brücken, Häfen und Wasserleitungen, Bau von Mauern und Toren). Übernahmen diese Bauten zunächst die grch. Quader- und Lehmziegeltechnik, so brachte den entscheidenden und für die Gesamtentwicklung folgenreichsten Einschnitt die Anwendung des Mörtelwerks. Dieses wurde in pompejan. Bauten bereits im 3. Jh. v. Chr. angewendet, in der monumentalen Baukunst jedoch erst im ausgehenden 2. Jh. v. Chr. Das den festen Kern bildende ›Gußmauerwerk‹ wurde zunächst mit unregelmäßigen (opus incertum), seit Augusteischer Zeit mit regelmäßigen Tuffsteinen (opus reticulatum) und seit dem 1. Jh.

römische Kunst: Haus in der ›Via dei Balconi‹ in Ostia; Mitte 2. Jh. n. Chr.

n. Chr. mit Ziegeln verkleidet; diese Verbindung prägte bis in die Spätzeit die röm. Baukunst. Die zunehmende Ausbildung des Gußmauerwerks und der Ziegeltechnik begünstigte die von den Römern in größtem Umfang gepflegte Wölbetechnik und ermöglichte durch gewaltige Substruktionsanlagen eine Bauweise, die von Geländebedingungen weitgehend unabhängig war (Terrassenanlagen), und die Konstruktion riesiger Raumanlagen (Basiliken, Paläste, Thermen, Pantheon).

Mit der Umgestaltung des Forum Romanum durch Augustus und der Neugestaltung des Augustusforums veränderte sich (auch außerhalb von Rom) die Bedeutung der alten Stadtzentren. Sie wurden zu großen geschlossenen Freiraumanlagen, deren Ausstattungspro-

römische Kunst: Marmorstatue des Augustus aus Primaporta; Höhe 2,04 m, zwischen 20 und 17 v. Chr. (Rom, Vatikanische Museen)

römische Kunst: Rankenornament auf einem Krater des Hildesheimer Silberfundes; 1. Hälfte 1. Jh. n. Chr. (Berlin-West, Staatl. Museen)

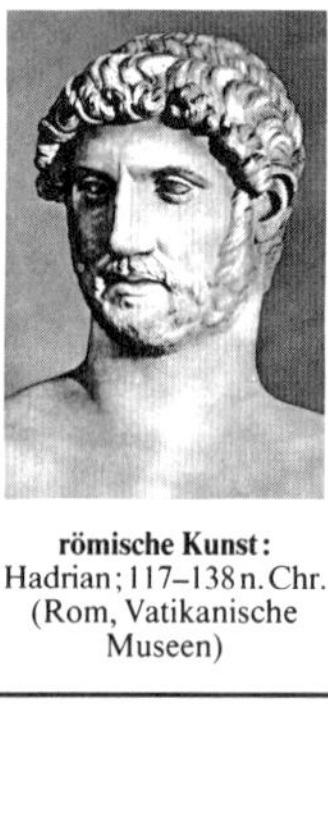

römische Kunst: Hadrian; 117–138 n. Chr. (Rom, Vatikanische Museen)

gramme oft Züge staatl. Propaganda erkennen lassen. Kennzeichnend sind axiale Planung und Ausrichtung auf einen Podiumstempel. Symmetrie bestimmte auch das Militärlager (Castrum) mit seinem zentral gelegenen Fahnenheiligtum sowie die neuen Stadtgründungen und Handwerkersiedlungen. Die Betonung von Symmetrie und Axialität, v. a. aber das neue Verständnis von Platzanlagen als Raumarchitektur führten zur Ausbildung einer Fassadenarchitektur als eigenständigem architekton. Element; monumentale Fassaden zieren die Bühnenfront von Theatern, die Schauseite großer Brunnenanlagen, Platzeinrahmungen und die Front öffentl. Bauten, Paläste und Tempel. Die Vorliebe für reichgegliederte Fassaden kennzeichnet auch eine Neuschöpfung der r. K.: den Triumph-(Ehren-)bogen. Eigene Wege ging die r. K. auch in der Herausbildung der Amphitheater, der Thermenanlagen, der versch. Formen der Basilika, der Speicherhallen und teilweise auch bei der Gestaltung der repräsentativen Grabanlagen an den Ausfallstraßen italischer Städte.

Im Wohnbau traten neben das Insulahaus, in dem sich zunehmend Züge des italischen Atriumhauses und des grch. Peristylhauses verbanden, vielstöckige Mietkasernen und immer aufwendigere ländl. Villen (Ciceros Tusculum) sowie die oft überdimensionalen kaiserl. Villen (Capri, Sperlonga, Tivoli).

Die spätrepublikan. Epoche war im Formalen stark von hellenist. Formen bestimmt. I. Ggs. dazu orientierte sich das Zeitalter des AUGUSTUS und des TIBERIUS wieder am griechisch-klass. Erbe und bemühte sich um große Regelstrenge. Von dem Bestreben des Augustus, Rom zu einer Stadt aus Marmor zu machen, zeugen nicht nur die Forumsanlagen sondern auch die Ausgestaltung des Marsfeldes mit der Ara Pacis Augustae, der riesigen Anlage einer Sonnenuhr und eines Kalenders.

Das Zeitalter NEROS und der flavischen Kaiser (1. Jh. n. Chr.) brachte neue großartige Raumschöpfungen hervor, mit mannigfaltigen Grundrißformen und reich mit Säulenstellungen und Gebälkverkröpfungen geschmückten Fassaden (→Kapitol 1, →Kolosseum). Einen Höhepunkt der kaiserl. Bauunternehmungen stellten das Trajansforum in Rom und der angrenzende imposante Ziegelbau der Markthalle dar, hinter dessen geschwungener, mehrgeschossiger Front zahlreiche Läden, Magazine und eine große Verkaufshalle gelegen waren. Auch die Regierungszeit HADRIANS ist gekennzeichnet durch Großbauten wie den Kuppelbau des →Pantheon und die →Engelsburg, die den schon von Augustus für sein Mausoleum verwendeten zylindr. Grabmaltyp fortsetzte. Die fürstlichste Anlage dieser Zeit aber ist die →Hadriansvilla bei Tivoli mit ihrer Fülle von Räumen und Höfen von eigenwilligster Grundrißgestaltung.

Dem Alltagsleben dienende Bauten wurden v. a. in der Hafen- und Handelsstadt Ostia freigelegt mit Handelshäusern, Märkten, Speichern und Wohnhäusern, deren Ziegelfassaden teilweise noch über 2 Geschosse hoch erh. sind. Seit dem letzten Drittel des 2. Jh. setzte einerseits eine Steigerung der Ausmaße, andererseits eine Häufung kleinteiliger Bauglieder ein. Am deutlichsten finden sich die neuen maler. Tendenzen in der Architektur ausgeprägt in den nun für die Reichskunst immer größere Bedeutung gewinnenden nordafrikan. und östl. Prov. (Leptis Magna, Sabratha, Baalbek, Palmyra). Im übrigen folgte jedoch das 3. Jh. noch weitgehend den alten Vorbildern, wenn auch in mächtigeren Ausmaßen. So übertrafen die Thermen des CARACALLA und DIOKLETIAN in ihrer Größe, der Spannweite ihrer Gewölbe und ihrer Marmorpracht alle früheren Anlagen dieser Art. Der Diokletianspalast in Split verbindet

römische Kunst: Nero; 54–68 n. Chr. (Rom, Thermenmuseum)

römische Kunst: Konstantin der Große; Fragment einer Kolossalstatue, um 330 n. Chr. (Rom, Konservatorenpalast)

römische Kunst: Relieffries (Prozession) von der Ara Pacis Augustae in Rom; 13–9 v. Chr.

römische Kunst: Kolossalstatue eines oström. Kaisers, 5,11 m hoch; 1. Hälfte 5. Jh. n. Chr. (Barletta)

die althergebrachte Form des Castrum mit einem Wohnpalast, Tempel und Mausoleum zu einem neuen Bautypus.

Die Regierung KONSTANTINS D. GR. leitete eine neue Epoche ein. Während die von MAXENTIUS gestiftete, von Konstantin vollendete Basilika an der Via Sacra, der Konstantinsbogen und die Konstantinsthermen als mächtigste Beispiele der heidnisch-profanen Baukunst der Spätzeit gelten können, setzte mit den von Konstantin errichteten christl. Kirchen in Rom, Byzanz und Bethlehem die Reihe der dem neuen Kult dienenden monumentalen Bauten ein. Auch im german. Teil des Röm. Reiches entstand in dieser Epoche eine die Macht des Kaisers und des christl. Glaubens vor Augen führende Architektur (Köln, Trier). Im Verlauf des 4. Jh. ging die führende Rolle auf den Osten, v. a. auf Konstantinopel über (→byzantinische Kunst).

PLASTIK UND RELIEF

Bei den freiplast. Werken der röm. Zeit überwiegen Kopien und dekorative Umgestaltungen grch. Vorbilder; daher sind auch kaum Namen röm. Bildhauer bekannt. Selbständige Leistungen lagen v. a. auf dem Gebiet des Porträts und des Reliefs. I. Ggs. zur grch. Bildnisvorstellung, die immer von der ganzen Gestalt ausging, begnügten sich die Römer oft mit der abgekürzten Form, der Büste (möglicherweise im Zusammenhang mit der schon in hellenist. Zeit in Italien verbreiteten Sitte, Ahnenporträts im Haus aufzustellen). Porträtstatuen wurden auf Gräbern errichtet oder auch als Ehrenmonumente in öffentl. Gebäuden und auf Plätzen aufgestellt. In republikan. Zeit gab es neben Porträts mit extrem nüchternen und herben Zügen Bildnisse v. a. der führenden Schicht, die sich an den pathet. Formen des grch. Herrscherbildnisses oder an den individuellen späthellenist. Charakterporträts der grch. Kunst orientierten. Erst unter Augustus bildete sich eine einheitl. röm. Porträtsprache heraus. Zugleich setzte hier die Reihe der offiziellen Kaiserporträts ein, die weniger das wirkl. Aussehen des Dargestellten wiedergeben als in idealer Typisierung bestimmte Eigenschaften und Leistungen propagandistisch verdeutlichen sollten. Klassizistisch-ideale Darstellungsformen (Augustus, Trajan, Hadrian) können mit pathet. (Nero) oder auch realist. (Vespasian) wechseln. Die offiziellen Bildnistypen wa-

römische Kunst: Gefangene Trojaner vor Neoptolemos, Relief auf einem Sarkophag; Mitte 2. Jh. n. Chr. (Rom, Thermenmuseum)

römische Kunst: Relief vom Grabmal der Haterier; um 110 n. Chr. (Rom, Vatikanische Museen)

ren durch Münzen, aber auch durch private Statuenstiftungen über das gesamte Röm. Reich verbreitet; an ihrer Gestalt orientierte sich (bis zur Haar- und Barttracht) auch das private Porträt.

In der Reliefkunst gewann das Ornament zwar gegenüber grch. Vorbildern stark an Bedeutung, doch wurde die inhaltl. Aussage der Darstellung dadurch nicht in den Hintergrund gedrängt. Im privaten Bereich geben v.a. Grabreliefs über gesellschaftl. Schichtungen, berufl. und militär. Ereignisse Auskunft; bes. verbreitet waren seit dem 2.Jh. n.Chr. die Sarkophagreliefs mit meist mytholog. Darstellungen, auch Schlachten- und Jagdbildern, Hochzeitsszenen und Allegorien. Ein ganz neues Interesse drückte sich in der Reliefkunst in der Schilderung histor. Ereignisse aus, die teils in allegor. Form (Ara Pacis Augustae), teils als Chronik (Trajanssäule, Mark-Aurel-Säule), teils als polit. Selbstdarstellung gestaltet wurden; letztere fin-

römische Kunst: Wandmalerei des II. Stils auf der Rückwand eines Cubiculums in der Villa dei Misteri; um 60 v. Chr., Pompeji

den sich v. a. bei den Reliefs der Ehren- und Triumphbögen.

MALEREI

In der Malerei waren echt röm. Erzeugnisse einer volkstüml. Berichterstattung die verlorenen ›Triumphalgemälde‹, die schon früh zur Ehrung siegreicher Feldherren in den Festzügen mitgeführt wurden. Für die Wandmalerei überliefern die Vesuvstädte (Pompeji, Herculaneum, Stabiae, Oplontis) die reichste und kontinuierlichste Übersicht (2. Jh. v. Chr. bis in die Zeit des Untergangs 79 n. Chr.). Nachdem im ›ersten Stil‹ die dreigeteilte Wand lediglich durch gemalte oder stukkierte Quader dekoriert wurde, setzte im frühen 1. Jh. v. Chr. die eigtl. röm. Entwicklung mit der Architekturmalerei des ›zweiten Stils‹ ein: vor- und zurückspringende Säulen und Pilaster, über deren Gesimsen sich der Ausblick auf Hallen und Tempel öffnet, schmücken die Wand. Es finden sich Stadtprospekte, monumentale Friese und Figuren (Boscoreale) und, seit dem späten ›zweiten Stil‹, von Aediculen gerahmte Bilder. Im ›dritten Stil‹ degenerieren die architekton. Formen zu dünnen, unplast. und zugleich phantast. Gliederungselementen, die Fläche gelangt zu neuer Bedeutung. Der ›vierte Stil‹ der neronischen und flavischen Zeit nimmt die Architekturmalerei des ›zweiten Stils‹ in üppigen, bühnenmäßigen Fassaden wieder auf und schafft v. a. in der Spätphase eine von Architekturelementen gerahmte Flächendekoration. Bei diesen spielen die mytholog. Darstellungen, oft Kopien und Umbildungen grch. Vorbilder, eine bed. Rolle.

Jene an den Wänden der Vesuvstädte abzulesende Entwicklung ist, wie man aus den in Rom gefundenen Überresten schließen kann, von der Hauptstadt ausgegangen. Bes. kostbare Überreste sind dort die Malereien des ›zweiten‹ und ›dritten Stils‹ aus dem ›Greifenhaus‹ (um 80 v. Chr.), dem ›Haus des Augustus‹ und dem ›Haus der Livia‹ (um 40–30 v. Chr.) auf dem Palatin sowie die Wandmalereien und Stuckdecken aus der Villa unter der Farnesina (um 20 v. Chr.), dazu die Friese der Odysseelandschaften (BILD) und der Aldobrandinischen Hochzeit. Den ›vierten Stil‹ auf seinem Höhepunkt in den Jahren 60–70 n. Chr. repräsentiert vorzüglich der Wand- und Deckenschmuck im Goldenen Haus (Domus Aurea) des Nero. Aus dem 2. Jh. finden sich neben vielfach grobem Flächendekor (Ostia) Figuren und Landschaften in virtuosem Pinselstrich und, v. a. in Gräbern, sorgfältig ausgeführte, zartfarbige Stuckdekorationen. Das fortgeschrittene 3. Jh. bringt auch in der Malerei eine gewisse Erstarrung. Am besten läßt sich der Stilwandel in den Katakomben verfolgen. Er zeugt in zunehmendem Maße von einer Hinwendung zu Bildmotiven der christl. und gnost. Symbolik. Zu den hervorragendsten Werken der spätantiken heidn. Malerei gehören die Fragmente von Eroten und Kaiserinnenporträts im konstantin. Palast zu Trier.

MOSAIKEN

Eine Parallele zur Entwicklung der Wandmalerei zeigen neben den Stuckdekorationen die Mosaiken. Zunächst als Fußbodenschmuck verwendet, begegnen sie später auch an Wänden. Neben farbige Arbeiten traten schon früh schwarzweiße, neben figürl. und landschaftl. Mosaiken rein ornamentale. Die feine Technik des 1. Jh. v. und des 1. Jh. n. Chr. wich im 2. Jh. einer gröberen, die größere Steinchen in grelleren Farbkontrasten zu effektvolleren Darstellungen zusammensetzte. Einen neuen Höhepunkt stellen dann die Wand- und Kuppelmosaiken der Kirchen seit dem 4. Jh. dar.

KLEINKUNST

Einige Zweige der Kleinkunst erlebten in röm. Zeit eine besondere Blüte: v. a. die Toreutik mit ihren kostbaren Silbergefäßen (Kaiseraugst, Berthouville im frz. Dép. Eure, Hildesheim, Mildenhall) sowie die Glasin-

römische Kunst: Wandmalerei des IV. Stils in einem Festsaal der Casa dei Vettii; zwischen 62 und 68 n. Chr., Pompeji

römische Kunst: Spätantikes Fußbodenmosaik (verwundeter Jäger) in der Villa Romana del Casale in Piazza Armerina

dustrie (→Glas); weiteste Verbreitung fanden einige Gattungen der Reliefkeramik, v.a. die Terra sigillata (BILD) und die Arretin. Vasen, ferner die kleinen Tonlampen. In der Glyptik finden sich vereinzelt prunkvolle, aus Halbedelsteinen geschnittene Reliefs (Gemmen, Kameen) mit Darstellungen aus dem Bereich der staatl. Ikonographie. Elfenbeinschnitzereien gewannen in der späteren Antike an Bedeutung. Die überaus umfangreiche Münzprägung fand nur noch selten zu künstler. Leistungen, sie trug aber dazu bei, Porträttypen und offizielle Staatssymbolik über den gesamten röm. Machtbereich zu verbreiten.

Gesamtdarstellungen und Allgemeines: H. KÄHLER: Rom und seine Welt, 2 Bde. (1958–60); T. KRAUS: Das röm. Weltreich, Propyläen Kunstgesch. 2 (1967); R. BIANCHI BANDINELLI: Die r. K. (a. d. Ital., 1975); B. ANDREAE: R. K. ([3]1978).

Baukunst: H. KÄHLER: Der röm. Tempel (1970); J. P. WARD-PERKINS: Architektur der Römer (a. d. Ital., 1975).

Plastik: W. HELBIG: Führer durch die öffentl. Samml. klass. Altertümer in Rom, hg. v. H. SPEIER, 4 Bde. (1963–72); H. LAUTER: Zur Chronologie röm. Kopien (1966); P. ZANKER: Klassizist. Statuen (1974); Corpus signorum imperii Romani, Corpus der Skulpturen der röm. Welt (seit 1967, Serienwerk, nach Ländern geordnet).

Porträt: V. POULSEN: Les portraits Romains, 2 Bde. (Paris 1962 bis 1974).

Malerei und Mosaik: G. LIPPOLD: Antike Gemäldekopien (1951); A. RUMPF: Malerei und Zeichnung (1953); Mosaici antichi in Italia, hg. v. Consiglio Nazionale delle Ricerche (1967 ff.); K. PARLASCA: Die röm. Mosaiken in Dtl. (Nachdruck 1970).

Kleinkunst: R. A. HIGGINS: Greek and Roman jewellery (London 1961); P. LA BAUME: Röm. Kunstgewerbe (1964).

Römisch-Germanisches Zentralmuseum, Mainz, 1852 vom Gesamtverein der dt. Geschichts- und Altertumsvereine gegr. Mus. zur Erfassung der wichtigsten Funde der europ. Vor- und Frühgesch. (Originale, Nachbildungen, Modelle); Forschungsinstitut mit Verlag, Bildarchiv, Werkstätten, naturwissenschaftl. Laboratorien.

Rommersdorf, ehem. Prämonstratenserabtei (1135 gegr.) bei Neuwied, Rheinl.-Pf. Die roman. Klosterkirche (12./13. Jh.) ist als maler. Ruine erh. In der 1219 gew. Abtskapelle bemerkenswerte raumtrennende Arkade. Der Kapitelsaal, eine dreischiffige Säulenhalle, hat eines der wenigen erh. Beispiele für einen Fußboden aus glasierten Ziegeln (1. H. 13. Jh.). Barocke Konventsgebäude (18. Jh.) mit originellem, gekacheltem Sommerrefektorium.

Romney [r'ɔmnɪ], George, engl. Maler, *Dalton-in-Furness (Lancashire) 15. 12. 1734, †Kendal (Westmoreland) 15. 11. 1802, ging 1762 nach London, wo er als Maler eleganter Porträts in klassizist. Geschmack neben J. REYNOLDS und T. GAINSBOROUGH großen Erfolg hatte. 1773–75 studierte er in Italien u. a. die Bilder RAFFAELS. Sein bekanntestes Modell war LADY HAMILTON (›Emma Harte, später Lady Hamilton, als Spinnerin‹, London, Iveagh Bequest).

Romont [rɔm'ɔ̃], Städtchen im schweizer. Kt. Freiburg, überragt von 2 mächtigen ma. Rundtürmen und der Burg (13. Jh.); in der got. Stadtkirche Chorgestühl und hervorragende Glasmalereien (15. Jh.). Mus. für Glasmalerei (1981 eröffnet).

Romsey [r'ʌmzɪ], Stadt, 10 100 Ew., in der südengl. Cty. Hampshire nördlich von Southampton, mit ehem. Benediktinerinnenkloster. Die Abteikirche wurde um 1120 als roman. Querhausbasilika beg. und bis zum frühen 13. Jh. voll. Der rechteckige Umgangschor besitzt eine aufwendige Gliederung mit durchbrochenen Emporenbögen und Obergadenlaufgang, das Langhaus auf das Emporengeschoß übergreifende Rundpfeiler.

Romulus, nach der Sage Gründer und erster König Roms, wohl urspr. Sohn (oder Enkel) des Aeneas, dann des Mars und der Rea Silvia, Zwillingsbruder des Remus, mit dem er nach der Geburt ausgesetzt wurde. Beide wurden von einer Wölfin gesäugt und von dem Hirten Faustulus erzogen. Bei der Gründung Roms wurde Remus von R. oder anderen im Streit erschlagen. Der später vergöttlichte und mit dem röm. Gott Quirinus identifizierte R. galt auch als Gründer der polit. und militär. Verfassung Roms. In der röm. Kunst war die Darstellung der Wölfin mit R. und Remus sehr verbreitet (→Kapitolinische Wölfin).

Ronchamp [rɔ̃ʃ'ã], Gem. im frz. Dép. Haute-Saône, nordwestlich von Belfort, 3100 Ew.; bei R. die Wallfahrtskirche Notre-Dame-du-Haut, 1950–54 von LE CORBUSIER in eigenwilligen Formen aus Stahlbeton errichtet. (BILD Le Corbusier)

Ronda, Stadt in der span. Prov. Málaga, im andalus. Gebirgsland beiderseits einer vom Guadalevín eingeschnittenen, 160 m tiefen Schlucht; 30 000 Ew. Die Altstadt (Ciudad) besitzt noch Baureste aus maur. Zeit: Ruine der Alcazaba (Festung), Reste einer Moschee im Baukörper der Kirche Santa María la Mayor (Minarett, Michrab), Stadttor (Puerta árabe) in der Vorstadt San Francisco. Die Kath. Könige eroberten R. 1485 von den Arabern und legten auf dem nördl. Teil des Plateaus die Neustadt (Mercadillo) an; hier liegt Spaniens älteste Stierkampfarena aus dem 18. Jh. Die Brücke Puente Nuevo (1788) führt in 100 m Höhe über die Schlucht des Guadalevín. 12 km nordöstlich die Ruinen des röm. Amphitheaters von Acinipio.

Ronneburg, Gem. im Main-Kinzig-Kr., Hessen, 2600 Ew. Die Burg (Kernbau 13. Jh.) war 1523–1601 Residenz einer Isenburger Linie, die den Ausbau der ausgedehnten Anlage im Renaissancestil veranlaßte (Vorburg 1538–55, der originelle Aufsatz des Bergfrieds mit 4 Erkern und Steinkuppel 1581).

Röntgenstil, X-Ray-Stil ['eksreı], Stil in der Malerei von Arnhem-Land, N-Australien; gekennzeichnet durch die simultane Darstellung der äußeren Umrißform eines Körpers (v. a. Fische, Reptilien, Emus, Känguruhs) sowie der Wirbelsäule und wichtiger innerer Organe. In der Malerei auf Eukalyptus-Rinde (→Rindenbilder) ist dies ein häufiges Darstellungsprinzip, das jedoch auch von Malern angewendet wird, die daneben andere Formen benützen. In der Felsbildkunst treten Darstellungen im R. relativ spät auf, sind also jünger als die darunterliegenden im ›Mimi‹-Stil (→Felsbilder), dessen Hauptkennzeichen die Darstellung von menschl. Figuren in Bewegung ist. Nach den Aussagen von Einheimischen erscheinen diesen die R.-Bilder als vertraut, die darunterliegenden dagegen als unvertraut und ›alt‹. (BILD Australier)

E. J. BRANDL: Australian Aboriginal Paintings in Western and Central Arnhem Land (Canberra 1973).

Roos, 1) Johann Heinrich, Maler, Vater von 2), *Reipoltskirchen/Pfalz 29.9.1631, †Frankfurt a. M. 3.10.1685, war nach Studien in Amsterdam 1664–67 Hofmaler in Heidelberg. R. malte v. a. röm. Hirtenidyllen, z. T. in Art der →Bambocciate mit Schwerpunkt auf der Tierdarstellung, ferner Porträts von ungeschönter Sachlichkeit und psycholog. Ausdruckskraft.

Ausst.-Kat., Kaiserslautern (1985).

2) Philipp Peter, nach seinem Wohnsitz auch **Rosa da Tivoli (Rosa di Tivoli)** genannt, Maler, Sohn von 1), getauft St. Goar 30. 8. 1657, †Rom 17. 1. 1706, pflegte anders als der Vater das pastos gemalte Tierbild vor wild zerklüfteter Campagnalandschaft.

Root [ru:t], John Wellborn, amerikan. Architekt, *Lumpkin (Georgia) 10. 1. 1850, †Chicago 15. 1. 1891, gründete mit seinem Partner DANIEL BURNHAM die Firma ›Burnham and R.‹, die bahnbrechend für die Hochhausarchitektur in den USA war (Monadnock-Building, 1889–91; Reliance-Building, 1890–94; beide in Chicago). R., der künstlerisch bedeutendere Partner der Firma, war auch Architekturtheoretiker.

Rops, Félicien, belg. Graphiker, Maler, *Namur 7. 7. 1833, †Corbeil-Essonnes 23. 8. 1898. Von H. DAUMIER und P. GAVARNI beeinflußt, begann R. mit polit. und literar. Illustrationslithographien; schuf später meist erot. Radierungen, häufig Titelblätter für die Werke von S. MALLARMÉ und G. DE MAUPASSANT.

Roquepertuse [rɔkpɛrt'yz], antike Ruinenstätte, östlich des Étang de Berre, im frz. Dép. Bouches-du-Rhône, mit Überresten eines Tempels des 3. Jh. v. Chr.; Statuen sitzender kelt. Gottheiten.

Roritzer, Baumeister- und Bildhauerfamilie des 15.–16. Jh. in Regensburg, tätig von Wien und Prag über Ulm bis Straßburg; ihr HW ist der Regensburger Dom. Konrad R. (*zw. 1410 und 1415, †Regensburg um 1475) leitete seit 1456 in Regensburg die Dombauhütte (u.a. Entwurf der dreieckigen Dom-Vorhalle). 1452–66 wurde nach seinen Plänen der Chor der Lorenzkirche in Nürnberg begonnen. Als Berater wurde er 1462 zum Bau des Stephansdoms in Wien, 1475 zum Bau der Münchner Frauenkirche hinzugezogen. – Sein ältester Sohn Matthäus (†zw. 1492 und 1495) war 1462–66 Mitarbeiter seines Vaters in Nürnberg, 1485 bis 1492 Dombaumeister in Regensburg.

Rörstrand [r'œ:rstrand], eine 1726 in Schweden gegr. und heute noch bestehende Fayencemanufaktur, nach 1797 auch Porzellanherstellung im engl. Geschmack; heute v.a. moderne Geschirre.

Rosa, Salvator, ital. Maler, Radierer, Dichter, *Arenella bei Neapel 21. 6. oder 7. 1615, †Rom 15. 3. 1673, bildete sich bes. unter dem Einfluß von A. FALCONE, war abwechselnd in Neapel, Viterbo und Rom tätig, lebte seit 1641 in Florenz und kehrte 1649 nach Rom zurück. Seine großfigurigen Bilder mit Themen aus der Bibel und dem Mythos waren schon zu seiner Zeit weniger geschätzt als seine Schlachten- und Landschaftsbilder. Letztere übten v.a. auf A. MAGNASCO, M. RICCI und C. J. VERNET einen nachhaltigen Einfluß aus.

Rosa da Tivoli, Maler, →Roos 2).

Rose [lat.], **1)** in der christl. Symbolik Sinnbild des Paradieses, als R. ohne Dornen Symbol Mariens (versch. Bildtypen: →Paradiesgärtlein, ›Maria im Rosenhag‹ von S. LOCHNER und M. SCHONGAUER), seltener Sinnbild Christi, öfter Attribut von Heiligen (der Hl. Elisabeth u.a.) und Märtyrern.

2) Baukunst: →Fensterrose.

Rosen [r'u:sən], Georg Graf von, schwed. Maler, *Paris 13. 2. 1843, †Stockholm 3. 3. 1923, beeinflußt von H. LEYS in Antwerpen und K. v. PILOTY in München, 1880–1908 Prof. an der Stockholmer Akad., malte bes. Bilder aus der schwed. Geschichte und repräsentative Porträts.

Rosenbach, Ulrike, Aktions- und Videokünstlerin, * Salzdetfurth 29. 12. 1943, profilierte sich als Vertreterin der →Frauenkunst.

U. R., Ausst.-Kat., Aachen (1976).

Rosenburg, Burg über der Gem. R.-Mold, Bez. Horn, NÖ; 1593–97 im Renaissancestil ausgebaut, großer Turnierhof (17. Jh.) mit zweigeschossigen Arkaden an 3 Seiten als Zuschauerlogen; spätgot. Kapelle (um 1480).

Rosendal, Herrensitz am Hardangerfjord, einer der wichtigsten Barockbauten Norwegens (1663–65) mit reichem Portal, z.T. originaler Einrichtung und prächtigen Garten- und Parkanlagen.

Rosenholm, Schloß in O-Jütland, Dänemark, nördlich von Århus, eine Vierflügelanlage der Renaissance, mit dem alleinstehenden O-Flügel 1559 beg., um 1740 im Innern umgebaut (z.T. Mus.).

Rosette

Gewöhnliche Rosette

Wirbel-Rosette

Fächer-Rosette

Rosette

Rosenholz, Bez. für Hölzer mit rosenroter Farbe oder rosenartigem Geruch. Zu den rosenroten Hölzern gehören das Echte oder Brasilian. R. einer Weiderichgewächsart, das Ostind. R. oder Botanybayholz. R. wird v. a. für Furniere und Intarsia verwendet.

Rosenkranzbilder, Gemälde (auch Plastiken) mit den Bildthemen des Rosenkranzes (einer Schnur mit Perlen aus Holz u. a., an denen in einer bestimmten Reihenfolge Gebete abgezählt werden), seines Gebets und seiner Wirkung (A. DÜRER, Rosenkranzfest, 1506; Prag, Nat.-Gal.). – Der Rosenkranz selbst kann zum Rahmen von plast. Marienbildern werden, so im ›Englischen Gruß‹ von V. STOSS (1517–18; Nürnberg, St.-Lorenz-Kirche), bei T. RIEMENSCHNEIDER (1521–24; Volkach, Wallfahrtskirche Maria im Weingarten).

Rosenquarz Farbvarietät des Quarz, blaß- bis dunkelrosa, zur Herstellung von kleineren Luxusgegenständen (Dosen u. a.) und als Schmuckstein verwendet.

Rosenquist [r'əʊzənkwɪst], James, amerikan. Maler, Graphiker, *Grand Forks (North Dakota) 29. 11. 1933, lebt in New York. Seine sehr großformatigen Bilder stellen vielfach Gegenstände der Konsumgüterproduktion und Maschinenwelt dar. Seine Stilmittel sind v. a. Vergrößerung von Details sowie Montage, außerdem die Verwendung fluoreszierender Farben; ein Hauptvertreter der Pop Art.

Rosenthal-Porzellan, Erzeugnisse der von P. ROSENTHAL 1879 in Selb gegr. Fabrik für Porzellanmalerei, die 1891 die Porzellanherstellung aufnahm. Neben Gebrauchsgeschirr wird seit 1908 auch künstler. Porzellan u. a. nach Entwürfen von H. MOORE, S. DALÍ, V. VASARÉLY, E. FUCHS, HAP GRIESHABER hergestellt.

R., hundert Jahre Porzellan, bearb. v. HELGA HILSCHENZ u. B. FRITZ, Ausst.-Kat., Hannover (1982).

Rosetsu, eigtl. **Nagasawa,** japan. Maler, *1754, †1799, Mitgl. der naturalist. →Maruyama-Schule, Schüler des OKYO, den er zwar nicht an Großartigkeit, aber im flüssigen Pinselstrich seiner Tuschmalerei, mit nahtlosem Übergang von schwarzer Tusche zu farbigen Flächen und in der Lebensnähe seiner Tier- und Menschenbilder übertraf.

Rosette frz.], aus der Form einer runden Blüte abgeleitetes, in allen Kulturen bekanntes Zierelement; eines der ältesten Ornamentmotive. In der Kunst des Alten Orients war die R., eine meist achtblättrige Blüte, urspr. vielleicht ein Emblem der Göttin Ischtar/Inanna.

Rosheim, Stadt im Unterelsaß mit gut erhaltener roman. ›Unterer Kirche‹ (St. Peter und Paul, etwa 1150/60; Vierungsturm nach 1385), die mit qualitätvoller Bauplastik geschmückt ist; einziges erhaltenes roman. Stadthaus des Elsaß mit dreigeschossigem Wohnturm des 12. Jh.; Teile der ma. Stadtbefestigung erh.

Roskilde [r'ɔskilə], Stadt auf der dän. Insel Seeland, 49300 Ew., vom 11. bis 15. Jh. Königsresidenz. Der Dom, Grablege der meisten dän. Könige, wurde um 1170 in nordfranzösisch beeinflußtem romanisch-got. Übergangsstil von O her begonnen; dreischiffiges basilikales Langhaus, fast von gleicher Länge der Umgangschor, ringsumlaufende Empore am Chor und über den Seitenschiffen, Kapellenanbauten; geschnitzte Domherrenstühle (15. Jh.) und Antwerpener Flügelaltar (Mitte 16. Jh.) im Hochchor, reich geschnitzter Königsstuhl (Anf. 17. Jh.) auf der Empore; Beispiele der Grabmalkunst von der Gotik an (Liegefigur der Königin Margarete, †1412). Durch den ›Absalonbogen‹ (um 1210) mit dem Dom verbunden ist das Königl. Palais (beg. 1733 von L. DE THURAH). Weitere im 12. Jh. beg. Kirchen sind Frauenkirche, St.-Ibs-Kirche und St.-Jørgensbjerg-Kirche. Das neugot. Rathaus (1883/84), ist mit dem got. Turm der im 16. Jh. abgerissenen Laurentiuskirche verbunden.

Roskopf d. Ä., Wendel, Baumeister, Steinmetz, *in Franken(?) um 1480, †Görlitz 25. 6. 1549, von B. RIED beeinflußt (Aufnahme von Renaissance-Motiven in seine sonst spätgot. Kunst, Schlingrippengewölbe), seit 1518 Baumeister in Görlitz. Seine Freitreppe am Rathaus ebd. zeigt in Aufnahme oberital. Formen reichen architekton. Schmuck. Bauten von R. d. Ä. finden sich auch in anderen schles. Städten (Gröditzburg, Löwenberg, Bunzlau) und in Böhmen.

Roslin [rusl'i:n], Alexander, schwed. Maler, *Malmö 15. 7. 1718, †Paris 5. 7. 1793, tätig am Bayreuther Hof, seit 1747 in Italien, seit 1752 in Paris, ein wegen seiner Charakterisierungskunst geschätzter Porträtist.

Rossano, ital. Stadt und Erzbischofssitz in der Prov. Cosenza, Kalabrien. Von der byzantin. Herrschaft zeugt bes. die Kirche S. Marco, eine seit dem 11. Jh. über quadrat. Grundriß erbaute Fünfkuppelkirche mit 3 Apsiden. Im Diözesan-Mus. wird der →Codex Rossanensis aufbewahrt.

Rößel, poln. **Reszel** [r'ɛʃɛl], Stadt in der poln. Wwschaft Olsztyn (Allenstein), 5700 Ew., mit Resten der Stadtmauer aus dem 14. Jh.; got. Pfarrkirche

Alexander Roslin: Porträt der Anne Vallayer-Coster (Stockholm, Privatsammlung)

(14. Jh.), 1475–1503 umgebaut, Glockenturm 1837 überbaut. Das got. Bischofsschloß (1350–1450 gebaut, 1594 umgebaut) wurde 1822–23 z. T. abgetragen.

Rosselli, 1) Cosimo, ital. Maler, *Florenz 1439, †ebd. 7. 1. 1507, einer verzweigten Florentiner Maler- und Architektenfamilie angehörend; Fresko- und Porträtmaler; v. a. als Lehrer (FRA BARTOLOMEOS u. a.) bedeutend.

HW: Fresken in der Sixtin. Kapelle in Rom: Bergpredigt, Sinai, Abendmahl; begonnen 1481. Altarbilder: Hl. Anna Selbdritt mit Heiligen (1471; Berlin-West, Staatl. Museen); Krönung Mariä, (1505; Florenz, S. Maria Maddalena dei Pazzi); Thronende Madonna (ebd., Uffizien).

2) Matteo, ital. Maler, *Florenz, 10. 8. 1578, †ebd. 18. 1. 1650, Vertreter des Frühbarock in Florenz, wo er zahlreiche dekorative Fresken für Villen (Villa Poggio Imperiale, Casa Buonarroti) und Kirchen (im Kreuzgang von S. Marco und SS. Annunziata) schuf.

Rossellino, 1) Antonio, ital. Bildhauer, Bruder und Schüler von 2), *Settignano (bei Florenz) 1427, †Florenz 1479, ein Meister der realist. Porträtbüste, entwikkelte in seinen Reliefs den Stil von L. GHIBERTIS Paradiestür durch Verwendung maler. Elemente weiter.

HW: Hl. Sebastian (um 1460; Empoli, Mus. der Collegiata); Grabmal des Kardinals von Portugal (1461–66; Florenz, S. Miniato al Monte); Ausstattung der Piccolomini-Kapelle (1470 ff.; Neapel, S. Anna dei Lombardi). Büsten des G. Chellini (1456; London, Victoria and Albert Mus.) und des M. Palmieri (1468; Florenz, Mus. Nazionale del Bargello). Madonnenreliefs in Marmor.

2) Bernardo, ital. Baumeister, Bildhauer, Bruder von 1), *Settignano 1409, †Florenz 23. 9. 1464, wurde von L. B. ALBERTI zur Ausführung von dessen Plänen herangezogen (Palazzo Rucellai, Florenz, ab 1451), arbeitete 1451–55 als Baumeister Papst NIKOLAUS' V. in Rom, wo vielleicht nach seinem Entwurf der Neubau des Chors der Peterskirche begonnen wurde, und schuf 1460–62 für Papst PIUS II. den Domplatz in →Pienza, die erste ausgeführte Stadtplanung der Renaissance. Als Bildhauer fand er die klass. Form für das florentin. Wandnischengrab (Leonardo Bruni, Florenz, S. Croce, um 1444 beg.).

Dante Gabriel Rossetti: Selbstporträt; Bleistiftzeichnung, 1847 (London, National Portrait Gallery)

Rossetti, 1) Biagio, ital. Baumeister, *Ferrara um 1447, †ebd. 1516, dort seit 1475 Hofarchitekt der Este, entwarf den einheitl. Plan für die Stadterweiterung von →Ferrara und baute Kirchen und Paläste im Spätrenaissancestil.

HW (in Ferrara): Palazzo dei Diamanti (1492/93); S. Maria in Vado (1495 beg.); Palast für Ludovico il Moro (1500–03); Palazzo Roverella (1506–08).

2) Dante Gabriel, eigtl. Gabriel Charles Dante R., engl. Maler, Dichter, *London 12. 5. 1828, †Birchington-on-Sea (Kent) 9. 4. 1882. R. gilt vielfach als Haupt der Präraffaeliten, jedoch war die Wahl seiner Themen meist relig. Art (›Ecce Ancilla Domini‹, 1850; London, Tate Gal.), dann sozialkritisch (›Found‹, 1854; Delaware, USA, Wilmington Society of Fine Arts). Später illustrierte R. Themen aus DANTE und T. MALORY (›Morte Darthur‹). In den beiden letzten Jahrzehnten seines

Lebens schuf R. fast nur noch idealisierte Porträts seiner früh verstorbenen Gattin ELENOR SIDDAL.

J. NICOLL: D. G. R. (London 1975).

Rossi, 1) Aldo (Alessandro), ital. Architekt, *Mailand 3. 5. 1931, Hauptinitiator zur Formulierung des Begriffs einer →Rationalen Architektur. In seinen Planungen verwendete er vorwiegend formal streng und karg in der Ausführung, geschichtlich bewährte Bauformen und Gebäudetypen (›Archetypen‹).

HW: Platz und Denkmal in Segrate, Mailand (1965); Einrichtung der XV. Triennale in Mailand (1973); Wohnhaus in Borgo Ticino (1973); Teatro del Mondo, schwimmendes Theater, Venedig (1979/80).

Schrift: L'architettura della città (1966; dt.).

2) Domenico Egidio de, ital. Baumeister, Maler, *Fano, †Oberitalien nach 1708(?), bildete sich in Bologna zum Freskomaler und war 1692–97 im böhm. Palastbau sowie in Wien tätig. 1697–1707 schuf er für LUDWIG VON BADEN das Schloß Rastatt mit der regelmäßigen Stadtanlage, die früheste rhein. Barockresidenz; sie zeigt eine Verbindung des ital.-österr. Baustils mit dem Vorbild von Versailles.

3) Karl Iwanowitsch, russ. Architekt, Städtebauer, *St. Petersburg 29. 12. 1775, †ebd. 18. 4. 1849, gab dem Stadtbild von St. Petersburg unter ALEXANDER I. mit klassizist. Monumentalbauten das Gepräge. Nach dem großen Brand von 1812 war er am Wiederaufbau Moskaus beteiligt.

HW (alle St. Petersburg): Puschkin-Theater mit Gebäuden der Rossi-Straße und Saltykow-Schtschedrin-Bibl. (1816–34); Palais des Großfürsten Michael (1819–25; heute Russ. Mus.); Generalstabsgebäude (1819–29); Gebäude für Senat und Synode (1829–34).

A. W. BUNIN: Gesch. des russ. Städtebaus (a. d. Russ., 1961).

Rosso, 1) Giovanni Battista, gen. **R. Fiorentino**, ital. Maler, *Florenz 8. 3. 1494, †Paris 14. 11. 1540, Schüler von A. DEL SARTO, beeinflußt von MICHELANGELO, war in Florenz, seit 1523 in Rom und seit 1530 in Fontainebleau tätig. Seine hier ausgeführten und in Stichen verbreiteten Dekorationen waren von nachhaltigem Einfluß auf die frz. Kunst des späten 16. Jh. und die Kunsttätigkeit in den benachbarten Ländern; er gehörte zu den Begründern des Manierismus.

HW: Madonna mit Heiligen (1518; Florenz, Palazzo Pitti); Transfiguration (1528/29; Città di Castello, Dom); Fresken und Stukkaturen in der Galerie Franz' I. im Schloß von Fontainebleau.

Medardo Rosso: Ecce Puer (Piacenza, Galleria d'Arte Moderna ›Ricci Oddi‹)

2) Medardo, ital. Bildhauer, *Turin 21. 6. 1858, †Mailand 31. 3. 1928, tätig in Paris, Mailand und Venedig. R. entwickelte einen ganz auf die Oberfläche seiner Plastiken konzentrierten Stil, der die Licht- und Schattenwirkung betonte. Er modellierte vorzugsweise in Wachs oder Gips und führte unabhängig von A. RODIN den Impressionismus in die Plastik ein. Museo R. in Barzio (Valsassina, Prov. Como).

Rostock, Bezirkshauptstadt in der Dt. Dem. Rep., an der Warnow, größte Stadt Mecklenburgs, 220900 Ew.; ehem. Hansestadt. Trotz starker Zerstörungen 1942 prägen noch bed. Werke der Backsteingotik das Stadtbild: Marienkirche (13.–15. Jh.) mit mächtigem Querschiff, Kapellenkranz und breitem W-Turm, wertvolle Ausstattung, u.a. Taufkessel aus Bronze (1290), der bedeutendste seiner Art im Ostseegebiet, astronom. Uhr (1472); Nikolaikirche (13.–15. Jh.) und Petrikirche (1. H. 14. Jh.) wurden im Krieg schwer beschädigt, Petrikirche mit modernem Innenraum wiederhergestellt; Heilig-Kreuz-Kirche (1. H. 14. Jh.), die Kirche des ehem. Zisterzienserinnenklosters, mit 2 spätgot. Schnitzaltären (um 1450 und Anf. 16. Jh.), Sakramentshaus (Ende 14. Jh.). Rathaus, urspr. 3 Häuser (1270–90 und um 1315) mit schmuckreicher Fassade (um 1500 voll.) und barockem Vorbau (1727). Das barocke ehem. herzogl. Stadtpalais (1714) und die klassizist. ehem. Neue Wache (1822–25) werden von der Univ. genutzt, davor Blücherdenkmal von J. G. SCHADOW. Zahlreiche Bürgerhäuser (15.–19. Jh.); von der Stadtbefestigung sind 4 Tore erh.: Steintor (1574–77, 1945 zerstört, rekonstruiert), Kuhtor (2. H. 13. Jh., 1937 freigelegt), Kröpeliner Tor (vor 1300), Mönchentor (Neubau 1805). – Im städt. Mus. bed. Kunstsamml. (von ma. sakraler Kunst bis zur Gegenwart).

Rostow, auch **R. Jaroslawskij,** im 12.–17. Jh. **R. Welikij,** Stadt im Gebiet Jaroslawl, Russ. SFSR, am Nerosee, 31 000 Ew. R., seit 1207 Hauptstadt des Fstt. R., war im 16. und 17. Jh. Metropolitensitz. 1664–83 wurde der Kreml gebaut; in seiner Ummauerung 2 Tortürme, 2 Toranlagen mit Torkirchen (Auferstehungskirche, 1670; St. Johann Evangelist, 1683), ferner Palastbauten (›Roter Palast‹, 1672–80, die Residenz des Metropoliten) und weitere Kirchen; die im Inneren reich geschmückte Uspenskij-Kathedrale, ein dreischiffiger Bau mit 3 Apsiden und 5 Zwiebeltürmen, wurde bereits 1566–89 (Vorgängerbauten 1161/62 und 1213–31; freistehende Glockenwand 1682–87) errichtet und in den Kremlkomplex einbezogen. Im O der Stadt liegt das Abraham-Kloster (16./17. Jh.) mit Kathedrale (1554–56), im W das Jakobs-Kloster (17./18. Jh.) mit Demetriuskirche (1724–26), außerhalb das Boris-und-Gleb-Kloster (16./17. Jh.) mit der Kathedrale (1522–24).

Roszak [r'ɔsæk], Theodore, amerikan. Bildhauer poln. Herkunft, *Posen 1. 5. 1907, lebt in New York; kam, nach einem Studienaufenthalt in Europa (1929 bis 1931), zu formenreich konstruktivist. Skulpturen, aus denen er seit Mitte der 1940er Jahre dem Surrealismus nahestehende halbabstrakte Gebilde entwickelte, die den Betrachter oft tier- oder pflanzenhaft anmuten; auch Großprojekte (Adler für die Fassade der US-Botschaft in London, 1960)

Rot an der Rot, Gem. im Kr. Biberach, Bad.-Württ., mit der ältesten Prämonstratenser-Reichsabtei Schwabens (1126 gegr.). Die fünftürmigen Klostergebäude wurden 1682–98 im Barockstil erbaut. Der klassizist. Neubau der Abteikirche (1777–86) ist von festl. Raumwirkung: Stuck und Altäre von F. X. FEUCHTMAYER D. J., Fresken von JANUARIUS ZICK u. a.; das prächtige Chorgestühl (1691–93) sowie die Ausstattung von Sakristei und Kapitelsaal (Stuck um 1690 von JOHANN SCHMUZER) entstammen noch der barocken Bauphase. Außerhalb des Ortes die Friedhofskirche St. Johann (1737 bis 1741) mit vorzügl. Bandwerkstuck, originellem Hochaltar, balusterverzierter Kanzel und Chorempore.

Rotari, Pietro Antonio, ital. Maler, *Verona 30. 9. 1707, †St. Petersburg 31. 8. 1762, schuf großformatige Altar- und Andachtsbilder und geschätzte Porträts (v. a. genrehafte Darstellungen junger Mädchen). Letztere verraten bereits klassizist. Züge, begleitet von der Vorliebe für ein auf grauen und aschfarbenen Tönen basierendes Kolorit.

Rötel *der,* Malerei: rote Erdfarbe mit natürl. Beimengungen von Tonerde, die eine Verwendung von R. als Zeichenkreide erlaubt. Um 1500 eingeführt, wurde R. als Zeichenmaterial v. a. im 18. und 19. Jh. geschätzt (→Zeichnung).

Rotella, Mimmo, ital. Maler, *Catanzaro 7. 10. 1918, lebte 1951–52 in den USA, seitdem in Rom und Paris (Mitgl. der Nouveaux Réalistes). Er greift in seinen Décollagen (seit 1954) v. a. auf vorgeprägte Bildthemen, meist Filmplakate, zurück und wurde einer der Wegbereiter einer ital. Variante der Pop Art.

Rotenburg an der Fulda, Stadt im Kr. Hersfeld-Rotenburg, Hessen, 14400 Ew.; war mehrfach Neben- oder Wittumsresidenz der hess. Landgrafen. Die Burg wurde 1570–1607 zum Renaissanceschloß ausgebaut; einschneidende Veränderungen 1789/90. In der spätgot. Jakobikirche, einer zweischiffigen Halle (1495 gew.), sechssäuliger Altartisch (um 1585) aus der 1790 abgebrochenen Schloßkapelle. Renaissancerathaus (1598/1656); zahlreiche Fachwerkhäuser. Das Herrenhaus des Hofguts Ellingerode (1686) ist der prächtigste Fachwerkbau der Gegend.

Rotes Kloster, Deir al-Ahmar, →Deir al-Abyad.

rotfigurige Vasen, antike grch. →Vasen meist attischer Produktion, so benannt nach der Art ihrer Bemalung: Aus den mit dunklem Tonschlicker überzogenen Gefäßen wurden die Figuren ausgespart, so daß sie in der braunroten Farbe des Untergrundes erschienen. Diese Technik begann etwa 530 v. Chr. und endete um 300 v. Chr. mit dem gänzl. Aufhören der attischen Vasenmalerei.

Rotguß, →Bronzekunst.

Roth, 1) Alfred, schweizer. Architekt, *Wangen (Kt. Bern) 21. 5. 1903, nach Studien bei K. Moser und Le Corbusier in Göteborg tätig, seit 1931 in Zürich; 1949 bis 1956 Prof. an der Washington Univ., Saint Louis, und der Harvard Univ., Cambridge (Massachusetts), 1956–71 an der Eidgenöss. TH Zürich; Wohn- und Siedlungsbauten, Ausstellungspavillons, Schulen, Hochschulen (ETH) und Fabriken.

2) auch **Rot,** Di(e)ter, schweizer. Maler, Graphiker, Typograph, Dichter u. a., *Hannover 21. 4. 1930, übersiedelte 1943 in die Schweiz, lebt seit 1957 meist in Reykjavík (Island) oder Düsseldorf (Prof. an der Akad.). R. erschloß immer wieder neue Materialien für künstler. Prozesse (z. B. mit Schimmelpilzbakterien infizierte Lebensmittel), erfindet als Objekt- und Wortkünstler neue Kombinationen von visuellen und verbalen Elementen.

Roth an der Our [-u:r], Gem. in der Eifel, Kr. Bitburg-Prüm, Rheinl.-Pf. Die ehem. Tempelherrenkirche, später Johanniterkirche, entstand um 1200 unter trierisch-lothring. Einfluß als roman. Basilika mit Stützenwechsel; Einwölbung 2. H. 15. Jh.

Rothbach, poln. **Zórawina** [zurav'i:na], Gem. in der poln. Wwschaft Wrocław (Breslau), 8200 Ew., südlich von Breslau, mit Basteiensystem einer Erdbefestigung; Pfarrkirche (14. Jh.), 1597–1602 im Stil des Manierismus umgebaut.

Rothenburg ob der Tauber, Stadt in Mittelfranken, Bayern, 11 900 Ew., ehem. Reichsstadt, gehört mit →Dinkelsbühl und →Nördlingen zu den am besten bewahrten ma. Städten Dtl.s. Die wehrgangbesetzte Stadtmauer (v. a. 14. Jh.) mit 43 Türmen und Toren ist vollständig erh. Das monumentale Rathaus (um 1250 beg.) mit 60 m hohem Giebelturm, Renaissance-Erweiterungsbau (1570–78) und barockem Laubengang (1681) zählt zu den schönsten dt. Rathäusern. Got. Fleisch- und Tanzhaus (Anf. 13. Jh.); Waage mit Herrentrinkstube (1466). Die got. Stadtkirche St. Jakob (um 1310 beg., 1484 gew.) ist eine doppelchörige steile Pfeilerbasilika mit östl. Chorflankentürmen; W-Chor 1453–71 von N. ESELER D. Ä. Sie birgt außer hervorragenden Glasfenstern (14. Jh.) und einer Sakramentsnische mit reichem figürl. Schmuck den Zwölfboten-Hochaltar von 1466 (ein HW der dt. Spätgotik) und den einzigartigen Heiligblutaltar mit durchfensterter Schreinrückseite (1501–05 von T. RIEMENSCHNEIDER, BILD). In das Klingentor einbezogen ist die spätgot. Wolfgangs- oder Schäferkirche (1472–93) mit kostbarer Inneneinrichtung. Die Schmiedgasse (mit dem Baumeister-Haus von 1596 im Renaissancestil) führt nach S zum Heiliggeistspital (1574–78), in dessen Hof das maler. Hegereiterhaus von 1591 steht. Zur ehem. Burg (nur die Blasiuskapelle erh.) führt die Herrengasse mit prächtigen Patrizierhäusern und der got. Franziskanerkirche (1285 beg.); deren flachgedecktes basilikales Rundpfeilerlanghaus wird durch einen Lettner vom gewölbten Chor getrennt. In den repräsentativen Räumen des ehem. Dominikanerinnenklosters das Reichsstadt-Mus. Im Taubergrund liegen **Detwang** (roman. Kirche mit Riemenschneider-Kreuzigungsaltar (um 1505–10), das originelle Toppler-Schlößchen (1386–88) und die spätgot. Kobolzeller Kirche (1472–79).

Rothenkircherhof, →Kirchheimbolanden.

Rothenstein [r'əuθənstaın], Sir (1931) William, engl. Zeichner und Lithograph, *Bradford 29. 1. 1872, †Far Oakridge (Gloucestershire) 14. 2. 1945, Schüler u. a. von A. LEGROS. R. schuf Landschaften sowie dekorative Wandbilder (Houses of Parliament, London) und Porträts.

Rothko [r'ɔθkə], Mark, amerikan. Maler lett. Herkunft, *Dünaburg (Litauen) 25. 9. 1903, †(Selbstmord) New York 25. 2. 1970, kam 1913 in die USA, gehörte in den 1940er Jahren zur surrealistisch beeinflußten, biomorphen Spielart des Abstrakten Expressionismus. Gegen 1950 kam er zu großflächigen Bildern mit ineinander verschwimmenden Farbrechtecken, deren räuml. Vibration und lyr. Farbsensibilität eine mystisch-religiöse Strahlkraft besitzen, so daß sie oft mit Ikonen verglichen wurden. R. leistete damit einen wichtigen Beitrag zur meditativen Richtung des Abstrakten Expressionismus und bereitete die Farbfeldmalerei vor.

D. WALDMAN: M. R. (New York 1978); R. ROSENBLUM: M. R. The Surrealist Years (New York 1981).

Rot|holz, →Brasilholz.

Rotse, Barotse, Volksgruppe am oberen Sambesi in NW-Sambia, etwa 400 000 Menschen. Die R. standen lange Zeit im Einflußbereich der Lunda-, Chokwe- und Luena-Kulturen. Dies zeigt sich deutlich an den Holzfiguren (Masken sind nicht bekannt) sowie an den Gebrauchsgegenständen wie Schüsseln, Löffel u. a., die oft mit fein geschnitzten Tieren und menschl. Figuren verziert sind.

Rottaler, Stephan, Bildhauer, Bildschnitzer, Baumeister(?) in Ingolstadt(?), †Landshut 1533(?), seit 1517 ebd. in herzogl. Dienst, schuf Grabplatten und Epitaphien (meist aus Rotmarmor) für Kirchen in Freising, Landshut und Ingolstadt. Sein Stil verbindet die spätgot. Tradition mit Motiven der Frührenaissance im Ornament; die Figuren zeigen in ihrer Ausgestaltung Zusammenhänge mit der →Donauschule.

Rott am Inn, Gem. im Kr. Rosenheim, Oberbayern, 2800 Ew., mit ehem. Benediktinerkloster (vor 1085 gegr.); Barockkirche von J. M. FISCHER (1759–63), in ihrem Zentrum ein oktogonaler Kuppelraum mit emporengesäumten Diagonalkapellen; erlesene Dekorationen von den besten Künstlern der Zeit, u. a. von I. GÜNTHER (Plastiken, Altäre), M. GÜNTHER (Fresken, Altarbilder), F. X. FEUCHTMAYER (Stuck).

Rottenbuch, Gem. im Kr. Weilheim-Schongau, Oberbayern, 1600 Ew. Die Kirche des ehemaligen Augustiner-Chorherrenstiftes (1073 gegr.) ist ein hervorragend gelungenes, prachtvolles Beispiel einer barockisierten ma. Basilika; Umgestaltung 1737–45 durch JOHANN SCHMUZER, Stuck von seinem Sohn F. X. SCHMUZER, Fresken von M. GÜNTHER, Plastik (Hochaltar, Kanzel, Orgelbühne usw.) von F. X. SCHMÄDL (*1705, †1777).

900 Jahre R., ein Beitrag zur Gesch. u. Kunst von Stift u. Gemeinde, hg. v. H. PÖRNBACHER (1974).

Rottenburg am Neckar, Stadt im Kr. Tübingen, Bad.-Württ., 31 000 Ew.; 1381–1806 Verwaltungssitz der vorderösterr. Gfsch. Hohenberg, Bischofssitz seit 1821. Dom St. Martin (14. Jh.) mit durchbrochenem Turmhelm (1486), davor der Marktbrunnen (1470); got. Morizkirche (14. Jh.) mit wertvollen Malereien an den Rundpfeilern, in Mittelschiff und Chor. Das ehem. Jesuitenkolleg (Mitte 17. Jh.) war 1828–1967 bischöfl. Palais. Barockrathaus (1730/35); Diözesan-Mus. (ma. Tafelmalerei, Holzplastiken, Reliquiare). Barocke Wallfahrtskapelle **Maria Weggental** (1682–95 im Vorarlberger System erbaut) mit ausgezeichnetem Stuck.

Rottenhammer, Hans, Maler, *München 1564, †Augsburg 14. 8. 1625, bildete sich (seit 1588) an den

Werken von TINTORETTO und PAOLO VERONESE in Venedig und P. BRIL und J. BRUEGEL D. Ä. in Rom. Von Augsburg aus arbeitete R. u. a. für den kaiserl. Hof in Prag. – Ausgehend vom manierist. Zeitstil, malte R. auf Kupfer v. a. kleine relig., mytholog. und allegor. Szenen vor weitem Landschaftshintergrund – Vorbild für seinen Schüler A. ELSHEIMER –, ferner große Altartafeln für Augsburg (St. Ulrich und Afra, St. Stephan) und Donaueschingen sowie Fresken für das Augsburger Rathaus von E. HOLL und das Bückeburger Schloß (1609–13).

HW: Ecce homo (1597; Kassel, Staatl. Kunstsamml.); Ruhe auf der Flucht (1597; Schwerin, Staatl. Kunstsammlungen, Landschaftshintergrund von J. BRUEGEL D. Ä.); Das Jüngste Gericht (1598; München, Alte Pinakothek); Das Göttermahl (1600; Leningrad, Eremitage); Diana und Aktäon (1602; München, Alte Pinakothek); Venus und Amor (1605; ebd.); Hochzeit von Kana (1616; ebd.).

Rottenmann, Stadt in der Obersteiermark, Österreich, 5900 Ew. Spätgot. Pfarrkirche (1440–78), eine dreischiffige Halle mit Fresken (1509) in den Chorgewölben, Marmorkanzel und -taufstein (1513), Altarbilder von M. J. SCHMIDT; der reichgeschnitzte spätgot. Betstuhl Kaiser Friedrichs III. wurde aus der got. Spitalskirche (1446–51) in die Pfarrkirche übertragen. In **St. Georgen** bei R., auch **Alt-R.,** roman. Kirche (1042 erwähnt) mit wertvollem Flügelaltar (um 1520–25).

Rotterdam, zweitgrößte Stadt der Niederlande, 614800 Ew., im Rheindelta, Prov. Südholland. Die Innenstadt wurde 1940 fast vollständig zerstört und nach dem 2. Weltkrieg modern wiederaufgebaut. Erh. blieb der Turm (1448–60 und 1547–55) der St. Laurentiuskirche (Grote Kerk); die Kirche, eine spätgot. kreuzförmige Basilika, wurde rekonstruiert; im Innern einige Grabmäler (2. H. 17. Jh.), Bronzetür von G. MANZÙ. Weitere erh. Bauten sind das monumentale Rathaus (1914–20) im niederländ. Renaissancestil und die Fabrik van Nelle von J. A. BRINKMAN und L. C. VAN DER VLUGT (1926–30). Das Bronzestandbild des Erasmus von R. schuf H. DE KEYSER (1621). Vor dem Kaufhaus ›De Bijenkorf‹ steht die 20 m hohe ›Konstruktion‹ von N. GABO (1957). O. ZADKINE schuf 1953 das Mahnmal ›Die zerstörte Stadt‹. Mus. →Boymans-van Beuningen; Mus. für Länder- und Völkerkunde.

Rottmann, Carl Anton Joseph, Maler, *Handschuhsheim bei Heidelberg 11. 1. 1797, †München 7. 7. 1850, zeigte anfangs in maler. Landschaftsaquarellen und Ölstudien den Einfluß von G. A. WALLIS. Unter dem Eindruck von Werken J. A. KOCHS in München (ebd. seit 1821) festigte sich sein Stil im Sinn der klassisch-heroischen Landschaft, doch verband sein Werk die klassizist. Komposition mit atmosphär. Lichtbehandlung. Nach 2 Italienreisen (1826/27 und 1828/29) schuf R. im Auftrag LUDWIGS I. 28 Fresken mit ital. Landschaften in den Münchner Hofgartenarkaden (im 2. Weltkrieg zum großen Teil zerstört, die erhaltenen im Münchner Residenzmus.), nach einer Griechenlandreise (1834/35) 23 grch. Landschaften in enkaust. Technik auf Schieferplatten (1838–50; München, Neue Pinakothek). Seine späten Landschaften sind von weiträumigem, tekton. Bildaufbau und delikater Koloristik bestimmt.

ERIKA BIERHAUS-RÖDIGER: C. R. (1979).

Rottmayr, Johann Michael Frhr. **R. von Rosenbrunn** (1704), getauft Laufen an der Salzach 11. 12. 1654, †Wien 25. 10. 1730, gebildet an der Kunst C. LOTHS in Venedig (1675–87), ging über Laufen und Salzburg (1690–95) nach Wien und wurde hier 1696 kaiserl. Hofmaler. – Seine hellfarbigen Fresken stimmen die illusionist. Bildkomposition (perspektiv. Verkürzung der Figuren), Lichtführung und Farbverteilung einheitlich auf die Architektur ab. Ihr Stil an der Wende vom Spätbarock zum Rokoko bestimmt die Monumentalmalerei bis zum Klassizismus. – Die Tafelbilder R.s zeigen die Kenntnis der Kunst von P. P. RUBENS.

HW: Fresken: St. Matthias in Breslau (1699–1706); Residenz in Salzburg (1710–11); Schloß Weißenstein/Pommersfelden, Sala terrena und Stiegenhaus (1716–18); Stiftskirche in Melk (1716–22); Klosterneuburg, Stifts- und Pfarrkirche (1725–29); Karlskirche in Wien (1726–30).

E. HUBALA: J. M. R. (1981).

Rottneros [rɔtnər'u:s], Herrensitz in der Gem. Sunne im südschwed. Värmland; Hauptgebäude nach Brand 1929 neugebaut, ›Kavaliersflügel‹ erh. (2. H. 19. Jh. erneuert). Im Park große Skulpturen-Samml.

Rottweil, Stadt am oberen Neckar, Bad.-Württ., 23700 Ew.; ehem. Reichsstadt, 1463–1802 ›zugewandter Ort‹ der Schweiz. Altstadtbild im ›Zähringer Schema‹ (ähnlich Freiburg und Villingen); zahlreiche traufseitige Bürgerhäuser (16.–18. Jh.) mit mehrstöckigen Erkern. Schönstes Bauwerk ist der 70 m hohe got. Turm (um 1330/1473) der Kapellenkirche mit bed. Skulpturenschmuck (v. a. W-Portal). In der ehem. Dominikanerkirche (1268, 1753 Umbau), jetzt evang. Stadtpfarrkirche, gute Rokokoausstattung. Spätgotisch sind das Heiligkreuzmünster (Chor um 1400, Langhaus mit Sterngewölben 1497–1517), die Lorenzkapelle (1579, darin Samml. oberschwäb. Plastik) und das Rathaus (1521 mit prachtvoller Holzdecke im Ratssaal). Südlich von R. das ehem. Zisterzienserinnen-Reichsstift **Rottenmünster** (1221 gegr.) mit Barockkirche von M. BEER (1662–64) und kräftigen Akanthus-Stukkaturen der Wessobrunner Schule.

Rotụnde [ital.], Zentralbau mit kreisförmigem Grundriß, alleinstehend oder auch innerhalb eines Baukomplexes. Die R. erscheint als Kapelle, Taufkirche oder auch als Hauptkirche bes. in der ravennat. Baukunst und in der Renaissance.

Rouault [ru'o], Georges, frz. Maler, Graphiker, *Paris 27. 5. 1871, †ebd. 13. 2. 1958, war bei einem Glasmaler in der Lehre und seit 1891 Schüler von G. MOREAU. Nach anfänglich noch akadem. Bildern, in denen er bereits relig. Stoffe bevorzugte, fand er bald seinen eigenen Stil, dessen leuchtende Farbflächen und schwarze Konturen an alte Glasmalereien erinnern. R. gehört zu den Hauptvertretern des Expressionismus in Frankreich. Er wollte in seiner Kunst v. a. soziales und christl. Erleben zum Ausdruck bringen. So suchte er in

Georges Rouault: Clown; 1935 (Lausanne, Privatsammlung)

Darstellungen von Dirnen, Clowns, Bauern und Arbeitern Sinnbilder des Menschen seiner Zeit, in relig. Bildern Christi Passion zu gestalten. R. schuf auch Glasfenster (Kirche in Assy, 1948), graph. Folgen (›Miserere‹, 57 Blatt, voll. 1927, erschienen 1948; unter dem Eindruck des 1. Weltkrieges entstanden) sowie Illustrationen (u. a. zu C. BAUDELAIRE), Dekorationen und Kostümentwürfe für S. DIAGHILEW (1929).

G. R., Ausst.-Kat., München (1974); P. COURTHION: G. R. (a. d. Frz., 1980); W. GEORGE u. GENEVIÈVE NOUAILLE: R. und seine Welt (a. d. Frz., 1981); G. R., Ausst.-Kat., Köln (1983).

Roubiliac [rubilj'ak], Louis François, engl. Bildhauer frz. Herkunft, *Lyon zw. 1702 und 1705, †London 11. 1. 1762, Schüler von B. PERMOSER, bei einem Italienaufenthalt (1752) von G. L. BERNINI beeinflußt. Porträtbildhauer des späten Barock (z. B. Händeldenkmal, 1761; Westminster Abbey, London).

Roudnice nad Labem [r'ɔudnitsɛ n'adlabɛm], Stadt in der ČSSR, →Raudnitz an der Elbe.

Rouen [ru'ã], Hauptstadt des frz. Dép. Seine-Maritime, an der Seine, 118300 Ew.; kath. Erzbischofssitz; kultureller Mittelpunkt der Normandie. Trotz starker Zerstörungen im 2. Weltkrieg hat R. sein maler. Stadtbild mit vielen Baudenkmälern (z. T. wiederaufgebaut) bewahrt. Die Kathedrale (im 13. Jh. beg., 1530 voll.) ist eine dreischiffige Basilika mit dreischiffigem Querhaus und Chor, Krypta aus dem 11. Jh., Fassade im Flamboyant-Stil (reich mit Portalstatuen und Reliefzyklen geschmückt), von 2 versch. Türmen (Tour St. Romain, 12. Jh., Tour de Beurre, 15./16. Jh.) flankiert; im Inneren prächtige Renaissancegrabmäler und Glasfenster des 13.–15. Jh. Die ehem. Benediktinerabteikirche St. Ouen (14./15. Jh.) besitzt einen Vierungsturm im Flamboyant-Stil und Glasfensterzyklen. In den ehem. Klostergebäuden ist heute das Rathaus (18. Jh.) untergebracht. Die Kirche St. Maclou (1437, gew. 1521) entstand in üppigem Flamboyant-Stil und besitzt eine po-

Rouen: Gotische Rosette über der 'Buchhändlerpforte an der Kathedrale

lygonale Vorhalle. Bed. Profanbauten sind der Justizpalast (1508/09; früher Sitz des Parlaments der Normandie) sowie das Hôtel de Bourgtheroulde (1501–37, mit Innenhof und Reliefs). Dem Uhrturm (Grosse-Horloge) vom Ende des 14. Jh. wurde 1527 ein die Straße überquerender Torbogen hinzugefügt. Das Mus. de Secq des Tournelles bewahrt Kunsthandwerk aller Epochen. Das Mus. des Beaux-Arts ist eines der reichhaltigsten Frankreichs (span., ital., frz. Malerei und Skulptur) mit einer hervorragenden Keramiksamml. Im Mus. des Antiquités u. a. archäolog. Sammlungen. – Seit dem 16. Jh. wurde in R. Fayence, u. a. Fliesen und Albarelli, hergestellt. Ende des 17. Jh. Dekorationen im für R. typ. ›Style Rayonnant‹ in monochromer Blaumalerei.

Rouffach [ruf'ak], frz. für →Rufach.

Roulet [rul'ɛ], Henry, schweizer. Maler, *Genf 10. 3. 1915. Seine Bilder (belebte Interieurs und Landschaften, Jahrmarkt- und Zirkusmotive) zeichnen sich durch fein abgestufte, tonige Farbigkeit aus. Sein Schaffen knüpft an das Werk von R. Auberjonois an.

Roulette [ru-, frz.], Werkzeug des Radierers bei den graph. Techniken der →Kreide-Manier und der →Punktier-Manier. An den Griff der R. ist ein gezähntes Rädchen oder eine kleine stachelbesetzte Walze montiert; diese dienen zum Aufrauhen oder Punktieren der mit Ätzgrund überzogenen Druckplatte. Die damit erzeugten kleinen Löcher auf der Platte geben dem Abzug einen satten dunklen Ton. (→Mattoir)

Rousham House [r'əuzəm haus], Landhaus (1635 erbaut) nördlich von Oxford, Mittelengland, 1738–40 von W. Kent im Stil einer Burganlage des späten MA. umgestaltet, inmitten eines ausgedehnten Landschaftsgartens, der die Heyford Bridge des 13. Jh. einbezieht und mit Gartenbauten wie dem klassizist. ›Temple of Echo‹ von W. Townsend (1739) und dem ›Pyramid House‹ von Kent ausgestattet ist.

Rousseau [rus'o], **1)** Henri, gen. **le Douanier** [lədwanj'e, ›Der Zöllner‹], frz. Maler, *Laval (Mayenne) 20. oder 21. 5. 1844, †Paris 2. oder 4. 9. 1910, Beamter beim Pariser Stadtzoll, begann um 1880 als Autodidakt

Henri Rousseau: Urwaldlandschaft mit untergehender Sonne; 1909 (Basel, Kunstmuseum)

in der naiv-realist. Art der ›Sonntagsmaler‹ zu malen, stellte 1885 zum erstenmal aus und ließ sich 1886 pensionieren, um sich ganz der Malerei zu widmen. Seine in ihren Formen sehr vereinfachten Landschaften, Porträts und Volksszenen, deren liebevolle Wiedergabe aller Einzelheiten sich bes. in den Urwaldbildern mit der Vorstellungswelt der Märchen und Träume mischt, sind von eindringl., oft poet. Wirkung. R. übte einen nicht zu übersehenden Einfluß auf die moderne Malerei aus. (→Naive Malerei)

HW: Der Krieg (1894; Musée d'Orsay, Paris); Schlafende Zigeunerin (1897; New York, Mus. of Modern Art); Affen im Urwald (1907; ebd., Metropolitan Mus.); Schlangenbeschwörerin (1907; Musée d'Orsay, Paris); Muse und Dichter (1909; Basel, Kunstmus.); Urwaldlandschaft mit untergehender Sonne (1909; ebd.).

LISE BIHALJI-MERIN: Leben und Werk des Malers H. R. (a. d. Frz., Dresden 1971); DORA VALLIER: H. R. (a.d. Frz., 1981).

2) Théodore, frz. Maler, *Paris 15. 4. 1812, †Barbizon 22. 12. 1867, überwand unter dem Eindruck der holländ. Landschaftsmaler des 17. Jh. (J. RUISDAEL, M. HOBBEMA) die kulissenhafte klassizist. Landschaftsdarstellung. Nachdem er auf vielen Reisen in Frankreich heimatl. Landschaften gemalt hatte, bes. im Wald von Fontainebleau, ließ er sich 1847 in →Barbizon nieder, wo er ein Hauptvertreter des ›Paysage intime‹ wurde. In seinen Bildern verbindet sich eindringl. Beobachtung der Landschaft mit dem feierl. Ernst seines Naturempfindens, das Stimmungen der Natur nicht mehr im romant. Sinn, sondern als wirklichkeitsgetreue Erfassung wiederzugeben trachtete. – HW im Louvre.

Roussel [rus'ɛl], **1)** Ker-Xavier, frz. Maler, Graphiker, *Lorry-lès-Metz 10. 12. 1867, †L'Étang-la-Ville (Yvelines) 5. 6. 1944, gehörte zu den Nabis. Er malte v.a. Landschaften mit mytholog. Motiven in lichten

Farben und schuf 1936 Wandmalereien im Völkerbundspalast in Genf; außerdem graph. Werke.

2) Pierre, frz. Kunsttischler, *Paris 1723, †ebd. 7. 6. 1782. Seine Möbel, in der Frühzeit noch dem Louisquinze angehörend, sind mit Lackarbeiten, Marketerien (→Intarsia) und Mosaiken verziert.

Rovigo, nordital. Stadt und Bischofssitz in Venetien, zw. Etsch und Po gelegen, 52300 Ew. Bedeutendster Profanbau ist der Palazzo Roncale von M. SANMICHELI (1555); im Palazzo dell'Accademia dei Concordi (1814) Bibliothek und reiche Pinakothek (v. a. venezian. Malerei des 15.–18. Jh.). Dom (Neubau seit 1696); Wallfahrtskirche Chiesa della Beata Vergine del Soccorso (1594 beg.; mit großformatigen Gemälden venezian. Meister des 17. und 18. Jh.).

Rovinj, Stadt in Kroatien, Jugoslawien, im W der Halbinsel Istrien, 8900 Ew.; roman. Dreifaltigkeitskirche auf siebeneckigem Grundriß aus dem 13. Jh.; Kirche St. Eufenia, 1736 auf Fundamenten einer älteren Kirche erbaut, ein barocker dreischiffiger Bau (got. Relief in der S-Wand); mehrere Renaissance- und Barockpaläste.

Rowlandson [r'əulәndsәn], Thomas, engl. Karikaturist, *London 14. 7. 1756, †ebd. 22. 4. 1827, begann als Maler, spezialisierte sich bald auf meist in hellen Wasserfarben ausgeführte Karikaturen gesellschaftl. und polit. Art, doch ohne die satir. Schärfe W. HOGARTHS; Buchillustrationen zu L. STERNE, T. SMOLLETT, H. FIELDING und O. GOLDSMITH.

Roy [rwa], Pierre, frz. Maler, Graphiker, *Nantes 10. 8. 1880, †Mailand 26. 9. 1950; anfangs beeinflußt von den Fauves, wandte er sich seit den 1920er Jahren den Surrealisten zu. Seine Bilder zeigen ungewöhnl., z. T. schockierende Zusammenstellungen von Gegenständen, in deren Gestaltung R. Elemente der Trompe-l'œil-Malerei einbezieht. Er schuf auch Illustrationen (u. a. für J. SUPERVIELLE).

Royal Academy, R. A. of Arts in London [r'ɔɪәl әk'ædәmɪ ɔv ɑ: ts ɪn l'ʌndәn], 1768 von König GEORG II. gegr. königl. Akademie der Künste in England; Sitz: London. Die Mitgliedschaft ist auf 40 Maler, Bildhauer und Architekten beschränkt. Seit 1769 werden jährlich Sommer- und seit 1870 auch Winterausstellungen veranstaltet.

Roymerswaele [r'ɔɪmәrswa: lә], **Reymerswaele,** Marinus van, niederländ. Maler, *Reymerswael (Seeland) um 1495, †nach 1567, lernte 1506–09 in Antwerpen, war in Middelburg tätig, malte, von Q. MASSYS ausgehend, Interieurbilder mit Halbfiguren unter Betonung sittenbildl. und stillebenhafter Züge, oft in karikierender Auffassung.

Rubens [fläm. r'y-], Peter Paul, fläm. Maler, *Siegen (Nassau, heute Westfalen) 28. 6. 1577, †Antwerpen 30. 5. 1640, Sohn eines Antwerpener Juristen, der als Reformierter nach Dtl. geflohen war (†1587), erhielt seine erste Ausbildung in Köln und wurde, als die Mutter 1589 nach Antwerpen zurückgekehrt war, humani-

Peter Paul Rubens: Porträt seines Sohnes Nikolaus; farbige Kreidezeichnung; um 1619 (Wien, Albertina)

stisch und katholisch erzogen. Seine Lehrer in der Malerei waren A. VAN NOORT, T. VERHAEGT und v.a. der Romanist O. VAN VEEN. 1600 ging R. nach Italien. Er wurde Hofmaler des Herzogs VINCENZO GONZAGA in Mantua, der ihn mit Aufträgen in Rom und in Spanien betraute. Danach arbeitete er in Rom und Genua. 1608 war R. wieder in Antwerpen, wo er 1609 heiratete, Hofmaler des Erzherzogs ALBERT wurde und seine Werkstatt gründete. Hier baute er ein Palais im Stil der ital. Spätrenaissance (heute Gedenkstätte). R. war auch am frz., engl. und span. Hof tätig und mehrmals als Diplomat auf Reisen. Nach dem Tod seiner ersten Frau ISABELLA BRANT (†1626) heiratete er 1630 die 16jährige HELENE FOURMENT. Seit 1635 lebte er auf seinem Landschlößchen Steen bei Antwerpen. Sein Grab befindet sich in einer eigenen Kapelle in der Jakobskirche in Antwerpen.

Werk. R. malte relig., geschichtl., mytholog., allegor. Bilder, auch Porträts und Landschaften. Unerschöpflich war der Reichtum seiner Erfindung, die aus fläm., ital. und antiken Anregungen und Motiven eine neue Bildwelt erstehen ließ und sowohl relig. als auch weltl. Themen mit leidenschaftl. Leben erfüllte. Aus seiner Werkstatt gingen etwa 3000 Gemälde hervor, von denen etwa 600 von ihm selbst gemalt oder überarbeitet worden sind. Seine Rötel-Kreide- oder Tuschzeichnungen und Ölskizzen zeigen sein spontanes und dynam. Genie. Entscheidend für seine Kunst war der Aufenthalt in Italien, wo er die Malerei des röm. Frühbarocks (CARAVAGGIO, CARRACCI) und der Renaissance (TIZIAN, LEONARDO DA VINCI, MICHELANGELO u.a.), auch antike Bildwerke studierte und seine ersten Altarwerke (für Kirchen in Mantua, Rom, Genua) und Porträts malte. – Nach der Rückkehr in die Heimat begann sich aus der Fülle der ital. Eindrücke sein persönl. Stil zu entfalten. In seiner Werkstatt beschäftigte er viele Gehilfen und Schüler (1616/1617–20 A. VAN DYCK), auch selbständige Meister, die in seinen Bildern Tiere, Stilleben, Landschaften malten (F. SNYDERS, J. BRUEGEL D.Ä., J. WILDENS u.a.).

Zu den nach seiner Heimkehr entstandenen HW gehören die großen Aufträge für Kirchen und öffentl. Gebäude in Antwerpen, Brüssel und Mecheln wie ›Anbetung der Könige‹ (um 1609/10, Madrid, Prado), Kreuzaufrichtungsaltar (1610/11, Antwerpen, Kathedrale), Kreuzabnahmealtar (1612–14, ebd.), ›Wunderbarer Fischzug‹ (1618–20, Mecheln, Liebfrauenkirche), ›Anbetung der Könige‹ (1618–20, Antwerpen Koninklijk Mus. voor Schoone Kunsten). Für Kurfürst MAXIMILIAN VON BAYERN führte R. u. a. Jagdbilder (München, Alte Pinakothek) und für Genueser Patrizier 1617 den Gemäldezyklus ›Geschichte des Konsuls Decius Mus‹ (Vaduz, Samml. Fürst Liechtenstein; unter Mitwirkung von van Dyck als Vorlage für Wandteppiche geschaffen) aus. 1619/20 arbeitete R. an der Ausstattung der Antwerpener Jesuitenkirche (2 Altartafeln, Wien, Kunsthistor. Mus.; 39 Deckenbilder, 1718 verbrannt). Hauptauftrag der 1620er Jahre war der 21 Gemälde umfassende Zyklus der ›Geschichte der Maria de' Medici‹ (1622/25, Louvre; Skizzen in München, Alte Pinakothek), ein Höhepunkt politisch-histor. Allegorie.

In seinem letzten Lebensjahrzehnt führte R. noch einige Großaufträge aus, wie die Deckengemälde in Whitehall (London, um 1631), den dreiflügeligen Ildefonso-Altar (1630/32, Wien, Kunsthistor. Mus.), die

Peter Paul Rubens: Das Pelzchen; 1636–39 (Wien, Kunsthistor. Museum)

Entwürfe zu den Festdekorationen für den Einzug Erzherzog FERDINANDS in Antwerpen (1635; Skizzen zu den 10 Hauptwänden z. T. erh. in Leningrad, Eremitage, Wien, Kunsthistor. Mus., Dresden, Gemäldegal.) und die Ausstattung des Jagdschlosses Torre de la Parada bei Madrid (1636–38; heute u. a. in Madrid, Prado, Brüssel, Musées Royaux des Beaux-Arts). Das Schaffen der 1630er Jahre wird jedoch bestimmt von intimen Themen wie Familienporträts und Landschaftsbildern. Der Farbauftrag ist flüssig und zunehmend dünner mit häufig sprühender Lichtführung. Die Bilder vermitteln den Eindruck großer Spontaneität. HW dieser Zeit sind: Liebesgarten (Madrid, Prado), Andromeda (Berlin-West, Staatl. Museen), Helene Fourment mit ihren Kindern (Louvre), Flämische Kirmes (ebd.), Landschaft mit Schloß Steen (London, Nat. Gal.), Das Pelzchen (Wien, Kunsthistor. Mus.). Der Einfluß seiner Kunst wirkte sich in ganz Europa aus, auch durch graph. Wiedergaben, die von ihm selbst geschulte Stecher und Holzschneider schufen (→Rubensstecher). Seine architekton. Studien veröffentlichte er in seinem Werk über die Paläste in Genua: ›Palazzi di Genova‹, 2 Bde. (1622, Nachdruck 1969). BILD Barock

Corpus Rubenianum, hg. v. L. BURCHARD (Brüssel 1968 ff., bisher 26 Bde.); R. Handzeichnungen, hg. v. MARIANNE BERNHARD (1977); R. LIESS: Die Kunst des R. (1977); H. MIELKE u. M. WIMMER: P. P. R., Krit. Kat. der Zeichnungen... (1977); R. BAUDOUIN: P. P. R. (a. d. Niederländ., 1978); H. KAUFFMANN: P. P. R. (²1978); P. P. R. 1577 bis 1640, Ausst.-Kat., Köln u. a., 2 Bde. (1978); J. HELD: The oil sketches of P. P. R., 2 Bde. (Princeton, New Jersey, 1980); P. P. R. Werk und Nachruhm, hg. v. Zentralinstitut für Kunstgesch. München (1981).

Rubens|stecher, Bez. für die in der Werkstatt von P. P. RUBENS in Antwerpen tätigen Künstler, die unter dessen Anleitung seine Gemälde auf Kupferstiche und Holzschnitte übertrugen. Rubens war, wie TIZIAN und RAFFAEL, schon frühzeitig (seit etwa 1608) bemüht, seine Kompositionen als Reproduktionsgraphiken zu verbreiten. Unter den Kupferstechern sind L. VORSTERMAN, P. PONTIUS, die Brüder GALLE und S. VAN BOLSWERT hervorzuheben; der im 17. Jh. nahezu vergessene Holzschnitt erlebte durch C. JEGHER eine neue Blüte. Nur knapp 100 Blätter sind in Rubens' Auftrag und unter dessen Aufsicht entstanden (15 von ihnen tragen persönl. Widmungen des Künstlers).

Rubinglas, als →Anlaufglas (seit dem 17. Jh.) oder als →Überfangglas (bes. im Biedermeier) hergestelltes Farbglas. Man unterscheidet Gold-R. (rot), Kupfer-R. (rot), Silber-R. (gelb), Selen-R. (gelb, gelbrot bis tiefrot, je nach Wärmebehandlung). Im 19. Jh. kamen R. v. a. aus Böhmen und Schlesien.

Rubljow, Rublev, Andrej, russ. Maler, *zw. 1360 und 1370, †Moskau 1427 (1430?), lebte als Mönch zunächst in der Troize-Sergijewa-Lawra in Sagorsk, später in Moskau im Andronikow-Kloster, wo er auch begraben ist (seit 1960 R.-Mus.). Sein Schaffen, in dem sich ein vergeistigter Andachtstil mit Elementen eines frühen Realismus vereinigt, gilt als Höhepunkt der altruss. Malerei. In ihm wirken spätbyzantin. Stil und russ. Empfinden zusammen. 1405 malte er mit THEOPHANES

DEM GRIECHEN und PROCHOR D. Ä. die Ikonostase der Verkündigungskathedrale im Moskauer Kreml, 1408 mit DANIIL TSCHORNYJ die Ikonostase der Uspenskij-Kathedrale in Wladimir. Als HW gelten die Wandmalereien ›Jüngstes Gericht‹ in der Uspenskij-Kathedrale in Wladimir (1408). Ausgangspunkt für die Kenntnis seines Stils ist die Ikone ›Dreifaltigkeit‹, die er vermutlich 1411 (1422?) für die Dreifaltigkeitskirche der Troize-Sergijewa-Lawra malte (Moskau, Tretjakow-Gal.). Auch Buchmalereien werden mit R. in Verbindung gebracht, bes. einige Miniaturen des Chitrowo-Evangeliars (1408, Moskau, Lenin-Bibl.). BILD Ikone

JULIA A. LEBEDEVA: A. R. und seine Zeitgenossen (a.d. Russ., 1962); V. N. LAZAREV: A. R. und seine Schule (Moskau 1966); V. A. PLUGIN: A. R. (ebd. 1974).

Rückriem, Ulrich, Bildhauer, *Düsseldorf 30. 9. 1938, zunächst Steinmetz an der Kölner Dombauhütte, wurde 1975 Prof. an der Akad. in Hamburg. R. schuf Skulpturen aus Stein, Holz und Stahl. Das Material wird nicht überformt, sondern in seiner eigenen Gesetzlichkeit freigelegt. Seine Werke werden der Prozeßkunst und Minimal Art zugerechnet.

Rude [ryd], François, frz. Bildhauer, *Dijon 4. 1. 1784, †Paris 3. 11. 1855, überwand durch eingehende Naturstudien den Klassizismus zugunsten lebhaft bewegter, heroischer Formen. R. schuf Büsten, Statuen (meist Louvre und Musée d'Orsay) und Denkmäler (Standbild von Marschall Ney, 1852/53, Paris). Mit seinem pathetisch-bewegten Relief ›La Marseillaise‹ (1832–36) am Arc de Triomphe de l'Étoile in Paris wurde er zum Bahnbrecher des Neubarock. Sein Schüler war J.-B. CARPEAUX.

Rüdesheim, Stadt am rechten Rheinufer im Rheingau, Hessen, 10300 Ew., mit mehreren Burgen: die wuchtige Nieder- oder Brömserburg (12. Jh.), die Ober- oder Boosenburg und die Vorderburg (jeweils nur der roman. Bergfried erh.). Der spätgot. Adlerturm (2. H. 15. Jh.) ist ein Rest der Ortsbefestigung. Die Jakobskirche (um 1390/1400) besitzt einen roman. Turm (12. Jh.) mit Barockhaube (1766). Einer der stattlichsten Adelshöfe am Mittellauf des Rheins ist der Brömserhof (16./17. Jh.). Rheinabwärts die Burgruine **Ehrenfels** (13./15. Jh.). Über R. das →Niederwalddenkmal.

Rudolph [r'u:dɔlf], Paul Marvin, amerikan. Architekt, *Elkton (Kentucky) 23. 10. 1918, studierte bei W. GROPIUS an der Harvard Univ.; ausgehend vom Brutalismus entwickelte R. einen sehr persönl. Stil.

HW: Kulturzentrum des Wellesley College, Massachusetts (1955 bis 1959); High School in Sarasota, Florida (1957); Studentenwohnungen der Yale Univ. in New Haven und die Kunst- und Architekturschule ebd. (1965).

Rudolstadt, Stadt an der Saale im Bez. Gera, Dt. Dem. Rep., 31700 Ew.; 1697–1918 Hauptstadt des Fstt. Schwarzburg-R. Über R. Schloß Heidecksburg (beg. 1737 an der Stelle älterer Anlagen) mit prächtiger Rokoko-Ausstattung (Mus., u. a. Gemäldegal. 17. bis 20. Jh., got. sakrale Plastik). In der Stadt das barocke Schloß Ludwigsburg (1734); Stadtkirche, eine im Kern spätgot. Hallenkirche der Spätrenaissance (1634–36), mit Grabmälern des 16./17. Jh.; Altes Rathaus (1524, barock umgebaut); einige Bürgerhäuser der Renaissance erhalten.

Rudra [Skt.], der vedische Name des ind. Gottes Shiva, in der hinduist. Kunst in seiner zürnenden Erscheinung mit rollenden Augen, aufgerissenem Rachen, abstehenden Haaren und Ohrringen aus Schlangen dargestellt. Zu seinen Attributen zählen Trishula und die Doppeltrommel.

Rudy, poln. Name für →Groß Rauden.

Rueda [rʊ'eða], ehem. Zisterzienserkloster am linken Ufer des Ebro, rd. 60 km südöstlich der span. Stadt Saragossa gelegen, bestehend aus der dreischiffigen Klosterkirche (1202 beg.) mit flach abschließendem Chor, zweistöckigem Kreuzgang (mit Zwillingsfenstern verzierte Arkaden), Kapitelsaal (2. H. 13. Jh., mit Kreuzrippengewölbe), Refektorium (mit Kanzeltreppe) und Abtei im Desornamentado-Stil (1610).

Ruef [ru:f], **Hugo R.,** Kunstauktionshaus in München, gegr. 1844. In jährl. Frühjahrs-, Sommer- und Herbstauktionen kommen Möbel, Gemälde, Skulpturen, Kunsthandwerk, Volkskunst, Teppiche und Asiatica zur Versteigerung.

Ruelas, Juan de las, span. Maler, →Roelas.

Ruf, Sep, Architekt, *München 9. 3. 1908, †ebd. 29. 7. 1982, schuf klare Bauten, die dem →Funktionalismus zuzuordnen sind.

HW: Rekonstruktion der Maxburg, München (1956, mit T. PABST); Dt. Pavillons zur Weltausstellung Brüssel (1958, mit E. EIERMANN); Kanzlerbungalow Bonn (1964).

Rufach, frz. **Rouffach** [ruf'ak], Stadt (5100 Ew.) im Oberelsaß, mit einem der bedeutendsten Bauwerke des Elsaß, der frühgot. Liebfrauenkirche (dreischiffige Basilika mit Querhaus des 11. Jh.; Langhaus des 13. Jh.; W-Bau des 13./14. Jh. nach Vorbild des Straßburger Münsters; 1323 gew.). Franziskanerkirche (dreischiffige flachgedeckte Basilika des 13.–15. Jh.); Altes Rathaus (16.–17. Jh.) überragt vom Hexenturm (13. bis 15. Jh.); ehem. Deutschordenskomturei (16./17. Jh.); Bürgerhäuser des 14.–18. Jh.

Ruffo, Marco, auch **Frjasin,** Mark, ital.-russ. Baumeister des 15./16. Jh., von IWAN III. nach Moskau berufen, war am Bau der Kremlbefestigung beteiligt und errichtete mit P. A. SOLARI 1487–91 den Facettenpalast (Granowitaja Palata) im Kreml.

Rugendas, Künstlerfamilie tätig bes. in Augsburg. **1)** Georg Philipp, Maler, Radierer, *Augsburg 27. 11. 1666, †ebd. 9. 5. 1752, lebte in Wien, Italien (1692 Venedig), seit 1695 in Augsburg (seit 1710 ebd. Direktor der Akad.). R. malte und radierte v. a. Schlachten- und Soldatenbilder (Einfluß von P. WOUWERMAN).

2) Johann Moritz, Maler, Lithograph, *Augsburg 29. 3. 1802, †Weilheim an der Teck 29. 5. 1858, lernte in München bei L. QUAGLIO und A. ADAM; bekannt durch seine Reisestudien aus Südamerika (1821–25, 1831 bis 1847).

Rügener Kreide, Maltechnik: →Kreide.

Rügenwalde, poln. **Darłowo,** Stadt in der poln. Wwschaft Koszalin (Köslin), Pommern, 13000 Ew., mit z. T. erh. Stadtmauer aus dem 14. Jh.; got. Burg der Herzöge von Pommern (14. Jh.; 16.–17. Jh. umgebaut), heute Mus.; Pfarrkirche (14.–16. Jh.) mit Sarkophagen der Herzöge; Friedhofskapelle der Hl. Gertrud, ein Zentralbau mit zwölfeckigem Chorumgang (15. Jh.). Am Marktplatz barockes Rathaus (1725) und Häuser (17.–19. Jh.).

Rühn, Gem. im Kr. Bützow, an der Warnow, Dt. Dem. Rep., mit ehem. Zisterzienserinnenkloster; in der frühgot. Klosterkirche (Mitte 13. Jh.) Flügelaltar (1578) mit wertvollen Gemälden der fläm. Malerschule, reich ausgestattete Fürstenloge (um 1600), Prunkepitaphe.

Rühstädt, Dorf in der Westprignitz, Dt. Dem. Rep.; Dorfkirche mit bed. spätgot. Fresken des 15. Jh. (Jüngstes Gericht) in der Apsis; zahlreiche Grabmäler, u. a. Renaissance-Epitaph D. v. Quitzows (†1593); Rokokoschloß (Ende 18. Jh.).

Ruine [lat.] *die,* Reste eines durch natürl. Verfall oder durch eine Katastrophe zerstörten Bauwerks.

Kunstgeschichte: Zu allen Zeiten wurden R. als Steinbrüche benutzt, da das schon bearbeitete Material leicht wiederverwendet werden konnte. In der Renaissance erhielt die antike R. bereits die Bedeutung eines histor. Denkmals. – Neben die histor. Bedeutung der R. als architekton. Überrest trat, bes. in der Gartenkunst seit dem 16. Jh., ihre Funktion als gestaltendes Element; im 18. Jh. wurden auch künstl. R. erstellt (Schwetzingen, 1777–78, die Löwenburg in Kassel, 1793–1801). Im 17.–19. Jh. wurde die **R.-Malerei** zu einer Sondergattung innerhalb der Architektur- und Landschaftsmalerei (N. POUSSIN, G. P. PANNINI, H. ROBERT); in der Barockmalerei war die R. Bedeutungsgehalt (Vanitas), in der Malerei der Romantik Stimmungselement **(R.-Romantik).**

Ruisdael [r'œjsda:l], **1)** Jacob Izaakszoon van, holländ. Maler, Neffe von 2), *Haarlem 1628 oder 1629, begraben ebd. 14. 3. 1682, wohl Schüler seines Onkels und von C. VROOM abhängig, trat 1648 in die Haarlemer Gilde ein, war etwa seit 1655 in Amsterdam tätig, seit 1676 auch als Arzt erwähnt. Anfänglich malte R. einfache Motive, häufig Dünen, in sachl. Wiedergabe. Später schuf er, außer Küsten-, Stadtansichten und Winterbildern, v. a. einsame, dunkle Wald- und Sumpflandschaften, die häufig aus immer wiederkehrenden Einzelelementen wie Baumgruppen, gefällten Stämmen, Wasserfällen und Felsbrocken zusammengesetzt und zu räuml. und farbl. Einheit verschmolzen sind, wobei bestimmte Farbtöne und -kombinationen konstant bleiben. Seine gedanklich hintergründige, oft mit symbolhaften Momenten durchsetzte Stimmungskunst beeinflußte besonders die Malerei der Romantik.

HW: Judenfriedhof (nach 1670; Dresden, Gemäldegal., u. um 1660–70; Detroit, Institute of Arts); Die Mühle in Wijk (um 1670; Amsterdam, Rijksmus.).

J. v. R., Ausst.-Kat., (Den Haag u. Cambridge, Massachusetts, 1981/82).

2) auch **Ruysdael,** Salomon van, holländ. Maler, Onkel von 1), *Naarden zw. 1600 und 1603, begraben Haarlem 3. 11. 1670, wohl Schüler von E. VAN DE VELDE, seit 1623 Mitgl. der Haarlemer Lukasgilde, gehört zu den frühen Meistern der holländ. Landschaftsmalerei, zuerst mit Dünenansichten in der Art von P. MOLYN und J. VAN GOYEN, dann mit Flußufer- und Kanallandschaften in graugrünl., auch goldbraunem Ton; später malte er Landstraßen, oft mit Wirtshaus und reicher Staffage, in dunkleren Farben.

W. STECHOW: S. van R. ([2]1975).

Runciman [r'ʌnsımən], Alexander, engl. Maler, Radierer, *Edinburgh 15. 8. 1736, †ebd. 21. 10. 1785, ging 1766 mit seinem Bruder John (*1744, †1768) zu einem Studienaufenthalt nach Rom; er war befreundet mit J. H. FÜSSLI. Nach seiner Rückkehr nach Edinburgh (1772) malte er das Haus von SIR J. CLARK OF PENICUIK mit Szenen aus dem ›Ossian‹ aus.

Rundbau, →Zentralbau.

Rundbogen, Baukunst: →Bogen. – **Rundbogenfries,** in der roman. Baukunst ein Fries aus aneinandergereihten kleinen Bögen.

Rundbogenstil, Baukunst: auf den schlanken Bogenstellungen der Frührenaissance und byzantin. Elementen aufbauende Variante des frühen Historismus in Dtl. (um 1840). Hauptvertreter sind F. v. GÄRTNER in München, H. HÜBSCH in Karlsruhe, K. W. HASE in Hannover und L. PERSIUS in Preußen.

Rundkirche, →Rotunde.

Rundpfeiler, Baukunst: Stütze mit rundem Querschnitt jedoch ohne die →Entasis und die Verjüngung der Säule.

Rundplastik, Freiplastik, Vollplastik, ein allseitig bearbeitetes Bildwerk (→Bildhauerkunst).

Rundstab, Baukunst: umlaufender stabförmiger Bauteil an mittelalterlichen Gesimsen, Rippen, Profilen und Gewänden. Es gibt Viertel-, Halb- und Dreiviertelstäbe.

Runenkästchen von Auzon [-oz'ɔ̃, n. dem Fundort im Dép. Haute-Loire], auch **Franksscher Schrein** [fr'æŋks-, nach dem Londoner Antiquar Franks, der es dem Brit. Mus. schenkte], geschnitztes Reliquienkästchen aus Walfischbein, das bedeutendste engl. Runendenkmal, entstanden Ende des 7. Jh. Die Darstellungen stammen aus der nord. Heldensage, der christl. Überlieferung und der röm. Tradition. Die Runenschriften in angelsächs. Futhark (mit 28 Zeichen) umranden die Bilder und nehmen Bezug auf deren Bedeutung. Auf der Rückseite sind Runen und lat. Buchstaben gemischt. (BILD S. 283)

Runge, Philipp Otto, Maler, *Wolgast (Pommern) 23. 7. 1777, †Hamburg 2. 12. 1810, studierte 1799–1801 an der Akad. in Kopenhagen (J. JUEL, N. ABILDGAARD) und bildete sich 1801–03 in Dresden weiter (A. GRAFF u. a.), wo ihm L. TIECK die romant., die Schriften J. BÖH-

Runenkästchen von Auzon (Rückseite): Zerstörung Jerusalems durch Titus; Ende 7. Jh. (London, Brit. Museum)

MES die naturmyst. Vorstellungswelt erschlossen. Nach klassizist. Kompositionen entwarf R. 1802/03 die ›Vier Tageszeiten‹, die eine neue, symbolkräftige, naturrelig. Malerei i. Ggs. zum akadem. Klassizismus heraufführen sollten. Ende 1803 ließ sich R. in Hamburg nieder und malte hier v. a. Porträts, in denen sich kraftvoller Realismus und herbe Größe der Form mit schlichter Innerlichkeit verbinden. Mit der 1. Fassung des ›Morgens‹ (BILD Romantik) begann R. 1808 die Ausführung der ›Tageszeiten‹; er starb vor Vollendung der 2. Version. – R. war der eigtl. Begründer der Malerei der dt. Romantik, auf die bes. seine meist in Briefen, hg. v. P. Betthausen, niedergelegten theoretischen Erkenntnisse wirkten.

HW: Selbstporträts (1802–03, 1805, 1809–10; Hamburg Kunsthalle); Lehrstunde der Nachtigall (1804–05; ebd.); Der Bruder Daniel (1804–05; ebd.); Louise Perthes (1805; Weimar, Staatl. Kunstsammlungen); Ruhe auf der Flucht (1805–06, unvoll.; Hamburg, Kunsthalle); Die Hülsenbeckschen Kinder (1805–06; ebd.); Die Eltern des Künstlers (1806; ebd.); Christus auf dem See Genezareth (1806–07; ebd.); Der Kleine Morgen (1808; ebd.); Der Große Morgen (1809, nach R.s Tod zerschnitten, Rekonstruktion; ebd.). – Zeichnungen zu Ossian (1804–05) und zu den Tageszeiten (1806; beide Hamburg, Kunsthalle).

J. TRAEGER: P. O. R., Monographie und krit. Kat. (1975); J. C. JENSEN: P. O. R., Leben und Werk (1977).

Runkel, Stadt an der Lahn im Kr. Limburg-Weilburg, Hessen, 8600 Ew.; maler. Stadtbild mit zahlreichen Fachwerkhäusern (17./18. Jh.). Von der dreitürmigen Burg (Mitte 12. Jh., 1634 zerstört), wurde die Unterburg im 17. und 18. Jh. wiederhergestellt. Alte Lahnbrücke (1440); auf dem anderen Lahnufer die 1288 erbaute Trutzburg Schadeck.

Runkelstein, ital. **Castel Roncolo,** Schloß bei Bozen, Südtirol, seit 1237 erb., 1884–88 erneuert; Wandmalereien höf. Art (um 1400), v. a. im westl. Palas.

Ruoff, Fritz, Bildhauer, Maler, *Nürtingen 31. 12. 1906, †ebd. 5. 10. 1986, stand als Bildhauer lange im Bann W. LEHMBRUCKS, ging erst 1956/57 endgültig zur Malerei über. Seine Bilder und Zeichnungen entwikkelten sich von informellen Strukturen über fast monochrome dunkle Farbflächen zu Kompositionen mit geometr. Grundfiguren von meditativer Kraft.

Rupar, Ort im Pandschab, N-Indien, mit Besiedlungsresten, die bis in die Harappa-Kultur zurückreichen. Ausgrabungen brachten zahlreiche Kleinfunde und Keramik aus 7 übereinanderliegenden Perioden der frühen ind. Kunst zutage.

Rusafa, Resafa, Ruinenstätte des bed. frühchristl. Wallfahrtsortes um das Grab des Hl. Sergios in der syr. Wüste, südwestlich von Rakka in der Nähe des neuen Euphrat-Staudammes. – Nach einem Anwachsen der Verehrung wurde R., nun **Sergiopolis** genannt, zu einem der meistbesuchten Wallfahrtsorte des christl. Ostens. JUSTINIAN I. ließ die Stadt mit einer stark befestigten Mauer umgeben (bis heute z. T. gut erh.: 4 Haupttore, 51 Türme). Im Stadtbezirk liegen 4 Kirchen, davon 3 sehr große Anlagen: Basilika B (mit fünfteiligem Ostabschluß, vermutlich aus dem späten 5. Jh.), der ›Zentralbau‹ (ein in der Längsachse gestreckter Tetrakonchos des 6. Jh.), die Kirche des Hl. Kreuzes – früher Sergioskirche oder Basilika A genannt (vom Typ der Weitarkadenbasilika, 559 datiert). Vor dem reich dekorierten N-Tor liegt der kleine Zentralbau des Ghassanidenfürsten AL-MUNDIR – damals in byzantin. Diensten – aus der 2. H. des 6. Jh. Südlich und südöstlich von R. finden sich ausgedehnte Reste omajjad. Palastanlagen.

Ruscha [r'u:ʃə], Ed (eigtl. Edward), amerikan. Maler, Designer, *Omaha (Nebraska) 16. 12. 1937. Seine nach photograph. Vorlagen gemalten Bilder stellen anfangs Stadtansichten in plakativer Perfektion dar, später mit iron. Überdeutlichkeit Reklame-Schriftzüge; seine Photobücher (›26 Tankstellen‹, 1962) zeigen ungeschönte Wirklichkeit.

Rusconi, Camillo, ital. Bildhauer, *Mailand 14. 7. 1658, †Rom 1728, war zu Beginn des 18. Jh. der führende röm. Bildhauer, in dessen Marmorarbeiten das hochbarocke Pathos G. L. BERNINIS nachklingt; schuf auch Kleinbronzen.

HW: 4 kolossale Apostelstatuen (1706–18; S. Giovanni in Laterano); Grabmal Papst Gregors XIII. (1719–25; St. Peter).

Rusellae, etrusk. Ruinenstätte nordöstlich von Grosseto, Italien. R. war eine der 12 Hauptstädte des etrusk. Bundes, die 294 v. Chr. nach langer Belagerung in röm. Hände fiel. Fast der gesamte Verlauf der etrusk. Mauer (3300 m; der älteste Abschnitt mit polygonalen Blöcken aus dem 6. Jh. v. Chr.) ist erh. Nekropole mit zahlreichen Kammer- und Fossagräbern. Fundmaterial im Archäolog. Mus. von Grosseto.

Rush [rʌʃ], William, amerikan. Bildhauer, *Philadelphia 4. 7. 1756, †ebd. 17. 1. 1833, gilt als der erste amerikan. Bildhauer von Bedeutung, 1805 Mitgründer und Direktor der Pennsylvania Academy of Fine Arts in Philadelphia. R. schuf u. a. die Statue G. Washingtons (ebd., Independence Hall).

Ruskin [r'ʌskɪn], John, engl. Schriftst., Maler, Sozialreformer, *London 8. 2. 1819, †Brantwood (Lancashire) 20. 1. 1900; sein Interesse galt zunächst der Landschafts- und topograph. Malerei, bes. auf seinen zahlreichen Italienreisen. Daraus erwuchs seine Beschäftigung mit den Theorien der Naturwiedergabe; er forderte eine erhöhte Hingabe des Malers an die Natur (›Modern Painters‹, 1844–60). Anschließend widmete er sich der ma. Architektur, v.a. Italiens. R. nahm künstler. Einfluß auf die Präraffaeliten, die viktorian. Architektur, das Arts and Crafts Movement, den Jugendstil und die Entwicklung der Gartenstadt.

N. PEVSNER: R. and Viollet-le-Duc (London 1969); G. P. LANDOW: The aestetic and critical theories of J. R. (Princeton, New Jersey, 1971).

Ruß, Flammruß, Maltechnik: →Lampenschwarz.

Russell [rʌsl], Morgan, amerikan. Maler, *New York 25. 1. 1886, †Broomall (Pennsylvania) 29. 5. 1953. Nach einem Studium bei R. HENRI und in Paris (1906), malte R. zunächst abstrakt und stand dem Orphismus nahe. Um 1916 wandte er sich dem Realismus zu.

Russolo, Luigi, ital. Maler, Musiker, *Portogruaro (Venetien) 1. 5. 1885, †Cerro bei Laveno (am Lago Maggiore) 4. 2. 1947, war Mitbegründer des →Futurismus. In seinen Werken suchte er oft mit geometr. Mitteln Bewegung und bewegte Vorgänge darzustellen. R. bemühte sich auch um eine Integration von akust. und visuellen Wirkungselementen.

Rustika [lat. rusticus ›ländlich‹], Baukunst: →Bossenwerk.

Rüstkammer, Aufbewahrungsraum, Arsenal, Zeughaus für Waffen- und Kriegsgerät. Bed. R. sind die von Kaiser KARL V. (1519–56) begründete Leibrüstkammer der span. Könige (Armería, Madrid), die R. in England (Tower, London), Schweden (Livrustkamaren, Stockholm) und der UdSSR (Oruschejnaja Palata, Moskau). Aus den Beständen von R. erwuchsen einige der bedeutendsten europ. Waffensammlungen wie die in Dresden, Berlin, Wien, Kopenhagen.

Rüstlöcher, Löcher von Balkenstärke im Mauerwerk v.a. ma. Bauten, die Balken des Baugerüsts aufnahmen und nach deren Abbau oft sichtbar blieben.

Ruthenbeck, Reiner, Bildhauer, *Velbert (Rheinland) 30. 6. 1937, seit 1980 Prof. in Münster. Er versucht aus einfachsten Materialien Spannungsverhältnisse aufzuzeigen (Aufhängungen) oder psychisch wirksame Raumbezüge herzustellen (Versperrungen); Vertreter der Arte Povera.

Ruths, Valentin, Maler, Lithograph, *Hamburg 6.3.1825, †Uhlenhorst 17.1.1905, Schüler von J. W. SCHIRMER in Düsseldorf, lebte 1855–57 in Rom, dann in Hamburg. R. malte stimmungsvoll realist. Landschaften und Veduten.

Ruvo di Puglia [-p'uʎa], Stadt in der ital. Prov. Bari, Apulien. Der um 1200 gegr. dreischiffige roman. Dom hat eine Fassade mit Fensterrose und 3 Portalen, das mittlere zw. einem Säulenpaar (mit Löwe und Greif), bedeckt mit reicher Bauornamentik. Im Museo Jatta eine große Samml. antiker Vasen, die meisten gefunden in R. di P., das Zentrum apul. Keramik war.

Ruysch [rœjs], Rachel, holländ. Malerin, *Amsterdam 1664, †ebd. 12. 8. 1750, Schülerin von W. VAN

Aelst, 1708–16 Hofmalerin des Kurfürsten Johann Wilhelm von der Pfalz in Düsseldorf, malte in der Art von J. D. de Heem und J. van Huysum Blumen- und Früchtestilleben in meisterhaft feiner Durchführung.

Ruysdael [r'œjsda:l], holländ. Maler, →Ruisdael 2).

Ry [ri], frz. Baumeisterfamilie, →Du Ry.

Rya *die, Mz.* **Ryor** [r'y: ur], langfloriger Teppich, der in einer wahrscheinlich seit der Wikingerzeit bekannten, seit dem 15. Jh. belegten Knüpftechnik in Schweden hergestellt wird.

Rychnov nad Kněžnou [r'ixnɔv n'adknjɛʒnɔu], Stadt in der ČSSR, →Reichenau 2).

Ryckaert [r'ɛjka: rt], David, fläm. Maler, getauft Antwerpen 2. 12. 1612, †ebd. 11. 11. 1661, seit 1636 dort Meister, stellte in der Art von A. Brouwer und D. Teniers d. J. Bauernszenen im Innenraum dar.

Ryder [r'aɪdə], Albert Pinkham, amerikan. Maler, *New Bedford (Massachusetts) 19. 3. 1847, †Elmhurst (New York) 28. 3. 1917. Seine romant. Landschaften, die oft Mondscheinstimmungen am Meer schildern, zeigen dichte, gedämpfte Farbtöne und eine einfache, fast expressionist. Formensprache (›Siegfried und die Rheintöchter‹, vor 1891; Washington, Nat. Gal.).

Ryman [r'aɪmən], Robert, amerikan. Maler, *Nashville (Tennessee) 30. 5. 1930, lebt in New York, Vertreter der Analytischen und der Farbfeldmalerei. Seine Bilder untersuchen die Grundlagen der Malerei: Farbauftrag, Bildträger, Format, wobei die Entwicklung von Bildern mit waagerechten weißen Streifen bis zu weißen Flächen über mehreren Farbschichten führt.

R. R., Ausst.-Kat., Centre G. Pompidou, Paris (1981).

Rysselberghe [r'ɛjsəlbɛrxə], auch **Rijsselberghe,** Theo (Théodor) van, belg. Maler, *Gent 23. 11. 1862, †St. Clair (Dép. Var) 13. 12. 1926, kam in seinen vom Pointillismus bestimmten Landschafts- und Figurenbildern sowie Porträts zu einer dekorativen Bildornamentik i. S. des Jugendstils; schuf auch Zeichnungen, Entwürfe für Plakate, Schmuck und Möbel.

S

Saal, urspr. das german. Einraumhaus. In den Pfalzen des MA. ist der S. Versammlungs- und Repräsentationsraum, z. B. der Saalhof in Frankfurt am Main. In den Burgen und Schlössern erhielt er eine besondere künstler. Ausgestaltung. Im Barock und Rokoko vollzog sich eine Spezialisierung. Der Fest-S. wurde wegen seiner Ausstattung z. B. Spiegel-S. oder Marmor-S. genannt. Zur Dekoration der Säle der Residenzen sind vielfach histor. Themen mit Bezug auf Lokalität oder Dynastie herangezogen worden.

Saalburg, röm. Kastell des 2. Jh. am Obergerman. Limes nordwestlich von Bad Homburg v. d. H., Hessen, 1898–1907 auf alten Fundamenten wiederaufgebaut. Mus. mit Ausgrabungsfunden.

Saalfeld/Saale, Stadt am Rand des Thüringer Waldes, Dt. Dem. Rep., 33 500 Ew. Von der Blüte im 14. bis 16. Jh. zeugen v. a. das Rathaus (1526–37), ein reich gegliederter Bau im Übergang von Spätgotik zu Renaissance mit Treppenturm und Zwerchhäusern, und die Stadtpfarrkirche St. Johannis (14.–16. Jh.), eine dreischiffige got. Hallenkirche, mit spätgot. Hl. Grab (2. H. 14. Jh.) und lebensgroßer hölzerner Johannisfigur (um 1505). Die Apotheke am Markt entstand als ma. Wohnturm des Stadtvogts (1180). Barockschloß (1677–1720) mit reich geschmückter Kapelle (1704–14); Schloß Kitzerstein (beg. 1435, voll. 16. Jh.), Burgruine ›Hoher Schwarm‹ (12.–13. Jh.) mit Wohnturm.

Saalkirche, einschiffige Kirche, die im MA. zumindest nördlich der Alpen nur in kleinen Ausmaßen, meist als Dorfkirche, errichtet wurde. Seit der Renaissance fand die S. starke Verbreitung; sie ist bes. geeignet als Predigtkirche, daher wurde sie der bevorzugte Kirchenbau des Protestantismus. Die S. wurde grundlegend für den modernen Kirchenbau.

Saar, tschech. **Zd'ár nad Sázavou** [zdja:r n'adsazavou], Stadt im Südmähr. Kr., ČSSR, 17 800 Ew. – An der Stelle eines 1252 gegr. Zisterzienserklosters wurde im 18. Jh. von G. SANTINI ein Barockschloß gebaut (heute Zweigstelle des Nat.-Mus. in Prag; v. a. Bücher). In der Altstadt die Kirche St. Prokop (um 1300, 14./15. Jh. umgebaut); auf dem Hauptplatz das Renaissancerathaus und die Pestsäule von 1796. Oberhalb des Schlosses auf dem ›Grünen Berg‹ die Wallfahrtskirche mit fünfeckigem Grundriß von G. Santini.

Saarbrücken, Hauptstadt des Saarlandes, 196 300 Ew., war Residenz der Fürsten von Nassau-S.; starke Zerstörungen 1793 und 1944; die Schäden am dreiflügeligen Schloß (1738–48; ab 1810 klassizistisch verändert) sind noch nicht behoben. Grablegen des Hauses Nassau-S. befinden sich in der spätgot. Schloßkirche (Ende 15. Jh., darin 26 Glasfenster von G. MEISTERMANN 1956–58) und in der Stiftskirche St. Arnual (um 600 gegr., im MA. 2. Sitz des Bistums Metz), einer schlichten got. Gewölbebasilika. Die repräsentativen Barockbauten schuf F. J. STENGEL, so die Friedenskirche (1743–51, innen modern), Rathaus am Schloßplatz (1748–50), Erbprinzenpalais (1760) und v. a. den ganz von Palästen des Spätbarock/Frühklassizismus gesäumten Ludwigsplatz mit der Ludwigskirche (1762 bis 1775), einem HW der dt. prot. Barockarchitektur mit prachtvollem Innenraum (Vorkriegszustand 1982 wiederhergestellt). In der Vorstadt St. Johann rechts der Saar Barockkirche (1754–58) und monumentales neugot. Rathaus (1897–1900 von G. HAUBERRISSER). Saarland-Mus. (Moderne Gal., Ottweiler Porzellan); Landes-Mus. für Vor- und Frühgeschichte (kelt. Kunstgewerbe).

Saarburg, Stadt in Rheinl.-Pf., 6500 Ew., mit der Ruine einer der ältesten Höhenburgen im W Dtl.s (964 erwähnt). Im Stadtteil **Beurig** ehem. Franziskanerkloster- und Wallfahrtskirche, ein spätgot. zweischiffiger

Bau (1479–1516) mit Sterngewölben und fünfstöckigem barockem Gnadenaltar (1622).

Saarinen, 1) Eero, amerikan. Architekt finn. Herkunft, Sohn von 2), *Kirkkonummi (Finnland) 20. 8. 1910, †Ann Arbor (Michigan) 1. 9. 1961, entwickelte einen eigenwilligen Stil dynam. Räumlichkeit, der Technik und Imagination vereinigte. S. entwarf auch bes. schwungvolle Möbel (mit ›Trompetenfuß‹).

HW: Techn. Zentrum der General-Motors-Werke, Warren, Michigan (1950–56); US-Botschaft in London (1956–62) und Oslo (1959); Dulles Internat. Airport in Chantilly, Virginia (1958–62); Gateway Arch in St. Louis (1959–65); Empfangsgebäude des John F. Kennedy International Airport, New York (1962); CBS-Gebäude, New York (1963–66).

2) Eliel, finn. Architekt, Vater von 1), *Rantasalmi (Finnland) 20. 8. 1873, †Bloomfield Hills (Michigan) 1. 7. 1950, bis 1922 in Finnland, dann in den USA tätig, wo er an der Michigan Univ. in Chicago lehrte. Mit seinem HW, dem Hauptbahnhof in Helsinki (1910–14), leitete er in Finnland das Neue Bauen ein; zahlreiche Bauten (Kulturbauten, Schulen) in den USA, v. a. in Bloomfield Hills (Cranbrook Academy of Art, 1926 bis 1941).

Saaz, tschech. **Žatec** [ʒ'atɛts], Stadt im Nordböhm. Kr., ČSSR, 17 400 Ew. Die Marienkirche, urspr. eine roman. Basilika, wurde im 14. Jh. in eine dreischiffige got. Kirche umgestaltet und später im Barockstil weitergebaut; Glockenturm (um 1380).

Sabará, Stadt im Staat Minas Gerais, Brasilien, 42 000 Ew. Das maler. S. liegt im Zentrum des Minas-Barock: Kirchen Nossa Senhora da Conceição (1710; mit vergoldeten Holzschnitzereien; Skulpturen); Gold-Mus.; Nossa Senhora do Carmo (1763–1847; Portal und Skulpturen von ALEIJADINHO, Deckengemälde).

Sabatini, 1) auch **Sabbatini,** Andrea, gen. **Andrea da Salerno,** ital. Maler, *Salerno um 1484, †Gaeta 1530, der bedeutendste südital. Maler seiner Zeit, tätig v. a. in Neapel und Salerno. Seine zahlreichen Altarbilder und Fresken sind von RAFFAEL und vom röm. Manierismus beeinflußt.

2) Francesco (span. Francisco), ital., v. a. in Spanien tätiger Baumeister, *Palermo(?) 1722, †Madrid 19. 12. 1797, lernte in Rom und bei L. VANVITELLI in Neapel, dessen monumentalen, barock geprägten Frühklassizismus er übernahm (Mitarbeit am Schloß in Caserta); seit 1760 in Spanien, wo er Hofbaumeister KARLS III. wurde.

HW (alle Madrid): Grabmal Ferdinands VI. und seiner Gemahlin Bárbara von Bragança (zus. mit F. GUTIÉRREZ) und Triumphbogen Puerta de Alcalá (1764 beg.) in der Kirche Las Salesas Reales in Madrid; Erweiterung des Schlosses El Pardo (1772) und des Palacio Real (1773–78); Vollendung der Kirche S. Francisco el Grande (1776–85).

3) auch **Sabbatini,** Lorenzo, gen. **Lorenzino da Bologna** [-bol'oɲa], ital. Maler, *Bologna um 1530, †Rom 2. 8. 1576, meist in Bologna und Florenz tätig, wo er Mitarbeiter von G. VASARI war, seit 1574 päpstl. Hofmaler in Rom. Seine Werke, die am Vorbild der röm.

Hochrenaissance orientiert sind, gehören einem gemäßigten Manierismus an (Himmelfahrt Mariä, Bologna, Pinakothek; Fresko der 4 Kirchenväter, ebd., S. Giacomo Maggiore).

Sabbat *der,* jiddisch **Schabbes,** der 7. Tag der jüd. Woche vom Abend des Freitags bis zum Abend des Sonnabends. Zu seinem Beginn werden auf einem Tisch 2 Kerzen in silbernem Leuchter (**Sabbatleuchter,** in versch. Formen – bei oriental. Juden auch aus Messing mit 7 im Kreis angeordneten Armen) entzündet.

Sabbatini, Niccolò, ital. Baumeister, Bühnenbildner, Maler, *Pesaro um 1574, †ebd. 25. 12. 1654, baute für den Herzog von Urbino in Pesaro das Teatro del Sole (1637–38).

Sabbioneta, Stadt in der ital. Prov. Mantua, 5100 Ew., von V. GONZAGA als Residenz seit 1577 erbaut; sie sollte das Idealbild einer Stadt der Renaissance werden. Nach Gonzagas Tod 1591 entwickelte sich S. nicht weiter und blieb unverändert erhalten. Innerhalb einer sternförmigen Befestigungsanlage liegen der Herzogspalast, die reich mit Fresken und Stukkaturen geschmückten Bauten des Gartenpalastes und der Antikengal. (die Antikensamml. befindet sich seit 1771 im Palazzo Ducale in Mantua) sowie das Teatro Olimpico von V. SCAMOZZI; in der mit Scheinarchitektur im Inneren ausgemalten achtseitigen Kirche der Incoronata das Mausoleum des V. Gonzaga (von GIACOMO DELLA PORTA, um 1591, mit Bronzestatue von L. LEONI, 1588).

Säben, ital. **Sabiona,** Benediktinerinnenkloster in Südtirol, über →Klausen 2).

Sabhamandapa [Skt.], Versammlungshalle ind. Tempel (→Mahamandapa).

Sabratha, antike Hafenstadt rd. 80 km westlich von Tripolis, Libyen, von Phönikern in der 1. H. des 1. Jahrtsd. v. Chr. gegr., später röm. Kolonie. Zu den bed. röm. Bauresten gehört v. a. ein vorzüglich erh. Theater (um 200 n. Chr., Bühnenfassade wieder aufgebaut), das Forum mit Curia, Basilika und Tempel der Kapitolin. Trias, Thermen, weitere Tempel und ein Amphitheater; röm. und byzantin. Befestigungsreste, 2 christl. Basiliken.

Sacchetti [sakk'etti], Giovanni Battista (span. Juan Bautista), ital., in Spanien tätiger Architekt, Maler, Goldschmied, *Turin, †Madrid 3. 12. 1764, Schüler von F. JUVARRA, 1736 nach Spanien berufen, um dessen Pläne für das königl. Schloß auszuführen; seit 1739 Hofbaumeister PHILIPPS V.

HW (in Madrid): Königl. Schloß und angrenzende Stadtteile (1738–64); Pläne für die Kirche Las Salesas Reales (1750).

Sacchi [s'akki], Andrea, ital. Maler, *Nettuno (bei Rom) Ende 1599, †Rom 21. 6. 1661. Beeinflußt von DOMENICHINO, G. RENI und N. POUSSIN, malte er in einem auf die Wiedergabe des Wesentlichen gerichteten Stil; Vertreter der klassizist. Richtung des röm. Hochbarock. Sein wichtigster Schüler war C. MARATTI.

HW: Wunder des Hl. Gregor (1625/26; Vatikan); Die göttl. Weisheit (1629–31; Deckenfresko; Rom, Palazzo Barberini); Hl. Thomas

Sachmet: Granitstatue aus Karnak, um 1370 v. Chr., 2,19 m hoch (Hildesheim, Roemer-Pelizaeus-Museum)

und Hl. Johannes von Damaskus (1629–32; Pendentifmosaiken; Rom, St. Peter); Vision des Hl. Romuald (1631; Vatikan).

ANN SUTHERLAND HARRIS: A. S. (Princeton, New Jersey, 1977).

Sacharow, Zacharov, Andrejan Dmitrijewitsch, russ. Baumeister, *St. Petersburg 19. 8. 1761, †ebd. 8. 9. 1811, seit 1805 Chefarchitekt der russ. Marine, schuf mit der ›Admiralität‹ (1806–23) in St. Petersburg das bedeutendste Bauwerk des russ. Klassizismus.

Sachmet, Sechmet, ägypt. Göttin in Löwengestalt, meist als Frau mit Löwenkopf und der Sonnenscheibe auf dem Haupt dargestellt; Göttin des Krieges und der Vernichtung, die Krankheiten sendet und wieder heilen kann. Der kranke AMENOPHIS III. ließ Hunderte von S.-Statuen im Tempelbezirk von Karnak aufstellen.

Säckingen, Bad S., Stadt am Hochrhein, Bad.-Württ., 14600 Ew. Das Fridolinsmünster, eine doppeltürmige got. Basilika (14./15. Jh.), wurde ab 1678 barockisiert und 1752–54 von J. M. FEUCHTMAYER (Stuck) und F. J. SPIEGLER (Fresken) im Rokokostil dekoriert. Im Kirchenschatz u. a. der wertvolle Reliquienschrein des Hl. Fridolin (1764). Im Schloß Schönau (Trompeterschlößle) das Hochrhein-Mus.

Sacra conversazione, Santa conversazione [ital.], in der ital. Renaissancekunst die ›heilige Unterhaltung‹ der meist erhöht dargestellten Maria mit Heiligen (TIZIAN, 1519–26; Venedig, S. Maria Gloriosa dei Frari, F. BISSOLO, um 1530; Venedig, SS. Giovanni e Paolo, u. a.).

Sacra di San Michele, Sagra di San Michele [-mik'ɛ: le], ehem. Benediktinerabtei auf dem 962 m hohen Monte Pirchiriano über dem Susa-Tal, westlich von Turin; das im 11. Jh. auf Vorgängerbauten errichtete Kloster war vielbesuchte Pilgerstation auf dem Weg nach Rom; Blütezeit und Ausbau der Anlage im 13. Jh., danach Verfall und Zerstörung; Wiederaufbau seit 1379; am Portal der Kirche blieben Plastiken von Meister →Niccolò (um 1130) erhalten.

Sacramento, Hauptstadt Kaliforniens, USA, 275700 Ew. Die E. B. Crocker Art Gallery (gegr. 1873) ist die zweitälteste öffentl. Kunstsamml. in den USA; der Hauptakzent liegt auf holländ. Gemälden des 17. Jh. sowie einer Samml. von Handzeichnungen (u. a. von A. DÜRER, REMBRANDT, P. P. RUBENS, F. BOUCHER und J. H. FRAGONARD).

Sacsayhuamán [saksajwam'an], Festungsanlage aus der Inka-Zeit (1440–1532), nördlich von Cuzco, Peru, 200 m über dem Stadtzentrum, mit 3 terrassenförmig übereinander angeordneten Zickzackreihen von Mauern (bis 18 m hoch) aus polygonalen Steinblöcken, die z. T. 5 m hoch sind, sowie Wohngebäuden und Vorratshäusern. (BILD Inka)

Sádaba [s'aðaβa], span. Städtchen etwa 75 km nordwestlich von Saragossa, mit Resten eines röm. Mausoleums (Altar de los Moros, 2. Jh.; erh. ist die mit Girlanden und Blendarkaden verzierte Fassade) bei Uncastillo; ma. Kastell mit 9 quadrat. Türmen; Pfarrkirche (16. Jh.).

Sadashiva [-ʃ-, Skt. ›der ewige Shiva‹], der höchste Aspekt des hinduist. Gottes Shiva, gleichgesetzt mit Ishana, als oberster von fünf Köpfen des Panchavaktra Shiva dargestellt. Eigenständige Kultfiguren des S. sind ebenfalls fünfköpfig und mit den Attributen Shivas ausgestattet.

Sadeler, fläm. Kupferstecherfamilie. Bedeutendstes Familienmitgl. war Egidius d. J. (auch Gillis), *Antwerpen 1570, †Prag 1629, Hofkupferstecher ebd., stach Porträts in zarten, lichten Tönen sowie Landschaften und Figurenbilder nach Gemälden zeitgenöss. Maler (P. BRIL, J. BRUEGEL D. Ä. u. a.) und Vorlagen von Prager Hofkünstlern. Sein Onkel Johann d. Ä., *Brüssel 1550, †Venedig 1600, war nach Aufenthalten in versch. dt. Städten 1589–95 Hofkupferstecher in München, stach Landschaften, relig. und allegor. Blätter nach den Münchner Hofkünstlern F. SUSTRIS und P. DE WIT; später v. a. in Venedig tätig, wo er u. a. nach TINTORETTO und J. BASSANO stach. Johanns Bruder Raphael d. Ä., *Antwerpen 1560(?), †München 1628 oder 1632, begleitete ihn häufig und wurde 1604 von Venedig nach München berufen.

Saeby, Kleinstadt an der O-Küste N-Jütlands, Dänemark, mit gut erh. histor. Kern. Die Pfarrkirche, nach 1460 als Kirche eines neugegr. Karmeliterklosters erweitert, birgt wertvolle Kalkmalereien (Ende 15. Jh. bis um 1520).

Saenredam [s'a:n-], Pieter Jansz., holländ. Maler, *Assendelft (N-Holland) 9. 6. 1597, begraben Haarlem 31. 5. 1665, Sohn des Kupferstechers Jan S. (*1565, †1607), malte auf sorgfältigen zeichner. Studien beruhende Ansichten holländ. Kirchen in hellen feinen Farben und abgestufter Lichtführung; ein Hauptvertreter des niederländ. Architekturbildes (BILD).

P. J. S., Ausst.-Kat., Utrecht (1961); F. W. HECKMANNS: P. J. S. (1965).

Safawiden, Sefewiden, pers. Dynastie (1501 bis 1722), geht zurück auf den Sufi-Ordensmeister SAFI OD-DIN (†1334) aus →Ardebil; ISMAIL I. (†1524) einte das iran. Hochland. Den Gipfel der Macht erreichte die Dynastie der S. unter ABBAS I., D. GR. (1587–1629); danach Machtverfall (1638 Verlust Bagdads). Die Afghanen beendeten die Dynastie der S. (seit 1722). – Über die künstler. Leistungen unter den S. →islamische Kunst.

Safdie [s'æfdɪ], Moshe, kanad. Architekt israel. Herkunft, *Haifa 14. 7. 1938, studierte in Kanada, 1961/62 Zusammenarbeit mit L. I. KAHN. Für die Weltausstellung in Montréal baute S. 1967 das Terrassenhaus ›Habitat 67‹, einen Bau von großem opt. Reiz aus ineinander verschachtelten Wohnzellen.

WW: in Baltimore, Jerusalem, Teheran, den Staaten Senegal und Elfenbeinküste.

Safed, hebr. **Zefat,** israel. Stadt in Obergaliläa, 13 100 Ew., im MA. eine der größten Festungen der Kreuzfahrer. Die beiden Synagogen sind mit dem Namen des hier begrabenen Rabbi LURIA (1531–73) verbunden; die sephard. entstand zu seinen Lebzeiten, die aschkenas. kurz nach seinem Tod. Die Rote Moschee wurde 1275 von BAIBARS errichtet, das Grab des Emir MUZZAFIR AD-DIN 1372.

Saffig, Gem. im Kr. Mayen-Koblenz, Rheinl.-Pf., mit einer nach Plänen von B. NEUMANN 1738–42 von J. SEITZ erbauten Barockkirche, der 1958–60 ein Neubau angefügt wurde; die heutige barocke Ausstattung wurde nach 1960 aus anderen Kirchen zusammengetragen.

Safi, Hafenstadt in SW-Marokko, 214000 Ew. Das arab. **Asfi** wurde 1508–41 von den Portugiesen zur Festungsstadt ausgebaut und war im 16./17. Jh. wichtigster Hafen der Scherifen-Dynastie. In der ummauerten Medina die mächtige portugies. Zitadelle ›Kechla‹ (Monumentaltor, Palast, Wappenskulpturen) sowie die 1519 erbaute ›Portugies. Kapelle‹ (ehem. Chor der Kathedrale) mit schönem achtzackigem Sterngewölbe (Wappendekor im Emanuelstil). Am Meer die Ruinen der portugies. Festung ›Dar el-Bahr‹ (16. Jh.) mit Wappentor. Keramikproduktion seit dem 16. Jh.

Safran [aus arab.], Maltechnik: gelber, transparenter Farbstoff aus den Narben des Krokus. Im MA. wurde S. in der Buchmalerei und für Lüster verwendet.

Saftfarben, Maltechnik: ungenaue Bez. für pflanzl. Farblacke. Für **Saftgrün** finden sich mehrere Rezepte in ma. Quellenschriften. S. sind i. d. R. äußerst lichtempfindlich und deshalb selten erhalten.

Saftleven [-le:və], **Sachtleven, 1)** Cornelis Hermansz., holländ. Maler, Radierer, Zeichner, Bruder von 2), *Gorinchem um 1607, begraben Rotterdam 4. 6. 1681, malte Landschaften mit Vieh und Bauernszenen, auch bibl. Themen, Satiren, Porträts, originelle Spuk- und Höllenszenen.

W. SCHULZ: C. S. 1607–1681. Leben und Werk, hg. v. E. HUBALA u. W. SCHÖNE (1978).

2) Herman Hermansz., holländ. Maler, Zeichner, Radierer, Bruder von 1), *Rotterdam 1609, †Utrecht 5. 1. 1685, malte bergige Flußlandschaften, bes. vom Rhein, mit vielen Figürchen.

Saga, Stadt in Japan, N-Kyushu, 160000 Ew.; ehem. Burgstadt, deren Struktur sich noch gut im Stadtgrundriß ablesen läßt. Von der Burg sind nur noch die Befestigungsanlagen mit den großen Mauern sowie die Wall- und Grabenanlagen vorhanden.

Sagaing, Stadt in Mittel-Birma, südwestlich von Mandalay, war zusammen mit der am anderen Ufer des Irrawaddy gelegenen Zwillingsstadt Ava 1636–1837 Regierungssitz. Die Kaungh-mudaw-Pagode (17. Jh.) wurde nach dem Vorbild des Stupa von Anuradhapura (Sri Lanka) als halbkugelförmiger Bau errichtet. Die Basis der Pagode enthält in 120 Nischen je eine Nat-Statue (birman. Gottheiten).

Sagalassos, antike Stadt im Taurusgebirge (SW-Türkei), in 1650 m Höhe beim heutigen Dorf Ağlasun gelegen. Reste von Bauten der röm. Kaiserzeit: gut erh. Theater, 2 Tempel (in frühchristl. Zeit zu Kirchen umgebaut), Thermenanlage, 2 Marktplätze, Nekropolen;

Funde mehrerer reliefierter Friesplatten von einem Heroon (nach 150 v. Chr.).

Sagan, poln. **Żagań** [ʒ'agajn], Stadt in der poln. Wwschaft Zielona Góra (Grünberg in Schles.), 23 000 Ew., mit z. T. erh. Stadtmauern. Das 1284 gegr. ehem. Augustinerkloster ist heute ein barocker Bau, die Kirche aus dem 14. Jh. wurde im Renaissancestil im 15. bis 16. Jh. ausgebaut (Arkadenwandelhalle von 1603 im Stil der Spätrenaissance). Die Kirche des 1294 gegr. Franziskanerklosters, im 14. Jh. gebaut, wurde im 17. Jh. umgebaut. Barocke Heiliggeistkirche (1701 bis 1702); Christusgrab-Kapelle (16.–17. Jh.); Barockpalast (1674–1700) an der Stelle früherer Bauten.

Sagọrsk, Zagorsk, bis 1930 **Sẹrgijew,** Stadt im Gebiet Moskau, Russ. SFSR, 108 000 Ew. – S. entstand aus Siedlungen um das 1340 von SERGIJ VON RADONESCH gegr. Kloster **Trọize-Sẹrgijewa Lạwra** (heute im Stadtgebiet), das seit dem Ende des 14. Jh. eine bed. Rolle im kulturellen, kirchl. und polit. Leben Rußlands spielte. Der älteste erhaltene Bau der mächtigen Klosteranlage, die 1540–50 mit einer steinernen Wehrmauer mit Ecktürmen umgeben wurde, ist die 1422/23 über dem Grab des Hl. Sergij errichtete Dreifaltigkeitskirche (Ikonostase, 1427/28, z. T. von A. RUBLJOW und DANIIL TSCHORNYJ), eine 4-Pfeilerkirche aus weißen Steinquadern mit 3 Apsiden und Kuppel. Pskower Meister schufen die Heiliggeistkirche (1476, Kreuzkuppelkirche). Die von IWAN IV. gestiftete Uspenskij-Kathedrale, 1559–85 nach dem Vorbild der Uspenskij-Kathedrale des Moskauer Kreml erbaut, ist eine 6-Pfeilerkirche mit 5 Apsiden und 5 Kuppeln; Fassade durch Pilaster unterteilt (im Inneren Fresken von 1684; geschnitzte Ikonostase Ende 17. Jh.). Ihr entscheidendes Gepräge erhielt die Troize-Sergijewa Lawra durch die Bauten des 17. Jh.: Hospitalbau mit Sossima-Sawwatij-Kirche (1635–38, Zeltdachkirche), Trapesa und barocke Ser-

Sagorsk: Befestigung des Klosters Troize-Sergijewa Lawra; 1540–50

gij-Kirche (1686–92), Brunnenkapelle und Kirche Johannes' des Täufers (1699 voll., 1746 umgebaut) über dem Haupttor des Klosters. Aus dem 18. Jh. stammt der fünfgeschossige, 88 m hohe barocke Glockenturm (1740–70, D. W. UCHTOMSKIJ u. a.).

Sagụnto, Sagụnt, Stadt in der span. Prov. Valencia, 47 400 Ew. Die Stadt wurde 219 v. Chr. bei der Belagerung Hannibals von den Ew. selbst zerstört; 214 v. Chr. als **Sagụntum** von den Römern wiederaufgebaut. Aus dieser Zeit stammt das Amphitheater (Unterbau der Bühne, Orchestra und einige der urspr. 33 Sitzreihen erh.). Von den Befestigungsanlagen aus antiker, arab. und späterer Zeit sind gewaltige Ruinen erh.; Antiken im Städt. Mus. (Inschriften, Skulpturen).

Sahagún [saaɣ'un], span. Städtchen etwa 50 km südöstlich von Léon, mit 2 prachtvollen Kirchen im Mudéjar-Stil (S. Tirso und S. Lorenzo, beide 12./13. Jh.); charakteristisch ist bei beiden Bauten die Verwendung von Backstein als dekoratives Ornament am Außenbau (Blendarkadenverzierung an den Apsiden) sowie mächtige Türme mit hufeisenbogigen Fensterreihen. In der Pfarrkirche eine 1 m hohe, silberne Custodia von E. DE ARFE (1510). In der Umgebung das Santuario de la Peregrina, das zu einem Franziskanerkloster (13. Jh.) gehörte, ein mudejar. Backsteinbau mit qualitätvollen Stukkaturen (Yeserías) im arabischen Stil. – 5 km südlich das ehemalige Kloster →San Pedro de Dueñas.

Sahẹt Mahẹt, →Sravasti.

Sahn [arab. ›Hof‹], in frühislam. Texten Bez. für den nicht überdeckten Teil einer Hofmoschee i. Ggs. zum gedeckten, der Zulla (Schattenfläche) genannt wurde.

Saịda, Provinzhauptstadt im südl. Libanon, 25 000 Ew., das antike **Sịdon.** Von Kreuzfahrerbauten haben sich bis in neuere Zeit erhalten: auf dem Felsen vor der Küste Reste einer 1228 errichteten Burg (Kal'at al-Bakr) mit Wachtturm, in den Ruinen Skulpturen des 13. Jh., und im S der Stadt die im 13. Jh. wohl auf den Ruinen des antiken Sidon erbaute Burg St. Louis. Die Moscheen von S. stammen aus dem 16. und 17. Jh. Die Große Moschee (Djami al-Kebir) steht auf den Mauern des Johanniterspitals aus dem 13. Jh. – Nordwestlich von S. finden sich die Ruinen des Tempels des phönik. Heilgottes Eschmun. – In der Nekropole außerhalb von S. wurden Sarkophage phönik. Könige aus dem 5. und 4. Jh. v. Chr. und der →Alexandersarkophag gefunden.

Saint-Aignan [sɛ̃tɛɲ'ã], Gem. im frz. Dép. Loir-et-Cher, am Cher, mit Renaissance-Schloß des 16. Jh. und der roman. Kirche St. Aignan (11./12. Jh.), reich geschmückt mit figürl. Kapitellen; Fresken des 12. bis 15. Jh. in der Krypta.

Saint Albans [snt'ɔːlbənz], Stadt nördlich von London in der engl. Cty. Hertfordshire mit 793 gegr. Benediktinerabtei, benannt nach einem röm. Märtyrer ALBAN (†303). Die normann. Abteikirche (1077 beg., 1116 gew.) ist aus röm. Ziegelmaterial errichtet; erh. sind Querhaus mit Vierungsturm und Teile des Langhauses mit dreigeschossigem Aufrißsystem und flachen Lisenenvorlagen. Nach Einsturz der südl. Langhausmauer 1323 Erneuerung in hochgot. Formen. Im Anschluß an die Erhebung zur Kathedrale (1877) wurde die Kirche 1880–85 durchgreifend von I. GRIMTHORPE (*1816, †1905) restauriert.

Saint-Aubin [sɛ̃tob'ɛ̃], Gabriel de, frz. Maler, Radierer, *Paris 14. 4. 1724, †ebd. 9. 2. 1780, schilderte das Pariser Leben im Rokoko in seinen Radierungen, die, jeweils nur in wenigen Exemplaren gedruckt, wegen der Feinheit der Ausführung und Lichtbehandlung gesucht sind, sowie in aquarellierten Zeichnungen (›Der Salon von 1765‹, 1765; Louvre) und Ölbildern (›La Parade du Boulevard‹, um 1760; London, Nat. Gal.). Sein älterer Bruder Charles-Germain (*Paris 17. 1. 1721, †ebd. 6. 3. 1786) zeichnete v. a. Entwürfe für Kostüme, Stickereien und Spitzen. Sein jüngerer Bruder Augustin (*Paris 3. 6. 1736, †ebd. 9. 11. 1807) radierte neben genrehaften Darstellungen aus dem eleganten Leben v. a. feingezeichnete Porträts; auch Vignetten und Ornamentzeichnungen für Buchschmuck.

Saint Augustine [snt 'ɔːgəstiːn], Stadt in Florida, USA, 12000 Ew.; 1565 von Spaniern gegr., die älteste Stadt im Gebiet der USA. Erhalten (restauriert) sind maler. alte Gassen mit span. Häusern; das Castillo de San Marcos ist ein 1672–95 erbautes Backsteinfort.

Saint-Benoît-sur-Loire [sɛ̃bənw'a syrlw'aːr], Gem. im frz. Dép. Loiret, südöstlich von Orléans. Die um 640 gegr. Benediktinerabtei **Fleury** [flœr'i], nach Überführung der Gebeine des Hl. Benedikt aus Montecassino Ende des 7. Jh. umbenannt, erlangte im MA. durch die im 9. Jh. gegr. Klosterschule Bedeutung. Die roman. Abteikirche (Neubau seit 1067) besitzt im W einen gewaltigen Vorhallenturm mit reichgeschmückten Kapitellen (Beispiele für den Beginn der figürl. Kapitellplastik in Frankreich) im Erdgeschoß; frühgot. Langhaus (Mitte 12. Jh.); N-Portal mit reichem Figurenschmuck (Anf. 13. Jh.).

Saint-Bertrand-de-Comminges [sɛ̃bɛrtr'ã də kɔm'ɛ̃ʒ], Gem. im frz. Dép. Haute-Garonne, nördlich von Bagnères-de-Luchon, eine röm. Gründung (**Lugdunum Convenarum;** Baureste und Ausgrabungsfunde im Mus.); seit dem 5. Jh. Bischofssitz; nach Zerstörung im 5./6. Jh. durch Wandalen und Franken Neugründung unter Bischof BERTRAND und Bau einer Kathedrale Anfang des 12. Jh. (Portal und Kreuzgang mit figürl. Kapitellschmuck aus dieser Zeit), Erweiterung im 14. Jh.; Lettner und Chorgestühl aus dem 16. Jh. S.-B.-de-C. ist Wallfahrtsort zum Grab des Hl. Bertrand (Reliquienschrein in der Kathedrale) und Pilgerstation auf dem Weg nach Santiago de Compostela.

Saint David's [sntd'eɪvɪdz], Ort in der engl. Cty. Dyfed in SW-Wales. Die Kathedrale, um 1180 beg., besitzt ein spätroman. Langhaus mit unter einem Blendbogen zusammengefaßtem Triforium und Obergadenlaufgang. Der Vierungsturm wurde nach Einsturz 1220 erneuert und im frühen 14. Jh. die Lady Chapel und der Lettner im Decorated Style errichtet. Um 1500 erhielt das Langhaus eine neue Flachdecke in Anlehnung an spätgot. Gewölbeformen. Gegenüber der Kathedrale entstanden im mittleren 14. Jh. der in Ruinen erh. Bischofspalast (Dreiflügelanlage) sowie das 1377 gegr. College St. Mary (got. Chapel und Turm erh.).

Saint-Denis [sɛ̃dn 'i], Stadt im frz. Dép. Seine-Saint-Denis, nördlich von Paris, 96 800 Ew. Die von DAGOBERT I. um 623/25 zu Ehren des Hl. Dionysius gegr. Abtei wurde von den Karolingern und Kapetingern begünstigt (Aufbewahrungsort der Kroninsignien); Neubau unter KARL D. GR. sowie unter Abt SUGER seit 1137 (W-Fassade, O-Chor), eine der frühesten got. Anlagen in der Île-de-France, Vorbild für viele frz. Kirchen. Seit 1230 Erneuerung des karoling. Langhauses und Querschiffes. Die Kirche ist seit LUDWIG IX. Grabstätte frz. Könige mit bed. Grabdenkmälern aus dem MA. und der Renaissance (u. a. von FRANZ I., HEINRICH II. und KATHARINA VON MEDICI). Weitgehende Zerstörung des Baus und der Ausstattung in der Frz. Revolution, Wiederherstellung Anfang des 19. Jh. und unter E.-E. VIOLLET-LE-DUC (1847). 1959 fand man bei Ausgrabungen das merowing. →Arnegunde-Grab.

Saint-Dié [sɛ̃dj'e], Stadt im frz. Dép. Vosges, am W-Rand der Vogesen an der Meurthe, 26 500 Ew.; kath. Bischofssitz. Die romanisch-got. Kathedrale (12. bis 14. Jh.; Zweiturmfassade, 1711) ist durch einen Kreuzgang (14.–16. Jh.) mit der Petite Église (Glockenturm, 12. Jh.) zu einer Baugruppe verbunden.

Saintes [sɛ̃t], Stadt im frz. Dép. Charente-Maritime, an der Charente, 28 400 Ew. Aus röm. Zeit stammen die Reste der Arena und der Triumphbogen (Ausgrabungsfunde im Archäolog. Mus.). Aus dem MA. sind die urspr. roman. Kirchen Ste.-Marie-des-Dames (11. bis 12. Jh.), St. Eutrope (12.–15. Jh.) und St. Pierre (15. bis 16. Jh., mit Resten des 12. Jh.) erhalten. Mus. des Beaux-Arts mit Gemälde- und Fayencensammlung.

Saintes-Maries-de-la-Mer [sɛ̃tmar'i dəlam'ɛ:r], →Les-Saintes-Maries-de-la-Meer.

Saint-Gaudens [sɛ̃gɔd'ɑ̃s], Stadt im frz. Dép. Haute-Garonne, an der Garonne. Die ehem. Stiftskirche (11.–12. Jh.) mit spätgot. Portal und prächtigen Kapitellen ähnelt St. Sernin in Toulouse; im Inneren Chorgestühl und Wandteppiche des 17. Jh.

Saint-Gaudens [sntg'ɔ: dənz], Augustus, amerikan. Bildhauer frz. Herkunft, *Dublin 1. 3. 1848, †Cornish (New Hampshire) 3. 8. 1907, studierte in New York, Paris und in Italien. Er schuf unter dem Einfluß der ital. Renaissance und zeitgenöss. frz. Bildhauer naturalist. Werke (Reiterdenkmal des General Sherman, 1897–1903; New York, Central Park).

Saint George's [sntdʒ'ɔ: dʒɪz], Hauptstadt von Grenada, 1650 von frz. Kolonisten gegr., 30 000 Ew. Franzosen errichteten im 18. Jh. die umfangreichen Befestigungsanlagen. Im reizvollen Stadtbild frz. und brit. Einflüsse. Die Anglican Church (1826) mit hohem Glokkenturm ist in georgian., die kath. Kathedrale (19. Jh.) in neuroman. Stil gehalten. Im Nat.-Mus. Funde aus vorkolumb. Zeit.

Saint-Germain-en-Laye [sɛ̃ʒɛrm'ɛ̃ ãl'ɛ], Stadt im frz. Dép. Yvelines, auf einer Hochfläche links der Seine, Wohnvorort von Paris, 40500 Ew. Das Renaissanceschloß, einst Sommerresidenz frz. Könige, wurde unter FRANZ I. völlig erneuert (vom Bau des MA. blieb die got. Schloßkapelle von 1238 erhalten); Park mit 2,4 km langer Terrasse über der Seine, von A. LE NÔTRE 1668–73 angelegt; im Schloß heute Nat.-Mus. für Vor- und Frühgeschichte (Stiftung NAPOLEONS III.).

Saint-Gilles [sɛ̃ʒ'il], Gem. im frz. Dép. Gard, bei Nîmes, 9800 Ew. Die roman. Kirche der ehem. Benediktinerabtei (etwa 10.–12. Jh.) im Stil der provenzal. Bauschule besitzt an ihrer von 2 Türmen flankierten, von spätröm. Kunst beeinflußten W-Fassade (wohl um 1150) 3 Portale mit reichem Skulpturenschmuck des 12. Jh. von hoher Qualität; Krypta mit kannelierten Pfeilern; Chor und Langhaus der Kirche nur z. T. erh.

Saint-Hubert [sɛ̃tyb'ɛːr], Ort in der belg. Prov. Luxembourg. St. Hubert, die Kirche einer ehem. Benediktinerabtei (687 gegr.), ist eine auf roman. Fundamenten nach einem Brand seit 1526 errichtete spätgot. fünfschiffige Basilika mit Chor und Umgang mit Kapellenkranz; barocke Doppelturmfassade (18. Jh.); im Innern geschnitztes Chorgestühl (1733), Altar mit Emailarbeiten nach A. DÜRER (1560). In der Krypta unter dem Chor wird das Grab des Hl. Hubertus vermutet.

Saint-Jean-Cap-Ferrat [sɛ̃ʒ'ã kapfɛr'a], frz. Seebad an der Côte d'Azur, am Cap Ferrat. Villa mit Mus. ›Île de France‹ der Stiftung Ephrussi de Rothschild mit reichhaltigen Kunstsammlungen (v. a. aus dem 18. Jh.), u. a. Wandteppiche, Möbel, Porzellan, Asiatica, frz. Gemälde.

Saint-Jean-Saverne [sɛ̃ʒãsav'ɛrn], →Sankt Johann bei Zabern.

Saint-Jouin-de-Marnes [sɛ̃ʒw'ɛ̃ dəm'arn], Gem. im frz. Dép. Deux-Sèvres, nordwestlich von Poitiers, mit ehem. Benediktinerabteikirche, ein dreischiffiger roman. Bau des 12./13. Jh., an der Fassade (v. a. an den Portalen) mit Skulpturen reich geschmückt.

Saint-Lizier [sɛ̃lizj'e], altertüml. Städtchen im frz. Dép. Ariège, in den Pyrenäen, mit röm. Bauresten (Stadtmauer) und romanisch-got. Kathedrale (Ende 11.–14. Jh.); zweigeschossiger Kreuzgang (12. und 15. Jh.) mit reich verzierten Kapitellen und 2 Bischofsgräbern (14. und 16. Jh.).

Saint Louis [sntl'uis], Stadt in Missouri, USA, 453100 Ew.; 1764 von Franzosen gegr. An S. L. als ehem. Ausgangspunkt für die Besiedlung des Westens erinnert der ›Gateway Arch‹ (1959–65, ein Stahlbogen, 191 m hoch, Entwurf von EERO SAARINEN). Die Old Cathedral wurde 1831–34 erbaut; Wainwright Building von L. H. SULLIVAN (1890–91); die 14 Bronzestatuen des Brunnens ›Wedding of the waters‹ (1930), von C. MILLES, symbolisieren den Zusammenfluß von Mississippi und Missouri nördlich von S. L.; im Palace of Art (1904), von C. GILBERT für die Weltausstellung erb., das City Art Mus. (Kunst aus aller Welt, u. a. Skulpturen,

Gemälde, Porzellan, Bronzen). Der 1976 gegr. Laumeier International Sculpture Park ist eines der bedeutendsten Freiluftmuseen in den USA (Großplastiken u.a. von E. TROVA, A. CARO, LOUISE NEVELSON, A. LIBERMAN, R. SERRA und MARC DI SUVERO).

Saint-Malo [sɛ̃mal'o], Hafenstadt im frz. Dép. Ille-et-Vilaine, Bretagne, 46300 Ew.; auf einer landfest gemachten Insel an der Mündung der Rance. Die von Mauern umschlossene Altstadt (Ville Close) wurde im 2. Weltkrieg stark zerstört, danach in urspr. Stil mit hohen Bürgerhäusern aus Granit wiederaufgebaut; erhalten blieben die ehem. Kathedrale St. Vincent (urspr. 12./13. Jh., im 14.–16. Jh. mehrfach verändert, Fassade des 18. Jh.) und das viereckige Schloß (15.–17. Jh.) mit 4 Ecktürmen, dreieckiger Bastion, Tortürmen und Donjon (heute Städt. Mus. mit breton. Kunst). Außerhalb der Ummauerung Fort National (1689 von S. VAUBAN); auf der Halbinsel Cité d'Aleth im Stadtteil Saint-Servan Fort von 1759.

Saint-Maurice [sɛ̃mɔr'is], Stadt im schweizer. Kt. Wallis, 3350 Ew., an der Stelle der röm. Militärstation **Agaunum.** Über einem antiken Gräberfeld entstand im 4. Jh. eine erste Kirche, 515 zum Kloster erweitert (Bauetappen durch Grabungen sehr gut erforscht). Die heutige Kirche wurde 1614–27 erbaut, die roman. Teile gehören zu einem 1148 geweihten Bau; Klostergebäude (1707–13). Fast unversehrt erh. Schatz mit bedeutenden Schenkungen merowing., karoling. und burgund. Fürsten.

Saint-Maximin [sɛ̃maksim'ɛ̃], Städtchen im frz. Dép. Var, östlich von Aix-en-Provence; in der spätgot. Dominikanerkirche (Ende 13.–16. Jh.) reiche Innenausstattung (Chorgestühl, 17. Jh.; Altargemälde, 16. Jh.); die Krypta (5. Jh.) enthält 4 frühchristl. Sarkophage und gravierte Marmortafeln.

Saint-Michel-de-Cuxa: Kapitell im Kreuzgang, 12. Jh.

Saint-Michel-de-Cuxa [sɛ̃miʃ'ɛl dəkys'a], Abtei (im 9. Jh. gegr.) bei Prades im frz. Dép. Pyrénées-Orientales. Die Kirche St. Michel (urspr. 10./11. Jh., got. Chorwölbung, 14. Jh.) mit roman. Glockenturm wurde seit 1950 restauriert, die Klostergebäude rekonstruiert. Die noch verbliebenen Kapitelle des Kreuzgangs gehören zu den schönsten Werken der katalan. Romanik (die übrigen Kapitelle befinden sich in den ›Cloisters‹ in New York).

Saint-Mihiel [sɛ̃mj'ɛl], Städtchen im frz. Dép. Meuse, Lothringen; entstand aus einem 815 hierher verlegten Benediktinerkloster. S.-M. hat 2 bed. Kirchen: St. Mihiel (18. Jh.), eine kreuzförmige Halle mit 2 Chortürmen, W-Turm (12. Jh.) und barocker Einrichtung (in den Abteigebäuden, 1679–92, befinden sich u.a. Bibliothek und Mus. Richier); St. Étienne (1500 bis 1545) ist eine spätgot. Halle. Beide Kirchen enthalten Arbeiten (um 1540) des in S.-M. geborenen Bildhauers L. RICHIER. Bürgerhäuser des 14.–18. Jh. prägen das Stadtbild.

Saint-Nectaire [sɛ̃nɛkt'ɛːr], Gem. und Heilbad im frz. Dép. Puy-de-Dôme, südöstlich von Clermont-Ferrand; in der Kirche im roman. Stil der Auvergne

(12. Jh.) befinden sich prachtvolle figürl. Kapitelle; reicher Kirchenschatz (u. a. Reliquienbehälter mit Emailverzierung).

Saint-Nicolas-de-Port [sɛ̃nikɔl'a dəp'ɔ: r], Gem. im frz. Dép. Meurthe-et-Moselle, Lothringen. Die mächtige Wallfahrtskirche im spätgot. Flamboyant-Stil (beg. 1495) ist eine sterngewölbte, zweitürmige Pfeilerbasilika mit Resten der urspr. Ausstattung (Glasfenster, Skulpturen, Chorgestühl).

Saint-Non [sɛ̃n'ɔ̃], Richard, frz. Graphiker, *Paris 1727, †ebd. 25. 11. 1791. Seine Reproduktionen nach Landschaftszeichnungen von J.-H. FRAGONARD, J.-B. LE PRINCE und H. ROBERT sind (meist in Aquatinta-Manier) so geschickt gestochen, daß sie lavierten Federzeichnungen ähneln. Sein HW ist das von ihm hg. Reisewerk ›Voyage pittoresque ou description du Royaume de Naples et de Sicile‹ (5 Bde., Paris 1781–86), das er zum Teil selbst illustriert hat. Die ›Recueils de Griffonis‹ (1771–73) sind eine Samml. seiner 294 radierten Ansichten von Rom und Umgebung.

Saint-Omer [sɛ̃tɔm'ɛ: r], Stadt im frz. Dép. Pas-de-Calais, südöstlich von Calais, 18 000 Ew. Die ehem. Kathedrale Notre-Dame (13.–15. Jh.) mit reliefgeschmücktem S-Portal enthält zahlreiche Kunstwerke (Bischofsgrabmäler des 16. Jh. und v. a. die Plastik ›Grand Dieu de Thérouanne‹ aus dem 13. Jh., Christus zw. Maria und Johannes darstellend); ehem. bischöfl. Palast (17. Jh.); ehem. Jesuitenkapelle (1639 voll.; heute Lyzeum) mit skulpturenverzierter weißer Fassade. Im Hôtel Sandelin (1766) Mus. mit Gemäldegal., archäolog. und Fayencen-Samml., Kunsthandwerk des MA.

Saint Osyth Priory [snt'əʊzɪθ pr'aɪərɪ], Ort in der ostengl. Cty. Essex nordöstlich von Colchester mit Resten einer ma. Klosteranlage. Erh. das monumentale Torhaus des späten 15. Jh., dessen in Flint (Feuerstein) ausgeführte Oberfläche vollständig von einem Blendmaßwerksystem in Formen des späten Perpendicular Style überzogen ist.

Saint Paul [sntp'ɔ: l], Hauptstadt von Minnesota, USA, 270 000 Ew. Das Capitol wurde 1898–1905 nach Plänen von C. GILBERT errichtet; im ›City Hall and County Court House‹ (1932) die nach Entwurf von C. MILLES geschaffene Onyxstatue ›Indian God of Peace‹ (13 m hoch); im Mus. of Art v. a. Werke asiat. und afrikan. Kunst.

Saint-Paul-de-Vence [sɛ̃pɔldəv'ɑ̃s], altertüml. Städtchen im frz. Dép. Alpes-Maritimes, nordwestlich von Nizza bei Vence; gut erhaltene Stadtmauer (16. Jh.); got. Kirche (mit reichem Kirchenschatz). 1 km nordwestlich liegt das moderne Kunstzentrum der →Fondation Maeght.

Saint Petersburg [sntp'i: təzbə: g], Stadt in Florida, USA, 236 900 Ew.; Salvador Dalí Mus. mit Werken des span. Hauptmeisters des Surrealismus.

Saint Phalle [sɛ̃f'al], Niki de, frz. Plastikerin, Malerin, *Neuilly-sur-Seine 29. 10. 1930, lebte 1933–50 in

Niki de Saint Phalle: Schwarze Nana, Polyester, bemalt, 293 cm hoch; 1968–69 (Köln, Museum Ludwig)

den USA, dann in Paris, wo sie von J. TINGUELY (mit dem sie seit 1961 verheiratet ist) künstlerisch beeinflußt wurde. Sie schuf seit 1965 großfigurige burleske Frauengestalten aus bunt bemaltem Polyester (›Nanas‹), 1966 mit Tinguely und P. O. ULTVEDT eine riesige, begehbare Frauenskulptur in Stockholm.

N. de S. P., Ausst.-Kat., Paris (1980).

Saint-Pol-de-Léon [sɛ̃pɔldəle'ɔ̃], Stadt im frz. Dép. Finistère. Die charakteristisch breton. Stadt ist bekannt durch ihre Glockentürme, bes. den 77 m hohen Turm der Chapelle du Kreisker (14.–15. Jh.), der Vorbild für viele Glockentürme der Bretagne wurde. Die ehem. Kathedrale (13.–16. Jh.) ist ein prächtiges Bauwerk der normann. Gotik.

Saint-Rémy-de-Provence [sɛ̃rem'i dəprɔv'ãs], Gem. im frz. Dép. Bouches-du-Rhône, südlich von Avignon, 8000 Ew. In der Nähe liegen die Überreste des antiken **Glạnum,** das, aus einem kelt. Heiligtum hervorgegangen, seit Ende des 3. Jh. v. Chr. als grch. Siedlung belegt ist und Ende des 2. Jh. v. Chr. von den Römern besetzt wurde (Atriumhäuser mit dekorativen Mosaiken, versch. Tempel, Thermen, Triumphbogen und v. a. das vollständig erhaltene zweistöckige, kuppelgekrönte Mausoleum der Julier mit Reliefs).

Saint-Savin-sur-Gartempe [sɛ̃sav'ɛ̃ syrgart'ãp], Städtchen im frz. Dép. Vienne, östlich von Poitiers. Die Kirche der im 9. Jh. gegr. ehem. Benediktinerabtei stammt aus dem 11./12. Jh. (im Mittelschiff reich skulptierte Kapitelle) und enthält die wohl bedeutendsten erh. roman. Wandmalereien in Frankreich (11./12. Jh.), vor allem Freskenzyklus mit Szenen aus dem A. T. am Gewölbe des Hauptschiffes; Fresken in der Vorhalle und Krypta wohl von Miniaturmalern ausgeführt.

Saint-Séverin [sɛ̃sevr'ɛ̃], Ort in der belg. Prov. Lüttich, mit ehem. Cluniazenserkloster. Die dreischiffige kreuzförmige Kirche mit achteckigem Vierungsturm (12. Jh.) verwendet als erste roman. Kirche im Maasgebiet den Stützenwechsel; reich skulptiertes roman. Taufbecken (12. Jh.).

Saint Trond [sɛ̃tr'ɔ̃], frz. Name von →Sint-Truiden.

Saint-Ursanne [sɛ̃tyrs'an], Stadt im schweizer. Kt. Jura, 1100 Ew., in ihrer ma. Geschlossenheit mit 3 Stadttoren gut erh. Die Stiftskirche des 1119 zum Chorherrenstift umgewandelten Benediktinerklosters ist eine querhauslose dreischiffige Pfeilerbasilika (12. bis 15. Jh.) mit roman. Krypta; das Südportal mit seinem reichen plast. Schmuck ist von der Galluspforte am Baseler Münster beeinflußt.

Saka-Dynastie, die im 2. Jh. v. Chr.–4. Jh. n. Chr. von Mittelasien nach NW- und W-Indien vordringenden skyth. Eroberer, die den Einfluß hellenist. und iranisch-parth. Elemente in die ind. Kunst vermittelten, wie Ranken aus Weinlaub, wahrscheinlich auch den Nimbus und Götterattribute wie den Trishula und den Löwen als Reittier (Vahana). Zu den Sakas zählten auch die Kshatrapas.

Sakakura, Junzo, japan. Architekt, *Präfektur Gifu 29. 5. 1904, †Tokio 10. 9. 1969, baute nach Studium bei LE CORBUSIER in Paris v. a. Wohnhäuser, Industriekomplexe und Verwaltungsgebäude. Sein 1951 voll. Mus. für Moderne Kunst in Kamakura gehört zu den ersten eigenständigen Leistungen der japan. Nachkriegsarchitektur.

Sakçagözü [saktʃ'agœzy], Ort in der S-Türkei, nordwestlich von Gaziantep. Außer vorgeschichtl. Funden (neolith. Keramik) wurde hier ein späthethit. Palast des Hilani-Typs mit Torskulpturen (9.–8. Jh. v. Chr.) freigelegt.

Sakkara, Saqqara, ägypt. Dorf südlich von Kairo (KARTE ägyptische Kunst), in dessen Nähe die Friedhöfe der altägypt. Hauptstadt Memphis liegen, mit Königsgräbern (Pyramiden) der Frühzeit und des Alten Reiches sowie mit Gräbern (Mastabas) der hohen Beamten, eine der bedeutendsten Ruinenstätten des Altertums. Zu der 1. Blütezeit im 3. Jahrtsd. v. Chr. gehören v. a. die Stufenpyramide des Königs DJOSER und die Mastabas von TI, PTAHHOTEP (beide 5. Dynastie) und MERERUKA (6. Dynastie) mit ihrem reichen, bunt bemalten Reliefschmuck von hoher Qualität. Nach dem Ende des Alten Reiches verlor S. an Bedeutung, doch folgte eine 2. Blütezeit im Neuen Reich, als TUT-ENCH-AMUN um 1345 v. Chr. die königl. Residenz erneut nach Memphis verlegte. Die neuen Gräber, für Angehörige des Königshauses und hohe Beamte, sind wieder reich mit Reliefs versehen, in deren Darstellung die Gelöstheit und Eleganz der Amarnakunst weiterwirkte. Dieser Bildschmuck wurde zum großen Teil schon im 19. Jh. aus den Gräbern entfernt und gelangte in zahlreiche Museen, die Gräber selbst sind erst in jüngster Zeit wieder aufgefunden worden, darunter das Grab des späteren Königs HAREMHAB. In S. lag auch der Begräbnisort der hl. Apis-Stiere, das →Serapeum. Aus kopt. Zeit (6. Jh. n. Chr.) stammen die Ruinen eines Klosters des Hl. Jeremias. (BILD ägyptische Kunst)

sakral [lat.], auf einen relig. Kult bezüglich, i. Ggs. zu profan; **sakrale Kunst,** im abendländ. Bereich die der Ausstattung des Kirchenraums dienende Kunst (→Altar, →Kanzel, →liturgische Geräte, →liturgische Gewänder, →Taufstein). **Sakralarchitektur** umfaßt die für den Kult bestimmten Gebäude (→Grabbauten, →Grabmal, →Kirchenbau, →Kloster, →Moschee, →Pagode, →Pyramide, →Stupa, →Tempel).

Sakralbronzen, chines. Kultgefäße aus Bronze. Sie wurden v. a. bei den Opferritualen anläßlich der Beisetzung von Angehörigen der Herrschersippe oder der Oberschicht benutzt und neben anderen Kostbarkeiten (Bronzeglocken, Spiegel, Jadearbeiten) in der Shang- und der Westl. Chou-Zeit dem Toten mit ins Grab gegeben. Speise- und Trankopfer (Klassifizierung der S. in Speise-, Wein- und Wassergefäße) sollten das Weiterleben der Ahnengeister und den Fortbestand der Sippe sichern. Mit zunehmender Unabhängigkeit des Feudaladels erweiterte sich ab Mitte der Chou-Zeit der Kreis der Auftraggeber. S. wurden auch zunehmend als Belohnung und Auszeichnung oder zu festl. Anlässen ver-

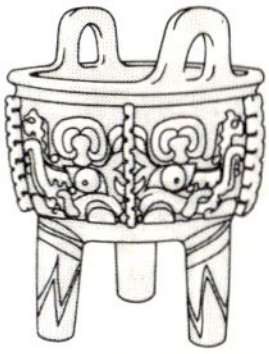
Ting

Fang-ting

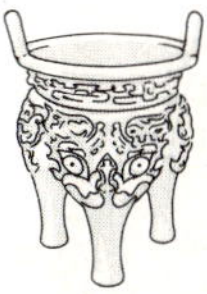
Li

Hsien oder Yen

Kuei

Sakralbronzen: Gefäßtypen der späten Shang-Zeit

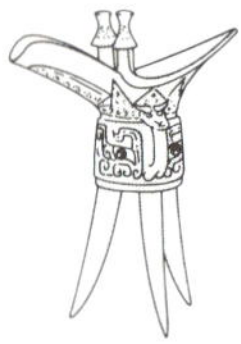

Chüeh

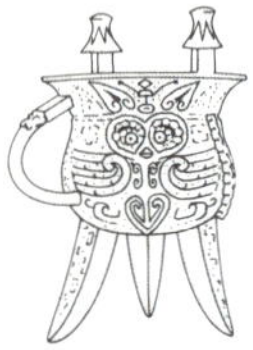

Chia

Sakralbronzen: Gefäßtypen der späten Shang-Zeit

Sakramentshäuschen von Adam Krafft; um 1500 (Nürnberg, St. Lorenz)

liehen, was sich auch im Dekor bemerkbar macht (→chinesische Kunst). Die S. wurden anfänglich in einem komplizierten Gußverfahren hergestellt. Man fertigte ein detailliertes Modell der S. in Ton, mit herausmodelliertem Reliefdekor, übertrug diesen Dekor im Negativabdruck auf die Innenseite ineinander zapfbarer Teilformen aus ungebranntem Ton, brannte diese und fügte sie um einen Tonkern zusammen. Das flüssige Erz wurde in die Form gegossen, nach Entfernung des Tonmantels konnte das fertige Gefäß überarbeitet werden. Gegen Ende der Chou-Zeit (rd. 5. Jh. v. Chr.) fand die Technik der verlorenen Wachsform Verbreitung. Der Zusammenhang zw. magisch relig. Dekor (T'ao-t'ieh, Kuei-Drache, Schlange, Zikade, Fabelvogel) und Gefäßfunktion konnte bisher noch nicht geklärt werden. Die Bez. der Dekormotive und Gefäßtypen, welche z. T. aus der Keramik der spätneolith. Lungshan-Kultur abzuleiten sind, gehen auf das 11. und 12. Jh. zurück. (WEITERE BILDER S. 303/304)

C. DEYDIER: Chines. Bronzen (1981).

Sakramẹntshäuschen, Behälter für das Gefäß mit der Eucharistie, urspr. über dem Altar, später an der N-Seite des Chores, in einer verschließbaren Sakramentsnische aufbewahrt. Seit dem Ende des 14. Jh. wurde diese zu einem aus der Mauer hervortretenden oder freistehenden, oft turmartigen Häuschen entwickelt (v. a. St. Severin in Köln, 1378; im Münster zu Ulm, 1467–71; in St. Lorenz zu Nürnberg von A. KRAFFT, um 1500), im 16. Jh. durch den Tabernakel ersetzt; neuerdings moderne Stelen seitlich vom Altar.

Sakristei [kirchenlat.], Nebenraum von Kirchen zur Aufbewahrung von liturg. Gewändern und Geräten. Ursprung der S. ist die aus Diakonikon und Prothesis bestehende →Pastophorie.

Salamạnca, 1) span. Provinzhauptstadt und Bischofssitz im SW Altkastiliens, am rechten Ufer des Tormes, 144 200 Ew. Älteste Kirchen (alle 12. Jh.) sind S. Martín (mit reich skulptiertem Portal), S. Marco (auf kreisförmigem Grundriß), Santiago (im Mudéjar-Stil) und die Alte Kathedrale (1152–1225) mit mächtiger Kuppel (bekrönt von dem oktogonalen ›Hahnenturm‹, span. Torre del Gallo); im Inneren Freskenzyklus (1262) in der Capilla de S. Martín und Hauptretabel von einem toskan. Meister (um 1445; Gemäldezyklus mit nahezu 50 Szenen aus dem Leben Christi; in das Retabel eingelassen eine emaillierte Madonnenstatue, um 1160); im Kapitelsaal (1243) das Diözesan-Mus. (u. a. Triptychen von F. GALLEGO und JUAN DE FLANDES). Unmittelbar oberhalb der Alten Kathedrale die seit 1513 in plateresken und barocken Formen errichtete Neue Kathedrale (1733 vollendet); im Inneren Gemälde von L. DE MORALES und Skulpturen von J. DE JUNI. 1524–1610 entstand die Dominikanerkirche S. Esteban mit platereskem Fassade und reichen Barockaltären von J. CHURRIGUERA (BILD). Größtes Barock-Bauwerk der Stadt ist das Jesuitenkolleg mit mächtiger zweitürmiger Kirche (1617). Die Univ. (1218 gegr.) erhielt 1533 eine prächtige, mit Wappen, Blumen- und Blattornamenten und den Porträts Isabellas I. und Ferdinands II. geschmückte platereske Fassade (BILD Platereskenstil). Zahlreiche Paläste, v. a. aus dem 15. und 16. Jh.: Casa de las Conchas (mit Pilgermuscheln an der Fassade), Palacio de Monterrey (von R. GIL DE HONTAÑÓN) u. a. Aus dem 17. Jh. stammt das von ital. Künstlern errichtete Augustinerkloster (in der Klosterkirche Retabel von J. DE RIBERA). 1729–55 entstand die Plaza Mayor nach Plänen von A. CHURRIGUERA, eine quadrat. Platzanlage von großer Geschlossenheit.

2) Stadt im Bundesstaat Guanajuato, Mexiko, 72 000 Ew.; Kirche S. Agustín (18. Jh.), im Innern mit farbiger und vergoldeter Täfelung und churrigueresken Seitenaltären.

Sạlamis, antike Stadt an der O-Küste von Zypern, im 11. Jh. v. Chr. von Griechen gegr., wurde früh Vermittlerin oriental. Kulturgutes an Griechenland. Als Sitz eines bed. Stadtkönigtums erlebte die Stadt v. a. unter König EUAGORAS I. (411–374 v. Chr.) Blütezeiten. Außer der ausgedehnten Ruinenstätte mit Bauresten (Tempel, Theater, Gymnasion mit Thermen) aus röm. Zeit (58 v. Chr.–330 n. Chr.) sowie einer christl. Basilika wurden Hügel-Kammergräber mit reichen Funden aus dem 8./7. Jh. v. Chr. aufgedeckt.

Salampạsu, am Kasai in S-Zaire und im angrenzenden NO-Zipfel Angolas lebende kleine Volksgruppe, die sich in der Schnitzkunst durch etwas abstrakte, aber bes. suggestive Masken hervorgetan hat. Eine Besonderheit dieser im übrigen sehr einfach gestalteten Masken sind die Kugeln, die zur Andeutung der Frisur über der Stirn angebracht sind oder zur Darstellung des Bartes an Zöpfen oder Schnüren vom Kinn herabhängen. Die Masken sind i. a. aus Holz und werden manchmal mit Streifen aus Kupferblech beschlagen; es gibt auch aus Pflanzenfasern hergestellte. Die (selteneren) Figuren der S. sind sehr rudimentär geschnitzt und werden meist rot und weiß gefärbt.

Sạla terrẹna [ital.] *die,* Gartensaal eines Barockschlosses oder -palastes, meist im Mittelpavillon oder -risalit unter dem Hauptsaal gelegen. Die S. t. war oft offen und als Grotte ausgestaltet. Die S. t. bezeichnet sinnbildlich die transitorische Zone zw. wilder Natur und vom Menschen gezügelter Architektur, zw. Barockschloß und Garten (Pommersfelden, 1711–18; Wien, Oberes Belvedere, 1721–23; BILD J. L. von Hildebrandt; Würzburg, Residenz, um 1730–35; Bruchsal beg. 1722).

Salẹ́, arab. **Sala, Sla,** Stadt in Marokko, am N-Ufer der Bou-Regreg-Mündung gegenüber von Rabat, 156 000 Ew.; hatte als Hafenstadt seine Blüte unter den Almohaden (12. Jh.) und den Meriniden (13./14. Jh.). Eine Mauer mit vielen Rechtecktürmen und Toren (u. a. das merinid. Mrisa-Tor, 1260–70) umgibt die Medina mit der almohad. Großen Moschee (1163–84); nahebei die zweistöckige Medrese Abu el-Hassan (1341) mit Hufeisenbogenportal, Galerie mit mosaikverkleideten Rundsäulen und bemalter Decke um den Mittelhof, reichverziertem Michrab und kunstvoll geschnitzter Zederndecke im Betsaal. Die Zawija Sidi Ahmed et Tijani hat ein schönes Schmuckportal (Mosaikverklei-

Ho

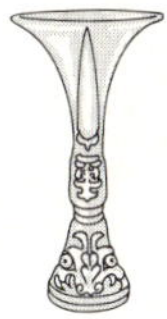
Ku

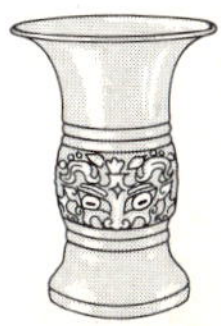
Tsun

Fang-lei

Yu

Sakralbronzen: Gefäßtypen der späten Shang-Zeit

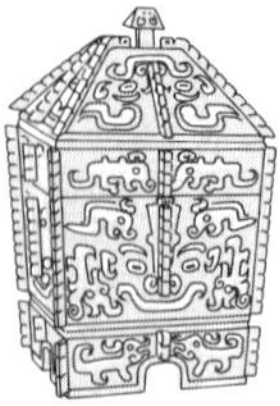

Fang-i

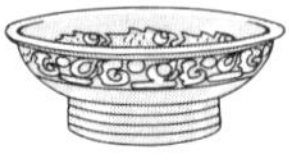

P'an

Sakralbronzen: Gefäßtypen der späten Shang-Zeit

dung, Mukarnasfries). Von der Zawija en-Nossak (außerhalb der Medina) ist das merinid. Tor (Stuckskulpturen aus dem 14. Jh.) erh. Nahe der maler. Kissaria (Wertwarenbörse) der merinid. Fonduk Askour (Karawanserei; Mitte 14. Jh.) mit Stalaktitentor und dreiseitiger Galerie.

Salem, Gem. im Bodenseekreis, Bad.-Württ., 7300 Ew. Die hochgot. Kirche (1299–1414) der urspr. bedeutendsten Zisterzienser-Reichsabtei in S-Dtl. (1134 gegr., jetzt Schloß der Markgrafen von Baden) wurde 1774ff. von J. G. DIRR (BILD) u. a. klassizistisch ausgestattet. Ausgedehnte Klosteranlage (1697–1705 von F. BEER) mit einzigartigen Stuckdekorationen von F. SCHMUZER, F. J. FEUCHTMAYER und Dirr, v. a. in der Sakristei, im Bernhardusgang und im Sommerrefektorium (1699/1700), im Kaisersaal (1708/09), im Prälatenzimmer (1768).

Salentin, Hans, Bildhauer, *Düren 22. 6. 1925, begann im Umkreis der Gruppe Zero mit weißen Ziegelreliefs, denen der Informellen Kunst nahestehende Zinkreliefs folgten. Danach entwickelte S. utopisch surreale Skulpturen aus Maschinenteilen. In seinen Photobildern collagiert er Ausschnitte aus techn. Photos zu neuen Gebilden und kosm. Visionen, die eine eigene Realität gewinnen.

H. S., Ausst.-Kat., Köln (1975).

Salerno, Hafenstadt und Erzbischofssitz in SW-Italien, am Golf von S., 161900 Ew. Der unter ROBERT GUISCARD erbaute Dom (1085 gew., im 18. Jh. stark verändert) hat im W ein großes Atrium mit roman. Portal (11. Jh.), Arkaden, deren Säulen aus Paestum stammen, und röm. Sarkophagen. Das reich geschmückte mittlere Portal (Löwenportal) aus dem 11. Jh. hat Bronzetüren aus Byzanz (1099); im dreischiffigen Inneren freigelegte Teile des urspr. Baus (Mosaiken und Marmorböden) und 2 mit Mosaiken geschmückte Ambonen (12. Jh.); im Dom-Mus. 54 Elfenbeinreliefs eines Antependiums mit Darstellungen aus dem A. T. und N. T. (12. Jh.).

Salinar, archäolog. Fundort im Chicama-Tal, an der N-Küste von Peru, danach Stil-Bez. für eine Keramik, die zeitlich zw. der des Küsten-Chavín und der folgenden Moche-Kultur liegt (200 v. Chr.–200 n. Chr.). Die Gefäßformen zeigen einen figürl. Aufsatz und Steigbügelhenkel; dekoriert durch Weiß-auf-Rot-Malerei; Muster sind Punkte, Linien und geometr. Figuren.

Salisbury [s'ɔːlzbərɪ], südengl. Stadt in der Cty. Wiltshire, 36300 Ew. Den entwicklungsgeschichtl. Ausgangspunkt der ma. Stadt bildet das nördlich gelegene **Old Sarum** [əʊld s'eərəm] mit normann. Burg und 1092 gew. Kathedrale, deren Grundriß freigelegt ist. 1220 wurde der Bischofssitz an die heutige Stelle (**New Sarum** [njuː-]) verlegt und anschließend die neue Kathedrale als gewölbte Basilika mit doppeltem Querhaus und von einem Steilhelm bekröntem Vierungsturm erbaut, deren als Schirmfassade mit seitl. Ecktürmen errichtete got. W-Front mit Statuen unter Blendbögen ausgestaltet ist. Die der ersten Bauzeit angehörende östl. Lady Chapel ist als Hallenraum mit schlanken

Salisbury: Kathedrale

Pfeilern aus Purbeck Marmor (von der südengl. Halbinsel Purbeck) angelegt. Südlich der Kathedrale ist der gleichzeitig entstandene Kreuzgang mit dem oktogonalen Chapter House erhalten. An den ausgedehnten Kathedralbezirk schließt sich die Stadt mit zahlreichen Fachwerkhäusern und der spätgot. (14.–18. Jh.) Pfarrkirche St. Thomas an.

salische Kunst, die dt. Kunst während der Regierungszeit der salischen Kaiser (1024–1125). Denkmal und Grabstätte der Salier wurde der von KONRAD II. gegr. Speyerer Dom (BILD Speyer) und die gleichzeitig beg. Abteikirche Limburg a. d. Hardt. Beide Bauten zeugen von einer neuartigen Monumentalität und klaren Gliederungsprinzipien, die für die roman. Baukunst richtungweisend wurden: Pfeilervorlagen, Hallenkrypten, ein weit ausladendes Querhaus mit Kapellen, Vorformen einer Zweiturmfassade. Der Begriff s. K. hat sich eingebürgert, obwohl diese kein einheitl. Stilbild zeigt.

Die Phase bis etwa 1080 heißt meist ›spätottonisch‹, da die um 1000 geprägten Formen ohne wesentl. Neuerungen weiterentwickelt wurden. Dabei läßt sich etwa 1030–60 eine Tendenz zur Monumentalisierung beobachten (rundplast. Formen, bewegte Gebärdensprache). Typisch ist die →Echternacher Malerschule (Codex Aureus), die als Hofwerkstatt die →Reichenauer Malerschule ablöste. Monumentale Werke sind die Holztüren von St. Maria im Kapitol zu Köln (um 1065) und die Imad-Madonna in Paderborn (zw. 1051 und 1076).

Es folgt bis 1080 eine Phase, die graph. Verfestigung und gerüstartige Tektonisierung zeigt. HW dieser Zeit sind Handschriften aus der hochotton. →Kölner Buchmalereischule und die angeblich Reichenauer Spätwerke um das Evangeliar Heinrichs IV. in Berlin (Schwestern-Hss. in Würzburg und Baltimore); monumentale

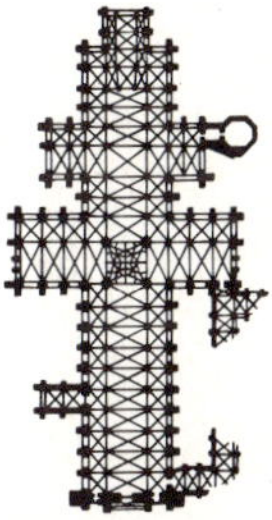

Salisbury, Grundriß der Kathedrale

salische Kunst: Kindermord von Bethlehem, Holztüre von St. Maria im Kapitol, Köln; um 1065

Bildwerke sind der Werdener Bronzekruzifixus (um 1060) und die bronzene Grabplatte Rudolfs von Schwaben im Dom zu Merseburg (um 1080). An Nachbildungen des Gerokruzifixus im Kölner Dom (um 970) lassen sich die Stilphasen von 970–1080 ablesen: Kruzifixus aus Birkenbringhausen, heute Marburger Univ.-Mus. (um 1050); Kruzifixus aus St. Georg im Schnütgen-Mus., Köln (um 1067); Kruzifixus von Benninghausen, Westfalen (um 1080).

Um 1100 bahnte sich ein neuer, nun roman. Stil an, der den Zerfall der otton. Reichsidee (Investiturstreit) und neue Impulse aus Frankreich und Italien (Cluniazenser) dokumentiert. Mit den Kreuzzügen dringen zugleich byzantin. Elemente ein, die etwa den Kunstkreis des ROGERUS VON HELMARSHAUSEN prägen (Abdinghofer Tragaltar, um 1100; BILD Tragaltar) und bestimmte ikonograph. Motive aktualisieren: Hl. Grab in Gernro-

salische Kunst: Krypta des Speyerer Doms

de (um 1100), Externsteine (um 1130; BILD), Reliquiar in Gestalt eines Hl. Grabes (Maastricht, um 1100) im German. Nat.-Mus. in Nürnberg.

L. GRODECKI u. a.: Die Zeit der Ottonen und Salier (1973).

Sallinen, Tyko, finn. Maler, *Nurmes (Mittelfinnland) 14. 3. 1879, †Helsinki 18. 9. 1955, wurde nach Aufenthalten in Dänemark, Paris und den USA der herausragende Vertreter des Expressionismus in Finnland; malte Landschaften und Bauernszenen in groben Formen und dunklen Farben, gelangte in seinem Spätwerk zu einem weicheren, helleren Stil.

Salmünster, Stadtteil von Bad Soden-S. am S-Rand des Vogelsberges, Hessen. Die barocke Franziskanerklosterkirche (1737–43 von dem Fuldaer Hofbaumeister A. GALLASINI erbaut) besitzt eine wirkungsvolle Fassade und reiche Barockausstattung.

Salome [auch z'a-], Tochter der Herodias, bat ihren Stiefvater Herodes Antipas (sie hatte mit ihrem Tanz seine Gunst gewonnen) auf Anstiften ihrer Mutter um das Haupt Johannes' des Täufers. – Zyklen mit Motiven dieser Erzählung finden sich in der ital. Portalplastik und Wandmalerei des 13.–16. Jh. Später wird v. a. das Festmahl mit dem Tanz der S. dargestellt. – Ein besonderer Bildtypus ist die Halbfigur der S. mit der **Johannesschüssel** (dem Haupt des Johannes): B. LUINI, 1. Viertel des 16. Jh., Wien, Kunsthistor. Mus.; TIZIAN, 1. H. des 16. Jh., Madrid, Prado. – Im 19. Jh. wird das Bild der S. zum profanen Thema (G. MOREAU, ›Tanz der S.‹, um 1876; Paris, Musée Moreau, u. a.).

Salomé, eigtl. Wolfgang **Cilarz,** Maler, *Karlsruhe 24. 8. 1954, studierte in Berlin bei K. H. HÖDICKE, trat ebd. 1980 auf der Ausst. ›Heftige Malerei‹ hervor.

W. M. FAUST u. G. DE VRIES: Hunger nach Bildern (1982).

Salomo, König von Juda und Israel und des von David errichteten Großreichs (etwa 965–926 v. Chr.). In der bildenden Kunst gilt S. bes. als typolog. Urbild für Christus; am S-Portal des Straßburger Münsters wird er als ›gerechter König‹ mit dem Schwert des Jüngsten Gerichts dargestellt; er tritt in der Reihe der Vorfahren Christi (so bes. in der Wurzel Jesse) wie der alttestamentl. Könige und Propheten auf. Das Bildmotiv des Salomon. Urteils findet sich vom 4. Jh. (Reliefkasten im Mailänder Domschatz) bis in das MA. (Marmorgruppe des 15. Jh.; Venedig, Dogenpalast), bes. auch als Bild der Gerechtigkeit an Rathäusern. Beliebt war seit der Renaissance die Darstellung seines Besuchs bei der Königin von Saba (Paradiestür von L. GHIBERTI, 1425–52; Florenz, Baptisterium). – Szenen um S. begegnen v. a. in der Bibelillustration.

Salomonen, Archipel im Zentrum von →Melanesien, dessen südl. Teile den Staat Solomon Islands bilden. Zentrales Thema in der Kunst der S. ist die menschl. Figur, bes. der Kopf, ikonographisch z. T. als Darstellung von göttl. Wesen, z. T. als Porträts Verstorbener gemeint. Auf den nördl. (zu Papua-Neuguinea gehörenden) Inseln Buka und Bougainville sind, wie in W-Melanesien, die Farben wichtig, während die Kunst der zentralen und südl. Inseln (bes. Malaita, New Geor-

salische Kunst: Imad-Madonna; zw. 1051 und 1076 (Paderborn, Diözesanmuseum)

gia, Makira und Owa Raha) einen nur auf den Westl. Inseln Melanesiens sowie in Teilen Polynesiens erreichten Grad des plast. Durchgestaltens jeder einzelnen Teilform erreicht hat. Bes. einprägsam sind die aus Kopf und Armen vor zurücktretendem Oberkörper bestehenden geschnitzten Verzierungen der Kriegsboote (BILD Melanesien) sowie die Holzgefäße, in denen Vogel- und Fischformen, gelegentlich auch die Gestalt eines Schweins, verarbeitet sind. Charakteristisch sind an diesen und an weiteren Objekten wie den Fischen (Bonito, Haie) von den Bootshäusern die Perlmuttereinlagen Form von Bändern. Figürlich gestaltete Pfosten stammten von alten Männer- und Kulthäusern. (BILDER Ozeanien)

DEBORAH WAITE: Art of the Solomon Islands from the collection of the Barbier-Müller-Mus. (Genf 1983).

Salon [sal'ɔ̃, frz. aus ital.] *der,* Besuchs- und Empfangsraum, später auch bessere(s) Zimmer, Wohnzimmer. – König LUDWIG XIV. (1643–1715) ordnete die Einrichtung regelmäßiger Kunstausstellungen (›Salons‹) für die Mitgl. der Königl. Kunst-Akad. an. Die S., die seit 1667 alle 2 Jahre, später jährlich im Frühjahr (›Salon de Mai‹) im ›Salon Carré‹ des Louvre stattfanden, sollten der Verbreitung des offiziellen höf. Kunstgeschmacks dienen. 1848 wechselten sie in das Grand Palais, behielten aber den Namen S. bei. Die S. entwikkelten sich zum Forum der im 18. Jh. einsetzenden →Kunstkritik (salonier, frz. ›Kunstkritiker‹). Sie waren Schauplatz von Richtungskämpfen und Auseinandersetzungen über einzelne Werke.

War der S. zunächst nur Ausstellung und Leistungsschau der Akad.-Mitgl., so sollte er seit der Revolution auch für andere Künstler zugelassen sein. Die Institution der Auswahl durch die Akademiker neigte jedoch dazu, Konventionelles zu bevorzugen und Neues abzulehnen oder zu unterdrücken. Deshalb kam es zu Einzelausstellungen (z. B. H. VERNET, 1822, oder G. COURBET, 1855), die ebenfalls S. genannt werden konnten. Zum Konflikt kam es, als Kaiser NAPOLEON III. (1852 bis 1870) den zurückgewiesenen Künstlern, darunter É. MANET, P. CÉZANNE und C. PISSARRO, 1863 gestattete, in einem separaten ›S. des Refusés‹ auszustellen. 1884 schlossen sich die Unabhängigen zum ›S. des Indépendantes‹ zusammen. Diese Protest-Ausstellungen ohne Jury und Preisverteilung waren die Voraussetzung für die →Sezessionen, die gegen Ende des 19. Jh. in den europ. Kunstmetropolen entstanden. 1903 gründete der Architekt F. JOURDAIN als Verein den ›S. d'Automne‹, eine alljährl. Herbstausstellung, bei der neben Malerei und Skulptur auch Architektur und Kunsthandwerk zugelassen waren und die 1905 den Fauvisten und 1910 den Kubisten erstmals ein öffentl. Forum bot.

Seit 1949 findet in Paris alljährlich der ›S. de la Jeune Peinture‹ (S. der jungen Malerei) statt, wo einem Künstler der jüngeren Generation der ›Prix des Jeunes Peintres‹ verliehen wird.

Die in den S. der Akademien des späten 19. und frühen 20. Jh. ausgestellten, den offiziell geförderten bürgerl. Geschmack repräsentierenden Bilder wurden **S.-Malerei** genannt.

D. DIDEROT: Salons, 1–4, hg. v. J. ADHEMAR u. J. SEZNEC (Paris 1957); G. F. KOCH: Die Kunstausstellung (1967); Le salon imaginaire, hg. v. d. Dt. Ges. für Bildende Kunst u. Akademie der Künste Berlin (1968); P. VOGT: Was sie liebten... (1969).

Salona, heute als **Solin** nordöstl. Stadtteil von Split (Jugoslawien), wurde unter AUGUSTUS röm. Kolonie, später Hauptort der röm. Prov. Dalmatien; Anfang des 7. Jh. durch die Awaren zerstört. Ausgrabungen erbrachten Reste von Bauwerken aus röm. Zeit (Forum, Thermen, Tempel, Theater, Amphitheater, Stadtmauer mit Toren) sowie Ruinen frühchristl. Kirchen (Funde im archäolog. Mus. in Split).

Saloniki, grch. **Thessalonike,** Hauptstadt des grch. Nomos S., 339 500 Ew., Thessalonike benannt nach der Gattin des makedon. Königs KASSANDROS, der die Stadt 315 v. Chr. gründete. Von den Großbauten des röm. Kaisers GALERIUS (um 300 n. Chr.) sind erh.: der Triumphbogen (4 Pfeiler mit reichem figürl. Reliefschmuck), der Kuppelbau der ›Rotunde‹ und Teile des Palastes. Aus frühbyzantin. Zeit stammen Reste der Stadtmauern, aus der 2. H. des 5. Jh. v. a. die Acheiropoietos-Basilika (Bauskulptur und Mosaikreste) und die kleine Kirche Hosios David (Apsismosaik), aus dem späten 5. oder frühen 6. Jh. der Umbau der ›Rotunde‹ in eine Kirche (großes mehrzoniges Kuppelmosaik). Die große Basilika des Stadtheiligen Demetrios (5. und 7. Jh.) bewahrt Wandmosaiken des 7. Jh. Aus mittelbyzantin. Zeit blieben erh.: v. a. das Kuppelmosaik der Hagia Sophia (Ende 9. Jh.) und die Wandmalereien der Kirche Panhagia Chalkeon (11. Jh.), aus dem frühen 14. Jh. die bed. palaiolog. Mosaiken der Apostelkirche. – Das Archäolog. Mus. von S. enthält wichtige Zeugnisse antiker und byzantin. Kunst.

Salt [sɔːlt], John, engl. Maler, *Birmingham 1937, lebt seit 1967 in New York. S. vertritt einen bes. spezialisierten Fotorealismus. Er malt Bilder von Autowracks in ihren Verformungen, die wie Stilleben mit der bloßgelegten Anatomie eines Autos wirken.

Salta, Hauptstadt der Prov. S., Argentinien, 266 000 Ew. S., 1582 gegr., hat noch ein kolonialzeitl. Stadtbild: Das ehem. Rathaus (Cabildo, heutiger Bau 1676, 1783 erweitert) hat zweistöckige Fassade mit Rundbogenarkaden und schönem Turm. Das im 16. Jh. gegr. Kloster S. Bernardo (1723 rekonstruiert) ist ein typ. Beispiel für den volkstüml. Barockstil der Provinz. Die 1858–1882 in neubarockem Stil neu errichtete Kathedrale ist eine dreischiffige Basilika mit Kuppel.

Salt Lake City [sɔːlt leɪk s'ɪtɪ], Hauptstadt des Staates Utah, USA, 163 000 Ew.; seit 1847 relig. Zentrum der Mormonen; im Mittelpunkt der 4 ha große, von einer 4,5 m hohen Mauer umgebene Temple Square, u. a. mit Mormon Temple (1853–93, 6 Türme, Statue des Engels Moroni von C. E. DALLIN), Tabernacle (1863 bis 1867; 76 m langer ovaler Bau mit Holzdach; Konzertsaal mit hervorragender Akustik), Assembly Hall (1882, davor Seagull Monument, 1913). Das klassizist. Capitol (1914–16) hat reiche Innenausstattung. Im Pioneer Mus. u. a. indian. Kunst, im Utah Mus. of Fine Arts v. a. Gemälde.

Salvador, Hauptstadt des Bundesstaates Bahia, Brasilien, an der Atlantikküste, 1,5 Mio. Ew. Das 1549 als **Bahia** gegr. S. zeigt noch ein geschlossenes Bild kolonialzeitl. Stadtarchitektur mit parallelen schmalen Straßen in der Unterstadt (am Fuß der 60–80 m hohen Steilküste) und Straßen im Schachbrettschema in der Oberstadt sowie vielen barocken Kirchen. Die Kathedrale wurde 1657–72 als Jesuitenkirche im Stil des ital. Manierismus gebaut; ihre Fassade mit flachen Pilastern, Aediculagiebel zw. kleinen Türmen und Fenstern im 2. Geschoß ist bis ins 18. Jh. beispielgebend für Brasilien; sie besitzt 13 schöne Altäre. Die Kirche des 1587 gegr. Klosters S. Francisco ist ein HW des brasilian. Barock (1708–48); überreiche Ausstattung mit geschnitzten und vergoldeten Holzornamenten, kunstvolle Kassettendecke, geschnitzte Altäre (HW: Altar S. Pedro Alcântara); im Kreuzgang Gemälde und dekorativer Mauersockel mit blauweißen Azulejos (18. Jh.). Die Fassade der Kirche des 3. Ordens (S. Francisco da Penitencia; 1703) zeigt in der churrigueresken Dekoration kolonialspan. Einflüsse. Die Klosterkirche Nossa Senhora do Carmo (heutiger Bau 1709) hat eine prächtig ausgestaltete Sakristei (18. Jh.). In Kloster und Kirche S. Teresa (17. Jh.) ist heute Mus. für Sakralkunst.

Salvator Mundi [lat. ›Retter der Welt‹], eine aus dem Christkönig-Gedanken entwickelte Darstellung Christi (v. a. nördlich der Alpen): Christus mit der Krone (als Lohn der Kreuzestaten, M. WOLGEMUT, 1491); seine Rechte ist segnend erhoben, in der Linken hält er eine dreigeteilte, kreuzbekrönte Kugel. Als Halbfigur ist der Typus des S. M. in der altniederländ. Malerei entstanden; er findet sich im 15./16. Jh. v. a. in der Predella von Altarschreinen (T. RIEMENSCHNEIDER, Windsheimer Zwölfboten-Altar; 1509).

Salvi, 1) Giovanni Battista, ital. Maler, →Sassoferrato.

2) Nicola, ital. Baumeister, *Rom 6. 8. 1697, †ebd. 8. 2. 1751, einer der letzten Meister des röm. Spätbarock. Sein HW ist die Fontana di Trevi in Rom (1732 ff.; BILD Brunnen). Mit L. VANVITELLI schuf er die 1748 in Lissabon aufgestellte Kapelle Johannes' des Täufers für die Kirche S. Roque.

Salviati, Francesco (auch Cecchino), eigtl. Francesco **de'Rossi,** ital. Maler, *Florenz 1510, †Rom 11. 11. 1563, Schüler des A. DEL SARTO, tätig in Rom, Florenz und um 1540 in Venedig; einer der bedeutendsten Vertreter des florentinisch-röm. Manierismus. Zahlreiche Arbeiten der Florentiner Teppichwerkstatt wurden nach seinen Entwürfen ausgeführt; auch Porträtmaler. Seine durch Stiche verbreiteten Kompositionen übten starken Einfluß auf den nordeurop. Manierismus aus.

HW: Fresken in Rom (Heimsuchung, 1538, S. Giovanni decollato; Gesch. des Hauses Farnese, voll. 1556/57, Palazzo Farnese), Florenz (Gesch. des Camillus, 1544, Palazzo Vecchio, Sala dell'Udienza) und Venedig (Geschichte der Psyche, um 1540, Palazzo Grimani). Tafelbilder: Caritas (um 1545; Florenz, Uffizien).

Salzburg, Hauptstadt des österr. Bundeslandes S., im Salzachtal, 136 000 Ew.; seit 798 Erzbischofssitz, Altstadt größtenteils auf dem linken Flußufer. Plätze,

Paläste, Kirchen, Brunnen und hohe, farbig verputzte Häuser geben S. ein z. T. ital. Gepräge. Architektonisch bestimmend ist durch die rege Bautätigkeit des Erzbischofs WOLF DIETRICH VON RAITENAU (1587–1612) und seiner Nachfolger das Barock. Mittelpunkt der bischöfl. Stadt ist der Dom (1614–28, von S. SOLARI, nach Entwurf von V. SCAMOZZI), als erster bewußt nach ital. Vorbild (Il Gesù in Rom) errichteter Sakralbau nördlich der Alpen, beispielgebend für zahlreiche Kirchen im SO Dtl.s; doppelgeschossige Zweiturmfassade mit Balustraden und Statuen, oktogonale Vierungskuppel, über den untereinander verbundenen je 4 Seitenkapellen Emporenbalkone; einheitl. Barockausstattung. Um den Dom gruppieren sich die Residenz (1595–1619, NW-Flügel 1793), ein ausgedehnter Baukomplex, dessen Prunkräume z. T. von J. M. ROTTMAYR und M. ALTOMONTE ausgemalt wurden, und das Residenzneugebäude (1592–1602) um 2 Innenhöfe, nördlich des Doms der Residenzbrunnen (1656–61), südlich die Kapitelschwemme (1732). An die Residenz schließt sich die romanisch-got. Franziskanerkirche an (Langhaus 1221 gew., roman. Portal im lombard. Stil um 1220), Chor (15. Jh.) von H. STETHAIMER; wertvolle Ausstattung, v. a. der Hochaltar von J. B. FISCHER VON ERLACH (1709) mit Muttergottes vom spätgot. Hochaltar M. PACHERS (1496–98). Südlich des Domplatzes liegt die Benediktinerabtei St. Peter; die Stiftskirche ist eine roman. Basilika (1130–43, Hauptportal um 1240) mit spätbarocker Fassade und Rokokoausstattung, Grabdenkmäler

Salzburg: Residenz, Carabinierisaal mit Deckengemälde von J. M. Rottmayr; 1689

(15.–18. Jh.); romanisch-got. Kreuzgang, frühgot. Kapitelsaal.

Den W der Altstadt beherrscht die barocke Kollegienkirche (1696–1707), das vollendetste Werk Fischer von Erlachs in S.; an der Innenausstattung wirkten D. F. CARLONE, M. GUGGENBICHLER, J. M. ROTTMAYR, J. G. BERGMÜLLER u. a. mit. Die Alte Univ. (1618–31) umschließt einen trapezförmigen Hof mit Arkadengängen. Der Komplex des ehem. Reitstalls (1607) mit Winter- und Sommer- (Felsen-)Reitschule (1662, 1693) wurde zum Großen und Kleinen Festspielhaus umgebaut. Die Blasiuskirche (1350 gew.) ist eine got. Halle, erbaut als Kirche des Bürgerspitals (1556–62, mit Arkadenhof). Im O der Altstadt liegen das Benediktinerinnenkloster Nonnberg (1463–1507) mit bed. hochroman. Fresken in der Stiftskirche, die Kajetanerkirche (1685–1700) und die Erhardskirche (1685–89), beide Barockbauten von G. ZUCCALLI.

Mittelpunkt der bürgerl. Stadt ist das Rathaus zw. Fluß und Getreidegasse (1407, Umbau 1616–18) mit trapezförmigem Grundriß. In der Getreidegasse der reichste Bestand an Wohnhäusern (v. a. 16. Jh.).

Rechts der Salzach liegen Dreifaltigkeitskirche (1694–1702) von Fischer von Erlach, Sebastianskirche (1505–12, 1749–53 barockisiert) und Schloß Mirabell (1606, von J. L. v. HILDEBRANDT 1721–27 umgebaut) mit Marmortreppe und Kolossalstatuen von G. R. DONNER (1726). Über der Stadt erhebt sich die Feste Hohensalzburg (1077, Neubau 1465–1519) mit den prunkvollen Fürstenzimmern (um 1500). In der Umgebung von S. liegen die Schlösser Klesheim (1700–09 von Fischer von Erlach), Leopoldskron (1736 im Rokokostil) und Hellbrunn (1613–19 von Solari).

S. hat viele Museen, u. a. Mus. Carolino-Augusteum (auf Hohensalzburg, im Bürgerspital und in Mirabell), Residenz-Gal., Rupertinum (Graphik des 20. Jh.), Stifts-Sammlungen St. Peter und Nonnberg.

Salzburger Buchmalerei, ein Zentrum der Buchmalerei im 11. und 12. Jh. mit stark byzantin. Einfluß. Richtungweisend wurde ein Ende 11. Jh. von einem Custos BERTOLD geschriebenes und mit Miniaturen geschmücktes Lektionar (New York, Pierpont Morgan Library). Sein Stil findet im 12. Jh. Fortsetzung in einer Reihe großer Bibeln, wie in der Admonter Riesenbibel (2. Drittel 12. Jh., Wien, Nat.-Bibl.).

Salzgitter, Stadt in Ndsachs., 116 300 Ew. Im Ortsteil **Ringelheim** ehem. Benediktinerklosterkirche, eine im Kern otton. Pfeilerbasilika (16.–18. Jh. erweitert) mit klassizist. Innenraumgestaltung (1794–96); ausdrucksstarkes Kruzifix (um 1000). Im Ortsteil **Salder** Spätrenaissanceschloß (1609, Festsaal um 1700), darin das Städt. Mus. Im Ortsteil **Steterburg** ehem. Damenstift (1007 gegr.) mit barocker Emporenkirche (1748–53) und Konventsgebäuden (1691/92).

Salzglasur, →Glasur.

Salzillo [salθ'iʎo], span. Bildschnitzer, →Zarcillo y Alcaraz.

Salz|uflen, Bad S., Stadt im Kr. Lippe, NRW,

50 900 Ew., besitzt mehrere qualitätvolle Bauwerke der Renaissance: Rathaus (1545), Altes Bürgermeisterhaus (1564), Fachwerkgiebelhäuser.

Salzwedel, Stadt in der Altmark, Dt. Dem. Rep., 22 700 Ew., ehem. Hansestadt. Die Ruine der Burg (1112 genannt) läßt die Anlage noch erkennen; Teile der Stadtbefestigung mit Torbauten sind erh. In der Altstadt St. Marien, eine fünfschiffige Hallenkirche (1. H. 13. Jh., 1450–68 gotisch verändert), mit mächtigem Schnitzaltar (um 1510), Triumphkreuzgruppe (Mitte 15. Jh.), hervorragendem geschnitztem Chorgestühl (Ende 14. Jh.); die Mönchskirche (ehem. Franziskaner-Klosterkirche) ist eine zweischiffige spätgot. Hallenkirche (1493 voll.), im Innern gemalter Flügelaltar von L. CRANACH D. J. (1582); spätgot. Altstädt. Rathaus (1509) mit Treppengiebeln. In der Neustadt Katharinenkirche (Mitte 13. Jh., um 1450 spätgotisch umgebaut) mit Treppengiebeln an den Seitenschiffen.

Samabhanga [Skt.], die aufrechte, frontale Standpose ind. Kultfiguren (→Sthanakamurti).

Sam'al, Hauptstadt des späthethit., dann aramäischen Königreichs S. in N-Syrien, heute →Zincirli.

Samalaji [-dʒi], Ort in Gujarat, Indien, mit Resten von Ziegelbauten aus dem 5.–6. Jh. sowie der Fundstätte einer Anzahl hinduist. Skulpturen aus dunkelgrünem Gestein in einem reizvollen, der Gupta-Kunst folgenden Stil um 600 n. Chr.

Samaniden, pers. Dynastie in Transoxanien (874 bis 999; Residenz: →Buchara), brachte den größten Teil Persiens unter ihre Herrschaft, erreichte ihren Höhepunkt unter NASR II. (914–43).

Samaras [səm'ærəs], Lucas, amerikan. Maler und Bildhauer grch. Herkunft, *Kastoria (N-Griechenland) 14. 9. 1936, kam 1948 in die USA. Sein Werk umfaßt verfremdete Objekte (z. T. möbelartige Gebilde und Kästen mit Nadeln oder Rasierklingen), die surrealist. Elemente mit Einflüssen avantgardist. Strömungen verbinden, weiterhin labyrinth. Spiegelkonstruktionen. Seine Performances und Photosequenzen stehen der Body Art nahe.

Samaria, Hauptstadt des israelit. Nordreiches (926 bis 722 v. Chr.) in Mittelpalästina, an seiner Stelle das heutige arab. Dorf Sebastije. Ausgrabungen haben die Palastanlagen der Nordreichskönige mit den Erweiterungen unter AHAB und JEROBEAM II. aufgedeckt; hervorzuheben ist die vorzügl. Läufer-Binder-Konstruktion der Umfassungsmauern, die zus. mit anderen Hinweisen auf phönik. Handwerkstradition weist. Erwähnenswert sind aus dieser Zeit auch die zahlreichen Ostraka, weiter bedeutende Elfenbeinschnitzereien. Bes. eindrucksvoll sind die Bauten aus herodian. Zeit (Umfang der Stadt etwa 3,5 km): Säulenstraße, auf einem Forum mit Marktbasilika endend, Stadion, Augustustempel mit breiter, noch erhaltener Freitreppe, Kore-Tempel und Theater. Heute in eine Moschee verwandelt, finden sich Reste einer Johanneskirche aus der Kreuzfahrerzeit; nahe der Akropolis Überreste ei-

Samarkand: Schir-Dor-Medrese; 1619–36

ner Kirche aus byzantinischer Zeit (›Kirche der Auffindung des Hauptes‹).

Samarkand, Gebietshauptstadt der Usbek. SSR, am Serawschan, 481 000 Ew. – S. ist eine der ältesten Städte Mittelasiens. An ihrer Stelle lag im 4. Jh. v. Chr. die Hauptstadt der pers. Prov. Sogdiana, Marakanda. Auf dem Ruinenfeld von Marakanda legten russ. Ausgrabungen seit 1926 Reste eines Palastes aus dem 7. Jh. mit riesigen Wandgemälden frei. Nach Zerstörungen unter DSCHINGIS CHAN wurde die Stadt unter TIMUR, der sie 1369 zur Hauptstadt seines Reiches machte, und seinem Enkel ULUG BEG glanzvoll neu aufgebaut, mit Palästen, Gärten, Bewässerungsanlagen, Moscheen (Backsteinbauten mit farbigem Ziegeldekor, v. a. der Großen Moschee oder Bibi-Chanym, 1399–1404) und dem Mausoleum Gur-Emir (1404, zylindr. Bau mit Rippenkuppel, innen farbig ausgemalt). Entlang der Gräberstraße Schah-i-Sindah, die 1434/35 durch ein repräsentatives Portal ihren Abschluß erhielt, entstand ein Komplex bed. Mausoleen mit prachtvoll verkleideten Portalvorbauten und Kuppeln, die meisten für Familienmitgl. Timurs und seiner Nachfolger (BILD islamische Kunst). Im Zentrum der Altstadt, am Registanplatz, liegen die Medrese Ulug Beg (1420 voll.) und die nach ihrem Vorbild erbauten Medresen Schir-Dor (1619–36) und Tillja-Kari (1646–60). Am NO-Rand steht das Observatorium Ulug Begs (1424–29), ein mehrgeschossiger Rundbau (Teile des zerstörten Sonnensextanten im Turm); archäolog. Afrasiab-Mus., Ulug-Beg-Mus.

Samarra, Stadt in Irak, am Tigris, nördlich von Bagdad, etwa 45 000 Ew. Im Zentrum der heutigen ummauerten Stadt eine vielbesuchte schiitische Grabmo-

Samarra: Das Spiralminarett der Großen Moschee

schee (16.–19. Jh.; mit vergoldeten Kupferplatten) des 10. Imams (†868) und 11. Imams (†874). Nördlich von S. die ausgedehnten Ruinenfelder der 839 gegr. abbasid. Kalifenresidenz, die bereits 883 wieder verlassen wurde und seitdem verfiel. Unter den bed. Baudenkmälern (Moscheen, Paläste, Privathäuser, oktogonales Grabmal; dt. Ausgrabungen 1911–13) v. a. die gewaltige, festungsartige Große Moschee (240 × 156 m), von Mauern mit Türmen umgeben, mit dem ungewöhnl. Spiralminarett ›Malwija‹ (60 m hoher Turm mit Außenrampe), dessen Vorbild wahrscheinlich die im 9. Jh. noch existierende Zikkurat von Chorsabad war; Funde von Stuckdekor, Wandmalereien, Keramik, Glas, chines. Porzellan. Die Funde aus einem dicht belegten Gräberfeld der Steinkupferzeit (etwa 5. Jahrtsd. v. Chr.) wurden namengebend für eine im nördl. Mesopotamien weitverbreitete Kulturgruppe mit bemalter Keramik.

Samarra-Stil, in der islam. Kunst ein an den Stuckdekorationen der Bauten von Samarra (9. Jh.) entwikkeltes Flächenornament aus Blatt- und Blütenformen. Die Entwicklung geht von tief unterschnittenem Weinrankenornament innerhalb geometrisch aufgeteilter Felder über knospenartige Muster zu nahtlos aneinandergefügten, stark stilisierten (Kelchblüten, Palmetten) und abstrakten Formen, die in rhythm. Wiederholung die ganze Fläche lückenlos in flachem Relief überziehen. Diese späte Phase der Stuckdekoration in Samarra war mit Modeln gepreßt, deren Ornamentformen im →Schrägschnitt hergestellt waren. Der S.-S. hatte Wirkung auf das islam. Kunsthandwerk dieser und späterer Zeit: in der Bemalung von Lüsterfayencen, im Schliff von Gläsern und in der Seidenwirkerei.

Samkarshana [-ʃ-, Skt.], urspr. Name des frühhinduist. Gottes →Balarama.

Sammon, Bez. des zweistöckigen Torhauses eines japan. Tempels seit dem 13. Jh. im chines. Stil (Karayo), mit 3 Durchgängen und durch Treppe erreichbarem Obergeschoß mit buddhist. Statuen von Arhats oder Kannon.

Samoa, Inselgruppe in →Polynesien, z. T. unabhängig (Westsamoa), z. T. von USA abhängiges Territorium (Amerikanisch-Samoa). Die samoan. Kultur ist im Anschluß an die west-polynes. Frühphase (ab 1300 v. Chr.) mit netzartig verzierter Lapita-Keramik z. T. eigene Wege gegangen; ihre Kunst ist wenig erforscht. Holzbearbeitung war weitgehend auf den Bootsbau sowie auf die Herstellung von Keulen und Druckplatten für das Ornamentieren von →Tapa beschränkt. In beiden Fällen wurden die Oberflächen in Ornamentfelder und diese in meist linear angeordnete Elemente (Punkte, Schraffuren u. a.) aufgelöst. Die Tapas zeigen eine gekonnte Gliederung in gegeneinander abgegrenzte, monochrom (braun) gemusterte Flächen und sparsam eingesetzte Linien (z. T. ebenfalls durchgerieben, z. T. aufgemalt, braun), ergänzt durch aufgemalte, meist schwarze Punkte.

Samokow, Stadt in Bulgarien, am Nordfuß des Rila-Gebirges. Entstanden im 15. Jh., besitzt S. v. a. Denkmäler aus türk. Zeit und der Epoche der nationalen Wiedergeburt (Ende 18. und 19. Jh.): 12 Moscheen, darunter die Eski-Moschee (16. Jh., im 19. Jh. umgebaut, heute Mus.), Steinbrunnen am Hauptplatz (um 1640). Die Sakral- und Profanbauten des 18./19. Jh. zeigen, als Stilcharakteristikum der lokalen Bauschule, Verzierungen mit Wandmalerei und Holzschnitzereien; Metropolitenkirche (Ende 18. Jh.), Beljowa-Kirche (1869 erneuert), Nikolaus-Kirche (1861) und Synagoge (1854) mit einer bedeutenden holzgeschnitzten Decke.

Samos, grch. Insel vor der W-Küste Kleinasiens; zu Beginn des 1. Jahrtsd. wurde sie von ionischen Griechen besiedelt. Durch Schiffahrt und Handel kam S. früh zu Reichtum und künstler. Geltung. Zahlreiche Funde von Weihgeschenken (Bronzearbeiten, Bronzefiguren, Holzstatuetten aus dem 7. und 6. Jh. v. Chr. sowie Marmorplastiken) bezeugen S. als bed. Kunstzentrum, bes. der archaischen Zeit. 1980 wurde der Torso eines zw. 570 und 560 geschaffenen Kuros (vollständige Größe etwa 5 m) aus Marmor gefunden, der vermutlich zu den Kolossalstatuen gehörte, die die hl. Straße zum Heraion säumten.

Von der antiken Stadt S., die im SO der Insel lag, wurden durch Ausgrabungen Teile der Stadtmauer, eines Theaters sowie ein 1 km langer Wasserleitungstunnel, der schon in der Antike als bed. Ingenieurleistung galt, freigelegt. Westlich der Stadt lag das Heraion, dessen monumentaler Haupttempel zu den 7 Weltwundern zählte: Nach 2 Vorgängerbauten (um 800 und 670 v. Chr.) errichteten die Architekten RHOIKOS und THEODOROS um 570 v. Chr. einen riesigen Tempel (etwa 52,50 × 105 m), der bald durch Brand zerstört wurde; der daraufhin unter dem Tyrannen POLYKRATES um 538 v. Chr. begonnene, nochmals vergrößerte Neubau wurde nie fertiggestellt. In hellenist. Zeit verlor das Heiligtum seine frühere Bedeutung.

H. KYRIELEIS: Führer durch das Heraion von S. (1981).

Samostrzelnik [-tʃ'ɛl-], Stanisław, poln. Maler, *Krakau um 1485, †Mogiła bei Krakau 1541, nachweisbar seit 1506, bildete sich auf Reisen nach Ungarn (1514, Eindruck von Werken der ital. Renaissance) und Wien (1523, Bekanntschaft mit Werken von L. CRANACH, A. ALTDORFER und A. DÜRER). Seit 1535 schuf S. in Mogiła Fresken für Kirche, Kreuzgang und Bibliothek. – Bed. ist der Beitrag von S. zur poln. Buchmalerei (Werkstatt in Krakau): v. a. mehrere illuminierte Gebetbücher für Mitgl. des königl. Hofes. – Helles Kolorit und betonte Linearität zeichnen den Stil von S. aus, der got. Tradition mit Elementen der Renaissance (Ornamentik, Komposition) verbindet.

Samothrake, grch. Insel im nördl. Ägäischen Meer, in der Antike bekannt durch das auf das 7. Jh. v. Chr. zurückgehende Mysterienheiligtum der ›Großen Götter von S.‹. Weitreichende Bedeutung erlangte das Heiligtum in hellenist. Zeit, aus der auch die meisten der freigelegten Bauten stammen: u. a. das Ptolemaion (der Eingangsbau, von PTOLEMAIOS II. 281 v. Chr. gestiftet), der Neue Tempel (Hieron), der den Einweihungsriten diente (340–325 v. Chr., Säulenvorhallen 150 v. Chr.), die Tholos der ARSINOE (Tochter PTOLEMAIOS' I. und Gemahlin des Königs LYSIMACHOS von Thrakien), mit 20 m Durchmesser der größte grch. Rundbau (285 v. Chr.), und aus dem 1. Jh. v. Chr. der Neubau des alten Anaktoron (Haus der Götter), dessen 1. Bau um 550 v. Chr. errichtet worden war. Zu den Einzelfunden gehört die weit überlebensgroße Plastik der Nike von S. (um 190 v. Chr., heute im Louvre).

Samson, Simson, A. T.: Einzelkämpfer mit übermenschl. Kräften aus dem israelit. Stamm Dan, der gegen die Philister kämpft. Von diesen wird er überwunden und geblendet. Durch Scheren des Haupthaares raubt ihm seine Geliebte Delila die Stärke; er gewinnt jedoch seine Kraft wieder und reißt den Tempel der Philister ein. Diese Szenen werden zu Motiven der bildenden Kunst (Wandmalereien, Bodenmosaiken, Bibel-Illustrationen). Der Kampf S. mit dem Löwen findet sich schon in frühchristl. Zeit (Wandgemälde der röm. Katakombe an der Via Latina, 1. H. 4. Jh.). Mit Herkules begegnet er an der Fassade von St. Trophime in Arles (Mitte 12. Jh.) und wird in der Renaissance schließlich wie Herkules dargestellt. (BILD Rembrandt)

Samson-Meister, Sammelname für eine Gruppe von Steinmetzen, faßbar im 1. Drittel des 13. Jh. im Raum zw. Köln und Andernach, so gen. nach dem Schöpfer ihres HW, dem Fragment einer Samsonfigur in Maria Laach (um 1220–30). Die qualitätvollen Bildhauerarbeiten sind eingebettet in die Tradition der Rhein- und →Maaskunst. Zudem übernehmen sie die got. Formensprache Frankreichs, die sie mit starken antikisierenden Tendenzen beleben.

HW: 2 Kastenreliefs mit der Darstellung eines Schoßfiedlers und eines Tänzers, vielleicht aus dem Davidzyklus der Chorschrankenanlage des alten Kölner Doms (um 1210; Köln, Schnütgen-Mus.); 2 Steinwangen eines Chorgestühls mit einem schreibenden Engel und einem Teufel (um 1210–20; Bonn, Münster); das Relief im Tympanon des S-Portals der Liebfrauenkirche in Andernach.

Die Zeit der Staufer, Ausst.-Kat., Stuttgart, 5 Bde. (1977/79).

Samtawissi, Ortschaft in der Georg. SSR, 30 km östlich von Gori, mit einer 1030 erbauten Kathedrale, die an den Fassaden, v.a. der O-Fassade, reichen Skulpturenschmuck trägt; Kuppel im 15. Jh. unter Verwendung alter Ornamentsteine neu errichtet; im Innern Fragmente von Wandmalereien des 16. Jh.

San'a, Sanaa, Hauptstadt der Arab. Rep. Jemen, 450000 Ew. Die Große Moschee (Djami al-Kebir) stammt urspr. aus dem 7. Jh. und wurde in den folgenden Jahrhunderten oft erweitert und restauriert. Kennzeichnend für andere Moscheen in S. sind häufig die am Schaft mit Stuckornamenten verzierten Minarette. – Die Fassaden der schmalen Wohnhäuser sind z.T. reich mit weiß gekalkten Reliefs und Gittern aus Ziegeln oder Stuck geschmückt. – Das Nat.-Mus. in S. enthält v.a. bed. Funde aus der antiken Zeit des Landes.

San Agustín, archäolog. Zone in Kolumbien, zugleich Bez. für die dort gefundenen Überreste einer Kultur (zw. 500 v. Chr. und 1000 n. Chr.), deren Träger unbekannt sind. Auf dem etwa 500 km^2 großen Gelände im Quellgebiet des Río Magdalena wurden an etwa 30 Stellen künstl. Hügel, Bildwerke, Zeremonialzentren und Nekropolen gefunden. Die Hügel sind über Steinkammern errichtet, zu denen Gänge aus senkrecht stehenden Steinplatten und flachen Decksteinen führen, die z.T. vielfarbig bemalt sind. Die 300 Bildwerke umfassen Statuen und Stelen, reliefverzierte Tafeln und Felsreliefs von Menschen- und Tiergestalten. Die Figuren sind meist Mischwesen aus Jaguar und Mensch (menschl. Gesicht mit großem Mund und katzenartigen Fangzähnen). Allen gemeinsam sind Betonung des Monumentalen (über 4 m hohe Standbilder), übergroße Köpfe und ein furchterregender Gesichtsausdruck. Gewandformen und Attribute sind vielfältig.

Sanain, mittelalterl. Kloster bei Alawardi, Armen. SSR, mit mehreren eng aneinandergrenzenden Gebäuden, v.a. Erlöserkirche (957–962, Kreuzkuppelkirche

San Agustín: Höhe der Statue im Vordergrund 4,25 m

mit 3 Apsiden; Narthex, 1185), die Hauptkirche des Klosters, und Kirche der Hl. Jungfrau Maria (Anf. 10. Jh., Kreuzkuppelkirche; Narthex mit dreischiffigem Saal, 1211), Bibliothek (1063), Gregorkapelle (1061 voll., runder Kreuzkuppelbau).

San Antonio [sæn ænt'əʊnɪəʊ], Stadt in Texas, USA, 785 400 Ew.; 1718 als span. Militärposten und Missionsstation gegr. Die Alamo-Kirche (1744 erb., 1794 zur Festung ausgebaut) ist heute Mus. Das Marion Koogler McNay Art Institute enthält v. a. Werke impressionist. Künstler. In der Nähe von S. A. die Missionsstation San José de Aguayo (1720–31; Kirche mit bemerkenswertem Portal, skulptiertes Sakristeifenster).

San Baudel de Berlạnga [-βa: uð'ɛl-], Einsiedelei rd. 35 km südöstlich der span. Stadt Soria. Die mozarab. Kapelle (11. Jh.) ordnet sich um einen zentralen Pfeiler, der acht palmenartig auseinandergefächerte Rippen trägt. Die Fresken der Kapelle befinden sich heute im Prado.

San Cạndido, ital. für →Innichen.

San Cebrián de Mazote [-θeβri'an ðe maθ'ote], span. Ort rd. 30 km südwestlich von Valladolid, mit mozarab. Kirche des 10. Jh., einer Dreikonchenanlage mit hufeisenförmiger Apsis, verzierten Kapitellen und Relieffragment mit 2 segnenden Männern (10. Jh.).

Sánchez Coello [s'antʃɛθ ko'eʎo], Alonso, span. Maler, *Benifayó (Valencia) um 1531, †Madrid 8. 8. 1588, ausgebildet bei A. Mor in Flandern, seit 1557 Hofmaler Philipps II. in Valladolid; gilt als Begründer der spanisch-höf. Porträtmalerei, die dann im 17. Jh. mit D. Velázquez ihren Höhepunkt erlebte. In der Komposition von Tizian beeinflußt, malte S. C. die Mitgl. der königl. Familie streng und würdevoll mit detailreicher Darstellung von Gewändern und Schmuck. In seinen relig. Bildern folgte er dem konventionellen Manierismus.

HW: Porträts: Infant Don Carlos (1564; Wien, Kunsthistor. Mus.), Philipp II. (1575; Madrid, Prado), Infantin Isabella Clara (1579; ebd.). – Hochaltar in El Espinar (1574–77), Altarbilder im Escorial.

Sánchez Cotạ́n [s'antʃɛθ-], Juan, span. Maler, *Orgaz (Toledo) 1561, †Granada 8. 9. 1627, lebte spätestens seit 1612 im Kartäuserkloster ebd. Seine relig. Szenen in frühbarockem Stil beeinflußten V. Carduchos Darstellungen von Kartäuserheiligen; malte Küchenstilleben (Bodegones).

HW: Stilleben mit Kohl (1602; San Diego, Fine Arts Gal.); Madonna mit schlafendem Kind (1615–17; Granada, Erzbischöfl. Palast); Hl. Franziskus (1620; Sevilla, Kathedrale).

Sanchi [s'antʃi], Ort in Madhya Pradesh, Zentral-Indien, mit den auf einem Hügel gelegenen Resten buddhist. Kult- und Klosteranlagen aus den Epochen vom 2. Jh. v. Chr. bis zum 5./6. Jh. n. Chr. Das bedeutendste Monument ist der Stupa I, der auf eine Gründung des Kaisers Ashoka zurückgeht und von dessen Ediktsäule Reste erh. sind. Den 16,5 m hohen steinverkleideten Erdhügel umgibt ein Steinzaun mit 4 reliefge-

Sanchi: Stupa I; 1. Jh. v. Chr.

schmückten Toren (Ende 1. Jh. v. Chr. bis Anf. 1. Jh. n. Chr.; weiteres BILD Stupa); dargestellt sind vielfigurige Szenen aus der Buddhalegende (BILD indische Kunst), wobei anstatt der menschl. Buddhafigur die Symbole der frühen →buddhistischen Kunst verwendet wurden. Derselben Phase gehört der kleinere Stupa III an, der keinen Zaun und nur im Süden ein Tor aufweist. Etwa 100 Jahre älter ist der Stupa II, an dessen Zaunpfeilern flach geschnittene Rosetten und Figuren wie Gajalakshmi reliefiert sind. S. blieb über Jahrhunderte eines der bed. buddhist. Zentren, wie der Tempel 17 aus dem 4./5. Jh., einer der ältesten Steintempel Indiens, und die Ruine eines Apsidialtempels mit hoher Säulenreihe bezeugen.

San Cristọ́bal de las Cạsas, Stadt in Chiapas, Mexiko, 2100 m ü. M., 70 000 Ew.; gut erhaltenes kolonialzeitl. Stadtbild. Die Klosterkirche S. Domingo (gegr. 1547, heutiger Bau 17. Jh.) enthält Retabel, Skulpturen und Gemälde v. a. guatemaltek. Ursprungs. In der Klosterkirche La Encarnación ein Gemäldezyklus (Passionsdarstellungen, 1762); der Glockenturm (1677) ist zugleich Tor der Kirche und Stadttor. Die Kathedrale (beg. 1528) zeigt eine platereske Barockfassade.

San Cugat del Vallés [-kuɣ'at ðɛl βaʎ'ɛs], span. Stadt etwa 12 km nordwestlich von Barcelona; ehem. Benediktinerkloster des 11. Jh. mit roman. Kreuzgang (im 16. Jh. um ein Stockwerk erhöht; Kapitelle mit pflanzl. und figürl. Darstellungen) und dreischiffiger Kirche (11.–15. Jh.; got. Fassade mit einer großen und 2 kleinen Rosetten; im Innern Fresken).

Sạndarak [grch.], Maltechnik: früher Bez. für Harze versch. Koniferenarten, heute nur für das in Europa seit dem 16. Jh. bekannte S. der afrikan. Zypresse gebräuchlich. In Spiritus oder Öl gelöst dient S. v. a. als Firnis.

Sandby [s'ændbɪ], Paul, engl. Maler, *Nottingham 1725, †London 9. 11. 1809, malte nach holländ. und ital. Vorbildern Landschaftsaquarelle und -gouachen von topograph. Genauigkeit; 1768 Gründungsmitgl.

der Royal Academy. – Sein Bruder Thomas (*1721, †1798) schuf bes. Architekturzeichnungen.

Sandels, Gösta, schwed. Maler, *Göteborg 25. 4. 1887, †Granada 14. 8. 1919, studierte u. a. in Paris, beeinflußt von P. CÉZANNE und H. MATISSE, malte in expressiven Farben dramat. Landschaften, häufig Szenen der schwed. Westküste.

Sandhara, ind. Tempelform, →Tempel.

San Diego [sæn dɪ'eɪgəʊ], Stadt in Kalifornien, USA, am Pazif. Ozean, grenzt im S an Mexiko, 875 500 Ew. 1769 errichteten Spanier an der Bucht von S. D. eine Niederlassung. In der spanisch geprägten Altstadt sind einige histor. Gebäude (z. B. Casa de Lopez, 1834) erh. Die 1926 eröffnete Fine Arts Gallery enthält wertvolle Gemäldesamml. (Werke u. a. von H. BOSCH, C. CRIVELLI und EL GRECO), die Timken Art Gallery v. a. russ. Ikonen und Gemälde europ. Alter Meister.

Sandmalerei, Kunstform der nordamerikan. Indianer, die v. a. von den →Navajo zu besonderer Großartigkeit entwickelt wurde. Die S. ist Bestandteil einer rituellen Handlung, häufig einer Krankenheilung. Auf eine geglättete Sandfläche werden dazu, meist durch den Medizinmann, pulverisierte pflanzl. oder mineral. Stoffe in bestimmten symbol. Mustern aufgebracht. Das Bild muß bei Sonnenaufgang hergestellt und vor Sonnenuntergang zerstört werden; es kann klein (etwa 30 cm) oder sehr groß (bis 5 m) sein. Es sind etwa 500 solcher Sandbilder bekannt (durch Aufzeichnungen, Photos u. a.). – Auch die →Australier fertigen S. an.

Sandomierz [sand'ɔmjɛʃ], Stadt in der Wwschaft Tarnobrzeg, Polen, 20 000 Ew. Im 11. Jh. neben Krakau wichtigste Burgsiedlung Kleinpolens, später Hauptstadt eines Teil-Fstt. – An der Stelle einer älteren Burg auf dem Burghügel liegt das um 1480 von KASIMIR D. GR. errichtete Schloß (später umgebaut und restauriert); auf dem ›Altstadthügel‹ das 1226 gegr. ehemalige Dominikanerkloster mit spätroman. Kirche (1. H. 13. Jh.) und frühgot. Glockenturm (13./14. Jh.), unweit die got. Pfarrkirche (1426–34; nach 1637 und im 18. Jh. umgebaut); auf dem ›Stadthügel‹ die von Kasimir d. Gr. 1360 gegr. got. Kollegiatskirche (seit 1818 Kathedrale) mit reichem Barock- und Rokoko-Interieur und barockem Glockenturm (1737–43). Im got. ›Długosz-Haus‹ (1476) das Diözesanmus., daneben das frühere Jesuitengymnasium, ein Renaissancebau mit Attika (1605–15; 1820–26); am Marktplatz Renaissance-Rathaus (16. Jh.). Hinter der z. T. erh. Stadtmauer (14. bis 16. Jh.) das ehem. Benediktinerinnenkloster (1613) mit barocker Kirche (1686–92; Glockenturm, 1749 bis 1750).

Sandrart, Joachim von, Maler, Kunstschriftst., *Frankfurt am Main 12. 5. 1606, †Nürnberg 14. 10. 1688, bildete sich v. a. auf Reisen durch Europa (1629 bis 1643), seit 1674 Direktor der Akad. in Nürnberg. Seine treffenden Porträts zeigen den Einfluß der holländ. Malerei, seine Historien- und Altarbilder auch den Eindruck der fläm. und ital. Barockmalerei. – Bed. war S. als Verfasser der ›Teutschen Academie der edlen Bau-, Bild- und Mahlerey-Künste‹ (2 Bde., 1675–79,

Faksimiledruck 1965–69), die nach dem Vorbild von G. VASARI Künstlerbiographien mit Werkbeschreibungen enthält.

Sandstein, Psammit, aus Sand bestehendes Sedimentgestein, das durch kalkiges, kieseliges oder toniges Bindemittel verfestigt ist. Wegen seiner leichten Bearbeitung wurde S. in Ägypten häufig für Architektur und Plastik verwendet, bes. seit der 11./12. Dynastie (2040 bis 1785 v. Chr.) und während der 18. und 19. Dynastie (Memnonskolosse in Theben-West, um 1400 v. Chr., Tempel und kolossale Sitzbilder Ramses' II. in Abu Simbel). In der grch. und röm. Kunst (Porta Nigra, Trier) wurden kostbarere Materialien, v. a. Marmor und Travertin, verarbeitet. Im europ. MA. wurden Sakral- und Profanbauten aus S. errichtet. V. a. im Barock war S. wegen seiner leichten Verarbeitungsmöglichkeit sehr geschätzt, es entstanden figürl. Bauschmuck, Garten- und Brunnenskulpturen.

San Francisco [sæn frənsˈɪskəʊ], Stadt in Kalifornien, USA, auf einer hügeligen Landzunge am Pazifik, 679 000 Ew. Die stürmische Entwicklung von S. F. (1846: 900 Ew., um 1900: 300 000 Ew.) begann um 1850 mit den Goldfunden am Sacramento; sie wurde nach den großen Zerstörungen durch das Erdbeben von 1906 unterbrochen. Von den Häusern in der Nachahmung europ. Stile (span. Missionsstil, Neoklassizismus, Viktorian. Stil u. a.) haben nur wenige die Katastrophe und den Wiederaufbau überstanden, so eine Anzahl viktorian. Holzhäuser mit holzverzierten, z. T. bemalten Fronten (unter Denkmalschutz). Beim Wiederaufbau der Stadt entstanden architekton. Meisterwerke, darunter die City Hall (1912–15) im Barockstil, deren Kuppel dem Petersdom in Rom nachgebildet ist; ferner Bauten von F. L. WRIGHT. Erst lange nach New York und Chicago (um 1915) begann in S. F. der Stahlskelettbau, erst in den 60er Jahren der Bau von Wolkenkratzern im Stil von Manhattan, der die Silhouette der Stadt veränderte. Unter den Neubauten ist beachtlich die moderne St. Mary's Cathedral (gew. 1962). Von den Mus. enthält das California Palace of the Legion of Honor (1924 eröffnet) v. a. Werke frz. Kunst, das M. H. de Young Memorial Mus. eine hervorragende Gemäldesamml., dazu seit 1979 die John-D.-Rockefeller-Samml. amerikan. Kunst. Räumlich verbunden damit ist das Asian Art Mus. (1966 eröffnet) mit einer reichen Samml. v. a. ostasiat. Kunst. Im S. F. Mus. of Modern Art Werke europ. und amerikan. Künstler. Ein interessanter Museumsbau ist das Oakland Mus. (1969 eröffnet, von K. ROCHE und J. DINKELOO) mit Dokumenten zur Entwicklung Kaliforniens.

San Galgano, ehem. Zisterzienserabtei (heute Ruine) in der ital. Prov. Siena, Toskana; entstanden 1224 bis 1280 in der Nähe einer roman. Kapelle (kleiner Rundbau; im Innern Fresken von A. LORENZETTI, 14. Jh.); in der dreischiffigen Abteikirche (Fassade unvoll., Dach im 18. Jh. eingestürzt) Säulenkapitelle (mit Pflanzen- und Tiermotiven geschmückt).

Sangallo, da Sangallo, ital. Baumeister- und Bildhauerfamilie aus Florenz.

1) Antonio d. Ä., eigtl. A. **Giamberti** [dʒamb'ɛrti], Bruder von 3) und Onkel von 2), *Florenz um 1455, †ebd. 27. 12. 1534, tätig in Werkstattgemeinschaft mit seinem Bruder Giuliano, schuf selbständig die 2 Seitenschiffe der SS. Annunziata in Arezzo (1506) und S. Biagio in Montepulciano (1518–29; Bild Montepulciano), ein Kuppelbau über grch. Kreuz, der vollkommenste Renaissance-Zentralbau dieser Art.

2) Antonio d. J., eigtl. A. **Cordiani,** Neffe von 1) und 3), *Florenz um 1483, †Terni 3. 8. 1546, Schüler von 1) und 3) sowie von Bramante, seit 1516 Architekt an St. Peter in Rom, neben M. Sanmicheli der erste Festungsbaumeister der Zeit (Pläne für die Festung →Caprarola, ausgeführt nur Sockelbau des Palazzo Farnese ebd., nach 1521), führte eine toskanisch herbe, scharf profilierte Formensprache in die röm. Hochrenaissance ein und leitete zum Manierismus über. Er gab dem Palazzo →Farnese als erstem Stadtpalast die Ausrichtung auf eine Achse und schuf an S. Spirito in Sassia (1538–44) die Vorform der römisch-barocken Kirchenfassade.

WW (in Rom): S. Maria di Loreto (Untergeschoß, 1507); Palazzo Baldassini (1510–15); Münze (Zecca, 1523/24); Projekt für St. Peter (um 1530); Palazzo Sacchetti (1543).

3) Giuliano, eigtl. G. **Giamberti** [dʒamb'ɛrti], Bruder von 1), Onkel von 2), *Florenz um 1445, †ebd. 20. 10. 1516, führte die Baugedanken F. Brunelleschis und damit die florentin. Renaissance zur Reife, so v. a. in der Kirche Madonna delle Carceri in Prato (1484 ff.), dem ersten Kuppelbau über grch. Kreuz. Er wirkte außer in der Toskana als päpstl. Architekt in Rom, 1514 vorübergehend als Bauleiter an St. Peter, ferner in Mailand und Neapel. Seine Zeichnungen wurden 1902 von C. v. Fabriczy, sein Skizzenbuch 1910 von C. Hülsen ediert.

WW: Villa Medicea in Poggio a Caiano (1480 ff.; monumental gestalteter Villenbau mit Tempelfront); Projekt eines königl. Palastes für Alfons von Aragón in Neapel (1488); Sakristei von S. Spirito, Florenz (1489–93); Palazzo Gondi, Florenz (1490–94).

Sang de bœuf [sãdəb'œf, frz. ›Ochsenblut‹], chines. Porzellan (v. a. Vasen) mit auf Kupferoxid basierender Überfangglasur (Ochsenblutglasur) von intensivem, tiefem Rot (seit Anf. 18. Jh.). Dadurch, daß die Glasur meist mit Hilfe eines Zerstäubers von oben nach unten aufgeblasen wurde, entstand ein leichter Streifeneffekt; manchmal feine Craquelierung. Die am Mündungsrand, am Hals und am Boden dünner aufgetragene Glasur nahm, da die Tonmasse Eisen enthielt, an diesen Stellen eine grünl. Färbung an.

Sangerhausen, Stadt am SO-Rand des Unterharzes, Dt. Dem. Rep., 33 500 Ew.; Ulrichskirche (1. H. 12. Jh.), roman. Basilika mit Querschiff und dreischiffigem Chor; spätgot. Jakobikirche (beg. 1472), dreischiffige Hallenkirche mit gemaltem Flügelaltar (Passion Christi, 1. H. 15. Jh.) und zahlreichen, z. T. prunkvollen Grabdenkmälern und Epitaphien (16.–18. Jh.). Spätgot. Altes Schloß (um 1446, Ruine), Neues Schloß (1616–22) der Renaissance. Spätgot. Rathaus (1431 bis 1437).

San Gimignano [-dʒimiɲ'a:no], kleine Stadt in der Prov. Siena, Italien, 7500 Ew. Die Silhouette der von Mauern umgebenen Stadt, die ihr ma. Aussehen fast unverändert bewahrt hat, wird beherrscht von den 15 hohen quadrat. Geschlechtertürmen (einst über 50). Mittelpunkt der Stadt ist die Piazza della Cisterna, umgeben von Türmen, Häusern und Palästen. Im urspr. roman. Dom (oder Collegiata) Fresken des 14. und 15. Jh., u. a. von Barna da Siena und D. Ghirlandaio in der Kapelle der Hl. Fina (erbaut und ausgeschmückt von Giuliano und Benedetto da Maiano, 1468); in der Kirche S. Agostino (13. Jh.) Fresken von B. Gozzoli und seinen Schülern; Paläste v. a. aus dem 13. Jh.: Palazzo del Podestà, Palazzo Comunale oder del Popolo (mit dem höchsten Turm der Stadt, 54 m) mit Madonnenfresko von L. Memmi (1317) in der Sala di Dante und Mus. (sienesische und florentinische Malerei).

Sangüesa [saŋgu'esa], span. Städtchen rd. 35 km südöstlich von Pamplona. Zahlreiche Paläste des 15. Jh. mit reich ornamentierten Portalen und Innenhöfen bestimmen das Stadtbild; Kirche S. María la Real (12. und 13. Jh.) mit reich skulptiertem Hauptportal: Die Gewändefiguren sind denen des Königsportals von Chartres verwandt, das Tympanon mit dem Jüngsten Gericht zeigt Einflüsse burgund. Plastik, bes. des Tympanons von S. Lazare in Autun.

Sanherib, babylonisch **Sin-achche-eriba**, neuassyr. König (704–681 v. Chr.); bekannt wurde er v. a. durch zahlreiche Feldzüge (589 v. Chr. zerstörte er Babylon), aber auch durch seine Bautätigkeit (in Assur, Ninive), seine techn. Neuerungen, seine Anlagen von Tiergärten und Pflanzenkulturen. Auf Reliefs ließ er sich gern bei der Beobachtung techn. Meisterleistungen darstellen.

Sanierung, erhaltende Erneuerung eines gefährdeten Baudenkmals unter behutsamem Ersatz bereits zerstörter Einzelteile und Beseitigung der schädl. Einwirkungen. Die S. hat ebenso den Nutzungsansprüchen der Gegenwart (Sanitäranlagen, Heizung, Brandschutz u. ä.) wie den Forderungen der →Denkmalpflege (möglichst schonende Behandlung der Originalsubstanz, Reparatur in authent. Materialien) Rechnung zu tragen. Die Möglichkeit der Ablesbarkeit und Rückgängigmachung von nötigen Eingriffen muß nach der S. gegeben sein. Die S. kann sich auch auf ganze histor. Quartiere und Ortskerne beziehen.

San Ignacio Miní [-iγn'asjo-], Ort in der Prov. Misiones, Argentinien, etwa 35 000 Ew., mit der sehenswertesten der ehem. zur Prov. Paraguay gehörenden alten Jesuitenmissionen. Die Ruinen, 1940–43 restauriert, stehen unter Denkmalschutz. Zu sehen sind noch fein skulptierte Portale und Steinmauern; am Friedhofstor Relief, im Mus. indian. Holzschnitzarbeiten.

San Ildefonso, span. Ort 12 km südöstlich von Segovia mit dem unter Philipp V. 1719–42 erbauten Schloß ›La Granja‹ (Meierei; da auf dem Gelände einer klösterl. Meierei angelegt), einer dem Schloß von Versailles nachempfundenen Anlage (über dem

Grundriß eines großen Rechtecks, flankiert von 3 parallelen Flügeln mit 3 Innenhöfen). In den prunkvoll ausgestatteten Innenräumen fläm. Tapisserien und Gemälde; zahlreiche Brunnenanlagen, Wasserspiele und Gartenskulpturen im Park.

San José [saŋxos'e], Hauptstadt von Costa Rica, 770 000 Ew. Das Nationaltheater (1898) ist stilistisch dem Pariser Opernhaus nachempfunden; Nat.-Mus. mit einer Samml. von Zeugnissen aus präkolumb. Zeit, ergänzt durch ein Gold-Mus. (in der Zentralbank).

San Juan [saŋxu'an], Hauptstadt von Puerto Rico, an der N-Küste der Insel, 423 000 Ew., 1521 gegr. Die auf einer Landzunge gelegene, von Stadtmauern (16./17. Jh.) umgebene Altstadt steht unter Denkmalschutz. Sie wird im W beherrscht vom Castillo de San Felipe del Morro (beg. 1533, 1783 umgebaut), das aus 6 übereinanderliegenden Wehranlagen (bis 43 m ü. M.) und einem dichten System unterird. Gänge besteht. Östlich der Altstadt das Castillo de San Cristóbal (1766–72; bis 50 m ü. M.). Die Kathedrale, 1540 in got. Stil erbaut, wurde im 19. Jh. erneuert (Schatzkammer mit Kultgegenständen 16./17. Jh.); der schöne Kreuzgang des ehem. Klosters S. Domingo (1523) hat doppelstöckige Arkaden; die Kirche S. José (1532) ist noch stark vom got. Stil beeinflußt. Der Gouverneurspalast La Fortaleza, als Festungsturm erb., wurde 1846 zum span. Palast umgestaltet; das Rathaus (Alcaldía; beg. 1604; Ende 18. Jh. restauriert) ist eine Nachbildung des Rathauses von Madrid. In mehreren der kolonialzeitl. Bauten sind Museen (vorkolumb., kolonialzeitl. und moderne Kunst) eingerichtet: Casa Blanca (1521), Casa de los Contrafuertes (1715) u. a.

San Juan de la Peña [-xu'an ðela p'eɲa], ehem. Klosteranlage rd. 20 km südwestlich der span. Stadt Jaca. Das versteckt in einer Pyrenäenschlucht gelegene Gebirgskloster, im 9. Jh. z. Z. der Reconquista gegr., wurde Anfang des 11. Jh. von Mönchen aus Cluny reformiert, gewann hohes Ansehen und wurde Grabstätte von Königen und Adligen von Aragón und Navarra. Die ungewöhnl. Lage ließ eine völlig außerhalb der Tradition stehende Anlage entstehen, deren Bauten zum großen Teil vom überhängenden natürl. Fels überdacht sind; sie besteht aus Unterkirche (z. T. 9. Jh.), Pantheon der Adligen (11. und 14. Jh.) und Oberkirche (Saalkirche, Dreiapsidenabschluß, Ende 11. Jh.) mit königl. Pantheon (1770 umgebaut). Im Kreuzgang (12. Jh.) Kapitelle mit hervorragender figürl. Plastik. Nach versch. Bränden wurde im 17. Jh. oberhalb der alten Anlage ein neues Kloster errichtet.

San Juan de las Abadesas [-xu'an ðe las aβað'esas], span. Ort 60 km nordöstlich von Gerona mit Kirche (1150 gew.) eines im 9. Jh. gegr. Klosters, dem Grundriß nach eine Saalkirche mit Querhaus und 3 um den Chor gelegten Chorkapellen mit Umgang; die archaisch wirkenden Kapitelle entnehmen ihre Themen der oriental. Fabelwelt; großfigurige, hölzerne Kreuzabnahme (1251).

Sankt Bẹnedikt, Stadt in der ČSSR, →Hronský Beňadik.

Sankt Blasi|en, Stadt im südl. Schwarzwald, Bad.-Württ., 4200 Ew., hat ehem. Benediktiner-Fürstabtei (948 gegr., seit 1934 Jesuitengymnasium) mit klassizist. Kuppelkirche (1768–83) von P. M. d'Ixnard, deren Kuppel (∅ 33,5 m) die drittgrößte der Welt ist (nach Pantheon und St. Peter in Rom). In den barocken Abteigebäuden (1777 voll.), einer gewaltigen Vierflügelanlage von 105 × 195 m, gute Stuckdekorationen.

Sankt Florian, Marktgem. bei Linz, OÖ, 4200 Ew. Das Augustiner-Chorherrenstift zählt zu den hervorragendsten Leistungen des österr. Barocks. Die Stiftskirche (1688–1708) mit hoher Doppelturmfassade ist das HW von C. A. Carlone, die Stuckierung von seinem Bruder B. Carlone; kostbare Ausstattung, so der Hochaltar aus Salzburger Marmor von J. B. Colomba. Die Stiftsgebäude (Neubau 1689 beg.) südlich der Kirche umschließen 3 Höfe. Eine geniale Lösung ist das Treppenhaus im hofseitigen Mittelrisalit des W-Flügels mit Arkaden, von Carlone geplant, von J. Prandtauer voll. (1706–14), von Prandtauer auch der Marmorsaal; Malerei im Marmorsaal und im Bibliothekssaal (1744 bis 1750) von B. Altomonte; prunkvoll ausgestattet die 16 ›Kaiserzimmer‹ im W-Flügel. In der Kunstsamml. v.a. got. Gemälde und Plastik, u.a. Altartafeln von A. Altdorfer (1518).

T. Korth: Stift S. F. Die Entstehungsgesch. der barocken Klosteranlage (1975).

Sankt Gallen, Hauptstadt des schweizer. Kt. S. G., 72200 Ew. Im Mittelpunkt der Innenstadt liegt die ehem. Benediktinerabtei, im 9.–11. Jh. eine der bedeutendsten Pflegestätten dt. Kunst und Geisteskultur. Die karoling. Anlage wurde z. T. nach dem erh. Klosterplan (um 820, Stiftsbibl.; Bild Kloster) erbaut. Die heutige barocke ehem. Stiftskirche (1755–67) und die barocken Klostergebäude schufen P. Thumb, J. M. Beer u.a. Die langgestreckte Kirche mit Doppelturmfassade im O und Mittelrotunde ist prachtvoll ausgestattet (C. Wenzinger, J. A. Feuchtmayer, J. G. Dirr u.a.). Die spätgot. Kirche St. Laurenzen (1413 beg.) wurde 1851 neugotisch umgebaut; St. Mangen, auf karoling. Grundlage, im Kern frühromanisch (um 1100), Turm (1508). Um St. Mangen einige spätgot. Häuser. Charakteristisch für die Altstadt sind zahlreiche zwei- oder mehrgeschossige hölzerne Erker (17. und 18. Jh.). Herausragend unter den modernen Bauten ist die Hochschule für Wirtschafts- und Sozialwissenschaften (1960–63 von W. M. Förderer, R. G. Otto und H. Zwimpfer), zu deren Ausstattung zahlreiche zeitgenöss. Künstler beigetragen haben (H. Arp, G. Braque, A. Calder, Alberto Giacometti, J. Miró, A. Tàpies). Altes Mus. (Gemäldesamml.), Neues oder Histor. Mus.; Industrie- und Gewerbemus.

Sankt Gallener Buchmalereischule. Das Kloster von St. Gallen war schon seit Mitte 8. Jh. ein aktives Zentrum der Buchherstellung. Unter den Äbten Grimwald (841–72) und Hartmut (872–83) entstanden illuminierte Pracht-Hss. Auf der Grundlage heimisch-merowing., anglofränk. und karoling. Kunst wurde ein Stil entwickelt, der sich v.a. auf eine aus Blatt- und Riemenwerk mit Tiermotiven gebildete Ornamentik konzentrierte, z. B. der Folchard-Psalter (St. Gallen, Stiftsbibl.). Diese Art der Ornamentik führte später die →Reichenauer Malerschule weiter. Das HW des Skriptoriums von St. Gallen ist das Psalterium Aureum (Goldener Psalter) aus dem späten 9. Jh. (St. Gallen, Stiftsbibl.). Bes. interessant sind darin die bibl. Thematik entnommenen Kampfdarstellungen, die im Gewand zeitgenöss. Kriegswesens erscheinen und durch einen eigenständigen zeichner. Stil auffallen.

J. DUFT u. PETER MEYER: Die irischen Miniaturen der Stiftsbibl. St. Gallen (1953); F. MÜTHERICH u. J. E. GAEHDE: Karoling. Buchmalerei (1976).

Sankt Goar, Stadt am linkem Rheinufer, Rheinl.-Pf., 3700 Ew. Die ehemalige Chorherrenstiftskirche (13./15. Jh.) ist eine got. Emporenhalle mit Netzgewölben und umfangreichen Wandmalereien (1469–89); bed. roman. Krypta (Ende 11. Jh.), Kanzel (um 1460). Die **Burg Rheinfels** (1245 beg., 14.–17. Jh. ausgebaut) ist die größte Burgruine am Rhein und war eine der stärksten Festungen ihrer Zeit.

Sankt Goarshausen, Stadt am rechten Rheinufer gegenüber Sankt Goar, Rheinl.-Pf., 1700 Ew., mit den **Burgen Katz** (Neukatzenelnbogen; 1371 erbaut, 1896 bis 1898 von B. EBHARDT nach alten Plänen wiederaufgebaut) und **Maus** (urspr. Deuernburg) im Ortsteil Wellmich, eine der fortschrittlichsten Burgen der Zeit (2. H. 14. Jh., 1900–06 vorbildlich ausgebaut).

Sankt Jakobswege, →Pilgerstraßen.

Sankt Johann bei Zabern, frz. **Saint-Jean-Saverne** [sẽʒãsav'ɛrn], Gem. im Unterelsaß, nördlich von Zabern. Die Kirche der ehem. Benediktinerabtei (1126 gegr.) ist eine dreischiffige gewölbte Pfeilerbasilika (etwa 1127–45); im Inneren 7 große Wirkteppiche (16. Jh.).

Sankt Katharinental, ehem. Dominikanerinnenkloster (1242–1869) bei Diessenhofen im schweizer. Kt. Thurgau. Die heutige Barockkirche mit ausgewogener Raumwirkung wurde 1732–35 von J. M. BEER gebaut; qualitätvolle Ausstattung aus der Erbauungszeit; Konventsgebäude (1715–18) von F. BEER.

Sankt Lambrecht, Marktgem. bei Murau, Steiermark, Österreich, 2100 Ew., mit 1096/1103 gegr. Benediktinerkloster. Got. Stiftskirche (1421 voll.), die größte Hallenkirche der Steiermark, mit barocker Ausstattung (Mitte 17. Jh.); Stiftsgebäude im Stil der ital. Spätrenaissance (1639–44), darin Kunstsamml. (u. a. spätgot. Gemälde und Skulpturen). In der got. Peterskirche (1424) Flügelaltar mit Gemälde des ›Meisters der Sankt Lambrechter Kreuzigungen‹ (um 1435); Ruine des Schlosses (um 1400) mit wiederhergestellter Kapelle, darin prachtvoller Flügelaltar (um 1520).

Sankt Leonhard im Lavanttal, Bad S. L. i. L., Stadt in Kärnten, Österreich; z. T. erhaltene Ummauerung mit spätgot. Burgruine Gamarn in der SW-Ecke und Schloß Ehrenfels (16. Jh.) in der N-Ecke und einem die ganze Altstadt durchziehenden Hauptplatz. Außerhalb des Stadtkerns got. Pfarrkirche (beg. 1. H. 14. Jh.) mit dem größten Bestand got. Glasmalereien in Kärnten (Mitte 14. Jh.–um 1400) und reicher Ausstattung (spätgot. Flügelaltar, 1513; barocker Hochaltar, um 1640).

Sankt Martin, slowak. **Martin,** Stadt im Mittelslowak. Kr., ČSSR, 56300 Ew.; got. Martinskirche von 1280, 1523 erweitert und mehrmals umgebaut (im Inneren Fresken). Das Theater wurde 1888 im historisierenden neoklassizist. Stil gebaut. Bed. neues Gebäude von 1975 ist das der ›Matica Slovenska‹ (Kulturverband der Slowaken mit Zentralbibliothek). Bei S. M. Freilichtmuseum.

Sankt Paul im Lavant|tal, Marktgem. in Kärnten, Österreich, 5700 Ew., mit 1091 gegr. Benediktinerstift (1782 aufgehoben, 1809 von St. Blasien neu belegt). Die roman. doppeltürmige Basilika (spätes 12. Jh.–um 1220) wurde nach Brand (1367) gotisch eingewölbt; formenreiche Kapitelle (um 1200), Fresken von M. und F. PACHER (1470–80), bed. Stifterfresko von THOMAS VON VILLACH (1493), von ihm auch Tafelgemälde. Das Stift (Gebäude 17. Jh.) birgt wertvolle Kunstschätze (dt., niederländ., ital. Malerei, große Graphiksamml.), z. T. aus St. Blasien mitgebracht.

Sankt Peter, Gem. im südl. Schwarzwald, Bad.-Württ., 2100 Ew. Die ehem. Benediktinerabtei wurde 1093 als Hauskloster und Grablege von den Zähringern gegr. Doppeltürmige Barockkirche (1724–27 von P. THUMB im Sinn der Vorarlberger Bauschule erbaut) mit Monumentalfiguren von J. A. FEUCHTMAYER, Fresken von F. J. SPIEGLER; zierl. Rokoko-Orgelprospekt. Im Kloster (1752–57) prachtvoll stuckierter und ausgemalter zweigeschossiger Bibliothekssaal mit Figuren von J. C. WENZINGER (1751).

Sankt Peter in Holz, Ortsteil von Lendorf, bei Spittal an der Drau, Kärnten, Österreich; das Dorf liegt auf einem Teil der keltisch-röm. Stadt **Teurnia.** Die got. Pfarrkirche (14./15. Jh.) mit Außenfresken im Schönen Stil (um 1430) und Fresken im Langhaus (um 1370/80; 1970 entdeckt) steht vermutlich an der Stelle der frühchristl. Bischofskirche. Die freigelegte frühchristl. Friedhofskirche birgt ein sehr gut erhaltenes Fußbodenmosaik (um 500); Mus. mit Ausgrabungsfunden.

Sankt Pölten, Stadt im Alpenvorland, NÖ, 50300 Ew., an der Stelle des röm. **Aelium Cetium,** wurde als Wohnort von J. PRANDTAUER, J. MUNGGENAST, D. GRAN und B. ALTOMONTE ein Zentrum des Barocks. Der roman. Dom (1150 gew., im 16./17. Jh. mehrfach umgebaut) wurde im 18. Jh. barockisiert (Fresken von Gran u. a.). Nördlich anschließend der Bischofshof (1636 bis 1653) mit prachtvollem Stiegenhaus (1727), in der Bibl. (heute Dom-Mus.) Fresken von P. TROGER. Weitere bed. Barockbauten: Karmeliterkirche (1712) von Prandtauer; Institut der Engl. Fräulein (Anf. 18. Jh., Anteil Prandtauers nicht gesichert), Fresken von Altomonte, Marienbild von L. CRANACH D. Ä. (1516); Franziskanerkirche (1757–68), Altarbilder von M. J. SCHMIDT; viele barocke Bürgerhäuser, oft mit älterem

Kern. Rathaus mit Renaissance-Portal (2. H. 16. Jh.) und barockem Obergeschoß.

Sankt Sigmund, ital. **San Sigismondo** [-dʒ-], Ort im Pustertal, Südtirol; spätgot. Pfarrkirche St. Sigmund (1449–89) mit geschnitztem Flügelaltar (um 1430) und Fresken (v. a. Hl. Christoph, um 1519).

Sankt Thomas, Gem. im Kr. Bitburg-Prüm, Rheinl.-Pf., an der Kyll, mit ehem. Zisterzienserinnenkloster (vor 1185 gegr., jetzt Priesterhaus der Diözese Trier); die spätroman. Kirche (1222 gew.), einschiffig und turmlos, ist ein typ. Beispiel für die Nonnenkirchen der Zisterzienser.

Sankt Trudpert, ehem. Benediktinerabtei in der Gem. Münstertal im südl. Schwarzwald, Bad.-Württ. Die Barockkirche wurde 1709–22 von P. THUMB als Wandpfeilerhalle mit Emporen erbaut; frühklassizist. Hochaltar (1780–84); die schlichten Klostergebäude ebenfalls von Thumb (1737 beg.).

Sankt Urban, ehem. Zisterzienserabtei (1194–1848) bei Pfaffnau im schweizer. Kt. Luzern. Die heutige Barockkirche, 1711–15 von F. BEER erbaut, zeigt am vollkommensten das Schema der Vorarlberger Bauschule; Stukkaturen von F. SCHMUZER; das Chorgestühl (1701 bis 1707) zählt zu den reichsten barocken Schnitzereien. Klostergeviert (1721–33, von J. M. BEER voll.).

Sankt Veit an der Glan, Stadt in Kärnten, Österreich, 12 200 Ew.; gut erh. ma. Stadtbild. Am langgestreckten Hauptplatz mit Schüsselbrunnen (1566), Florianibrunnen (1676) und Pestsäule (1715) stehen das spätgot. Rathaus (1468) mit prachtvoller Barockfassade und got. Bürgerhäuser. Stadtpfarrkirche, eine dreischiffige Basilika (frühes 13. Jh., spätgotisch umgebaut), mit Altären des St. Veiter Bildhauers J. PACHER (18. Jh.); neben der Kirche roman. Karner (12. oder 13. Jh.). Ehem. Klarissinnenkirche, einschiffige frühgot. Saalkirche (1323 gegr.) mit barocken Kapellenanbauten. Im ehem. Zeughaus (›Herzogsburg‹, 1523 bis 1529) Museum.

Sankt Wendel, Stadt im Saarland, 27 100 Ew.; spätgot. Wallfahrtskirche (14./15. Jh.), eine Stufenhalle auf Rundpfeilern mit Netzgewölben und Dreiturmgruppe im W, mit wertvoller Ausstattung des 15. Jh. (Umgangsaltar mit Wendelins-Tumba, Kanzel, Hl. Grab, Deckenmalereien). Nördlich der Stadt entstand ein Skulpturenpark, 1971/72 beg. durch das ›Internat. Steinbildhauer-Symposion im Saarland‹.

Sankt Wolfgang, Gem. im Kr. Rosenheim, Oberbayern; besitzt eine bed. spätgot. ehem. Kollegiatsstiftskirche (1430 beg.) mit Stern- und Netzgewölben und sehr guter Barockausstattung (Hochaltar 1679). Brunnenkapelle (Anf. 15. Jh.).

Sankt Wolfgang im Salzkammergut, Marktgem. in OÖ, am N-Ufer des St.-Wolfgang-Sees, 2400 Ew. Die spätgot. Pfarrkirche (1414 voll.) birgt mit dem vollständig erhaltenen Hochaltar (1471–81) das HW M. PACHERS, zugleich ein Höhepunkt des spätgot. Altarbaus.

Ein weiteres bed. Ausstattungsstück ist der hochbarocke Altar von T. SCHWANTHALER (1675/76).

San Luis Potosí, Hauptstadt des Bundesstaates S. L. P., Mexiko, 292 300 Ew. Die Stadt hat trotz Modernisierung ihren kolonialzeitl. Charakter bewahrt. Die Kathedrale (1670–1730), eine dreischiffige Basilika, wurde Mitte des 19. Jh. umgebaut (Fassade, Türme und achteckige Kuppel unverändert). Im Kloster S. Francisco (2. H. 17. Jh.–1707) Regional-Mus. (v. a. präkolumb. Samml.) und die Kapelle von Aranzazú (1690), ein Meisterwerk des hochbarocken und churrigueresken Stils; die barocke Klosterkirche (17. Jh.) hat eine mit verschiedenfarbigen Azulejos verkleidete Kuppel, ebenso die Kirche del Carmen (1740–60) mit reich verzierter Barockfassade und Hochaltar von F. E. TRESGUERRAS, von dem auch das klassizist. Teatro Alarcón (Anf. 19. Jh.) erbaut wurde. Klassizistisch ist auch der Regierungspalast (Ende 18. Jh.).

San Marino, Hauptstadt der gleichnamigen Rep. auf der Apenninhalbinsel, 4600 Ew. Die auf einem Bergsporn gelegene und von 3 Türmen überragte Stadt mit engen steilen Gassen hat ihr ma. Gepräge bewahrt. In der 1361 beg. Kirche S. Francesco (im 18. Jh. verändert) Gemälde von GUERCINO u. a. Im Palazzo Valloni (1477, im 17. Jh. erweitert) Mus. mit Gemälden v. a. des 16. und 17. Jh.

Sanmicheli [-k'ɛ:li], Michele, ital. Baumeister, *Verona 1484, †ebd. Anfang Sept. 1559, in Rom ausgebildet, seit 1528 in venezian. Dienst, neben A. DA SANGALLO D. J. der erste Festungsbaumeister seiner Zeit (schuf u. a. in Verona die Porta Nuova, 1533 beg., und die Porta Pallio, um 1550 beg.). Ausgehend von BRAMANTE, entwickelte er, meist unter Verwendung von Bossenwerk, den kraftvoll-schweren Palaststil Veronas (Palazzi Canossa, Pompei, Bevilacqua, alle um 1530 ff.); in Venedig Palazzo Grimani (ab 1540).

WW (in Verona): Cappella Pellegrini an S. Bernardino (1538 ff.), Madonna di Campagna (beg. 1559). Befestigungsanlagen in Brescia, Bergamo, Korfu u. a.

San Miguel de Allende [-miɣ'ɛl ðe aj'ende], Stadt im Bundesstaat Guanajuato, Mexiko, 34 000 Ew. Die 1540 gegr. Stadt hat ihren kolonialzeitl. Charakter, u. a. mit vielen Wohnhäusern aus dem 18. Jh., fast vollständig bewahrt und steht unter Denkmalschutz. Mittelpunkt ist die neugot. dreischiffige Pfarrkirche, um 1880 von einem indian. Baumeister erbaut. Die Kirche S. Francisco hat eine churriguereske Fassade; in der Loreto-Kapelle (1736 errichtet) mit barocken Portalen ist das Deckengewölbe reich verziert. Das Kloster La Concepción (1734 beg., mit zweistöckigem Kreuzgang) ist Kunstzentrum mit Mus. und Kunstschule. Die Klosterkirche hat prächtige, zwölfeckige klassizist. Kuppel. Erhalten sind auch Profanbauten mit Barockfassaden und churrigueresken Verzierungen.

San Miguel de Escalada [-miɣ'ɛl ðe-], span. Ort etwa 30 km östlich von León mit einer der am besten erh. mozarab. Kirchen Spaniens (913 gew.), eine dreischiffige Anlage, deren hufeisenförmige Arkaden (im

Inneren sowie außen am Portikus) auf qualitätvoll skulptierten Ornamentkapitellen aufsitzen. Die mit Flachreliefs verzierten Chorschranken stehen in westgot. Tradition.

San Miguel de Foces [-miɣ'ɛl ðe f'oθes], im romanisch-got. Übergangsstil erbaute Klosterkirche (12./13. Jh.) etwa 20 km östlich der span. Stadt Huesca, einschiffig mit 3 polygonalen Apsiden und spätroman. Vorhalle; im Inneren Taufbecken des 11. Jh. und got. Fresken über den Stiftergräbern (13./14. Jh.).

San Miguel in Excelsis [-miɣ'ɛl-], roman. Kirche des 12. Jh. bei dem Dorf Huarte Araquil, etwa 40 km nordwestlich von Pamplona, eine dreischiffige Basilika über rechteckigem Grundriß mit prächtigem Hochaltar (Ende 12. Jh.), eine Emailarbeit in Gruben- und Zellenschmelz (in der Mitte eine mit Edelsteinen besetzte Mandorla mit Madonna und Kind).

San Millán de la Cogolla [-miʎ'an ðe la koɣ'oʎa], span. Ort etwa 35 km südwestlich von Logroño mit 2 Klöstern. Das ältere, S. Millán de Suso, an einem Felsabhang gelegen, hat eine mozarab. Kirche mit geometr. und vegetabil. Bauplastik (929–1030); in den Grotten roman. Sarkophag mit Liegefigur des Hl. Millán. Das 2. Kloster, S. Millán de Yuso, 1053 gegr., wurde vom 16. bis 18. Jh. umgestaltet und erhielt, neben einer spätgot. Kirche (mit Altarretabel von FRAY J. RIZI), an den Klostergebäuden Fassaden im Stil des Escorial; im Kirchenschatz 2 Elfenbeintafeln des 11. Jh.

Sano di Pietro, eigtl. Ansano di Pietro **di Mencio** [-m'entʃo], ital. Maler, *Siena 1406, †ebd. 1481, Schüler von SASSETTA, malte in spätgot. Stil volkstümlich-dekorative Madonnen- und Altarbilder.

San Pedro de Dueñas [-p'eðro ðe du'eɲas], ehem. Benediktinerkloster 5 km südlich der span. Stadt Sahagún, mit dreischiffiger Kirche ohne Querhaus (1087 bis 1110); im Inneren qualitätvolle Kapitelle mit Löwen- und Drachendarstellungen und Kreuzigung von G. HERNÁNDEZ.

San Pedro de la Nave [-p'eðro ðe la n'aβe], westgot. Kirche des frühen 8. Jh., etwa 20 km westlich der span. Stadt Zamora (León). Die gut erh. dreischiffige Kirche mit Querhaus wurde vor dem Bau eines Stausees an den heutigen Ort übertragen; im Inneren Kapitelle mit geometr., pflanzl. und figürl. Darstellungen.

San Pedro de Roda [-p'eðro ðe r'ɔða], rd. 50 km nördlich der span. Stadt Gerona an der Costa Brava auf einem Berggipfel gelegenes ehem. Kloster, das Anf. des 11. Jh. errichtet wurde. Die dreischiffige Kirche mit eiförmigen Apsiden bietet ein interessantes Stilgemisch mozarab., roman. und byzantinisch-lombard. Bauweise. Das Gewölbe wird durch 2 Geschosse von Säulen getragen. Die figürl. Bauplastik ist bis auf Kapitelle mit Pflanzenmotiven in Museen verstreut (u. a. Mus. Marés, Barcelona).

Sanraku, eigtl. **Mitsuyori,** Familienname **Kano,** japan. Maler, *Gamo (Präfektur Shiga) 1559, †Kioto 1635. Von seinem Lehrer EITOKU adoptiert, gehörte er zu der Malerschule der →Kano. Er schuf für die unter dem Feldherrn Toyotomi Hideyoshi errichteten Paläste und Tempel in Kioto dekorative Gemälde für Schiebetüren und Stellschirme, anfangs noch im spannungsgeladenen Stil des Eitoku (z. B. sechsteiliges Stellschirmpaar ›Drachen im Sturm‹ im Myoshinji in Kioto, in dem sich auch weitere Werke auf Schiebetüren befinden). Er war Wegbereiter für den späteren stilisierten Stil des Korin und bester Maler und Oberhaupt des Kioto-Zweiges der Kano-Schule (Kyo-Kano), nachdem der Hauptteil nach Edo verlegt worden war.

San Salvador de Jujuy [-salβað'ɔr ðe xux'ui], auch **Jujuy,** Hauptstadt der Prov. Jujuy, Argentinien, 111 000 Ew. In der Kathedrale (1593 gegr., heutiger Bau 1761–65) sind Kanzel und Beichtstuhl HW des Jesuitenstils mit bemalten indian. Holzschnitzereien; die einschiffige Kapelle S. Bárbara (Ende 18. Jh.) mit quadrat. Turm enthält Gemälde aus der Kolonialzeit.

San Sebastián, bask. **Donostía,** Hauptstadt des span. Baskenlandes, Bischofssitz, 188 000 Ew. Das Bild der Altstadt ist weitgehend von Barockbauten geprägt (z. B. Kirche S. María, 18. Jh., mit üppiger churrigueresker Fassade); spätgot. Kirche S. Vicente (16. Jh.). Im ehem. Kloster S. Telmo (1534–51, mit zweistöckigem Kreuzgang im Übergangsstil zw. Spätgotik und Renaissance) heute Mus. mit Gemäldesamml. (u. a. El Greco und bask. Maler des 19. und 20. Jh.) und bask. Kunsthandwerk; klassizist. Rathaus (1829).

Sansibar, engl. **Zanzibar** [z'ænzɪbɑː], Insel an der O-Küste Afrikas, Tansania. Arabisch-pers. Niederlassungen seit dem 10. Jh.; nahe der S-Spitze der Insel ist eine Moschee erh., laut kufischer Inschrift 1107 von Persern erbaut. Die Hafenstadt S., 111 000 Ew., im 19. Jh. Hauptstadt des Sultanats S., hat eine oriental. Altstadt mit Steinhäusern und reichgeschnitzten Fronttüren. Der ehem. Sultanspalast ist heute Regierungssitz.

San Sigismondo [-dʒ-], ital. für →Sankt Sigmund.

San Simeon [sæn s'ɪmɪən], Ort in der Nähe von Santa Barbara, Kalifornien, USA, 100 Ew.; nördlich davon ›Hearst Castle‹ (1919 beg.), das in maurisch-span. Stil erbaute Schloß des Zeitungsverlegers W. R. Hearst, heute Hearst S. S. State Historical Monument, mit einer der umfangreichsten Samml. internat. Kunstschätze, u. a. Gemälde und Skulpturen, ein Refektorium mit Chorgestühl aus europ. Klöstern, wertvolle Gobelins.

Sansovino, il S., 1) Andrea, eigtl. A. **Contucci** [kont'uttʃi], ital. Bildhauer, Baumeister, *Monte San Savino (bei Arezzo) um 1460, †ebd. 1529; S. lernte in Florenz bei A. Pollaiuolo und G. da Sangallo, war 1491–93 und 1496–1500 in Portugal tätig, dann in Florenz, 1505–12 in Rom und 1514–27 in Loreto. In seiner Kunst vollzog sich der Wandel vom Realismus des Quattrocento zur klass. Form der Hochrenaissance. Er übertrug antike Triumphbogenmotive auf das architektonisch-figurale Wandgrabmal.

HW: Marmorgruppe der Taufe Christi (1502 beg.; Florenz, Baptisterium); Wandgrabmäler für Ascanio Sforza und Girolamo Basso della Rovere (1505 und 1507; Rom, S. Maria del Popolo); Hl. Anna

Selbdritt (1512; Rom, S. Agostino); Reliefs an der Santa Casa in Loreto.

2) Jacopo, eigtl. J. **Tatti,** ital. Baumeister, Bildhauer, *Florenz 1486, †Venedig 27. 11. 1570, nahm den Beinamen seines Lehrers →Sansovino 1) an, arbeitete in Florenz und Rom v. a. als Bildhauer und studierte die Antiken. Seit 1527 in Venedig, wo er die klass., zu A. PALLADIO und B. LONGHENA führende Epoche der venezian. Architektur eröffnete, indem er die schmuckfreudige Bauweise Venedigs in die strengeren Ordnungen der röm. Hochrenaissance faßte. Die Gestaltung des Markusplatzes geht auf ihn zurück. Seine Bildwerke sind von weicher Formschönheit.

Jacopo Sansovino: Maria mit dem Kind; Papiermaché auf Holz, um 1540 (Berlin-West, Staatl. Museen)

HW (in Venedig): Markusbibliothek (1536 ff.; von V. SCAMOZZI 1583–88 voll.); Zecca (Münze, heute Bibl. Marciana; 1537–45); Loggetta am Campanile (1537–40); Palazzo Corner, gen. Cà Grande (1537 ff.). – Marmorbildwerke: Jakobus d. Ä. (1511 ff.; Florenz, Dom), Bacchus (1514; ebd., Mus. Nazionale del Bargello), Madonna (1518; Rom, S. Agostino), Grabmal Venier (1561; Venedig, S. Salvatore); in Bronze: Sakristeitür (1545 ff.; Venedig, S. Marco).

Sanssouci [sãsus'i, frz. ›ohne Sorge‹], Schloß und Park in →Potsdam.

Santa Barbara [s'æntə b'ɑːbərə], Stadt in Kalifornien, USA, 74 500 Ew. Die Altstadt mit spanisch-mexikan. Charakter steht unter Denkmalschutz; außerhalb die 1786 gegr. Mission S. B. (Hauptsitz der Franziskaner in Kalifornien). Das S. B. Mus. of Art (seit 1939) besitzt Kunstwerke von der Antike bis zur Gegenwart.

Santa conversazione [ital.], →Sacra conversazione.

Santa Cruz de la Serós [-kruð ðe la ser'os], ehem. Kloster (992 gegr.) rd. 20 km südlich der span. Stadt Jaca, in den Pyrenäen; von der Anfang des 12. Jh. errichteten Anlage sind die tonnengewölbte Saalkirche, der gewaltige Glockenturm und das Hauptportal (im Tympanon Christusmonogramm) erhalten.

Santa Fe [s'æntə f'eɪ], **1)** Hauptstadt des Staates New Mexico, USA, 48 900 Ew. Der Palace of the Governors (1610–14), das älteste öffentl. Gebäude der USA, ist heute Hauptsitz des Mus. of New Mexico (einzigartige archäolog. und histor. Samml. über die Indianer im SW der USA). Das Fine Arts Mus. zeigt Kunst des 20. Jh. aus New Mexico.

2) Hauptstadt der Prov. S. F., Argentinien, 375 000 Ew. In der 1573 gegr. Stadt sind mehrere kolonialzeitl. Bauten erhalten, bes. das Kloster S. Francisco (beg. um 1650–1680) mit holzgeschnitzter Kassettendecke (von indian. Künstlern), Skulpturen und Gemälden.

Santa Maria Capua Vetere, heutiger Name des antiken →Capua.

Santa María de Huerta [-ðe u'ɛrta], span. Ort etwa 60 km südwestlich von Soria mit einem der bedeutendsten Zisterzienserklöster Spaniens (1144 gegr.; Baubeginn der Anlage 1172, Veränderungen im 16., 17. und 18. Jh.), bestehend aus der dreischiffigen Kirche (mit Querhaus und gewaltiger Hauptapsis; im Inneren platereskes Chorgestühl) und doppelstöckigem Kreuzgang ›de los Caballeros‹ (13. und 16. Jh.), der zum Refektorium führt (13. Jh., mit Kanzeltreppe und Fensterrose über dem Portal); erh. ist auch die Küche mit Rauchfang.

Santa María de Nieva [-ðe ni'eβa], ehem. Dominikanerkloster (um 1395 gegr.) 25 km nordwestlich der span. Stadt Segovia; an den qualitätvollen Kapitellskulpturen des Kreuzgangs ist bilderbogenartig das ma. Alltagsleben dargestellt; teilweise erh. ist das Seitenportal der Klosterkirche mit fünffachen Archivolten und Resten des Tympanons.

Santander, span. Provinzhauptstadt und Bischofssitz an der Biscaya, 173 000 Ew. Die nach einem Brand (1941) weitgehend zerstörte Altstadt wurde wieder aufgebaut; vom urspr. Bau der got. Kathedrale des 13./14. Jh. sind der Kreuzgang und die Krypta (Kapitelle mit pflanzl. Motiven) erh.; prächtiger zweistöckiger Renaissancekreuzgang an der Hieronymitenkirche; Städt. Mus. (mit Gemäldesamml.); Prähistor. Mus. (zahlreiche Funde aus der Umgegend). – In der Nähe →Santillana del Mar und →Altamira.

Sant'Angelo in Formis [-'andʒelo-], südital. Dorf nordöstlich von Capua mit roman. Basilika, 1073 von Benediktinern aus Montecassino auf Resten eines röm. Diana-Tempels erbaut. Der gesamte Innenraum, mit bed., in byzantin. Tradition stehenden Fresken des 11./12. Jh. ausgemalt, ist der umfangreichste Zyklus ital. Wandmalerei des MA.

Sant' Antimo, ehem. Benediktinerabtei, →Montalcino.

Santarém [santar'ɛ̃j], portug. Stadt und Bischofssitz am unteren Tejo, rd. 70 km nordöstlich von Lissabon, 20 000 Ew. Die spätgot. Kirche Nossa Senhora da Graça (1380) besitzt an der Fassade eine Fensterrose und ein reich verziertes Hauptportal im Flamboyant-Stil, im schlichten Innenraum skulptierte Kapitelle und Grabplastiken des 15. und 16. Jh.; barocke Jesuitenkirche (1676) mit üppiger Fassade, im Inneren Azulejos-Wandverkleidungen, Alabasterretabel (17. Jh.); an der

Kirche Marvila prächtiges emanuelin. Portal (1520). Archäolog. Mus. in der frühgot. Kirche S. João d'Alporão (reiche Samml. sakraler Kunst, prunkvoller Kenotaph für Dom Duarte de Menezes, Ende 15. Jh.). – 10 km nordwestlich in Alpiarca Kunstsamml. in der Casa dos Patudos (Werke von P. P. RUBENS, F. DE ZURBARÁN, B. E. MURILLO, H. MEMLING u. a.).

Sant'Elia, Antonio, ital. Architekt, *Como 30. 4. 1888, †(gefallen) bei Monfalcone 10. 10. 1916; Hauptmeister der Architektur des →Futurismus. Sein Werk, das ausschließlich in Entwürfen vorliegt (Skizzen von Wolkenkratzerstädten, Bahnhöfen und Kraftwerken), gibt visionäre Hinweise auf die spätere Entwicklung der modernen Architektur.

Santes Creus, ehem. Zisterzienserabtei rd. 25 km nördlich der span. Stadt Tarragona, von RAMÓN BERENGUER, König von Aragón, 1169 gegr., im 13. Jh. voll., neben →Poblet das hervorragendste Beispiel der Zisterzienserbaukunst in Katalonien. Im Querhaus der dreischiffigen Klosterkirche Königsgrabmäler (13. und 14. Jh.) und prächtige roman. Fensterrose; got. Kreuzgang des frühen 14. Jh. (Maßwerk, Kapitelle mit Tier- und Menschendarstellungen); Palacio Real (14. Jh.; ehem. königl. Wohntrakt im Kloster).

Santi, 1) Giovanni, ital. Maler, †Urbino 1. 8. 1494, Vater von 2); v. a. für den Hof von Urbino tätig.

2) Raffaello, ital. Maler und Baumeister, →Raffael.

Santiago, 1) S. de Chile [-ðe tʃ'ile], Hauptstadt von Chile, 3,5 Mio. Ew. In der 1541 gegr., häufig zerstörten Stadt sind die Kirchen S. Francisco (1572–1618) und La Compañía (1863 ausgebrannt) die ältesten noch erhaltenen Sakralbauten. Die heutige Kathedrale (1748 bis 1830) ist eine dreischiffige Basilika, die Kirche La Merced (1746 beg.; wesentl. Bauabschnitt 1795–99) ein neoklassizist. Bau. Im gleichen Stil wurden das Erzbischöfl. Palais (1870), das Rathaus (1785–90), die Casa Colorada (Ende 18. Jh.) und die Casa Real de la Moneda (beg. 1784) errichtet. Das Teatro Municipal (umgebaut um 1870) hat eine Fassade im Barockstil mit Mittelrisalit. Im Kunstmus. u. a. Werke europ. Maler vom 15. bis zum 20. Jh.

2) S. de Compostela, Stadt in NW-Spanien, 65 300 Ew., ehem. Hauptstadt des Kgr. Galicien und im MA. einer der bedeutendsten abendländ. Wallfahrtsorte (Verehrung des Apostels Jakobus, Endpunkt der Sankt Jakobswege, →Pilgerstraßen).

Das gut erhaltene geschlossene Stadtbild wird von Bauten, Platzanlagen sowie von arkadengesäumten Straßenzügen aus der Renaissance und v. a. aus dem Barock bestimmt. Unter den vielen Kirchen und Klöstern ist die Kathedrale (seit 1075 erbaut) trotz spätbarocker Ummantelung das hervorragende Denkmal frühroman. Architektur und Bauplastik in Spanien; hinter der um 1750 vollendeten spätbarocken W-Fassade (von F. CASAS Y NOVOA) liegt die 1188 vom galic. Meister MATEO vollendete Vorhalle Pórtico de la Gloria mit reichem Skulpturenschmuck (BILD Romanik); an der S-Seite die Puerta de las Platerías mit Skulpturen aus dem Anfang des 12. Jh.; in der Krypta der dreischiffigen Emporenbasilika (auf dem Grundriß eines lat. Kreuzes) das Grab des Apostels Jakobus; reicher Kirchenschatz (mit Mus. und Bibl.). Die Kathedrale liegt an der Plaza de España, die von weiteren repräsentativen Bauten umgeben ist, v. a. dem Palacio de Gelmirez (12./13. Jh.) mit erzbischöfl. Palast, dem Hospital Real (von den Kath. Königen 1489 gegr. gewaltige Pilgerherberge, um 4 Innenhöfe angeordnet; von E. EGAS 1501 bis 1511 erbaut) und dem Rathaus (1777). Im N der Kathedrale das Benediktinerkloster S. Martín Pinario mit monumentaler Barockkirche.

3) S. del Estero, die älteste Stadt Argentiniens (1553 gegr.), 120000 Ew. Das Kloster S. Francisco (gegr. 16. Jh.) wurde v. a. im 18. Jh. umgebaut. Die ehem. Klosterkirche La Merced (gegr. 16. Jh., heutiger Bau 19. Jh.) besitzt 5 schöne holzgeschnitzte Altäre. Die heutige Kathedrale (die 5. an diesem Platz) wurde Ende des 19. Jh. errichtet.

4) S. de Peñalba [-ðe peɲ'alβa], etwa 20 km südlich der nordwestspan. Stadt Ponferrada (León) in den Bergen gelegene mozarab. Kirche (931 erbaut), etwa 20 m lang mit 2 Apsiden und 2 Kapellen im Querschiff; an den Portalen in feinen Proportionen gestaltete Hufeisenbögen.

Santiagostraßen, →Pilgerstraßen.

Santi di Tito, ital. Maler, →Tito.

Santillana del Mar [santiʎ'ana ðel-], unter Denkmalschutz stehende span. Stadt (rd. 4000 Ew.) östlich von Santander, die mit ihren zahlreichen wappengeschmückten Palästen das unveränderte Bild einer Landstadt des span. Adels seit dem MA. wiedergibt; dreischiffige roman. Stiftskirche S. Juliana (12. Jh.) und Kreuzgang mit Arkadengal. auf Doppelsäulen, die mit qualitätvollen Kapitellskulpturen (Pflanzen-, Tier- und Menschendarstellungen) geschmückt sind.

Santini, Giovanni, auch **Aichel,** Johann Santin, böhmisch-ital. Baumeister, Maler, *Prag 1687, †ebd. 7. 12. 1723, schuf Kloster- und Wallfahrtskirchen, Gnadenkapellen, in Prag auch Stadtpalais. In Kenntnis der Werke von J. B. FISCHER V. ERLACH, J. L. V. HILDEBRANDT und F. BORROMINI verbindet sein Baustil Formen des ital. Barock mit got. Bautradition zu einer phantasievollen barocken Nachgotik (›Barockgotik‹), die den schweren Hochbarock auflockert.

HW: Kirchen: Sedletz/Sedlec (1703 ff.); Saar/Žďár (1706–23); Kiritein/Krtiny (1710 ff.); Kladrau/Kladruby (1712–26); Seelau/Zeliv (1713–20). – Jagdschloß Karlskrone in Chlumec a. d. Cidlina (1721–23).

Santo Domingo, 1) Hauptstadt der Dominikan. Republik, an der Südküste der Insel Hispaniola, 1,2 Mio. Ew. Das Zentrum der 1496 gegr. Stadt besitzt noch seinen kolonialzeitl. Charakter. Die Kathedrale (1521–41) ›Basilica Menor de Santa María‹, eine der ältesten Kirchen Amerikas, ist eine fünfschiffige Basilika mit maurisch beeinflußter Renaissancefassade und got. Gewölben (reiche Kunstschätze, u. a. Hochaltar aus Silber, Gemälde); vom Kloster S. Francisco (1512–55) sind nur Ruinen erhalten geblieben. Profanbauten: Casa de Colón (um 1500); Alcázar de Colón (1510–14; im Stil von Gotik und Renaissance); Fort S. Bárbara; Ozama-Festung mit dem ›Torre del Homenaje‹ (Huldigungsturm; 1502). Der Nationalpalast, ein Marmorbau mit Säulenportikus und Kuppel, ist ein typ. Beispiel für den neoklassizist. Baustil. An der Plaza de la Cultura mit modernen Skulpturen die Museen del Hombre Dominicano (vorkolumb. Samml.) und de Arte Moderno (gegr. 1976, Kunst des 20. Jh.).

2) S. D. de la Calzada [-kalθ'aða], span. Städtchen etwa 40 km westlich von Logroño (Altkastilien) auf dem Pilgerweg nach Santiago de Compostela. Vom urspr. Bau der Kathedrale (1158 beg., später mehrfach umgestaltet) sind die roman. Apsis (mit qualitätvollen Kapitellen), Chorumgang und S-Portal erh.; im dreischiffigen Innern befindet sich das roman. Grabmal des Kirchenpatrons S. Domingo (12. Jh., 1440 mit skulptiertem Grabbau und 1514 mit Baldachin ergänzt), das reich geschnitzte Chorgestühl und ein platereskes Altarretabel von D. FORMENT (1537–40).

3) S. D. de Silos, Benediktinerkloster in Spanien, südöstlich von Burgos; von der unter Abt DOMINGO seit Mitte des 11. Jh. erbauten Anlage blieb der zweigeschossige roman. Kreuzgang erhalten, dessen Säulenkapitelle reich mit Tier- und Pflanzenornamentik geschmückt sind; diese Arbeiten und v. a. die 8 Reliefplatten an den Eckpfeilern des Kreuzgangs mit Darstellungen des Geschehens nach dem Tod Christi sind von hoher bildhauer. Qualität; die Abteikirche wurde im 18. Jh. durch einen barocken Neubau ersetzt. Klosterschatz heute zum großen Teil im Archäolog. Mus. in →Burgos; Klosterapotheke mit Samml. alter Gefäße.

Santomaso, Giuseppe, ital. Maler, *Venedig 26. 9. 1907, malt im Stil des Abstrakten Expressionismus Farbkompositionen, die die Poesie bestimmter Natureindrücke gleichnishaft anklingen lassen; seit den 1970er Jahren auch Bilder mit Collage-Effekten.

Santorin, die grch. Insel →Thera.

Sao, historisches Volk im Tschadseegebiet, vermutlich im 8. oder 10. Jh. aus dem oberen Nilgebiet (Nubien) eingewandert. Die hochentwickelte **Sao-Kultur** wurde von arab. Völkern im 16. Jh. zerstört. Im Mündungsgebiet des Schari wurden umfangreiche Stadtanlagen, Terrakotten in menschl. und tier. Gestalt (myth. Mischwesen) sowie Schmuckstücke aus Eisen, Kupfer, Bronze (Guß in ›verlorener Form‹), Elfenbein und Glas gefunden. Einige Kulturelemente blieben bei den heutigen Bewohnern, den Kotoko, erhalten.

Sao: kleiner Terrakotta-Kopf; (Zürich, Privatsammlung)

J. P. LEBEUF: Archéologie tchadienne (Paris 1962); J. G. GAUTHIER: Ancient art of the Northern Cameroons (Oosterhout 1973).

São João del Rei [sãu ʒu'ãu del reɪ], Stadt im Staat Minas Gerais, Brasilien, 50 000 Ew. Die Pfarrkirche Nossa Senhora do Pilar (1703), Fassade mit Dreiecksgiebel und Ecktürmen, besitzt im Innern wertvolle Gold- und Silberarbeiten; das reich ornamentierte Barockportal der Kirche São Francisco de Assis (nach

1774) ist ein Meisterwerk von ALEIJADINHO, ebenso das Portal der Pfarrkirche von Tiradentes (1810), eines Ortes 10 km östlich von S. J. d. R.

São Paulo [sãu p'aulu], Hauptstadt des Staates S. P., Brasilien, 8,5 Mio. Ew. Am Ort der ersten, 1554 von Jesuiten gegr. Missionsstation wurde 1922 in alter Form das Kloster S. Bento errichtet. Die Stadt ist eine moderne, in großen Teilen von Hochhäusern geprägte Metropole ohne histor. Atmosphäre, in der fast keine älteren Bauwerke erhalten sind. Die neugot. Kathedrale wurde 1954 fertiggestellt. Im Ibirapuera-Park schufen O. NIEMEYER u.a. 1951–54 beispielhafte moderne brasilian. Architektur (Palast der Industrie, Mus. für zeitgenöss. Kunst mit Werken von P. PICASSO, A. MODIGLIANI u. a.). Das eindrucksvollste Mus. der Stadt ist das Museu de Arte de S. P. (1968 eingeweiht), das eine der bedeutendsten Gemäldesamml. der Welt beherbergt; Mus. für Sakralkunst mit Werken brasilian. Künstler u. a. Museen.

Saptamạtrikas [Skt.], die 7 ind. Muttergottheiten (→Matrika), die in kanonischer Reihenfolge stehend (tanzend) oder sitzend als Fels- und Tempelreliefs seit der Gupta-Zeit dargestellt wurden: Brahmani (mit Hamsa als Symboltier), Maheshvari (mit Stier), Kaumari (mit Pfau), Vaishnavi (mit Garuda), Varahi (mit Büffel), Indrani (mit Elefant) und Chamunda (mit einem Leichnam). Häufig wird die Gruppe von Shiva als Virabhadra von Ganesha begleitet.

Saraceni [-tʃ'ɛ:ni], Carlo, ital. Maler, *Venedig vermutlich 1579, †ebd. 16. 6. 1620, kam jung nach Rom, wo er unter dem Einfluß von CARAVAGGIOS Helldunkelmalerei Altarbilder für röm. Kirchen (Wunder des Hl. Benno, Rom, S. Maria dell'Anima) malte. Seine kleinen, meist auf Kupfer gemalten Bilder lassen Beziehungen zu A. ELSHEIMER erkennen. Um 1619/20 nach Venedig zurückgekehrt, arbeitete er bis zu seinem Tod mit dem Franzosen J. LECLERC zusammen (Verzückung des Hl. Franziskus, Venedig, Chiesa del Redentore).

Saragọssa, span. **Zaragoza** [θaraɣ'oθa], span. Provinzhauptstadt und Erzbischofssitz im Ebrobecken, 612000 Ew. Aus röm. Zeit sind Reste der Stadtmauern erh.; von der Pracht des ehem. Kalifenpalastes (›Aljafería‹) aus maur. Zeit (1047–81) zeugen die Gebetsnische (Michrab) der Moschee mit hufeneisenförmigem Portal und die prächtige Artesonado-Decke im Thronsaal (14. Jh., unter den Königen von Aragón errichtet). In der Nähe des Ebro-Ufers liegen die beiden wichtigsten Kirchen: die got. Seo (Kathedrale, 1316–1520 an der Stelle der maur. Hauptmoschee errichtet, Glockenturm 1686, Hauptportal 1795) mit prächtigem ornamentalen Backstein-Baudekor im Mudéjar-Stil am Außenbau und Diözesan-Mus. (u. a. Tapisserien des 15. Jh.) sowie die Wallfahrtskirche Nuestra Señora del Pilar auf rechteckigem Grundriß (1681 von F. HERRERA D.J. beg., 1753 von V. RODRÍGUEZ TIZÓN voll., im 19. und 20. Jh. ausgebaut) mit platereskem Hauptretabel von D. FORMENT (1509–12) und Kuppelfresken des 18. Jh. von F. DE GOYA, F. BAYEU Y SUBÍAS; zw. beiden Kirchen die Börse (Lonja) von 1551; Palacio de Lara (16. Jh.); siebenbogige Ebro-Brücke Puente de Piedra (15. Jh.). Pro-

Sarajevo: Haupteingang der Gazi-Husref-Beg-Moschee

vinzialmus. mit archäolog. Abt. (u.a. röm. Orpheus-Mosaik) und Gemäldesamml. (Werke von Goya u.a.).

Sarai, Saray, →Serai.

Sarajevo, Sarajewo, ehem. dt. auch **Serajęwo,** Hauptstadt der Rep. Bosnien und Herzegowina, Jugoslawien, 447 700 Ew. Die Altstadt hat stark oriental. Gepräge aus türk. Zeit (1435–1878; danach bis 1918 österreichisch). Unter den zahlreichen Moscheen ist die Gazi-Husref-Beg-Moschee (1530 gebaut) die bedeutendste, auf quadrat. Grundriß mit Kuppel und gestrecktem Michrab. Die Arkaden der Vorhallen ruhen auf Marmorsäulen mit Kapitellen, am Haupteingang dekorative Elemente. Im Hof der Moschee die Husref-Beg-Medrese (1537), ein rechteckiger Bau mit Innenhof und Arkadenvorhalle, von kleinen Kuppeln überdacht. Andere Bauten sind u. a. die Hallen Brussa-Bezistan (1557) und Musref-Beg-Bezistan (1540), das Bad von Gazi-Husref Beg; die Ali-Pasche-Moschee (1561) hat quadrat. Grundriß und eine große, auf Trompen ruhende Kuppel und sehr schlankes Minarett. S. hat ferner Kunstgalerie.

Sarapis, Serapis, eine wohl von Osiris-Apis abgeleitete ägyptisch-hellenist. Gottheit, aus der sich ein Reichsgott sowohl für die Ägypter als auch die Griechen entwickelte. Die Griechen trugen v.a. Züge des Zeus, des Pluton, des Asklepios und des Dionysos in ihn hinein. Mit Isis wurde S. in der ganzen damaligen Welt als Allgottheit verehrt, außerhalb Ägyptens nachweislich seit dem 3. Jh. v. Chr. in vielen Teilen Griechenlands, seit dem 1. Jh. v. Chr. mit Staatstempel in Rom. Im →Serapeum von Alexandria befand sich eine oft kopierte Statue (Rom, Vatikan), die, dem Zeus ähnlich, bärtig, mit langem Haar und grch. Gewand dargestellt wurde. Auf die chthon. Züge wiesen das Getreidemaß auf dem Haupt und Kerberos als Begleiter hin.

Sarasota [særəs'əʊtə], Stadt in Florida, USA, 48 900 Ew. Das 1930 eröffnete Ringling Mus. of Art enthält eine Samml. von Gemälden der Renaissance und des Barock (u.a. von P. P. RUBENS, EL GRECO, D. VELÁZQUEZ, L. CRANACH, F. HALS, N. POUSSIN) sowie Dokumente aus der Geschichte des Zirkuswesens.

Sarasvati [Skt.], ind. Göttin der Gelehrsamkeit und der Künste, dargestellt mit einer Laute (Vina) und auf einem Hamsa reitend, sowie als Flußgöttin neben Ganga und Yamuna (gemäß ihrer urspr. Bedeutung) und gemeinsam mit ihrem Gatten Brahma.

Sarder [grch., n. der Stadt Sardes], **Sardonyx** *der,* Schmuckstein, Varietät des Chalcedon, mit verschiedenfarbigen, regelmäßigen hellen und dunklen, bänderartigen Schichten. In der Antike wurde S. v.a. für Gemmen, Kameen, Gefäße verarbeitet.

Sardes, Sardis, grch. **Sardeis,** im Altertum bed. Stadt im westl. Kleinasien (rd. 100 km östlich von Izmir), seit GYGES (685?–652 v. Chr.) Hauptstadt des lydischen Königreichs bis zur pers. Eroberung 546 v. Chr. S. behielt seine Bedeutung auch als Sitz pers. Satrapen und unter den hellenist. Königen. – Hauptgöttin von S. war Kybele, deren Tempel im ionischen Aufstand gegen die Perser 499 v. Chr. von den Griechen zerstört wurde. Erst nach Eroberung durch ALEXANDER D. GR. wurde um 300 v. Chr. mit dem monumentalen Bau eines neuen Artemis-Kybele-Tempels begonnen, einem ionischen Pseudodipteros mit 20 zu 8 Säulen (Reste erhalten). Aus röm. Zeit stammen Ruinen (z. T. restauriert) von Gymnasion, Theater und Thermen. Nordwestlich von S. liegt die lydische Nekropole (Bin Tepe) mit über 100 Tumuli, deren größte man mit den Gräbern der Könige ALYATTES (um 600) und GYGES identifiziert.

Sarepta, heute **Ras Sarafand,** antike Hafenstadt südlich von Sidon (Saida), Libanon; durch Ausgrabungen wurden phönik. und spätbronzezeitl. Gräber mit stark myken. Einfluß freigelegt. Auf einer Elfenbeinplatte des 7. Jh. v. Chr., in einem kleinen Heiligtum gefunden, ist erstmals in Kanaan die Göttin Tanit genannt.

Sargent [s'ɑ:dʒənt], John Singer, amerikan. Maler, *Florenz 12. 1. 1856, †London 15. 4. 1925, studierte in Paris, seit 1884 gesuchter Porträtmaler in London; wiederholt auch in New York und Boston tätig. S. entwikkelte, von D. VELÁZQUEZ, F. HALS und den Impressionisten ausgehend, einen elegant-effektvollen Stil. (›Madam X.‹, 1884; New York, Metropolitan Mus.). Er schuf auch allegor. Wandmalereien, u. a. in der Public Library in Boston (um 1890). BILD S. 341

Sargon, Name mehrerer altoriental. Könige: **1) S. von Akkade** (etwa 2350–2295 v. Chr.), Begründer der semit. Akkade-Dynastie, dehnte den mesopotam. Einfluß bis Anatolien und Syrien aus. Eine fragmentarisch erh. Siegesstele im traditionellen sumer. Stil wurde in Susa gefunden (heute Paris, Louvre). Die Zuschreibung des Bronzekopfes eines akkad. Fürsten (aus Ninive, jetzt Bagdad, Irak-Mus., BILD akkadische Kunst) an S. ist unsicher.

2) S. II. von Assyrien (721–705 v. Chr.), Begründer der Dynastie der Sargoniden, eroberte u. a. Urartu und

John Singer Sargent:
Die Töchter von Edward D. Boit; 1882 (Boston, Museum of Fine Arts)

ließ diesen Feldzug auch in Reliefs auf Orthostatenplatten darstellen. Er gründete nördlich von Ninive als neue Residenz Dur Scharrukin mit einem gewaltigen Palastkomplex auf einer Terrasse über der Stadtmauer. Darstellungen des Königs auf Reliefplatten sind im Stil der Zeit ohne porträthafte Züge.

Sari, Candi S. [tç-], buddhist. Heiligtum auf Zentraljava (KARTE indonesische Kunst), 14 km entfernt von Yogyakarta, 9. Jh., aus 3 miteinander verbundenen Cella-Räumen bestehend, Eingang durch den Mittelraum. Außen Bodhisattva-Figuren im Hochrelief.

Sar-i Pul, Sarpol-i Zohab, Ort in W-Iran (KARTE Alter Orient), nordwestlich von Kermanschah, in dessen Nähe sich 4 früh-altbabylon. Triumphreliefs (um 1900 v. Chr.) an Felswänden befinden: der siegreiche Herrscher ANUBANINI, König der Lullubäer (Bergvolk im Zagrosgebirge), vor der Göttin Ischtar.

Sarjan, Martiros Sergejewitsch, sowjet.-armen. Maler, *Nachitschewan bei Rostow 28. 2. 1880, †Eriwan 5. 5. 1972, reiste 1910–13 im Orient, lebte seit 1921 in Armenien (1926–28 in Paris). Er malte v. a. Landschaften, Stilleben und Porträts von kräftiger Farbgebung und mit dekorativen Formen. Seine optimistisch gestimmten Werke zeigen den Einfluß der Fauves (v. a. von H. MATISSE) und auch oriental. Motive (z. B. Wasserstellen).

Sarkisian [sa:k'ızjən], Paul, amerikan. Maler, *Chicago 18. 8. 1928, begann mit abstrakten Bildern, denen gemalte Parodien auf den Surrealismus folgten. Um 1970 wandte er sich dem Fotorealismus zu. Seine großformatigen Bilder von überladenen Hausansichten kombinieren zahlreiche Photovorlagen zu riesigen, surreal anmutenden Stilleben.

Şarkışla [ʃ'arkıʃla], Ort in Zentralanatolien (KARTE

Alter Orient), rd. 70 km südwestlich von Sivas (Türkei); aus einem Ruinenhügel stammt ein Hortfund von Bronzen, darunter eine prächtige Zeremonialaxt der hethit. Großreichszeit (14./13. Jh. v. Chr.) mit Protomen von Flügellöwen, Götterdarstellungen und stumpfer, vogelförmiger Schneide (19,5 cm lang, 1025 g schwer).

Sarkophag [grch., eigtl. ›Fleischfresser‹] *der,* meist steinerner Prunksarg, der zur Totenbestattung diente.

ALTERTUM

In Ägypten trat neben der glattwandigen Grundform schon in der Pyramidenzeit eine dem Wohnhaus entlehnte Form des S. auf. Zwischen Altem und Mittlerem Reich schmückte man den S., nach dem Vorbild der Grabwände, mit Bilderfolgen aus dem tägl. Leben, seit der 11. Dynastie auch mit Reliefbildern. Das Neue Reich entwickelte am Kopfende gerundete oder kapellenartige Formen, die späte 18. Dynastie riesige Königs-S. (bis zu 5 m Länge) mit Reliefbildern von 4 schützenden Totengöttinnen, die Ramessidenzeit S. mit umfangreichen, durch Bilder erläuterten Totentexten. In der Spätzeit sind S. verbreitet, die die Form der einbalsamierten Mumie nachbilden; in dieser Zeit erhielten auch die Apis-Stiere riesige, aber schmucklose S.

Im Vorderen Orient sind S. in Mesopotamien seit der Mitte des 3. Jahrtsd. v. Chr. bekannt. Material ist oft Holz; die S. assyr. Könige (11.–9. Jh. v. Chr.) sind unverzierte Steinkisten mit Deckstein, meist aus Basalt. Neben Wannen-S. gibt es in parth. Zeit die meist blaugrün glasierten tönernen Pantoffel-S. – In Phönikien erscheinen S. nach ägypt. Vorbild erst um 1000 v. Chr. (Ahiram-S. in Byblos), z. T. in Menschengestalt.

Auf Kreta gab es ovale Ton-S. (Larnakes) schon in der Vorpalastzeit. Rechteckige Formen und einfache Bemalung kamen in der Älteren Palastzeit auf. Eine große Anzahl ornamental und figürlich bemalter tönerner Truhen- und Wannen-S. stammt aus der Nachpalastzeit. Der Truhentypus (mit giebelförmigem Deckel) wurde von Holztruhen übernommen. Bes. reich, teils polychrom verziert ist eine Gruppe in Westkreta gefundener Ton-S. (Mus. Chania). In →Hagia Triada wurde

Sarkophag:
S. des Tut-ench-Amun (Kairo, Ägypt. Museum)

Sarkophag: grch. S. um 220 n. Chr., in der Renaissance zum Grabmal für Giovanni Arberini umgearbeitet (Rom, S. Maria sopra Minerva)

der bisher einzige Stein-S. (vollständig bemalt) von Kreta gefunden. Bemalte spätmyken. Ton-S. aus Tanagra sind den spätesten kret. Beispielen nahe verwandt.

In Griechenland finden sich S. wegen der Totenverbrennung vor dem 2. Jh. n. Chr. nur selten; dagegen sind sie in Kleinasien häufig (→Grabmal). Eine Gruppe von überwiegend in Klazomenai gefundenen, figürlich bemalten Ton-S. entstand zw. 540 und 470 v. Chr. Aus der Gruft der Könige von Sidon sind, neben anthropoiden Marmor-S. des 5. Jh. v. Chr., marmorne Kasten-S. aus dem 5. und 4. Jh. v. Chr. erh., deren Dekoration grch. Tempelarchitektur nachahmt und reichen bemalten Reliefschmuck zeigt (Alexander-S.).

In Etrurien wurden – vereinzelt seit dem 6. Jh. v. Chr., zahlreich seit der 2. H. des 3. Jh. – tönerne und steinerne S. in Klinen- oder Kastenform mit liegenden oder wie zum Mahl lagernden Deckelfiguren hergestellt, auch Deckel in Dachform kommen vor. Die S.-Kästen sind häufig mit Reliefs (Sagenszenen, Reise in die Unterwelt) verziert, vereinzelt auch bemalt (›Amazonen-S.‹, Florenz, Archäolog. Mus.). Die meisten S. stammen aus S-Etrurien, da im N Brandbestattung vorherrschte. (BILD etruskische Kunst)

Römische S. waren z. Z. der Republik ebenso selten wie im klass. und hellenist. Griechenland. Nachdem sich aber im 2. Jh. n. Chr. die Körperbestattung allg. durchgesetzt hatte, bestatteten die senator. Familien ihre Toten in Marmor-S., deren Front und Seiten am Kasten wie am Deckel reichen ornamentalen und figuralen Reliefschmuck trugen. Im ausgehenden 2. und im 3. Jh. gehörten die S. zu den wichtigsten Trägern der röm. Reliefkunst. Die Thematik dieser Darstellungen – Mythen, Allegorien, Jagden, Schlachten, Hochzeit usw. – diente der Vergegenwärtigung der Tugenden des Verstorbenen und brachte vielfältige Jenseitshoffnungen zum Ausdruck. Bildnisse des Verstorbenen wurden v. a.

seit dem 3. Jh. zunehmend in die Darstellung mit einbezogen, sei es als Bildnismedaillon, sei es als Porträtfigur im Rahmen der Relieferzählung. (BILD römische Kunst)

CHRISTLICHE ZEIT

Die christl. S.-Plastik begann um die Mitte des 3. Jh. (ältestes Denkmal in Rom, S. Maria Antiqua). Gemeinsam sind den frühen Darstellungen Beispiele der Rettung (Jonas aus dem Bauch des Fisches u. a.). Gegen Ende des 3. Jh. entwickelten sich aus dem Bild des Hirten und Fischers idyll. Szenen. Seit dem ausgehenden 3. Jh. wurden bibl. Gestalten (Jonas, Daniel u. a.) als Typen des dem Toten zuteil gewordenen Heils dargestellt. Die ersten Szenen aus dem Leben Jesu traten um 300 auf. Die große Gruppe der **Fries-S.** gehört der 1. H. des 4. Jh. an: Um die Gestalt eines Betenden (→Orans) oder eines Hirten sind die Wunder Christi angeordnet, denen oft Szenen aus dem Leben Petri gegenübergestellt sind. Neben einzonigen S. stehen die reich ausgestatteten Typen mit doppeltem und dreifachem Fries. Oft nimmt die Mitte auch ein Rundschild mit den Bildern der Verstorbenen ein. Zu den Fries-S. treten in spätkonstantin. Zeit die **Passions-S.** mit der Passion Christi, ihr gegenüber oft die Passion der Apostel Petrus und Paulus. Häufig wurde die Frontseite durch Säulen oder Bäume in Nischen gegliedert (Bassus-S.). Von besonderem Rang sind einige Porphyr-S. aus dem 4. Jh. (der ›Helena-S.‹, der ›S. der Konstantina‹ u. a.). In der 2. H. des 4. Jh. verbreiteten sich die **Stadttor-S.** über ganz Italien. Die bibl. Szenen wurden auf die Nebenseiten verdrängt, die Hauptseite übernahmen Repräsentationsszenen der Apsidenmalerei, so die Gesetzesübergabe an Petrus, Christus als Lehrer zw. den Aposteln, die Huldigung der Apostel. Eine Nachblüte erlebte die christl. S.-Plastik im 5. Jh. in Ravenna unter der Einwirkung der S.-Plastik Konstantinopels, von der nur Fragmente erhalten sind. Auch in Ravenna stehen neben repräsentativen Themen Stücke mit einfacher Tiersymbolik (Lämmer, Pfauen). Späte Beispiele dieser Gruppe finden sich noch im beginnenden MA.

Das Mittelalter hat die Grundform des antiken S. in Gestalt der Tumba bewahrt, die den Toten nicht umschließt, sondern sich nur zur Erinnerung an ihn an der Stelle seiner Bestattung erhebt, später auch seine Bildnisgestalt in Stein oder Metall trägt (S. für Roger II., Heinrich VI., Friedrich II. im Dom zu Palermo). In Renaissance (S. für Ludwig XII. und Anna von Bretagne in der ehem. Abteikirche von Saint-Denis) und Barock (A. SCHLÜTER) wird der sinnbildlich die Bestattung andeutende S. häufig zum Mittelpunkt eines prunkvollen Grabmals. Der Klassizismus nahm wieder antikisierende Typen auf (J. G. SCHADOW, A. CANOVA, C. D. RAUCH; BILD C. D. Rauch). Bis heute ist der S. ein Hauptstück größerer Grabanlagen geblieben.

H. WIEGARTZ: Kleinasiat. Säulen-S. (1965); F. W. DEICHMANN u. T. KLAUSER: Frühchristl. S. in Wort u. Bild (1966); Die antiken S.-Reliefs, hg. v. F. MATZ u. B. ANDREAE, 12 Bde. (1966ff., bisher 9 Bde.); F. W. DEICHMANN: Repertorium der christlich-antiken S., Bd. 1: Rom u. Ostia (1967); F. GERKE: Die christl. S. der vorkonstantinischen Zeit (Nachdr. 1978).

sarmatische Kunst, die Kunst der Sarmaten (urspr. Sauromaten), iran. Nomaden, in den Steppen zw. Wolga und Ural. Die in reichen Frauenbestattungen (seit dem 7. Jh. v. Chr.) gefundenen Waffen deuten auf Matriarchat (Amazonenlegende) hin. Seit dem 6. Jh. v. Chr. wurden Waffen, Zaumzeug, persönl. Schmuck im ›sauromatischen Tierstil‹ dekoriert, einer Variante des skyth. Tierstils, ohne Einfluß grch. Kunsthandwerks, aber mit lokalen Motiven (Bevorzugung heim. Tiere wie Bär und Löwe). Bes. expressiv sind die Knochenschnitzereien der Sarmaten.

Sarmat. Stämme drangen im 4. Jh. v. Chr. nach W vor. Im 2. Jh. v. Chr. war die Eroberung S-Rußlands abgeschlossen, und die Skythen waren aus diesem Gebiet verdrängt. Der Tierstil degenerierte zunächst. Hals- und Armreifen mit Tierkopfenden zeigen mittelasiat. Einfluß. Daran schloß sich im 1. und 2. Jh. n. Chr. eine neue Blütezeit an. Unter Einfluß des in Mittelasien heim. polychromen Tierstils (Goldschatz Peters d. Gr. in der Eremitage, Fürstengräber von Tillja Tepe) entstand auch hier Goldschmuck mit in Tierdarstellungen eingelegten bunten Steinen (gefunden v. a. in den Bestattungen der Fürstinnen). Während der Völkerwanderung zogen unter dem Druck der Hunnen Sarmaten mit den nach S-Rußland vorgedrungenen Germanen nach W und brachten dem Abendland entscheidende künstler. Anregungen.

Sarmizegetusa [-zedʒet'usa], **1)** Gem. südlich von Hunedoara im westl. Rumänien, mit Resten (Amphitheater, Palast) der um 110 n. Chr. gegr. röm. Stadt **Ulpia Traiana.**

2) S. Regia, heute **Grădiştea Muncelului** [gr'ədiʃtea muntʃe-], in der Gemeinde Orăştioara de Sus, östlich von Hunedoara, Rumänien; in 1200 m ü. d. M. Ausgrabungsstätte der ehem. Königsstadt der Daker mit Kultstätten (u. a. Sonnenheiligtum), Wohn- und Werkstätten und einer Fluchtburg. S. war spätestens im 1. Jh. v. Chr. bis zur röm. Eroberung (101/02–105/06 n. Chr.) Zentrum des Dakerreiches.

Sarnath, Ruinen buddhist. Kultstätten nahe Varanasi, Indien, mit vielen, bis in das 3. Jh. v. Chr. zurückreichenden Mauerresten von Kloster- und Kultbauten sowie dem Fragment einer Ashoka-Säule (3. Jh. v. Chr.), deren Glockenkapitell mit 4 Löwen aus hochpoliertem Chunar-Sandstein das Staatssymbol des unabhängigen Indien ist (im Mus. von S.; BILD indische Kunst). Von den größeren Monumenten ist der massive, aus Ziegeln geschichtete Dhamekh-Stupa aus dem 6. Jh. (Gupta-Zeit) erh.; er weicht in seiner zylindr. Gestalt von der älteren halbkugeligen Stupaform ab. Seine Trommel mit 8 Figurennischen war mit Steinplatten verkleidet, deren Reste ein stark bewegtes florales Dekor und Mäanderfriese aufweisen. Die Bildhauerschule von S. entwickelte im 5./6. Jh. aus dem Buddhabild von Mathura einen Typus von noch gesteigerter kontemplativer Wirkung. Als Ort, an dem Buddha erstmals seine Lehre verkündete, zählt S. zu den heiligsten Stätten des Buddhismus.

Sarnen, Hauptort des schweizer. Halbkantons Obwalden, 7200 Ew.; Pfarrkirche St. Peter (1739/40), barocke Hallenkirche mit Doppelturmfassade und reicher Ausstattung; Beinhaus (um 1500) mit geschnitzter spätgot. Holzdecke; Rathaus (1729–32); die Kirche des Frauenklosters St. Andreas (17. Jh.) wurde 1966/67 durch Neubau ersetzt, jedoch der Fassadenvorbau von K. MOOSBRUGGER (1687) beibehalten.

Saronno, Stadt in der nordital. Prov. Varese. Am Stadtrand erhebt sich das Santuario della Madonna dei Miracoli, ein 1498 beg. Zentralbau über quadrat. Grundriß mit polygonaler Kuppel, dem später ein dreischiffiger Langbau mit reich skulptierter barocker Fassade (1596–1612) vorgebaut wurde; in der großen Kuppel Fresken von G. FERRARI (1524/25). Der mächtige Campanile wurde 1515 errichtet.

Sárospatak [ʃ'a:roʃpɔtɔk], Stadt im Bez. Borsod-Abaúj-Zemplén, Ungarn, etwa 15000 Ew. Von der schon 1262 urkundlich erwähnten Burg wurde 1534 der ma. Wohnturm (›Roter Turm‹) im Renaissancestil umgebaut, daneben 1540 ein Palast (Perényi-Flügel) errichtet. 1616 kam die Burg in den Besitz der Familie Rákóczi, die sie erneut umbauen, befestigen und erweitern ließ. Nach einer Brandkatastrophe Wiederaufbau im Barockstil, im 19. Jh. z. T. verändert. Die got. Pfarrkirche (14. Jh.) wurde im 18. Jh. barock umgebaut. Kalvinist. Kolleg (1530 gegr.), 1806–14 im klassizist. Stil erbaut, mit schönem Bibliotheksraum.

Sarraz [sar'a], →La Sarraz.

Sarrazin [saraz'ɛ̃], Jacques, frz. Bildhauer, getauft Noyon 18. 6. 1592, †Paris 3. 12. 1660, war 1610–28 in Rom, schulte sich dort an der Antike, an MICHELANGELO, G. L. BERNINI und F. DUQUESNOY. Seit 1628 in Paris, war S. Mitbegründer der Akad. und schuf die Karyatiden am Pavillon de l'Horloge des Louvre (1636).

Sarto, Andrea del, →Andrea del Sarto.

Sartoris, Alberto, ital. Architekt, *Turin 2. 2. 1901, v. a. in der Schweiz tätig. S. verhalf der Architekturzeichnung zu Beginn des 20. Jh. zu neuer Bedeutung. Formal bemühte sich S. bei seinen Bauten und Projekten um die Verbindung von Vorstellungen des Klassizismus mit den inhaltl. und räuml. Prinzipien des Funktionalismus.

HW: Pavillon bei der Ausst. für das Handwerk, Turin (1927/28); Kirche Notre-Dame du Phare (Projekt 1937); Motel in Cully, Kt. Waadt (1962/63).

A. S., Ausst.-Kat., Turin (1972).

Sarvatobhadrika [Skt.], ind. Kultbild der Jinisten, bei dem 4 Tirthankaras Rücken an Rücken gestellt in die 4 Himmelsrichtungen blicken. S.-Figuren werden in vierseitig offenen Tempelhallen (Chaumukha-Tempel) aufgestellt.

Sarwistan, Dorf in S-Iran (KARTE Alter Orient), etwa 100 km südöstlich Schiras; in der Nähe die Ruine eines sassanid. Palastes oder eines Sakralbaus (Feuertempel?; BILD sassanidische Kunst), im 5. Jh. von dem mächtigen Großwesir BAHRAMS V., MIHRNARSE, errichtet. Die Fassade ist durch 3 Iwane nach außen geöffnet,

Sasaram: Mausoleum des Sher Shah Sur; 1540–45

dahinter liegt ein Kuppelsaal mit Nebenräumen, anschließend sind weitere Räume um einen Innenhof angeordnet. Die Tonnengewölbe zweier Hallen ruhen auf vor die Wand gestellten Säulenpaaren mit Muschelkonchen, eine Bauform, die auch aus der Hagia Sophia bekannt ist. Die Anlage von S. ist ein schönes Beispiel für die zu feingliedrigen Bauformen neigende Kunst der ausgehenden Spätantike.

Sasaram, Stadt in Bihar, Indien, mit dem mehrstökkig oktogonalen, auf einer hohen quadrat. Basis inmitten eines Sees gelegenen Mausoleum des Afghanenkönigs Sher Shah Sur (1540–45).

Sasayama, Stadt auf Honshu, etwa 40 km nordwestlich von Kioto, Japan. S. ist eine ehem. Burgstadt und stellt eines der besten Beispiele für eine Jokamachi (›Stadt unter der Burg‹) dar, deren wesentl. Elemente, die Burganlage und die räuml. Anordnung der Wohngebiete entsprechend der sozialen Pyramide der damaligen Feudalgesellschaft mit Bürger- und Samuraihäusern aus dem 18. und 19. Jh., gut erh. sind. Herstellung von Keramik (Tamba-yaki).

sassanidische Kunst, die iran. Kunst unter der Sassaniden-(Sasaniden-)Dynastie (226–632); sie hatte eine besondere Bedeutung, weil sie in die Nachbarländer (Röm. Reich, Indien, China), die sich zu dieser Zeit in Übergangsperioden befanden, ungehindert ausstrahlen konnte. Die Macht der Könige brachte eine höf. Kunst hervor, von der sich vieles erh. hat. Die Thronsäle der Paläste von Firuzabad (BILD) und Ktesiphon sind riesige tonnengewölbte oder überkuppelte Hallen, in denen der Hofstaat an den Audienzen des Königs teilnehmen konnte; ebenfalls der Repräsentation dienten die hohen Fassaden der Paläste (Ktesiphon), deren Dekor auf spätantike Elemente zurückgreift: Blendarkaden, Mäander, Palmetten, Akanthusranken, erweitert durch pers. Motive: Gans, Wachtel, Wildschwein, Widder, Büsten und Schriftembleme. In der Innendekoration v. a. geschnittener Stuck; Wandmalereien sind selten erh. (Pendschikent). Fußbodenmosaike gehen auf röm. Handwerker aus Antiochia

sassanidische Kunst: OBEN Palast oder Sakralbau (Feuertempel?) in Sarwistan, 5. Jh.;
RECHTS bogenschießender König in besticktem Gewand, Detail aus einem Jagdrelief in Taq-e Bostan, 5. Jh.

(Syrien) zurück. Die Städte wurden kreisförmig (Firuzabad, Ktesiphon) oder rechteckig (Bischapur) angelegt.

Im Zentrum oder auf Bergspitzen standen die Feuertempel der zoroastr. Religion, meist kleinere Anlagen um einen Kuppelraum auf 4 Pfeilern (pers. Tschahar Taq), manchmal aber auch große Heiligtümer mit vielen Sälen (z. B. Tacht-e Suleiman).

Die monumentalen Felsreliefs nahe den Residenzstädten (das größte in Taq-e Bostan, 5. Jh., die anderen aus dem 3.–4. Jh.) zeigen die Könige im Umgang mit Göttern (Investitur), als Sieger über röm. Kaiser (Triumph) oder bei Jagd, Turnier und im Thronsaal. Die großen Paraden auf den Reliefs von Bischapur haben ihr Vorbild in Persepolis.

Im Kunsthandwerk wurden v. a. in der Toreutik Spitzenleistungen hervorgebracht (größte Samml. in der Eremitage in Leningrad): silberne, zuweilen vergoldete Schüsseln, Kannen und Schalen mit reichem, getriebenen Figurenschmuck. Außer Jagdszenen wurde mit

sassanidische Kunst: Relief in Naksch-e Rostam bei Persepolis; Schapur I. nimmt den röm. Kaiser Valerian gefangen

Vorliebe die Fruchtbarkeitsgöttin Anahita abgebildet. Bei den Tierfiguren frühsassanid. Silbergefäße sind hellenist. Einflüsse erkennbar; auch kunstvolle Gläser und Bergkristallbecher wurden hergestellt. In Schmuck und Waffen sind Schmucksteine (Almandin) eingelegt;

sassanidische Kunst: Silberschale mit Jagdszene; Ø 24 cm, z. T. vergoldet, 4. Jh. (Washington, D. C., Smithsonian Institution, Freer Gallery of Art)

echte Perlen wurden Mode. Durch Seidenzucht und -weberei erreichte die Textilkunst eine hohe Blüte.

R. GHIRSHMAN: Iran – Parther u. Sasaniden (a. d. Frz., 1962); K. ERDMANN: Die Kunst Irans zur Zeit der Sasaniden (Neudr. 1969).

Sassoferrato, Il S., eigtl. Giovanni Battista **Salvi,** ital. Maler, *Sassoferrato (Prov. Ancona) 29. 8. 1609, †Rom 8. 8. 1685, zunächst Schüler seines Vaters TARQUINIO SALVI, dann in Rom beeinflußt von DOMENICHINO. S. malte v. a. Marienbilder (Rosenkranzmadonna, um 1643; Rom, S. Sabina), oft mit nur geringen Abweichungen, viele in Anlehnung an ältere Vorbilder (RAFFAEL, G. RENI u. a.).

Abkürzungen

Endungen oder Wortteile werden zur Raumersparnis weggelassen, wo sie ohne Schwierigkeit ergänzt werden können, z.B. abgek. für abgekürzt; Abt. für Abteilung; geistl. für geistliche(r); künstler. für künstlerische(r). An stärkeren, formelhaften Abkürzungen werden verwendet:

Abk. .... Abkürzung
ags. .... angelsächsisch
ahd. .... althochdeutsch
Akad. .... Akademie
allg. .... allgemein
Am. .... Amos (A.T.)
Anf. .... Anfang
Apg. .... Apostelgeschichte (N.T.)
Art. .... Artikel
ASSR .... Autonome Sozialistische Sowjetrepublik
a.St. .... alten Stils
A.T. .... Altes Testament
Aufl. .... Auflage
Ausst.-Kat. ..... Ausstellungskatalog
Ausw. .... Auswahl
Auton. Geb. ... Autonomes Gebiet
Bad.-Württ. .... Baden-Württemberg
Bar. .... Baruch (A.T.)
Bd., Bde. .... Band, Bände
bed. .... bedeutend
beg. .... begonnen
begr. .... begründet
Beitr. .... Beitrag, Beiträge
bes. .... besonders
best. .... bestimmt
Bev. .... Bevölkerung
Bez. .... Bezirk, Bezeichnung
Bibl. .... Bibliothek, Bibliothèque, Biblioteca
Bundesrep. Dtl. .... Bundesrepublik Deutschland
Chr. .... Christus; Chronik (A.T.)
Cod. .... Codex
Coll. .... Collection
ČSSR .... Tschechoslowakei
Cty. .... County oder -ties
d.Ä. .... der (die) Ältere
Dan. .... Daniel (A.T.)
Dep. .... Departamento
Dép. .... Département
dgl. .... dergleichen, desgleichen
d.Gr. .... der Große
d.h. .... das heißt
Distr. .... Distrikt
d.J. .... der (die) Jüngere
dt. .... deutsch
Dt. Dem. Rep. .... Deutsche Demokratische Republik
Dtl. .... Deutschland
Dtn. .... Deuteronomium (A.T.)
ebd. .... ebenda
ed., Ed. .... editio, Edition
ehem. .... ehemalig, ehemals
eigtl. .... eigentlich
Einl. .... Einleitung
Enz. .... Enzyklopädie
Eph. .... Epheserbrief (N.T.)
Erg. .... Ergänzung
erh. .... erhalten
Esr. .... Esra (A.T.)
Est. .... Esther (A.T.)
e.V. .... eingetragener Verein
evang. .... evangelisch
Ew. .... Einwohner
Ex. .... Exodus (A.T.)
Ez. .... Einzahl; Ezechiel (A.T.)
f., ff. .... folgend, folgende (z.B. Seiten, Jahre)
Faks.-Ausg. .... Faksimileausgabe
Fam. .... Familie
Frhr. .... Freiherr
frz. .... französisch
Fstt. .... Fürstentum
Gal. .... Galerie, Galérie, Galleria; Galaterbrief (N.T.)
gegr. .... gegründet
Gem. .... Gemeinde
gen. .... genannt
Gen. .... General; Genesis (A.T.)
Gen.-Gouv. .... Generalgouvernement, Generalgouverneur
Ges. .... Gesetz; Gesellschaft
Gesch. .... Geschichte
Ges. W. .... Gesammelte Werke
gew. .... geweiht
Gfsch. .... Grafschaft
ggf. .... gegebenenfalls
Ghzgt. .... Großherzogtum
Gouv. .... Gouverneur, Gouvernement
grch. .... griechisch
H. .... Hälfte
Hab. .... Habakuk (A.T.)

Hag.	Haggai (A. T.)
Hb., Hbb.	Handbuch, -bücher
hd.	hochdeutsch
hebr.	hebräisch
Hebr.	Hebräerbrief (N. T.)
Hg.	Herausgeber(in)
hg. v.	herausgegeben von
Hi.	Hiob (A. T.)
Hl., hl.	Heilige(r), heilig
Hld.	Hohelied (A. T.)
Hos.	Hosea (A. T.)
Hs., Hss.	Handschrift(en)
HW	Hauptwerk(e)
Hwb.	Handwörterbuch
Hzgt.	Herzogtum
i. a.	im allgemeinen
i. d. R.	in der Regel
i. e. S.	im engeren Sinn
i. Ggs.	im Gegensatz
i. J.	im Jahre
internat.	international
i. S.	im Sinn
ital.	italienisch
i. w. S.	im weiteren Sinn
Jahrtsd.	Jahrtausend
Jak.	Jakobusbrief (N. T.)
Jb.	Jahrbuch
Jdt.	Judith (A. T.)
Jer.	Jeremia (A. T.)
Jes.	Jesaja (A. T.)
Jh.	Jahrhundert
Jo.	Joel (A. T.)
Joh.	Johannesevangelium (N. T.), Johannesbrief (N. T.)
Jon.	Jona (A. T.)
Jos.	Josua (A. T.)
jr.	junior, der jüngere
Jud.	Judasbrief (N. T.)
Kap.	Kapitel
Kat.	Katalog
kath.	katholisch
Kgr.	Königreich
Klgl.	Klagelieder des Jeremia (A. T.)
Kol.	Kolosserbrief (N. T.)
Kön.	Könige (A. T.)
Kor.	Korintherbrief (N. T.)
Kr.	Kreis
Kt.	Kanton
lat.	lateinisch
Lb.	Lehrbuch
Lev.	Levitikus (A. T.)
Lex.	Lexikon
Lfg.	Lieferung(en)
Lit.	Literatur
Lk.	Lukasevangelium (N. T.)
Lw.	Lehnwort
MA., ma.	Mittelalter, mittelalterlich
magy.	magyarisch
Makk.	Makkabäer (A. T.)
Mal.	Maleachi (A. T.)
max.	maximal
md.	mitteldeutsch
Metrop. Area	Metropolitan Area
Metrop. Cty.	Metropolitan County
mhd.	mittelhochdeutsch
Mi.	Micha (A. T.)
Mio.	Million(en)
Mitgl.	Mitglied
Mk.	Markusevangelium (N. T.)
mlat.	mittellateinisch
mnd.	mittelniederdeutsch
Mos.	Mose (A. T.)
Mrd.	Milliarde(n)
Mt.	Matthäusevangelium (N. T.)
Mus.	Museum, Musée, Museo
Mz.	Mehrzahl
N	Nord(en)
n.	nach
Nachdr.	Nachdruck
Nah.	Nahum (A. T.)
Nat.	National
n. Ausg.	neue Ausgabe
n. Chr.	nach Christi Geburt
Ndsachs.	Niedersachsen
Neh.	Nehemia (A. T.)
Neuaufl.	Neuauflage
ngrch.	neugriechisch
nhd.	neuhochdeutsch
nhg.	neu herausgegeben
nlat.	neulateinisch
NO	Nordost(en)
NÖ	Niederösterreich
NRW	Nordrhein-Westfalen
n. St.	neuen Stils
N. T.	Neues Testament
Num.	Numeri (A. T.)
NW	Nordwest(en)
O	Ost(en)
Ob.	Obadja (A. T.)
Offb.	Offenbarung des Johannes (N. T.)
o. J.	ohne Jahr
OÖ	Oberösterreich
orth.	orthodox
österr.	österreichisch
Petr.	Petrusbrief (N. T.)
PH	Pädagogische Hochschule
Phil.	Philipperbrief (N. T.)
Phlm.	Philemonbrief (N. T.)
Präs.	Präsident
prot.	protestantisch
Prov.	Provinz

Ps. .... Psalmen (A.T.)
rd. .... rund
ref. .... reformiert
Reg.-Bez. .... Regierungsbezirk
relig. .... religiös
Rep. .... Republik
Rheinl.-Pf. ..... Rheinland-Pfalz
Ri. .... Richter (A.T.)
Röm. .... Römerbrief (N.T.)
Russ. SFSR .... Russische Sozialistische Föderative Sowjetrepublik
S .... Süd(en)
S. .... San, Santo, Santa, São
Sach. .... Sacharja (A.T.)
Sam. .... Samuel (A.T.)
Samml. .... Sammlung
Schlesw.-Holst. .... Schleswig-Holstein
Schriftst. .... Schriftsteller
Sir. .... Jesus Sirach (A.T.)
Skt. .... Sanskrit
SO .... Südost(en)
Spr. .... Sprüche (A.T.)
SS. .... Santi, Santissima, Santissimi
SSR .... Sozialistische Sowjetrepublik
St. .... Sankt, Saint
Ste. .... Sainte
svw. .... soviel wie
SW .... Südwest(en)
Tb. .... Taschenbuch
TH .... Technische Hochschule
Thess. .... Thessalonicherbrief (N.T.)
Tim. .... Timotheusbrief (N.T.)
Tit. .... Titusbrief (N.T.)
Tl., Tle. .... Teil(e)
Tob. .... Tobias (A.T.)
TU .... Technische Universität
u.a. .... unter anderem(n), und andere(s)
u.ä. .... und ähnliche(s)
UdSSR .... Sowjetunion
u.d.T. .... unter dem Titel
ü.M. .... über dem Meeresspiegel
u.M. .... unter dem Meeresspiegel
Univ. .... Universität, University, Université
urspr. .... ursprünglich
USA .... Vereinigte Staaten
usf. .... und so fort
usw. .... und so weiter
u.U. .... unter Umständen
u.v.a. .... und viele(s) andere
v.a. .... vor allem
v.Chr. .... vor Christi Geburt
Verf. .... Verfasser
versch. .... verschieden(e)
Verz. .... Verzeichnis
vgl. .... vergleiche
voll. .... vollendet
Vors. .... Vorsitzender
VR .... Volksrepublik
W .... Westen
Wb. .... Wörterbuch
Weish. .... Buch der Weisheit (A.T.)
Wiss. .... Wissenschaft
WW .... Weitere(s) Werk(e)
Wwschaft .... Woiwodschaft
z.B. .... zum Beispiel
Zeph. .... Zephanja (A.T.)
z.T. .... zum Teil
Ztschr. .... Zeitschrift
zus. .... zusammen
zw. .... zwischen
z.Z. .... zur Zeit
^{3}1977 .... 3. Aufl. 1977
3(1977) .... Band 3(1977)

Weitere Zeichen: * geboren, † gestorben, ⚭ verheiratet, ∅ Durchmesser.